C0-AWD-763

NOUVELLE GÉOGRAPHIE FERROVIAIRE DE LA FRANCE

NOUVELLE GÉOGRAPHIE FERROVIAIRE DE LA FRANCE Tome I
par Gérard BLIER

Direction artistique : Catherine Auclaire/Clarinda
Mise en page/fabrication : France Laroche
Cartographie : Graphimap, IDE infographie, CART, SNCF - Études générales, B. Collardey
Avec la collaboration de Bernard Collardey, Marc Carémantrant
et Guillaume Palombiéri

11, rue de Milan
75440 PARIS CEDEX 09

Dépôt légal : 4e trimestre 1991
ISNB 2-902808-34-8

Gérard BLIER

Agrégé de l'Université
Docteur ès Lettres et Sciences Humaines

NOUVELLE GÉOGRAPHIE FERROVIAIRE DE LA FRANCE

Tome I

Le réseau : structure et fonctionnement

la vie du rail

PRÉFACE

Le livre de Gérard Blier est l'aboutissement d'une vocation et d'une passion qui se sont très tôt rencontrées et presque confondues. Vocation de géographe affirmée très tôt puis remarquablement sanctionnée dans un cursus universitaire sans faille ; passion pour les chemins de fer qui trouve justement le moyen de s'exprimer de façon brillante dans l'acquisition successive des diplômes, en élargissant à chaque fois les thèmes de recherche et le territoire étudié. Dans ses premiers travaux, il met en lumière le rôle du chemin de fer dans l'évolution de la ville de Saintes, avec ses effets décisifs sur la structuration des quartiers orientaux, marqués par une population cheminote à qui l'auteur dit une première fois sa sympathie.

La thèse de troisième cycle, traitant du nœud ferroviaire de Bordeaux, éclaire le rôle régional de cette infrastructure décisive. C'est tout naturellement que la thèse d'état, soutenue en 1980, s'attaque au problème d'ensemble des nœuds ferroviaires français ; vaste et passionnant sujet où l'organisation de l'espace géographique est analysée dans ses rapports avec les techniques de transport et les faits économiques, quelques décennies au-delà d'une période que l'on appellera peut-être un jour "le siècle de la vapeur".

Cette triple approche était satisfaisante aux yeux des géographes ; ils apprécient que les rapports de l'homme et de l'espace soient jugés, aux différentes échelles, à travers les techniques qui lui permettent de s'imposer au milieu ; et le chemin de fer fut un remarquable instrument de conquête et d'ouverture. Ils aiment aussi que l'on tienne le plus grand compte des effets de l'évolution des techniques sur la vie économique et sociale.

L'ouvrage qui nous est proposé répond à ces désirs. L'étude du réseau et des trafics qu'il supporte montre bien que ce moyen de transport a su s'adapter aux contraintes du milieu naturel et aux impératifs économiques, afin d'être adapté au mieux à sa fonction. On se convaincra avec Gérard Blier que l'équipement ferroviaire français est au meilleur niveau mondial, souvent à la pointe du progrès et en adaptation constante. L'évolution rapide posait à l'auteur un problème redoutable, celui d'être à jour des dernières modifications. Il est clair que la collaboration exemplaire qui s'est établie entre le chercheur et les cadres de la SNCF a assuré cette exactitude indispensable. Si le chemin de fer a dû composer avec les moyens de transport concurrents, le camion et l'avion, il a fait mieux que survivre ; il reste un des symboles du monde moderne en alliant trois qualités essentielles : techniques de pointe, vitesse, confort. Et ce n'est pas le seul TGV qui permette cette affirmation, mais toute la trame ferroviaire dans le cadre de l'hexagone et bientôt dans celui de l'Europe.

Ayant précisé les caractères généraux de l'outil, le géographe peut changer d'échelle. C'est l'objet du second livre de l'ouvrage, où la spécificité de chaque grande région est parfaitement définie. Le nord et l'est de la France ne se comprendraient pas sans le rôle primitif de la transversale Valenciennes-Thionville et la prise d'importance récente des voies radiales vers le Bénélux et l'Allemagne du fait de l'ouverture européenne. Le rôle toujours accru du couloir de la Saône et du Rhône, d'abord basé sur les échanges commerciaux, se trouve de nos jours dopé par la pratique des loisirs ; sur cet axe structurant essentiel, le chemin de fer apparaît encore comme une véritable épine dorsale, avec les articulations de premier ordre de Dijon, Lyon et du Bas-Rhône, plus ou moins complexes. Dans le reste du territoire, la hiérarchie des nœuds ferroviaires est le reflet très nuancé des potentialités économiques régionales, mais les lignes de force y sont moins puissantes. C'est en grande partie l'héritage de l'extrême centralisation qui présida à l'établissement des réseaux, toile d'araignée renforcée ensuite par la nationalisation. L'extraordinaire concentration des moyens sur le carrefour parisien et ses approches répond à un énorme trafic marchandises et à un transport journalier de personnes actives sans commune mesure avec ce qu'il peut être autour des centres régionaux.

C'est un type de relation qui a toujours intéressé les géographes. René Clozier avait été en ce sens un précurseur dans sa belle étude de 1940 sur la gare du Nord. Dans son troisième livre, Gérard Blier reprend le problème en l'élargissant à l'ensemble du territoire et en précisant toutes les interactions entre le moyen de transport et le milieu géographique. Certes les villes uniquement nées du rail sont restées modestes et peuvent souffrir maintenant des déséquipements liés à l'évolution des techniques, à la concurrence des autres moyens de transport et à de nouveaux principes de gestion. Mais dès que les potentialités économiques et le volume des populations urbaines atteignent un niveau suffisant, le chemin de fer maintient son rôle structurant, soit dans l'organisation des réseaux urbains, soit dans le fonctionnement des organismes urbains. Que l'on supprime des gares, que l'on en crée ou qu'on les rénove, une nouvelle géographie des quartiers de gare se précise, que les urbanistes doivent intégrer à leur réflexion. Cet ouvrage, qui nous aura fourni une riche documentation sur les techniques, aura le mérite de s'achever en se souciant surtout des rapports humains.

Gérard Blier aura donc bouclé sa passionnante synthèse en reprenant le cheminement intellectuel inverse de ses premières études, et nous donne, avec l'appui d'une illustration riche et expressive, un tableau à la fois exhaustif et vivant d'une base essentielle de notre économie.

Pierre BARRÈRE
Professeur Émérite de géographie
à l'université de Bordeaux III

AVANT-PROPOS

Essentiel et irremplaçable, tel est le rôle que continue de jouer le chemin de fer dans les échanges intérieurs de la France et ses relations avec les pays voisins.
Depuis 1945, après la réparation des multiples dégâts infligés par la guerre, notre réseau ferré a beaucoup évolué.
En raison de la concurrence, routière en particulier, et du dépeuplement des zones rurales, de nombreuses lignes secondaires ont disparu ou sont entrées en sommeil. Mais grâce à un immense effort de modernisation, marqué entre autres par l'essor de l'électrification, la qualité du service offert dans le domaine de la circulation des marchandises et de celle des voyageurs n'a cessé de progresser.
Certes les circonstances actuelles, caractérisées par les difficultés globales de l'économie et l'âpreté de la compétition entre les divers modes de transport, ne sont guère favorables. Mais des signes indiscutables, tels que les résultats spectaculaires obtenus depuis 1981 avec le lancement des TGV (Trains à Grande Vitesse), montrent que l'avenir du rail, en France comme ailleurs, est largement assuré.

Cet ouvrage se propose, en trois tomes, de brosser un tableau le plus complet possible de notre réseau ferré. L'analyse de son infrastructure, de ses mécanismes et de son trafic précèdera la recherche de l'empreinte de l'activité ferroviaire sur le cadre géographique, urbain en particulier.
Chaque jour des milliers de trains circulent sur les lignes de l'ensemble du réseau. Pour leur mise en marche et leur acheminement dans les meilleures conditions possibles, fonctionnent des rouages comme les gares de voyageurs ou de triage, les dépôts, les ateliers... La description de chacune de ces diverses familles d'installations et de leurs activités spécifiques, qu'il s'agisse du réseau classique ou des lignes T.G.V., sera l'objet du premier livre.

Dans le second tome seront alors discernées plus aisément la répartition régionale des flux de voyageurs et de marchandises, l'organisation spatiale du réseau.
Celui-ci est sous-tendu par une armature d'artères importantes qui se rejoignent, se séparent, se croisent dans des carrefours dont l'originalité est le plus souvent bien marquée. Il offre une image globale à la fois cohérente et diversifiée.
L'agglomération parisienne constitue toujours le cœur d'une gigantesque toile d'araignée tissée surtout par de multiples axes radiaux, au trafic le plus souvent dense. Il faut s'éloigner sensiblement de la capitale pour découvrir d'importantes artères transversales comme Valenciennes-Thionville, Nancy-Dijon ou Nantes-Lyon.
En fonction du relief, des données humaines et économiques, le visage et l'architecture du réseau évoluent d'une région à l'autre. Les bassins industriels du Nord-Pas-de-Calais et de Lorraine sont desservis par de véritables nébuleuses ferroviaires, tandis que dans le quart sud-est du pays les voies ferrées s'ordonnent autour de l'axe majeur Paris-Marseille, où triomphent les T.G.V. En Aquitaine les deux grands carrefours bordelais et toulousain jouent un rôle capital alors que dans l'ouest et le centre de la France une dizaine de villes comme Nantes, Rennes, Tours, Vierzon ou Limoges constituent les points d'ancrage principaux de la trame.
Ainsi dans ce second volume chaque centre ferroviaire sera présenté, caractérisé en fonction de la nature et de l'envergure de son rôle dans le fonctionnement d'ensemble du réseau.
Il est vrai que l'organisation actuelle du trafic est marquée en France par le souci de permettre à l'homme d'en exercer le contrôle et la pleine maîtrise. Mais sur les artères classiques - et à plus forte raison sur les lignes T.G.V. - l'armement de la voie, la signalisation, le matériel roulant, la gestion de la circulation des convois ont progressé à pas de géant ces dernières décennies, permettant de spectaculaires améliorations dans les domaines de la sécurité, de la rapidité, du confort. Aussi sera-t-il souvent indispensable d'évoquer l'apport décisif de la technologie.
A l'image de l'activité économique générale, des variations conjoncturelles à court terme mais aussi des tendances beaucoup plus profondes marquent le trafic ferroviaire. Aussi l'analyse des échanges actuels, basée sur l'étude des données statistiques des plus récentes années, doit-elle amener à dessiner en fait les lignes de force qui caractérisent l'évolution de notre réseau sur l'ensemble de cette fin du vingtième siècle.
Cette étude doit par ailleurs résolument se situer dans une perspective européenne.
Non seulement en effet les échanges ferroviaires avec le Royaume-Uni, favorisés par le forage du tunnel sous la Manche mais aussi ceux se nouant avec les autres pays voisins vont se développer. Dans le cadre de la Communauté Européenne, la construction d'un réseau à grande vitesse où nos T.G.V. joueraient un rôle primordial représente un projet déjà très élaboré, qui engloberait l'ensemble de l'Europe occidentale, en incluant la péninsule ibérique. Très proche, l'échéance de 1992, avec le marché unique européen, ne peut que stimuler les esprits et les énergies.

L'activité ferroviaire repose actuellement sur le travail de près de 200 000 personnes ; avant la seconde guerre mondiale le nombre des cheminots dépassait le demi million. Aussi le chemin de fer ne peut-il que marquer fortement de son empreinte le pays. C'est ainsi que le troisième tome de cet ouvrage tentera de discerner cet impact, en particulier à l'intérieur des agglomérations. L'étude du poids des gens du rail dans la population amènera l'évocation des quartiers nés des gares, des dépôts ou des ateliers, et aussi celle de cités entières comme Chalindrey, Tergnier, Miramas ou Saint-Pierre-des-Corps qui doivent leur fortune au chemin de fer.

Le rail et l'industrialisation sont inséparables ; l'étude des interrelations permettra d'apporter les éclairages et les nuances indispensables, en précisant la part, considérable en France, de la construction du matériel ferroviaire.
Dans les villes le réseau ferré peut poser des problèmes ne serait-ce que par la superficie qu'il occupe ; des solutions parfois très ingénieuses ont été trouvées. Par ailleurs les gares de voyageurs sont de plus en plus l'objet d'une importante modernisation ; elles vivent beaucoup plus qu'auparavant au rythme de la cité, en harmonie avec elle ; elles jouent parfois un rôle actif de pôle d'attraction, comme le montre l'exemple récent tout à fait remarquable de la gare de Lyon Part-Dieu.
Ainsi ce troisième tome élargira-t-il le champ de l'étude en situant le chemin de fer dans le contexte humain et économique à la fois national et local.

Ce travail n'a pu être entrepris et réalisé que grâce à de nombreux concours, à l'aide et à la compréhension de beaucoup de services, de responsables. Partout nous avons rencontré cordialité, disponibilité, efficacité. Qu'il nous soit permis ici d'adresser des remerciements tout particuliers et chaleureux aux responsables de la Direction Générale de la S.N.C.F., des diverses Directions Régionales, de l'hebdomadaire "la Vie du Rail".
Nous tenons à souligner tout spécialement l'aide apportée par Bernard Collardey, qui a bien voulu accepter de nous faire profiter de ses vastes connaissances, ainsi que par Marc Carémantrant.
Sans ces concours rien n'aurait été possible.

A part quelques exceptions comme les embranchements qui desservent entreprises industrielles ou bassins miniers, ou encore dans la région parisienne certaines lignes du R.E.R. (Réseau Express Régional) exploitées par la Régie Autonome des Transports Parisiens, l'ensemble du réseau ferré français continue d'être géré par la Société Nationale des Chemins de Fer Français, la S.N.C.F.
Créée le 1er janvier 1938, celle-ci a constitué pendant 45 ans une société anonyme d'économie mixte dont 51% du capital était détenu par l'État. Depuis la promulgation de la loi d'orientation des transports intérieurs du 30 décembre 1982, elle s'est transformée en établissement public à caractère économique et commercial, personne morale de droit public.
Au 1er janvier 1990 la S.N.C.F. exploitait 34339 kilomètres de lignes. Son réseau se classe ainsi au premier rang en Europe, U.R.S.S. exclue. En revanche sa densité est sensiblement moins élevée que celle rencontrée dans les pays comme la Belgique, les Pays-Bas, la République Fédérale Allemande ou le Royaume-Uni, moins vastes mais à la population plus importante par rapport à la superficie occupée.
Comme tout organisme vivant ce réseau est en perpétuelle évolution. Des petites lignes continuent de disparaître ; mais en revanche les réseaux de banlieue s'étendent, les antennes du T.G.V. s'élancent d'ores et déjà depuis la capitale vers la Méditerranée et l'Atlantique, avec des perspectives de développement qui n'excluent pratiquement aucune direction.
L'un des objectifs de ce livre sera de définir l'exacte part, dans l'organisation générale du trafic, du réseau classique aux artères plus ou moins chargées et prestigieuses, et des lignes ultramodernes du T.G.V.
Le réseau français, comme ses semblables, constitue une mécanique complexe et de haute précision, dont les nombreux rouages fonctionnent en harmonie et en complémentarité, chaque catégorie possédant des caractéristiques particulières.
Les lignes représentent naturellement l'élément de base de la trame. Mais que de différences dans les tracés et les profils, l'équipement en nombre de voies, la signalisation, le type d'électrification, le volume du trafic et sa gestion.
Familières aux usagers sont les gares de voyageurs. D'importance très variable elles offrent des visages différents suivant qu'elles ont été construites en impasse ou, dans la plupart des cas, avec voies de passage.
Le transport des marchandises, lui, repose sur deux grandes familles d'installations qui sont chacune des mondes à part. Dans les gares de marchandises et sur les embranchements particuliers, les tonnages sont chargés ou déchargés. Dans les triages les wagons sont séparés les uns des autres puis regroupés, les trains se défont et se font, conférant à ces gares un rôle essentiel d'orientation et de régulation du trafic.
Sans doute moins connus du grand public, les dépôts et les ateliers assument des fonctions cependant vitales puisqu'ils préparent, entretiennent, réparent le matériel ; sans les dépôts, en particulier, d'où sortent les engins de traction, toute vie cesserait sur les lignes et dans les gares.
Ainsi la consistance des infrastructures, l'activité de chacune de ces familles d'installations vont elles être décrites et expliquées. Après que la profonde originalité des lignes T.G.V. par rapport au réseau classique ait été mise en lumière, il sera intéressant, à la fin de ce livre, d'esquisser une typologie des carrefours ferroviaires français, en fonction de la présence éventuelle et du degré de puissance, en un lieu donné, des rouages qui auront auparavant été présentés.

Ce classement sera repris, amplifié et généralisé dans le tome suivant qui, lui, se proposera de disséquer et d'analyser le trafic en fonction des disparités régionales.

TGV
TGV

CHAPITRE I

LES LIGNES

Deux lignes et deux concepts de tracés opposés : à droite, la ligne centenaire de Lyon à Bourg, au profil relativement favorable, mais cela au prix de tranchées, de remblais et de courbes nombreuses ; à gauche, la ligne nouvelle Paris-Sud-Est, presque rectiligne et qui épouse, avec des rampes accentuées, le relief traversé.

DISPOSITION D'ENSEMBLE, TRACÉS ET PROFILS

Comme la plupart des autres réseaux européens, le réseau ferré français est constitué par des lignes à la fois nombreuses et dont le tracé, le profil, l'équipement, et bien entendu le trafic sont très variés : l'artère du T.G.V. reliant Paris et Lyon, la liaison périgourdine de Bergerac à Sarlat par exemple paraissent appartenir à deux univers totalement différents.

En raison du dépeuplement des zones rurales et de la concurrence routière, de multiples petites lignes ont dû depuis un demi-siècle être fermées. La comparaison des cartes des voies ferrées ouvertes au trafic en 1890 et maintenant est très éloquente ; elle montre l'ampleur de la cure d'amincissement subie par notre réseau et son adaptation à des conditions économiques nouvelles.
Toujours est-il qu'une première constatation s'impose. Si de vastes régions comme au cœur du Massif Central ou dans les Alpes méridionales ne sont pas desservies par le rail, le maillage actuel reste globalement cohérent et serré.

Mais la structure générale du réseau est caractérisée par des densités sensiblement différentes et par plusieurs types de disposition dominante des lignes.

L'ARCHITECTURE GÉNÉRALE DU RÉSEAU

L'analyse de la carte d'ensemble du réseau montre d'abord que les voies ferrées sont nettement moins denses dans la moitié sud que dans la partie septentrionale du pays. Mais un examen plus attentif amène d'autres remarques.
C'est ainsi que la trame des lignes est serrée ou très serrée dans quatre ensembles géographiques, particulièrement peuplés et industrialisés :
- le centre du Bassin Parisien ;
- le nord de la France, plus précisément les départements du Nord et du Pas-de-Calais ;
- la Lorraine et l'Alsace ;
- les pays rhodaniens, qu'il s'agisse de la région Rhône-Alpes ou du sud du couloir rhodanien.

En revanche la densité est seulement moyenne dans la plupart des régions occidentales et méridionales, tandis qu'elle faiblit non seulement dans les ensembles montagneux mais encore dans des pays moins accidentés comme l'intérieur de la Bretagne, la Champagne ou le secteur inclus dans la vaste boucle de la Garonne entre plateau de Lannemezan et Agenais.
Ces différentes densités apparaissent encore plus nettement si est prise en compte l'importance réelle de chaque artère. C'est ainsi par exemple que l'Ile-de-France fourmille de lignes à deux voies ou plus, alors que des droites imaginaires joignant Lyon à Nice (300 kilomètres à vol d'oiseau), Saint-Etienne à Toulouse (300 kilomètres), Tours à Montauban (360 kilomètres), ou Vierzon à Narbonne (450 kilomètres) ne coupent aucun axe à double voie.
Mais le fait dominant est ailleurs, constitué par une architecture d'ensemble très nettement centralisée.

A partir de la capitale en effet les lignes s'écartent peu à peu les unes des autres, rayonnent sans exception dans toutes les directions. Un cercle tracé à une centaine de kilomètres de Paris est franchi par seize voies ferrées, réparties harmonieusement dans l'espace et le plus souvent extrêmement actives.
De plus, dans la plupart des cas, ces artères sont en fait des troncs communs, qui donnent eux-mêmes naissance à des diffluences ou qui éclatent en deux lignes d'importance comparable : ainsi au-delà de Rouen (139 kilomètres de Paris) l'axe Paris-Dieppe se détache de la ligne du Havre ; à Vierzon (200 kilomètres) l'axe Paris-Montluçon se sépare de la ligne de Toulouse ; plus spectaculaires sont les divergences à Orléans-Les Aubrais (119 kilomètres de Paris) des artères Paris-Bordeaux et Paris-Toulouse, à Amiens-Longueau (126 kilomètres) des relations Paris-Calais et Paris-Lille, au Mans (211 kilomètres) des axes Paris-Rennes et Paris-Nantes.
Cette dominante radiale extrêmement marquée se retrouve très loin de la capitale, dans la mesure où la fonction essentielle de nœuds ferroviaires situés parfois à plusieurs centaines de kilomètres de Paris consiste justement à assurer l'éclatement de flux jusque-là groupés. A Lérouville (288 kilomètres de Paris) se séparent les flux Paris-Strasbourg et Paris-Metz, à Dijon (315 kilomètres) les courants Paris-Marseille, Paris-Lausanne, Milan et Berne, à Poitiers (336 kilomètres) les flux Paris-Bordeaux et Paris-La Rochelle, à Rennes enfin (373 kilomètres) les courants Paris-Brest et Paris-Quimper. Il n'est par ailleurs pas exagéré de considérer que les lignes Lyon-Grenoble, Limoges-Périgueux ou Angoulême-Royan, diffluences d'artères radiales majeures, s'inscrivent elles aussi dans ce dispositif étoilé et centré sur la capitale qui sous-tend l'ensemble du réseau.
Pourtant les axes transversaux sont loin d'être totalement absents, qu'ils soient tout à fait autonomes ou qu'ils utilisent partiellement des sections de lignes radiales.
A 300 kilomètres au plus de la capitale, les régions périphériques du Bassin Parisien sont reliées entre elles par des artères au tracé en rocade. Ainsi les liaisons Rouen-Amiens, Amiens-Reims-Chaumont-Dijon, Rouen-Le Mans-Tours représentent-elles autant de possibilités de contournement de la région parisienne. Plus éloignés, la ligne Valenciennes-Thionville-Strasbourg qui court le long de la frontière, les axes Nancy-Dijon, Strasbourg-Mulhouse-Lyon assurent des relations essentielles entre les bassins industriels du nord, de l'est et de la région rhodanienne.
L'ouest, le centre et le sud du pays sont traversés eux aussi par des lignes qui complètent l'architecture d'ensemble du réseau. C'est ainsi que les artères Nantes-Lyon et Nantes-Bordeaux relient la Bretagne à la région Rhône-Alpes et à l'Aquitaine, que le sud-ouest est mis en relation avec les régions rhodanienne et méditerranéenne par les lignes Bordeaux-Limoges-Montluçon-Lyon et Bordeaux-Marseille, cette dernière recevant à Toulouse la double voie en provenance de Bayonne et Tarbes.
Des sections de ligne peuvent constituer des troncs communs qui regroupent non plus deux lignes radiales mais une transversale et une radiale, ou encore deux transversales. Les exemples ci-dessous le montrent bien :

Tronc commun	Longueur	Itinéraires regroupés
Serquigny-Mézidon	66 km	Paris-Cherbourg Rouen-Tours
Châlons-sur-Marne-Blesme	45 km	Paris-Strasbourg Lille-Dijon
Reding-Strasbourg	68 km	Paris-Strasbourg Luxembourg-Strasbourg-Bâle
Belfort-Mulhouse	49 km	Paris-Mulhouse-Bâle Lyon-Strasbourg
Culmont-Chalindrey-Dijon	77 km	Lille-Dijon Nancy-Dijon
Angers-Nantes	88 km	Paris-Nantes Lyon-Nantes
Saincaize-St-Germain-des-Fossés	90 km	Paris-Clermont-Ferrand Nantes-Lyon
Tarascon-Marseille	101 km	Paris-Marseille Bordeaux-Marseille
Montauban-Toulouse	51 km	Paris-Toulouse Bordeaux-Marseille

L'ossature principale du réseau est donc constituée d'un dense écheveau d'artères le plus souvent radiales, mais aussi transversales. A la jonction de ces axes importants se sont tout naturellement développés les principaux nœuds ferroviaires français. Chacun d'eux, sans atteindre le rayonnement du carrefour majeur parisien, est le centre d'une étoile plus ou moins apparente sur la carte d'ensemble. Lignes radiales, transversales ou d'intérêt seulement régional constituent les branches de ces étoiles.

Ainsi autour de Lyon, Dijon, Tours et Le Mans mais aussi d'Amiens, Bordeaux ou Toulouse les voies ferrées s'élancent dans toutes les grandes directions, n'en excluant aucune. En revanche l'importance de quelques nœuds, dont l'activité est pourtant essentielle, s'inscrit un peu moins nettement sur la carte. En effet des centres comme Lille, Nancy ou Metz sont intégrés dans des ensembles ferroviaires plus vastes, tandis que la proximité des deux grandes cités bretonnes gêne le rayonnement de chacune des étoiles rennaise et nantaise. Par ailleurs, autour de Brive ou Limoges les lignes, nombreuses et bien réparties dans l'espace, ne sont le plus souvent qu'à voie unique.

Toujours est-il que l'existence de grandes transversales et d'importants centres ferroviaires éloignés de Paris ne doit pas occulter la double primauté des lignes radiales et du gigantesque carrefour que constitue la capitale.

Dans aucun autre grand pays d'Europe ne se remarque une disposition aussi centralisée. De Londres partent certes de très nombreuses lignes vers à peu près tous les points cardinaux ; mais la densité générale du réseau britannique, l'étirement de la Grande-Bretagne et la position très méridionale de la capitale anglaise en atténuent quelque peu le rayonnement ferroviaire. En République Fédérale Allemande et en Italie le maillage général s'ordonne autour de grands carrefours comme Hambourg, Cologne, Francfort, Nuremberg, Stuttgart ou Munich, Turin, Florence, Bologne ou Milan, sans que l'un d'entre eux domine à l'échelle de l'ensemble du pays.

Cette architecture globale très centralisée, son ordonnancement dans le détail s'expliquent par le jeu de divers facteurs, tels que l'influence de l'histoire et du relief.

LE POIDS DE L'HISTOIRE

La centralisation très poussée du réseau ferré français ne peut bien être comprise que dans un large contexte historique. Elle correspond en effet à une tendance dominante et multiséculaire de concentration dans la capitale des pouvoirs politiques et des instances de décision économiques. L'affirmation du pouvoir royal, l'action d'hommes comme Richelieu ou Colbert, plus tard le jacobinisme et l'œuvre de l'empereur Napoléon 1er ont renforcé le même courant général centralisateur. Il s'est affirmé dans tous les domaines, celui des voies de communication entre autres.

Dès le XVIIe siècle par exemple l'écheveau des grandes routes françaises constituait une toile d'araignée dont Paris était le centre.

Au XIXe siècle la conception du réseau ferré français n'est pas différente. Ainsi en 1833 le plan Legrand prévoit une disposition en étoile autour de Paris. Peu après la loi de 1842 annonce des concessions de longue durée et l'aide de l'État à la construction d'artères rayonnant à partir de la capitale.

Dès 1860 celle-ci est reliée à Lille, Cherbourg, Rennes, Nantes, Bayonne, Limoges, Toulon, Strasbourg, mais aussi à Brioude, Salins, Forbach, Sedan, Maubeuge. Or les liaisons transversales sont à cette époque très rares : aucune relation directe entre Lille, Metz et Strasbourg, entre Amiens, Rouen et Caen, entre Rennes, Nantes et Bordeaux. Pour gagner Lyon depuis Bordeaux il faut passer soit par Paris, soit par Narbonne et Tarascon. Proches de seulement 30 kilomètres les villes de La Rochelle et Rochefort bénéficient de relations directes avec Paris, convergeant à Aigrefeuille, mais ne sont pas reliées au plus court entre elles !

Un effet de spirale se produit alors. En effet la centralisation ferroviaire parisienne, résultat du jeu de réflexes ancestraux, provoquée par le poids politique, économique et démographique d'ores et déjà acquis par la capitale, ne peut à son tour que renforcer l'attraction de la ville-lumière. Grâce au chemin de fer et à son essor foudroyant c'est depuis et vers Paris, plus que jamais, qu'à partir du milieu du XIXe siècle les marchandises et les hommes vont circuler.

Ce mouvement est tellement fort qu'il se développe au-delà des vicissitudes de l'histoire. Avec certes quelques nuances les décideurs politiques administratifs et économiques de la Monarchie de Juillet, de la Seconde République, du Second Empire et de la Troisième République réagissent globalement de la même manière.

En 1879 est voté le célèbre plan Freycinet. Il s'agit d'un programme de grands travaux d'une très vaste ampleur puisque, grâce à l'aménagement de 150 lignes nouvelles, chaque sous-préfecture doit être desservie par une ligne de chemin de fer à voie normale. Ce plan va profondément marquer la physionomie du réseau français, dans la mesure d'abord où il va être à peu près totalement réalisé : rares vont être les sous-préfectures, comme Barcelonnette et Castellane, laissées à l'écart par le rail.

Ensuite ce projet, inspiré par d'évidentes raisons politiques et administratives, a entraîné une prolifération des voies ferrées telle que dès cette époque des régions peu peuplées et peu actives ont pu paraître suréquipées. Phénomène d'autant plus notable qu'avant la première guerre mondiale l'essor d'une nouvelle génération de lignes, à voie étroite celles là, devait permettre de relier au réseau principal d'innombrables chefs-lieux de canton. Il n'est pas étonnant, dans ces conditions, qu'au XXe siècle la concurrence routière et l'exode rural aient rapidement provoqué le dépérissement puis la disparition, dès les années 1930, de nombreuses artères dont la justification économique n'avait jamais été bien assurée.

Enfin, conçu par des esprits parisiens, dans le contexte des premières années d'une IIIe République qui reprenait à son compte certaines traditions jacobines, le plan Freycinet ne pouvait que renforcer la structure très centralisée du réseau français. Si en effet vers 1890 les lignes d'intérêt seulement régional prolifèrent déjà, la trame des grands axes est résolument axée sur Paris. Facilitée certes par la disposition dominante du relief, la pénétration ferroviaire du Massif Central, par exemple, s'effectue avant tout dans le sens nord-sud, donc afin de favoriser les liaisons avec la capitale.

Tout naturellement c'est à Paris que se trouve le siège de la plupart des Compagnies qui obtiennent les concessions des lignes destinées à constituer l'armature de notre réseau. La nécessité d'importants investissements, l'intervention de puissants groupes financiers comme celui des frères Péreire sont au moins aussi incitateurs que la proximité des centres de décision politiques et administratifs. A partir de 1845-50 prospèrent les Compagnies du Nord, de l'Est, de l'Ouest, du Paris-Orléans, de Paris à Lyon et à la Méditerranée. Le fait même

Croissance du réseau ferré français au XIXème siècle

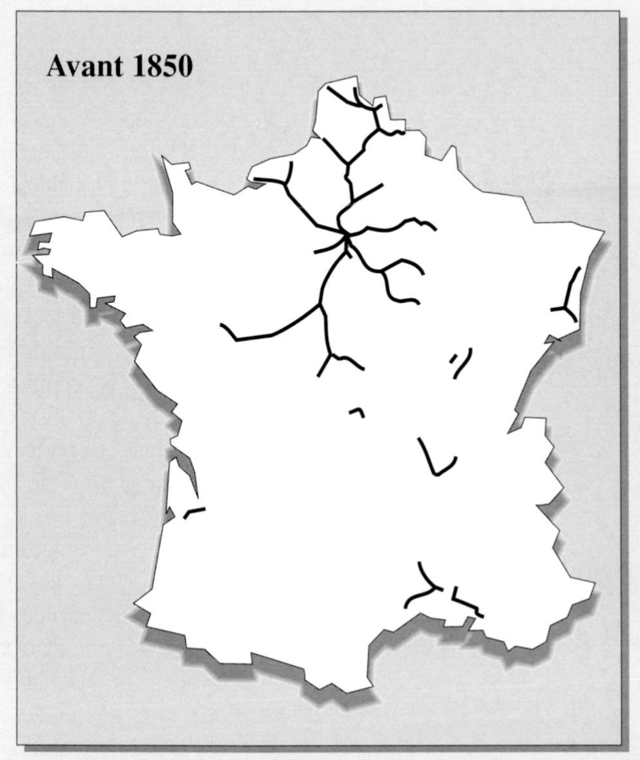

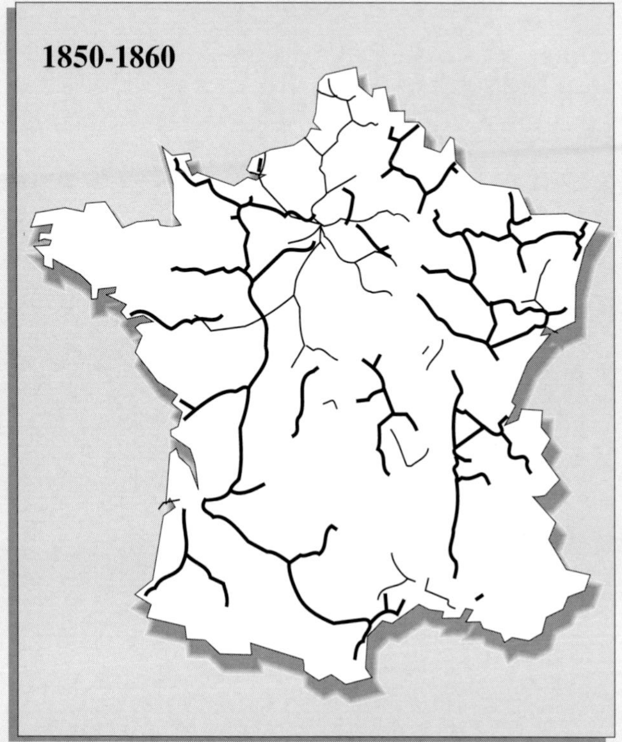

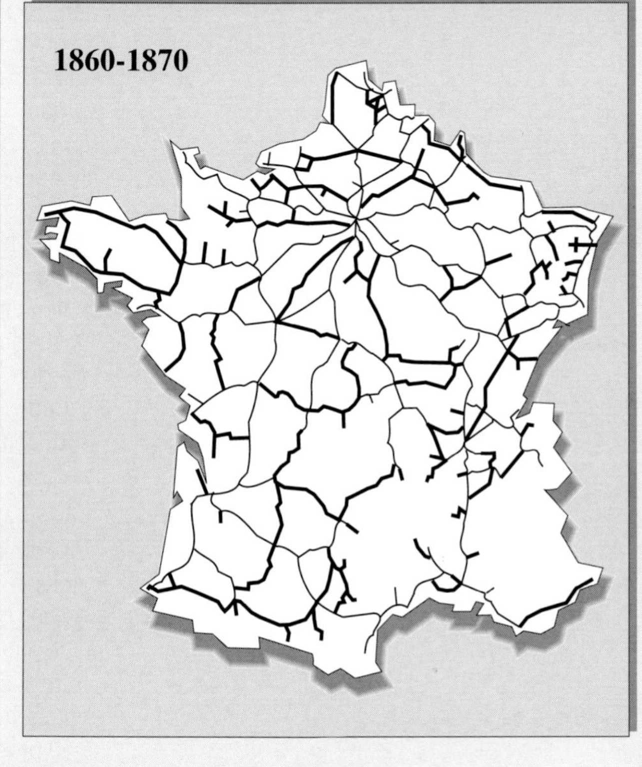

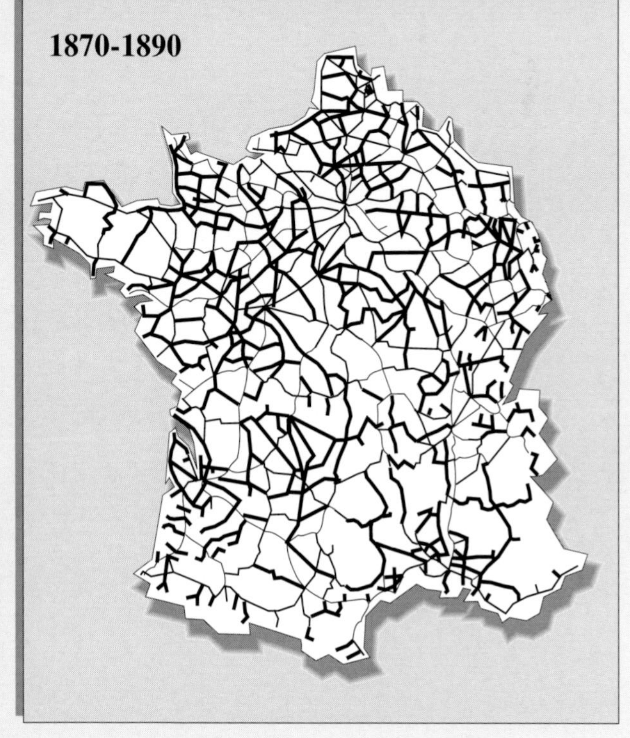

Voie ferrée nouvelle — Voie ferrée ancienne — *200 kilomètres*

La gare de Chartres, reliée à Paris dès les premiers temps des chemins de fer : une évolution spectaculaire en près d'un siècle et demi.

que l'absence dans la capitale de la Compagnie du Midi, dont les activités sont centrées sur Bordeaux et Toulouse, soit ressentie comme une exception de taille montre bien l'impact du centralisme parisien.
A côté de ces grandes sociétés ont pullulé des entreprises de moyenne ou petite taille, au rayonnement seulement régional, comme les compagnies de Lyon à Genève, d'Alsace, des Charentes, de Rouen à Orléans, des Ardennes, etc... Mais très rapidement, victimes de graves difficultés financières, elles ont été absorbées par les principales compagnies. C'est ainsi que, vers 1875, le transport ferroviaire sur voie normale n'est plus assuré à l'échelle de l'ensemble du territoire que par six d'entre elles, dont celle de l'État, constituée entre Loire et Gironde par la réunion de plusieurs petits réseaux qui avaient dépéri.

Le paysage ferroviaire français actuel est de diverses manières marqué par ces vicissitudes du milieu du siècle dernier et les grandes orientations alors décidées.

Contrairement à ce qui s'est passé aux États-Unis par exemple, les dispositions législatives et réglementaires n'ont jamais autorisé, en France, la construction par diverses compagnies de lignes parallèles et concurrentes. D'où la clarté d'ensemble du dessin du réseau national puisque dès l'origine chaque compagnie a pu ainsi bénéficier d'un monopole de fait dans sa zone d'influence.
Pourtant une exception, longtemps de taille, a été représentée par la présence de deux itinéraires entre Paris et Bordeaux. Elle s'expliquait chronologiquement. En effet la compagnie du Paris-Orléans non seulement avait construit la grande radiale tracée par Orléans, Tours, Poitiers et Angoulême, mais encore exploitait des lignes comme celles de Tours à Nantes et au Croisic et de Savenay à Quimper et Landerneau ; elle atteignait donc l'océan. Lorsque l'État eût racheté les réseaux de modestes compagnies telles que celles des Chemins de Fer Nantais, de la Vendée et des Charentes, la situation entre Loire et Gironde devint inextricable. Dans le cadre d'un accord de clarification, passé en 1883, qui laissait au Paris-Orléans la gestion de l'artère Tours-Nantes-Quimper le réseau de l'État reprenait à son compte la totalité des lignes situées à l'intérieur du triangle Tours-Nantes-Bordeaux, et conservait l'exploitation de l'artère Paris-Chartres-Saumur. Aussi, jusqu'à la création de la S.N.C.F. deux itinéraires rivaux ont-ils pu être empruntés par les voyageurs entre la capitale et la grande cité girondine, l'un par Tours et Angoulême, l'autre par Chartres, Saumur, Niort et Saintes.
En 1938, avec la création de la S.N.C.F., la rationalisation de la gestion progresse : la nouvelle Région de l'Ouest prend en charge l'intégralité des lignes situées à l'ouest de l'axe Paris-Bordeaux par Tours et Poitiers, qui en revanche reçoit l'exclusivité du trafic "grandes lignes". Actuellement l'ancienne ligne Chartres-Bordeaux n'est plus sillonnée par des trains circulant de bout en bout ; sur ses différentes sections, le plus souvent à voie unique, ne roulent que des convois peu nombreux et d'intérêt seulement régional ou local.

En revanche, dans l'ouest du pays, l'imbrication passée des réseaux se marque encore aujourd'hui, dans quelques villes, par l'existence de plusieurs gares au nom évocateur. Ainsi la gare de Rouen-Orléans, sur la rive gauche de l'agglomération rouennaise, réservée maintenant au trafic des marchandises, est-elle l'héritière de l'embarcadère de la compagnie du chemin de fer de Rouen à Orléans. De même à Nantes la principale gare des marchandises, proche du port, se dénomme-t-elle Nantes-État, tandis que la gare de Nantes-Orléans concentre le trafic des voyageurs. En terre bordelaise la modeste gare de marchandises de Bordeaux-Deschamps, sur la rive droite de la Garonne, occupe les emprises de l'ancienne gare de l'État ; entre l'agglomération bordelaise et au nord la Grave d'Ambarès, sur une douzaine de kilomètres, l'existence de deux artères distinctes, l'une par Bassens, l'autre par Carbon-Blanc, marque la volonté de chacune des compagnies du Paris-Orléans et de l'État, au siècle dernier, de s'assurer un accès autonome à Bordeaux, par ailleurs tête de ligne du réseau du Midi.
D'autre part le tracé et le profil des voies ferrées actuelles sont influencés par les conditions de leur naissance. Les compagnies puissantes, aux moyens financiers importants, ont pu construire des lignes caractérisées par des alignements de grande longueur, des courbes d'ample rayon, des rampes de faible pourcentage ; ceci au prix du creusement de profondes tranchées, de l'édification d'imposants remblais, sans parler des ouvrages d'art proprement dits comme viaducs, tunnels etc...
A l'opposé les compagnies moins prospères ont été naturellement amenées à composer avec les contraintes du relief, en contournant les obstacles ou en les franchissant au moindre coût. Ainsi s'explique le tracé tortueux de lignes comme celles joignant Nantes à La Rochelle ou Saintes à Bordeaux, sections pourtant de la grande transversale de l'ouest ; de multiples courbes de faible rayon (de l'ordre de 500 mètres), des rampes pouvant atteindre 8 à 10 millimètres par mètres gênent l'exploitation moderne ; c'est que dans des régions pourtant assez peu vallonnées, les modestes compagnies de la Vendée et des Charentes ne pouvaient construire d'après les mêmes normes que celles du Paris-Orléans ou du Paris-Lyon-Méditerranée. Ultérieurement le tracé et le profil n'ont pu bénéficier que d'améliorations de détail.

Le rôle dans la détermination du dessin général du réseau aussi bien de responsables administratifs ou politiques de poids que d'assemblées élues, conseils municipaux ou généraux, a été souvent important. Il a pu jouer négativement ou positivement.
Ainsi, c'est lui qui explique en grande partie le choix pour la relation Paris-Rennes du passage par Le Mans, alors que le tracé par Alençon n'aurait pas rencontré davantage d'obstacles dûs au relief, et aurait été un peu plus court. Sans doute le rapport du poids des populations des deux villes, actuellement de l'ordre du simple au quadruple au profit de la cité mancelle, centre d'une des plus importantes étoiles ferroviai-

Dijon à trois époques : 1936, 1947 et 1990. La croissance des installations a accompagné celle du trafic sur l'axe majeur du réseau français qu'est le fameux "Paris-Lyon-Méditerranée".

res de l'ouest français serait-il, sinon inversé, tout au moins profondément différent aujourd'hui, si la fortune de l'histoire avait au siècle dernier désigné Alençon.
Le cas de Dijon est encore plus net. Pour le tracé de la grande ligne de Paris à Lyon plusieurs itinéraires étaient en compétition. Les plus courts passaient ou non par Auxerre et Avallon, empruntaient la vallée de l'Armançon ou celle du Serein, mais en tout cas évitaient la cité des ducs de Bourgogne. Ingénieur en Chef des Ponts-et-Chaussées de la Côte-d'Or de 1840 à 1848, Darcy, né à Dijon, parvint à force de ténacité et de persuasion à imposer sa ville qui, grâce au chemin de fer, allait connaître un essor foudroyant. Que l'une des principales places de Dijon porte son nom n'est que justice !
En revanche, Orléanais et Tourangeaux d'aujourd'hui ne peuvent que médiocrement se réjouir des conditions de l'arrivée du chemin de fer dans leurs villes au siècle dernier. En effet, face à ce nouveau mode de transport encore peu connu avant 1850, et qui inspirait de sérieuses craintes en particulier dans le domaine des nuisances, les deux municipalités adoptèrent la même attitude de refus. Aussi la Compagnie du Paris-Orléans fut-elle contrainte d'installer ses emprises à proximité certes mais en dehors des deux cités, aux Aubrais près d'Orléans, à Saint-Pierre-des-Corps près de Tours. Ultérieurement les édiles revinrent sur leur position mais il était trop tard ; il n'était plus question de modifier le plan général des voies et des lignes. Aussi construites ultérieurement les deux gares actuelles de Tours et d'Orléans sont-elles en impasse, aboutissement de courts raccordements les reliant en particulier aux gares de triage et de bifurcation de Saint-Pierre-des-Corps et des Aubrais traversées ou desservies, elles, par les trains express et rapides. Il va de soi que l'étalement et la structure actuelle des deux agglomérations, surtout à Tours, sont largement influencés par ces péripéties ferroviaires passées, avec entre autres l'épanouissement de la ville de Saint-Pierre-des-Corps au sein de l'ensemble urbain tourangeau.
La trame actuelle du réseau ferré français est également marquée par l'influence de l'essor industriel du siècle dernier.
C'est ainsi que le développement des bassins miniers est étroitement lié à celui du chemin de fer. Dès 1860 les régions méridionales du Massif Central, pourtant peu peuplées, sont pénétrées par les voies ferrées ; c'est qu'il s'agit de desservir les régions charbonnières d'Alès-la Grand-Combe ou de Decazeville ; or à cette époque les villes de Nice, Pau ou Brest ne sont pas encore atteintes par le rail...
Actuellement l'extrême densité des voies ferrées dans les bassins miniers et industriels de Lorraine et du Nord-Pas-de-Calais ne peut se comprendre qu'en faisant référence à l'ampleur de l'extraction du minerai de fer et du charbon dès le milieu du XIXe siècle, à une époque où l'industrie française prenait son envol, et où elle devait compter avant tout sur les ressources du sous-sol national. Alors, se débranchant des li-

Image désormais complètement révolue que celle du transport du charbon dans le nord, après avoir pendant plus d'un siècle alimenté le rail de tonnages considérables. Hénin-Liétard, années 50.

gnes principales des Compagnies du Nord ou de l'Est les voies ferrées s'élancent en direction des multiples puits, contournent les terrils et les crassiers, quadrillent étroitement les périmètres miniers, investissent les usines, hauts fourneaux, aciéries entre autres qui très rapidement prolifèrent. Par exemple autour de Lens les mines de Liévin, de Drocourt, de Courrières sont sillonnées par de nombreuses lignes, le plus souvent à voie unique ; elles aboutissent à des faisceaux de voies où les rames de wagons, en une incessante noria, sont chargées de houille et d'où elles sont expédiées vers usines et villes parfois lointaines.

Actuellement, dans un contexte caractérisé par un considérable ralentissement de l'activité des mines de fer, de charbon et de l'industrie sidérurgique, le réseau ferré a dû s'adapter ; au pied des terrils maintenant passifs et peu à peu recouverts par la végétation des voies ferrées ont été fermées, les installations ont été simplifiées ; mais la densité du réseau reste nettement supérieure à la moyenne nationale en Lorraine septentrionale ou dans le Nord-Pas-de-Calais.

Cette influence de l'industrie extractive et lourde se marque également en dehors des grands bassins. Entre Paris et Amiens, non loin de la grande ligne tracée par Creil, existait une seconde relation ferroviaire, établie par Ormoy-Villers-Verberie et Montdidier. Aujourd'hui, partiellement abandonnée dans sa partie médiane et mise à voie unique entre Estrées-Saint-Denis et Boves, cette voie ferrée a longtemps joué un rôle obscur mais essentiel ; construite et équipée de deux voies par la Compagnie du Nord, dotée aux bifurcations de sauts de mouton pour éviter les cisaillements à niveau, elle a jusqu'à l'électrification de l'artère Paris-Lille en 1959 acheminé depuis le bassin houiller du nord vers la capitale, par milliers chaque année, les trains chargés du charbon dont celle-ci avait besoin. Elle reste particulièrement active du Bourget à Ormoy et Verberie pour acheminer le trafic Fret échangé avec le Nord de la France et la Belgique via Tergnier, Aulnoye, Somain et pour des détournements occasionnels de trains de voyageurs internationaux. Mais au nord de Verberie cette ligne n'est plus que l'ombre de ce qu'elle a été.

Ci-dessus : le croisement dit du "carré de Picardie" entre la ligne Somain-Azincourt SNCF et celle d'Aniche à Douai par la fosse Barrois des Houillères, disposition significative de l'enchevêtrement phénoménal de voies ferrées que justifiait le transport du charbon. Ci-dessous, l'ancienne "ligne du charbon", d'Ormoy-Villers à Boves, vue dans la zone des raccordements d'Ageux, à Longueil-Sainte-Marie avec cette vue spectaculaire d'une bifurcation à double voie dans la végétation.

La voie neuve du TGV Paris-Lyon coupant, sans ménagement, la voie unique de Dracy-Saint-Loup à Epinac-les-Mines, image symbole de l'évolution constante du réseau, au rythme de celle de la géographie humaine du pays : quand les campagnes se désertifient, les lignes rurales perdent, avec leur trafic, leur raison d'être, tandis que que la concentration des populations dans les villes fait naître des besoins de déplacements qui justifient la construction de lignes nouvelles.

Dans le nord-est et l'est du pays en dehors même des grandes régions industrielles, la densité générale des lignes est actuellement élevée. L'explication essentielle est d'ordre politique et stratégique, dans la mesure où l'expansion du chemin de fer n'a pu qu'être influencée dans ces régions par l'antagonisme franco-allemand des XIXe et XXe siècles. Avant et après les guerres de 1870 et de 1914-1918 les états-majors ont pesé auprès des autorités politiques et des responsables ferroviaires ; ils ont voulu qu'entre le Luxembourg et la frontière suisse, à une époque où les transports routiers balbutiaient encore, le réseau ferré puisse garantir et faciliter les mouvements de troupes, dans toutes les hypothèses, de paix ou de guerre, d'avance ou de recul lors des conflits, qu'il s'agisse des hommes ou du matériel. Entre 1870 et 1918 les militaires allemands n'ont pas eu d'autre souci dans l'Alsace-Lorraine occupée.
C'est ainsi qu'à partir des principales artères les lignes, presque toujours à deux voies, ont proliféré en une trame serrée en Lorraine, Alsace, Champagne, entre Vosges et Plateau de Langres, dans des régions souvent peu peuplées et au relief difficile. Par exemple Verdun mais aussi, à proximité Dun, Challerange, Sainte-Menehould ont vu se croiser deux lignes à double voie, comme Joinville ou Saint-Dizier, tandis que six voies ferrées de ce type se rencontraient à Neufchâteau ou à Epinal. Par ailleurs près de chaque gare de bifurcation des raccordements en triangle entre lignes d'accès comme à Châlons-sur-Marne, Troyes ou Epinal devaient permettre d'organiser des détournements de trafic en cas d'interception de l'une d'elles ou de destruction du nœud voisin. Comment également ne pas remarquer le large dimensionnement de nombreuses installations, avec entre autres la gare de Sarreguemines dotée longtemps de 9 voies à quai, autant qu'à Lyon-Perrache, plus que dans les gares principales de Rouen, Dijon ou Nantes.
Aujourd'hui les conditions politiques générales se sont modifiées, et le rôle stratégique des voies ferrées de l'est et du nord-est français, toujours réel, a décliné : beaucoup de ces artères à vocation largement militaire ont été mises à voie unique, ou même supprimées. Mais le réseau actuel reste fortement marqué par ce passé tourmenté et difficile.
Au plan architectural la domination allemande de près d'un demi-siècle a laissé des traces en Alsace-Lorraine. Les bâtiments des gares de voyageurs de Strasbourg et Metz, par exemple, très peu remaniés depuis, sont plus remarquables par leur ampleur, leur majesté et leur équilibre que par l'élégance ou la finesse de leurs lignes.

Enfin les voyageurs circulant la première fois entre Paris et Strasbourg par exemple peuvent être surpris en constatant qu'en rase campagne, non loin de Sarrebourg, les voies principales se croisent brusquement à des niveaux différents. C'est que les trains roulant à droite en Allemagne, et donc dans l'Alsace-Lorraine à compter de 1870, il n'a pas paru possible après 1918 de revoir en totalité l'équipement des lignes redevenues françaises afin que les convois puissent circuler à gauche comme sur le reste du réseau ; d'où l'édification de sauts-de-mouton de changement de sens, sur chaque grande ligne, à l'emplacement approximatif de l'ancienne et provisoire frontière.

Depuis la seconde guerre mondiale le réseau ferré français a dû tenir compte de nouvelles contraintes et d'une évolution de la demande de transport.
La concurrence routière, de plus en plus vive, a entraîné la fermeture totale ou seulement au service des voyageurs de nombreuses petites lignes : depuis 1938 environ 8 000 kilomètres de voies ferrées, soit près du cinquième du réseau de l'époque, ont ainsi complètement disparu. Dans la mesure où l'ensemble de l'activité ferroviaire a continué de croître jusqu'en 1974, il s'est agi non pas d'un déclin mais d'une adaptation du rail, en France comme dans beaucoup d'autres pays, à des conditions nouvelles. Les chapitres ultérieurs tenteront de montrer comment notre réseau s'est modernisé, en recherchant la meilleure rentabilité, en concentrant le plus possible les grands flux sur les principales artères à l'équipement sans cesse perfectionné grâce à l'électrification, au progrès de la signalisation et récemment à l'apport de l'informatique.

Mais, qu'il s'agisse de la naissance, de l'essor ou des conditions actuelles de l'exploitation des voies ferrées françaises, le relief a souvent joué un rôle décisif ; son influence se combine souvent avec les facteurs historiques tels que ceux qui viennent d'être évoqués pour expliquer pleinement la situation présente.

LE RÔLE DÉTERMINANT DU RELIEF

Par sa nature même le transport ferroviaire ne peut s'accommoder de rampes aussi serrées, de courbes de rayon aussi court que le trafic routier. Le roulement du métal sur du métal favorise, lorsque la voie est à peu près horizontale, une adhérence excellente, mais dont la qualité diminue très rapidement avec l'accentuation de la pente. Par ailleurs, la force d'inertie représentée par la masse considérable des motrices et des wagons exige de son côté des courbes de grand rayon. C'est ainsi qu'en dehors des zones de montagne, sur les lignes classiques où doivent circuler des convois rapides et lourds, des rampes de plus de 10 mm/m, des rayons de courbure de moins de 500 mètres constituent pour l'acheminement accéléré et économique du trafic des handicaps difficiles à surmonter. Il est donc aisé de saisir pourquoi sur plusieurs grandes artères du réseau des rampes de 8 ou 10 mm/m sont restées célèbres.
Aussi, beaucoup plus que pour la route, les contraintes du relief ont-elles pesé sur l'implantation des lignes de chemin de fer, dans la mesure où les ouvrages d'art ne peuvent pas effacer tous les obstacles.
Les ensembles montagneux sont évidemment le plus souvent de pénétration et de franchissement difficiles. Mais plus que l'altitude des points culminants ou la masse globale du relief

Un train Veynes-Grenoble serpente au fond d'une vallée alpine en recoupant plusieurs fois routes et cours d'eau. Ici, relief oblige, pas question de grande vitesse, tant pour le rail que pour la route.

comptent, au plan ferroviaire, les caractéristiques des vallées c'est-à-dire leur largeur, leur profondeur, leur profil en long, leur disposition par rapport à l'axe des divers massifs et des plaines environnantes.

Les vallées pyrénéennes offrent l'avantage d'être nombreuses, surtout dans la partie occidentale de la chaîne, et d'être perpendiculaires par rapport à son axe, c'est-à-dire d'accès plutôt aisé. Mais elles présentent les inconvénients d'être le plus souvent étroites, de profil difficile, et relativement peu profondes. Comme sur le versant espagnol les vallées sont du même type, il est aisé de comprendre pourquoi les Pyrénées françaises sont pénétrées par des voies ferrées le plus souvent en impasse, d'intérêt seulement local. Depuis la neutralisation de la ligne du Somport seule celle du Puymorens traverse de part en part la chaîne, au prix d'un tracé tourmenté et difficile ; c'est ainsi qu'entre Ax-les-Thermes et Puigcerda les déclivités atteignent le plus souvent 40 mm/m et que la voie s'élève à 1 562 m, double record en France pour les lignes à voie normale en service. Aussi l'essentiel du trafic entre France et Espagne est-il acheminé par les deux artères littorales d'Hendaye-Irun à l'ouest et de Cerbère-Port-Bou à l'est.

Au pied de la partie centrale de la montagne, non loin de Lannemezan, la célèbre rampe de Capvern traduit bien la difficulté d'établissement de relations parallèles à l'axe de la chaîne en l'absence de trouées longitudinales notables ; sur 10 kilomètres en effet la transversale à double voie Bayonne-Tarbes-Toulouse doit gravir une déclivité de 33 mm/m qui, même à l'ère de l'électrification, nécessite l'utilisation de machines de renfort.

Après le déclassement de la ligne de Saint-Dié à Sainte-Marie-aux-Mines, le massif des Vosges, lui, n'est plus traversé que par la relation Strasbourg-Saales-Saint-Dié, d'importance seulement régionale et de profil modéré. Comme dans les Pyrénées de nombreuses vallées sont sillonnées par de courtes antennes à voie unique.

Dans le Massif Central l'implantation et les caractéristiques des voies ferrées sont en liaison étroite avec la disposition générale du relief.

Dans la partie septentrionale les vallées nord-sud sont le plus souvent larges, profondes et de faible pente : elles permettent une pénétration très aisée de la masse montagneuse : ainsi dans la plaine de la Limagne, dans la vallée de la Loire entre Roanne et Saint-Etienne les excellents profils et tracés autorisent comme dans le centre du Bassin Parisien les vitesses élevées et les lourdes charges. En revanche les lignes de direction générale est-ouest, en l'absence de grandes vallées, sont difficiles : par exemple l'artère Saint-Sulpice-Laurière-Saint-Germain-des-Fossés, qui par Guéret et Montluçon constitue une section de la transversale Bordeaux-Lyon, est caractérisée par de multiples courbes de faible rayon et des rampes qui

Le poids du relief : page ci-contre, les monts du Lyonnais ont infligé à la ligne de Lyon à Saint-Germain-des-Fossés des rampes sévères comme ici, celle dite des Sauvages où le Lyon-Nantes, pour la circonstance, s'est vu adjoindre en tête une machine de renfort. Ci-dessous, la très dure ligne pyrénéenne du Puymorens où un train de marchandise traverse ici la ville de Foix.

atteignent souvent 15 mm/m ; en effet elle ne peut utiliser durablement aucune des vallées qu'elle traverse, de la Gartempe, de la Creuse, du Cher, de la Sioule entre autres, et doit au contraire escalader les uns après les autres les seuils qui les séparent.
Au sud d'une droite Saint-Etienne-Limoges, les altitudes moyennes ne sont pas plus élevées mais le massif est beaucoup moins aéré. La rareté des grandes vallées, leur fréquente étroitesse, leur dessin très sinueux expliquent que les voies ferrées ne les recherchent pas sytématiquement : le tracé de la ligne dite "des Cévennes", qui joint Clermont-Ferrand à Nîmes, est aussi difficile dans la haute vallée de l'Allier, qu'elle remonte au prix d'innombrables courbes et tunnels, que dans la traversée des Cévennes elles-mêmes : entre Monistrol-d'Allier et Langogne la voie, qui suit le cours de la rivière, n'en traverse pas moins 39 tunnels et 8 viaducs. Et ceci sur seulement moins de cinquante kilomètres !
Le cas du massif du Jura est paradoxal. En effet la disposition générale du relief caractérisée par des plis puissants, parallèles, de direction d'ensemble sud-sud-ouest, nord-nord-est, n'offre pas de bonnes possibilités de pénétration de la chaîne depuis les plaines de la Saône. Aussi le grand axe international Paris-Lausanne est-il marqué entre Mouchard, au pied du massif et Vallorbe, à l'entrée en Suisse, par un tracé et un profil difficile puisqu'il doit couper perpendiculairement toute une série de crêtes. La cluse des Hôpitaux, à l'extrême sud du massif, constitue une exception ; bien qu'étroite et tortueuse elle est suivie par une ligne à fort trafic qui, d'Ambérieu à Culoz, concentre les courants Paris-Savoie, Paris-Italie et Lyon-Genève. Les vallées longitudinales, elles, ne sont guère disposées de manière à favoriser d'importantes relations ; aussi ne sont-elles sillonnées que par des lignes d'intérêt seulement local.
Les Alpes françaises, dans leur partie méridionale, peu active et peu peuplée, n'offrent pas à l'établissement des voies ferrées de particulières facilités : les grandes vallées, comme celles de la Durance et de la Drôme, sont rares, et de profil souvent difficile : entre Gap et Briançon le long du lit de la Durance, les rampes peuvent atteindre 25 mm/m.
Il en va tout autrement dans les Alpes du nord. Comme les autres voies de communication, le chemin de fer bénéficie de la largeur des vallées creusées par les glaciers, de leur faible pente, de leur disposition orthogonale : de vastes couloirs longitudinaux comme celui du Grésivaudan sont parallèles à l'axe de la chaîne tandis que les cluses de Bonneville, d'Annecy, Chambéry ou Voreppe permettent l'établissement de liaisons faciles avec les pays rhodaniens voisins. Aussi les voies ferrées parcourent-elles souvent avec aisance et en tous sens un massif aux sommets vertigineux mais très morcelé ; les caractéristiques des relations Grenoble-Chambéry ou Chambéry-Culoz sont celles de lignes de plaine, tandis que la ligne de la Maurienne, remontant la vallée de l'Arc, comporte des rampes allant jusqu'à 30‰ de Saint-Jean-de-Maurienne à Modane. En Suisse, Autriche ou Italie se remarquent également de nombreuses voies ferrées aux tracés et profils de grande qualité, au cœur d'un massif alpin qui au centre de l'Europe n'a jamais représenté un obstacle majeur à la circulation des hommes et des marchandises.
En dehors des Alpes les montagnes françaises, par leur présence très dissuasive, ont souvent incité les artères ferroviaires importantes à les éviter. Compact et assez peu abordable, sauf au nord, le Massif Central est délibérément contourné par les grands axes Bordeaux-Marseille et Paris-Marseille. Entre Chagny et Avignon, sur près de 400 kilomètres, sa bordure orientale n'est interrompue que par une seule percée susceptible d'accueillir une ligne à trafic lourd, celle de la vallée du Gier ; de part et d'autre les monts du Lyonnais font obstacle à l'établissement aisé de voies ferrées à l'ouest de Lyon ; le massif du Pilat empêche une liaison directe entre la région stéphanoise et la moyenne vallée du Rhône, au sud de Vienne.

Page ci-contre en haut : à la traversée du nord du Massif Central de multiples courbes de faible rayon et des rampes qui atteignent souvent 15‰ influent négativement sur les temps de parcours Lyon-Bordeaux.

Dans les régions alpines, des relations comme Lyon-Annecy (page ci-contre en bas) utilisant des couloirs longitudinaux, ont des tracés relativement favorables tandis qu'une ligne comme celle de la Maurienne (ci-contre) accuse nettement par ses rampes et ses sinuosités le poids du relief montagneux.

Ci-dessus, la ligne Paris-Bordeaux dont l'excellent profil n'est qu'à peine altéré par le franchissement du seuil du Poitou. Ci-dessous, le seuil de Bourgogne qui a infligé à l'artère impériale Paris-Lyon la dure et célèbre rampe de Blaisy-Bas.

D'où l'importance de l'artère Lyon-Saint-Etienne serpentant dans cette vallée du Gier, dont le tracé, très ancien, est pourtant difficile, avec sur 38 kilomètres, entre Saint-Etienne et Givors 57 courbes d'au plus 500 mètres de rayon !
De même, la grande ligne Paris-Strasbourg ne se présente pas dans la capitale alsacienne depuis l'ouest mais depuis le nord : c'est qu'elle contourne le massif vosgien en utilisant la trouée de Saverne, comme d'ailleurs le canal de la Marne au Rhin ; tracé et profil ne posent aucun problème majeur.
Tout naturellement en effet, les constructeurs du siècle dernier ont été amenés à rechercher pour les relations essentielles les principaux seuils proches des ensembles montagneux ou les séparant.
Entre Pyrénées et Massif Central le seuil du Lauraguais ou de Naurouze concentre les grandes voies de communication, canal, voie ferrée, route et autoroute qui relient l'Aquitaine et les pays méditerranéens. La faible altitude du point culminant (293 mètres), la douceur des pentes qui mènent à la Garonne et aux régions languedociennes, la largeur du couloir confèrent à la grande ligne Bordeaux-Marseille, de part et d'autre de la ligne de partage des eaux, des caractéristiques de ligne de plaine ; c'est ainsi que les rampes ne dépassent pas 5 mm/m.
Entre Vosges et Jura, la trouée de Belfort, unissant Alsace et pays de la Saône offre des possibilités de même nature ; aussi est-elle empruntée par les itinéraires Paris-Bâle et Lyon-Strasbourg, en tronc commun entre Belfort et Mulhouse. Par ailleurs la transition entre bassin parisien et Aquitaine, assurée par le seuil du Poitou, est pratiquement insensible puisque le profil de la grande artère Paris-Bordeaux n'est pratiquement pas altéré.

En revanche aucun passage naturel n'existe entre les pays de la Saône et le bassin parisien. Aussi le franchissement de la ligne de relief qui entre le plateau de Langres et la Côte-d'Or surplombe la région de Dijon, a-t-il été difficile pour la grande artère Paris-Lyon. Pour atteindre le seuil de Bourgogne dominé par le Mont Tasselot, sur la ligne de partage des eaux entre les versants de la Manche et de la Méditerranée, deux rampes longues et sévères se rejoignent à Blaisy-Bas, à l'entrée nord du tunnel du même nom. Elles atteignent en direction de Paris, dans la vallée de l'Oze, un développement continu de 31 kilomètres, dont 10 à 8 mm/m, en direction de Dijon dans la vallée de l'Ouche, 26 kilomètres dont 15,500 à 8 mm/m. Au temps de la vapeur ces deux sections de ligne, en pente opposée, ont toujours été pour la Compagnie du P.L.M. puis pour la S.N.C.F. une sérieuse source de préoccupation, en raison de l'extrême importance du trafic, aussi bien des voyageurs que des marchandises, sur cette artère essentielle de notre réseau. La mise en service des célèbres et puissantes locomotives "Mountain", avant la seconde guerre mondiale, a représenté un sensible progrès ; mais c'est l'électrification de l'artère Paris-Dijon, en 1950, qui a apporté la solution définitive, en autorisant la circulation sans entrave des trains les plus lourds et les plus rapides.

Egalement à la périphérie du bassin parisien, entre le bassin de la Seine et la vallée de la Meuse, une autre grande ligne, celle reliant Paris à Strasbourg, doit elle aussi franchir un obstacle incontournable, les Hauts-de-Meuse. C'est l'explication de la présence d'une autre rampe célèbre, celle de Loxéville.
Prolongeant au sud le massif de l'Argonne, les Hauts-de-Meuse constituent un obstacle qui n'est guère impressionnant puisque l'altitude ne dépasse pas sensiblement 400 mètres, mais continu, donc difficile à franchir pour une voie ferrée, sans passage naturel transversal. Comme de part et d'autre de Blaisy-Bas, deux rampes opposées naissant non loin des bords de la Marne et de la Meuse se rencontrent à Loxéville, à proximité de la ligne de partage des eaux entre les bassins de la Seine et du Rhin. Si la nature de la pente est la même (8 mm/m), la longueur des deux déclivités est plus faible : 13 kilomètres vers l'ouest, 9,900 kilomètres vers l'est. Là aussi l'électrification a amené une exploitation plus aisée d'une section particulièrement difficile d'une grande artère très chargée.

Non loin de là au contraire, le seuil de Foug correspond à l'ancien tracé de la Moselle en direction de la Meuse. Il offre une trouée ouest-est, au sud des Côtes-de-Meuse, tout naturellement empruntée par les grandes voies de communication, et entre autres la voie ferrée Paris-Strasbourg dont le tracé et le profil sont donc alors, entre vallées de la Meuse et de la Moselle, excellents.

Ainsi, dans les zones accidentées, l'implantation des lignes de chemin de fer a été sensiblement influencée par la disposition du relief, qu'il représente des obstacles parfois infranchissables, ou qu'il offre d'intéressantes possibilités.
Mais il serait inexact d'estimer que dans les régions de collines, de plaines ou de plateaux les voies ferrées ont pu être établies sans tenir compte de la topographie.

Les vallées, surtout quand elles sont largement dimensionnées, constituent des sites privilégiés pour l'implantation des voies ferrées, puisqu'à priori elles relient des zones peu élevées et garantissent des profils en long favorables. Naturellement portés à les utiliser, les ingénieurs et constructeurs ont dû néanmoins tenir compte de diverses contraintes.
En règle générale les fonds de vallée ont été évités, surtout à proximité de cours d'eau connus pour l'irrégularité de leur débit et les possibilités de crue. Ainsi, dans la vallée de la Loire, les lignes ferroviaires se tiennent à distance respectueuse du fleuve endigué. Dans celle de la Garonne l'artère Bordeaux-Toulouse utilise par prudence les terrasses qui, entre Agen et Moissac en particulier dominent au nord le cours d'eau. Entre Dijon et Avignon la grande ligne Paris-Marseille n'est jamais très éloignée soit de la Saône, soit du Rhône, qu'elle côtoie directement par exemple dans le défilé de Donzère ; mais elle se tient toujours hors de portée des caprices des eaux, au prix parfois d'importants travaux de remblaiement.

Un tracé trop sinueux d'un fleuve et de sa vallée peut poser des problèmes d'allongement considérable du tracé si la voie ferrée ne saute pas d'une rive à l'autre. Le meilleur exemple est fourni, en aval de Paris, par la Seine et ses gigantesques méandres. Plusieurs solutions ont été trouvées : parfois, mais rarement, la voie ferrée Paris-Le Havre épouse la courbure des grandes boucles du fleuve, comme entre Achères et Mantes ; entre Mantes et Rouen le tracé général est sensiblement plus rectiligne, grâce à plusieurs ouvrages d'art souvent d'importance majeure comme les tunnels qui permettent de recouper les méandres de Bonnières et des Andelys, ou plusieurs grands ponts sur la Seine ; c'est au-delà de Rouen que se déroulent les plus majestueuses boucles, que le trafic maritime interdisait de franchir ; aussi la voie ferrée s'éloigne-t-elle délibérément du fleuve en grimpant sur le plateau du Pays de Caux, qu'elle traverse jusqu'aux abords du Havre.

Toujours est-il que le plus souvent les vallées, surtout les plus grandes, accueillent volontiers les artères ferroviaires, surtout les plus importantes. Ce n'est pas un hasard si fréquemment les points de concentration des voies ferrées correspondent aux zones de confluence des cours d'eau. Ainsi les vallées de la Seine, en amont et en aval de la capitale, de la Marne, de l'Oise permettent à quelques-unes des voies ferrées les plus actives du réseau de converger vers la région parisienne. Celles de la Loire, de la Garonne, de la Saône et du Rhône, de la Moselle sont elles aussi la plupart du temps suivies par des axes majeurs.

Aussi les points de rencontre des rivières correspondent-ils souvent à d'importantes gares de bifurcation. C'est non pas à Nancy même mais à 8 kilomètres, à Frouard, là où se rejoignent la Moselle et la Meurthe, que se séparent les deux grandes lignes se dirigeant depuis la capitale des ducs de Lorraine vers Paris et Metz. De même à Coutras, au nord-est de Bordeaux, la rencontre des vallées de l'Isle et de la Dronne coïncide avec la jonction des voies ferrées de Paris et de Limoges-Périgueux. En Bretagne Redon est situé à la soudure des vallées de l'Oust, de l'Aff, de l'Arz et de la Vilaine, qui ont facilité l'établissement des lignes de Quimper, de Nantes et de Rennes.

Pour profiter des avantages fournis par une vallée, le tracé général d'une ligne peut s'incurver en acceptant un allongement kilométrique parfois non négligeable. Par exemple de la capitale à Vitry-le-François la grande voie ferrée Paris-Strasbourg, au lieu de suivre une trajectoire rectiligne par Sézanne, décrit au nord un arc de cercle ample et majestueux, comme celui du cours de la Marne qu'elle épouse fidèlement ; elle couvre près d'une trentaine de kilomètres supplémentaires (206 kilomètres contre 179) mais bénéficie d'un profil remarquable, pratiquement horizontal même quand, non loin d'Epernay, elle passe à l'aplomb des hauteurs de la Côte de l'Ile-de-France.

L'utilisation des vallées peut être vérifiée à une échelle moins spectaculaire. Parfois la même voie ferrée, au prix d'un dessin général un peu infléchi, suit sur une distance réduite plu-

Page ci-contre, la ligne Bordeaux-Toulouse qui se tient à distance respectueuse de la Garonne, ici près de Langon. Ci-dessus, la Marne que serre de près, et sur de longues distances, l'artère Paris-Nancy, ici à Dormans.

sieurs rivières de direction différente ; ainsi à proximité d'Amiens la grande ligne Paris-Lille descend la vallée de la Noye, remonte de Longueau à Corbie celle de la Somme, puis au-delà celle de l'Ancre ; elle conserve ainsi un excellent profil.

Il ne suffit cependant pas qu'une vallée soit largement dimensionnée pour qu'elle soit automatiquement suivie par une voie ferrée, surtout importante. Les exemples, souvent de taille, ne manquent pas.

Entre Laval et Angers l'ample vallée de la Mayenne a toujours été sous-utilisée par le rail. Celle de la Saône en amont de Chalon-sur-Saône est aujourd'hui ignorée par les grands axes qui traversent la Bourgogne. De même le Rhône, entre Culoz et la région lyonnaise, n'a jamais été suivi en continu par la moindre voie ferrée. Plus au sud, à l'est de l'étang de Berre, la trouée ouverte par les vallées de l'Arc et de l'Argens, sillonnée par la grande route nationale et maintenant l'autoroute Paris-Nice, a été délaissée par le chemin de fer. Dans le bassin aquitain les larges et profonds couloirs où coulent la Dordogne, le Lot et à un moindre degré le Tarn n'accueillent aucune ligne essentielle.

Plusieurs éléments d'explications peuvent être avancés. Des choix de tracé d'itinéraires importants inspirés par des motifs variés, politiques ou économiques entre autres, ont pu être effectués au siècle dernier, en minorant certaines données topographiques ; ainsi la compagnie du P.L.M. a été amenée à concevoir l'établissement de la ligne de la Côte d'Azur depuis Marseille, d'abord jusqu'à Toulon puis jusqu'à Nice et au-delà ; l'amélioration constante de l'équipement de cette artère n'a jamais rendu nécessaire la création d'un second itinéraire Lyon-Nice par la trouée de l'Arc-Argens. Par ailleurs certaines vallées peuvent se révéler peu hospitalières pour les grandes voies de communication en raison de leur tracé très coudé, ou du danger représenté par des cours d'eau au régime très irrégulier ; c'est le double handicap des abords immédiats du Rhône à l'est de Lyon. D'autre part une belle vallée qui s'inscrit discrètement dans une région de relief très calme ne présente pas alors un intérêt très grand : le nœud ferroviaire de Dijon, l'un des plus importants du réseau, a pu se développer sans difficulté majeure à quelques dizaines de kilomètres de la vallée de la Saône ; il est desservi par des voies ferrées très chargées qui dans les plaines bourguignonnes bénéficient de profils en long de qualité remarquable.

Enfin certaines grandes vallées ont été peu ou pas mises à contribution par le chemin de fer lorsqu'elles ne pouvaient permettre l'établissement de relations essentielles. L'exemple le plus frappant est celui dans le sud-ouest du pays des principaux affluents de la Garonne qui relient la région bordelaise au Massif Central et à ses abords, peu peuplés et peu actifs : si la vallée de l'Isle est empruntée par l'artère Bordeaux-Limoges, en revanche celle de la Dordogne n'est suivie que par la ligne à voie unique Libourne-Bergerac-Sarlat, d'intérêt seulement local, tandis qu'à Aiguillon aucune voie ferrée ne se détache de la transversale Bordeaux-Toulouse pour remonter le splendide couloir creusé par le Lot. La vallée de la Loire, elle, est la plupart du temps parcourue par des artères importantes ; mais Orléans et Gien ne sont reliés que par une ligne à voie unique partiellement exploitée de nos jours ; c'est qu'alors l'orientation du fleuve, à la différence de celle des secteurs en amont et en aval, ne correspond pas du tout au dessin d'ensemble des grands axes ferroviaires dans le centre de la France, très convergeant vers la capitale ; la vallée présente donc alors un intérêt moindre.

A l'inverse, à l'échelle de l'ensemble du réseau, des lignes parfois importantes peuvent ne pas être adaptées à la topographie. C'est que souvent il a fallu établir des liaisons indispensables entre villes ou régions soit proches, soit économiquement actives, en l'absence de plaines ou de vallées disposées favorablement.

Un bon exemple est fourni par l'artère Paris-Caen-Cherbourg, entre Mantes et Mézidon. De direction générale est-ouest, elle recoupe à peu près perpendiculairement les vallées de l'Eure, de l'Iton, de la Risle, de la Touques, qui coulent vers le nord, et de leurs affluents. Aussi le profil est-il en dents de scie, avec de multiples déclivités contraires pouvant atteindre 10 mm/m, tandis que plusieurs tunnels et de nombreuses courbes souvent de faible rayon traduisent la difficulté de s'adapter à un modelé hostile.

Plus spectaculaire encore est le cas de la grande artère Paris-Toulouse, entre Argenton-sur-Creuse et Caussade. En effet, sur ces 345 kilomètres, où la vraie montagne est absente, se succèdent à un rythme très élevé courbes de faible rayon (souvent de l'ordre de 500 mètres seulement), rampes atteignant fréquemment 10 mm/m, 43 tunnels, dont 23 de plus de 300 mètres de longueur. Là encore le tracé de la voie ferrée à travers le Limousin et les causses du Quercy est malheureusement à peu près orthogonal par rapport à la disposition de la plupart des vallées. Aussi la ligne doit-elle inlassablement escalader les zones de collines et de plateaux qui les séparent, redescendre, traverser en étrangère les couloirs souvent profonds de la Gartempe, de la Vienne, de la Corrèze, de la Dordogne, du Lot et de leurs affluents. Il n'est pas étonnant que dans ces conditions l'exploitation de la relation Paris-Toulouse ait toujours posé des problèmes dans le domaine de la charge et de la vitesse des trains.

D'autres exemples pourraient être donnés, comme ceux des lignes Valenciennes-Thionville en Lorraine et Paris-Mulhouse entre Langres et Belfort ; ils montrent eux aussi que, même dans une topographie générale modérée, des liaisons ferrées essentielles peuvent présenter des caractéristiques de tracé et de profil difficiles, en cas d'inadaptation à la structure d'ensemble du réseau hydrographique.

Les vastes plaines et plateaux qui s'étalent largement, entre autres, dans la partie centrale des grands bassins sédimentaires français sont sillonnés par des voies ferrées à peu près idéalement construites : l'absence de déclivités marquantes confine parfois à l'horizontalité absolue, par exemple en Beauce, en Sologne, dans la Crau et dans la traversée des Landes. Par ailleurs, les alignements peuvent être remarquables : le parcours Bordeaux-Morcenx (108 kilomètres) n'est jalonné que par une seule courbe, de très grand rayon, à Lamothe, qui sépare deux sections rigoureusement rectilignes de 40 et 66 kilomètres de longueur. Aussi est-il aisé de comprendre pourquoi ces voies ferrées de régions basses et plates, ainsi que celles qui courent au sud de Dijon en bordure des plaines de la Saône ou dans la plaine d'Alsace, ont été privilégiées soit pour la préparation des records du monde de vitesse sur rail, soit pour la mise au point des Trains à Grande Vitesse.

Toutefois la construction de ce type de lignes a pu poser certains problèmes techniques. D'une part des régions en apparence presque plates peuvent en fait présenter des bombements de terrain de très grand rayon, peu visibles à l'œil nu, mais dont les voies ferrées doivent tenir compte ; ainsi au nord-est de Boulogne l'artère Paris-Calais doit franchir la dorsale crayeuse de l'Artois au prix de courbes très prononcées et de rampes atteignant 8 mm/m autour de Caffiers. Plus modestement une déclivité de 5 mm/m, près de Survilliers marque sur la ligne Paris-Lille, au sud de Creil, la transition entre les bassins de la Marne et de l'Oise.

D'autre part une ligne courant à la surface d'un plateau doit nécessairement franchir des vallées parfois encaissées. Ce type de relief en creux explique les quelques viaducs qui au sud de Tours, sur le plateau de Sainte-Maure permettent à la grande ligne Paris-Bordeaux, sans le moins du monde modifier son tracé et son profil, d'enjamber le cours de l'Indre et de la Manse.

Enfin ces plateaux surplombent parfois de plusieurs dizaines de mètres les vallées qui les bordent. Profitant de rares échancrures les voies ferrées ne peuvent accéder à leur surface qu'après avoir gravi des rampes souvent fortes. Ainsi au départ du Havre la ligne de Paris ne s'installe-t-elle sur le plateau du Pays de Caux qu'après une longue montée de 8 mm/m. Bien connues également des cheminots sont, sur l'itinéraire Paris-Bordeaux, les rampes situées au sud d'Étampes et de Tours : la première, entre Étampes et Guillerval, atteint le taux de 8 mm/m sur 6 052 mètres, pour un développement total de près de 10 kilomètres ; elle permet à la grande artère de l'ex-compagnie du Paris-Orléans d'accéder depuis la vallée de la Juine, sous-affluent de la Seine, à la surface du plateau de Beauce. Au sud de Tours, symétriquement, c'est le plateau de Sainte-Maure qui est atteint, à partir de la vallée de la Loire, au prix d'une rampe sévère pour une région globalement peu accidentée, puisque sur 4 kilomètres elle est de 10 mm/m. Avant l'électrification, faut-il l'ajouter, ces trois rampes étaient justement redoutées des tractionnaires, et imposaient de lourdes sujétions d'exploitation.

Le réseau ferré français bénéficie donc de conditions topographiques générales plutôt favorables ; mais il a dû s'adapter avec plus ou moins de réussite à un relief qui dans le détail est le plus souvent varié et n'évoque que rarement les immensités plates de l'Allemagne du Nord, de la Pologne ou de la Russie d'Europe. Aussi est-il constellé de nombreux et parfois impressionnants ouvrages d'art, parfois célèbres, qui marquent le paysage et la géographie ferroviaires.

Ci-dessus : à défaut d'utiliser des couloirs naturels, la ligne Paris-Caen où circulent pour quelque temps encore les turbotrains, se singularise par un tracé et un profil défavorables. Ci-dessous, la ligne Paris-Lille qui franchit, bien avant Creil, la modeste déclivité de 5‰ que provoque la transition entre les bassins de la Marne et de l'Oise.

LES GRANDS OUVRAGES D'ART

La nécessité de gommer le plus possible les obstacles dressés par la topographie explique le grand nombre des tranchées ou au contraire des remblais qui, en France comme ailleurs, accueillent les voies ferrées. Mais lorsque les dénivellations se sont révélées trop fortes ou quand il fallait franchir des cours d'eau, les constructeurs ont dû envisager d'autres solutions. D'âge, d'envergure, de construction et de styles différents, de multiples ponts, viaducs ou tunnels jalonnent notre réseau.

LES TUNNELS

1 450 souterrains, en France, sont traversés par des voies ferrées. Ils sont de longueur très variable, de quelques dizaines de mètres à plusieurs kilomètres, sans toutefois atteindre le développement des géants alpins qui unissent Suisse et Italie. A côté des 14 912 mètres du tunnel du Saint-Gothard et surtout des 19 730 mètres de celui du Simplon, en effet, les 4 633 mètres du tunnel de la Nerthe, proche de Marseille, le plus long souterrain à double voie intégralement percé en territoire français, font pâle figure. Mais l'analyse révèle une étonnante diversité de cette famille d'ouvrages d'art.

Les grands tunnels internationaux forés partiellement en France correspondent à la coïncidence entre frontière et ligne de faîte des chaînes majeures. Passant donc sous la ligne de partage des eaux entre bassins hydrographiques français et étrangers ils sont encadrés par des rampes souvent sévères, et ont nécessité de travaux importants, longs et difficiles. Ouvert seulement en 1871, le tunnel du Fréjus unit les vallées de l'Arc et, en Italie, de la Doire Ripaire. Il a permis, peu après l'achèvement de l'unité italienne, l'établissement de bonnes relations entre Paris et Lyon d'une part, Turin et Rome d'autre part.

Beaucoup plus jeune est dans le Jura le tunnel du Mont-d'Or, percé entre les vallées du Doubs et, en Suisse, de l'Orbe, exploité seulement à partir de 1915. C'est qu'auparavant la liaison internationale Paris-Lausanne était assurée par une ligne de médiocre qualité tracée entre Frasne et Vallorbe par Pontarlier, aujourd'hui abandonnée. Plus court de 15 kilomètres le nouvel itinéraire offre de bien meilleures caractéristiques techniques.

Percé sous la frontière italienne entre les vallées de la Roya et en Italie de la Sture le tunnel du Col de Tende n'est pas traversé par un axe d'importance comparable. Il est vrai que depuis quelques années Italiens et Français consentent des efforts non négligeables afin de revaloriser les relations ferroviaires entre Nice, Vintimille et Turin, longtemps paralysées par les ravages de la seconde guerre mondiale.

Dans la partie orientale des Pyrénées le long souterrain du Puymorens est en rapport avec une anomalie géopolitique datant de la paix des Pyrénées : s'il est creusé en effet sous la ligne de faîte, la frontière franco-espagnole, elle, se trouve dans cette région tracée plus au sud, sur le versant méridional de la barrière orographique.

Dénomination	Ligne	Longueur (en mètres)		Nombre de voies
		totale	en France	
Fréjus (ou Mont-Cenis)	Lyon-Turin	13657	6867	2
Col de Tende	Nice-Breil	8099	3733	1
Somport (1)	Pau-Saragosse	7874	3162	1
Mont d'Or	Dijon-Lausanne	6097	5110	1 (2 à l'origine)
Col de Braus	Nice-Turin	5938	-	1
Puymorens	Toulouse-Puigcerda	5414	-	1
La Nerthe	Lyon-Marseille	4633	-	2
Les Echarmeaux	Lyon-Paray-le-Monial	4154	-	2
Blaisy-Bas	Paris-Dijon	4100	-	2
Le Crèt-d'Eau	Lyon-Genève	4005	-	2

(1) *La ligne Pau-Saragosse est désormais neutralisée dans la traversée des Pyrénées et fermée au trafic international.*

Page ci-contre, un des ouvrages d'art parmi les plus connus, le viaduc de Garabit sur la ligne régionale Béziers-Neussargues.

L'enfilade de tunnels du col de Brey dans le Jura, entre Andelot et Dole, où circule, sous caténaires, un autorail venant de Morez.

Il est normal, en s'éloignant de l'axe des grandes chaînes, de s'attendre à découvrir beaucoup de tunnels dans l'ensemble des massifs montagneux. Or dans les Alpes en particulier, la densité du réseau des vallées, leur calibrage et leur disposition souvent favorable limitent quelque peu leur nombre et leur importance. En revanche l'orientation dominante méridienne de son architecture plus massive, et donc la rareté des trouées est-ouest, a amené dans le Massif Central le percement de tunnels souvent de grand développement afin de faciliter le franchissement de dorsales ou de zones culminantes. Ainsi dans les monts du Charolais et du Beaujolais les souterrains des Echarmeaux et des Sauvages, longs de plus de 4000 et de 3000 mètres, sur les lignes de Lyon à Paray-le-Monial et à Roanne, jalonnent-ils la ligne de partage des eaux entre les bassins du Rhône et de la Loire. Plus impressionnante est la situation du souterrain du Lioran, long de 1900 mètres, foré à plus de 1150 mètres d'altitude qui, dominé par les sommets encadrants du Puy-Mary et du Plomb-du-Cantal, permet à la voie ferrée Clermont-Ferrand-Aurillac, serpentant dans les hautes vallées de l'Alagnon et de la Cère, d'unir l'Auvergne au bassin aquitain.
Abandonné maintenant par le rail au profit de la route le très long souterrain de Sainte-Marie-aux-Mines (6874 mètres), établit dans les Vosges une liaison du même type, entre versants alsacien (Sélestat) et lorrain (Saint-Dié).
Mais un examen attentif révèle que les tunnels peuvent être nombreux non forcément là où le relief est le plus spectaculaire, mais lorsque la mise à profit d'un passage naturel ne peut s'effectuer aisément en raison de difficultés localisées.
C'est ainsi que la rectification du tracé d'une vallée étroite et tortueuse par l'aménagement de courts tunnels n'est pas l'apanage exclusif des gorges de l'Allier. A l'ouest du Massif Central, entre Saint-Denis-près-Martel et Aurillac la voie ferrée n'est parvenue à suivre celles de la Cère, aux parois très escarpées, qu'au prix de 12 tunnels sur moins de 20 kilomètres. Entre Vigeois et Allassac, au nord de Brive, le grand axe Paris-Toulouse, lui, en 15 kilomètres traverse 7 souterrains afin de pouvoir se cramponner aux flancs raides et tourmentés des gorges de la Vézère. De même dans le massif ardennais la ligne Charleville-Givet, bien que tracée dans la vallée de la Meuse, doit traverser six tunnels afin d'éviter les sinuosités les plus prononcées de la rivière.

Par ailleurs dans les Alpes du Nord, les rives abruptes du lac du Bourget expliquent la présence, au nord d'Aix-les-Bains, sur la grande artère Culoz-Modane, de trois tunnels très proches les uns des autres, à quelques mètres de l'eau. Lorsqu'une chaîne de montagne s'avance brutalement au-dessus de la mer la voie ferrée côtière n'a pu s'installer en totalité à la lumière du jour : entre Argelès-sur-Mer et Cerbère l'artère Perpignan-Port-Bou doit utiliser 6 souterrains totalisant 3600 mètres ; la ligne Nice-Vintimille, qui longe également la Méditerranée, voit se succéder sur 36 kilomètres une vingtaine de tunnels, le plus souvent très courts il est vrai.
Lorsque le profil en long d'une vallée est très difficile, le forage de tunnels hélicoïdaux a représenté une solution originale : accrochée jusque-là à la paroi la voie ferrée s'enfonce dans la montagne, en décrivant une boucle qui conserve le taux de déclivité antérieur et réapparaît à une faible distance, mais à une altitude nettement supérieure ; elle peut alors retrouver un tracé orthodoxe. Les exemples les plus remarquables sont ceux des souterrains de la Boucle (1400 mètres), entre Chambéry et Bourg-Saint-Maurice, de Saillens (1750 mètres) entre Ax-les-Thermes et Puigcerda, de Berghe (1833 mètres) entre Nice et Coni.

En dehors des grandes régions montagneuses les tunnels ne manquent pas, et d'abord à proximité de celles-ci.
Au nord du massif vosgien le franchissement du seuil de Saverne a été rendu plus aisé par le percement du tunnel d'Arzviller, long de 2676 mètres : la grande artère Paris-Strasbourg passe alors du bassin de la Moselle dans celui du Rhin. Plus spectaculaire est la situation près de Dijon du souterrain de Blaisy-Bas (4100 mètres) dans la mesure où c'est à proximité même que se séparent les déclivités contraires qui évacuent les eaux de ruissellement soit vers la Saône et la Méditerranée, soit vers l'Yonne et la Manche.
Dans les pays de plaine ou de modelé modéré les tunnels ne sont jamais absents.

En effet une ondulation de terrain sans problème pour le réseau routier a dû être percée par un souterrain ferroviaire chaque fois que les ingénieurs du siècle dernier, qui maîtrisaient remarquablement la technique du tunnel, n'ont pu retenir ni la solution du contournement, trop long, ni celle d'une tranchée qui se serait révélée trop profonde ou trop large à la surface du sol, ou encore aux flancs trop difficiles à stabiliser en raison de données géologiques défavorables. C'est ainsi que deux souterrains dont celui de Livernant, long de 1471 mètres, sont traversés par l'axe Paris-Bordeaux entre Poitiers et Libourne, dans des régions aux horizons pourtant très doux. De même les tunnels de Pissy-Poville, entre Rouen et Le Havre, de la Motte (2500 mètres) entre Lisieux et Mézidon sur la ligne Paris-Cherbourg ont-ils été forés dans des secteurs seulement faiblement accidentés.
Encore plus surprenante peut paraître l'existence de souterrains dans des régions telles que les plaines de Sologne ou du Bas-Languedoc. Pourtant, pour les raisons exposées plus haut de courts tunnels ont dû être creusés entre Nîmes et Tarascon, entre Béziers et Narbonne près d'Ensérune, près de Vierzon (avec une couverture rocheuse de quelques mètres seulement).
Parfois un obstacle très marqué et incontournable peut se dresser devant une voie ferrée, qui n'a alors d'autre ressource que de le transpercer pour atteindre son objectif.
Deux cas sont particulièrement remarquables. En Champagne la ligne Epernay-Reims, greffée sur l'axe Paris-Strasbourg, ne traverse la barre calcaire de la Montagne de Reims que grâce au forage du tunnel de Rilly, long de 3441 mètres. Près de Marseille le chaînon également calcaire de l'Estaque, compact et escarpé, constitue au nord l'horizon de la grande cité phocéenne ; il est franchi par le célèbre tunnel de la Nerthe

Tunnels d'hier et d'aujourd'hui : ci-dessus, le tunnel franco-suisse du Mont-d'Or sur Dijon-Lausanne et, ci-dessous, celui tout récent de Chalifert sur Paris-Strasbourg.

(4633 mètres), voisin d'une autre souterrain, celui du Rove, emprunté par le canal joignant le port urbain à l'étang de Berre. Symétriquement le chaînon parallèle qui au sud-est de la ville sépare la vallée de l'Huveaune de la mer est percé par le tunnel du Mussuguet (2620 mètres), qui abrite la ligne Marseille-Vintimille.
Un peu à part peuvent se classer les souterrains qui, lorsqu'une vallée décrit de vastes boucles, permettent un raccourcissement notable du trajet en coupant au plus court : les deux tunnels qui court-circuitent entre Mantes et Rouen les méandres très prononcés de Bonnières et des Andelys autorisent un gain de l'ordre de plus d'une trentaine de kilomètres par rapport à ce qu'aurait représenté un côtoiement constant de la Seine.

Les tunnels aménagés à l'intérieur des agglomérations constituent une famille particulière et relativement nombreuse puisqu'ils trouent le sous-sol de villes comme Rouen, Amiens, Poitiers, Angoulême, mais aussi Nantes, Lyon, Marseille ou Nice.
Ils correspondent d'abord à la nécessité, en milieu urbain souvent dense, de ne pas dans la mesure du possible encombrer la surface par des installations gênantes pour la circulation automobile et génératrices de nuisances diverses ; ainsi s'expliquent les tunnels ou tranchées couvertes, parfois récentes, creusés à Nantes, Cannes ou Nice.
Par ailleurs les voies ferrées doivent compter parfois avec des accidents de relief, peu marqués dans l'absolu mais proches du cœur des villes et donc des grandes gares, et dont l'implantation rend les tunnels inévitables. Ainsi s'expliquent le souterrain des Chartreux à Marseille, ceux qui passent sous les collines séparant les gares de Nice-ville et de Villefranche-sur-Mer. Et c'est sous les promontoires qui portent les quartiers les plus anciens d'Angoulême et de Poitiers qu'ont été forés des tunnels (740 mètres de longueur à Angoulême) utilisés par l'axe Paris-Bordeaux. De même à Lyon l'axe Paris-Marseille, juste avant d'atteindre la gare de Perrache, passe sous la colline de Fourvière grâce au tunnel de Saint-Irénée, long de 2109 mètres. Mais le plus bel exemple de l'importance des souterrains en zone très urbanisée est fourni par Rouen : la masse imposante de la colline Sainte-Catherine, la disposition en amphithéâtre de la vieille cité normande, la nécessité de s'élever au-dessus de la vallée de la Seine pour atteindre le niveau du Plateau de Caux, ont amené le percement, de part et d'autre de la gare de Rouen-Rive-Droite de 5 tunnels, totalisant 3907 mètres sur 6632 mètres ; c'est-à-dire que la grande artère de Paris au Havre, dans la traversée de cette agglomération, est tracée sous terre sur près de 60% de son parcours ! L'électrification de cette section de ligne a d'ailleurs posé de sérieux problèmes en raison du gabarit très étroit des ces tunnels, comptant parmi les plus anciens de France et conçus suivant des normes britanniques qui au XIXe siècle faisaient autorité.
L'ensemble des souterrains français est naturellement l'objet de la vigilance et des soins les plus attentifs de la part des services techniques de la S.N.C.F. Depuis 1970 en particulier d'importants travaux ont été planifiés et exécutés dans beaucoup d'entre eux, souvent au moins centenaires !
La carte des tunnels n'est d'ailleurs pas figée. En effet, certains d'entre eux depuis 1945 ont dû être supprimés : alors que leur mauvais état aurait nécessité des soins trop onéreux, la topographie permettait soit la transformation en tranchée, comme à Lormont près de Bordeaux, soit l'établissement à faible distance d'une courte déviation à l'air libre ; ainsi a disparu le court souterrain situé entre Nevers et Saincaize. En revanche d'autres ont été reconstruits sur un tracé différent, cas de ceux de Marnay, La Pommeraie sur l'artère Paris-Mulhouse.

Bien entendu l'achèvement du tunnel sous la Manche marquera une date capitale dans l'histoire des grands ouvrages d'art, au-delà même du cadre français. Cette réalisation d'une ampleur exceptionnelle sera largement évoquée plus loin (chapitre 5), dans le contexte de l'essor des lignes du T.G.V.

Également indispensables et spectaculaires sont les grands ponts et viaducs.

LES PONTS ET VIADUCS

Le réseau ferré métropolitain est constellé de près de 39000 ponts ou viaducs, de toutes dimensions, qui permettent le franchissement des cours d'eau, des rues, routes et autoroutes. Néanmoins le nombre des passages à niveau reste élevé : 22000 dont plus de la moitié dotés de barrières automatiques. Les plus impressionnants et les plus célèbres de ces ponts et viaducs se retrouvent en milieu accidenté, et plus précisément dans le Massif Central.
Par rapport en effet aux Alpes, beaucoup plus aérées, cet ensemble montagneux n'offre aux voies de communication, le plus fréquemment, que des vallées rares, encaissées et tortueuses. Aussi les voies ferrées se sont-elles adaptées à ce type de relief en creux en courant délibérément à la surface des plateaux, dont la topographie est d'ailleurs souvent acceptable, par exemple dans le Limousin, les Causses ou le Rouergue. La rencontre inévitable et brutale avec des vallées étroites, profondes et aux flancs abrupts a alors presque toujours imposé aux constructeurs le recours au grand viaduc.
Quatre ouvrages de ce type sont particulièrement intéressants par leurs caractéristiques techniques.

Ces quatre viaducs, qui supportent tous des lignes à voie unique, détiennent en France les records aussi bien de hauteur que de portée entre appuis. Conçus et édifiés à la fin du XIXe siècle et au début du XXe , ils témoignent du dynamisme du chemin de fer à cette époque, de la hardiesse des bâtisseurs, du triomphe de l'assemblage métallique : ce n'est pas un hasard si Gustave Eiffel s'est personnellement impliqué dans la construction des ouvrages de la Tardes et de Garabit.
Deux styles se dégagent : aux Fades et au-dessus de la Tardes le tablier métallique repose sur de très hautes piles en maçonnerie ; de dessin très orthogonal ces ouvrages donnent

Viaduc	Ligne	Vallée	Mise en service	Hauteur	Longueur
de la Tardes	Montluçon-Eygurande	Tardes	1887	92	250
de Garabit	Béziers-Neussargues	Truyère	1889	123	564
du Viaur (ou de Tanus)	Albi-Rodez	Viaur	1902	116	460
des Fades	Volvic-Lapeyrouse	Sioule	1909	133	470
				en mètres	

une impression de rigueur, de dépouillement et de froide beauté. Les deux autres voient la victoire du métal. A Garabit de courtes piles supportent autour d'un magnifique arc central une savante et impressionnante toile d'araignée d'acier, qui rappelle le type de construction de la Tour Eiffel, inaugurée d'ailleurs la même année. Au-dessus du Viaur l'ouvrage, totalement métallique, dégage une impression peut-être plus forte d'élan, de légèreté et d'élégance.
En dehors de ces géants notre réseau offre une typologie riche et variée de ponts et viaducs. Lorsqu'ils sont intégralement édifiés en maçonnerie ces derniers constituent eux-mêmes un groupe très diversifié.
Ils se rencontrent en effet en milieu accidenté, et pas seulement dans les secteurs de vraie montagne. C'est ainsi que les principales voies ferrées bretonnes doivent fréquemment franchir des rias, vallées profondes et aux flancs escarpés ; le relief se manifeste également en creux dans les zones de plateaux, comme autour de Langres ou Chaumont. Les viaducs se sont alors imposés afin d'éviter de fâcheuses ruptures de tracé et de profil. Mais il est possible de les découvrir aussi dans les régions de plaine, comme le viaduc des Cent Arches, proche de Libourne sur l'axe Paris-Bordeaux, qui traverse la vallée de la Dordogne.
Leur hauteur est très variable, de l'ordre de seulement quelques mètres pour cet ouvrage, mais de 50 mètres à Chaumont, de 59 mètres à Morlaix, au-dessus des toits de la vieille ville. De même la longueur peut être considérable, atteignant 304 mètres au viaduc de Chamborigaud dans les Cévennes, 600 mètres à celui de Chaumont, 1155 mètres à l'ouvrage des Cent Arches.
Beaucoup de ces viaducs, comme à Morlaix ou Chaumont, sont rectilignes. Mais les contraintes de la topographie ont souvent imposé des tracés incurvés, qui procurent alors une grande impression d'élégance ; ainsi par exemple les ouvrages de Chamborigaud, Villefort et Chapeauroux sur la ligne des Cévennes, celui de Souillac entre Brive et Montauban. Le style dépend également de la forme, de la largeur et donc du nombre des arches. Le viaduc classique se compose d'une forêt de piles séparant des arches cintrées d'une largeur de quelques mètres seulement (29 arches d'une dizaine de mètres à

Le viaduc de la Tardes entre Montluçon et Eygurande.

Page ci-contre, un train Toulouse-Rodez sur le viaduc du Viaur. En dessous, celui de Saint-André-de-Cubzac.

Ci-contre, le viaduc de Chaumont.

Ci-dessous, les derniers temps du viaduc de Commelles, sur la ligne Paris-Creil, peu avant son remplacement par un nouvel ouvrage en béton.

Chamborigaud par exemple) ; à largeur comparable des arches, l'allure plus ou moins aérienne du viaduc dépend de la hauteur des piles, avec un élancement marqué par exemple à Morlaix ou à Anthéor, entre Saint-Raphaël et Cannes, en raison du foisonnement et du resserrement des lignes verticales. A Chaumont comme à Morlaix existent deux rangées d'arches superposées, la plus basse laissant passage à un chemin piétonnier central.
Comme aux Fades les piles en maçonnerie peuvent être associées à un tablier métallique ; c'est le cas, entre autres, du viaduc du Claps, long de 218 mètres et situé entre Livron et Veynes.
Mais les techniques nouvelles de ces dernières dizaines d'années, qui autorisent des portées plus considérables, ont permis un certain renouvellement dans l'art de construire les viaducs. Ainsi le nouvel ouvrage de Longeray (326 mètres), entre Bellegarde et Annemasse se caractérise-t-il avant tout par trois arches d'une cinquantaine de mètres d'envergure chacune, de forme quelque peu ogivale ; l'équilibre et la légèreté de l'ensemble sont incontestables. De même à Chasse, au sud de Lyon, le Rhône est franchi par un ouvrage hardi et élégant, en béton armé, appelé viaduc de la Méditerranée, dont l'élément le plus spectaculaire est l'arche centrale, qui dessine un très bel arc de 124 mètres de portée.

En dehors des régions accidentées les cours d'eau, et surtout les plus larges, sont franchis par des ponts sans doute moins spectaculaires que les grands viaducs du Massif Central, mais de dimensions souvent imposantes et d'architecture marquant le paysage. Comme dans le cas de certains tunnels, ils ont parfois été édifiés afin d'éviter des allongements trop prononcés du tracé en raison du dessin vagabond des cours d'eau : au sud de Rouen, la boucle d'Elbeuf est court-circuitée par la ligne Paris-Le Havre grâce aux deux grands ponts du Manoir et d'Oissel, jetés sur la Seine. Ces ouvrages ne sont pas remarquables par leur hauteur, de l'ordre souvent de seulement une dizaine de mètres au-dessus de l'eau, mais peuvent l'être par leur longueur. Tandis qu'en effet de part et d'autre de Tours les ponts de Montlouis (ligne de Paris) et de Saint-Côme (ligne du Mans) atteignent respectivement 297 et 360 mètres, des développements plus importants sont atteints notamment au pont de fer sur la Garonne à Bordeaux (502 mètres) et à Saumur (875 mètres).
Rivières et fleuves sont traversés par des ponts le plus souvent d'un seul tenant. Mais des exceptions se remarquent, comme non loin de Nantes où les trois bras de la Loire sont franchis par la ligne de Bordeaux grâce à l'ensemble des "ponts de Vendée", d'une longueur totale de 480 mètres.
Comme dans le groupe des viaducs se retrouvent des oppositions de style, avec en particulier le choix par les constructeurs de la maçonnerie ou de structures métalliques.
La multiplicité des voûtes et donc des piles, inévitable dans les ouvrages en maçonnerie, implique qu'ils soient édifiés au-dessus de cours d'eau assez peu profonds et non l'objet d'une importante navigation commerciale. Le pont qui permet à Orléans à l'artère Paris-Toulouse de traverser la Loire, ceux de Libourne sur la Dordogne ou de Tarascon sur le Rhône constituent des exemples de qualité.
L'emploi du métal autorise des portées beaucoup plus considérables ; aussi la plupart des grands ouvrages du XIXe siècle et du début du XXe siècle ont-ils été bâtis en utilisant cette technique, dès lors qu'il s'agissait de franchir des cours d'eau de forte largeur. Mais cette famille de ponts présente elle-même une étonnante diversité.
C'est ainsi que dans les agglomérations lyonnaise, au-dessus de la Saône et du Rhône, et parisienne, au-dessus de la Seine ou de la Marne, ou dans le cas du pont Résal à Nantes, les ouvrages relativement courts sont dénués de toute superstructure, le tablier reposant sur des arcs métalliques. Le pont d'Asnières, long de seulement 161 mètres, mais qui supporte les dix voies d'accès ou de sortie de la gare Saint-Lazare, constitue un exemple célèbre, d'autant plus que les 1400 trains qui le franchissent en moyenne journalière représentent un record sans doute mondial.
L'assemblage d'une structure métallique cohérente qui enveloppe complètement la voie ferrée en incluant le tablier a permis le lancement d'ouvrages de plus grande longueur, avec un nombre limité de piles en raison de la rigidité de l'ensemble. Souvent les lignes principales de l'ouvrage sont exclusivement horizontales, comme dans le cas des viaducs des Fades et de la Tardes : c'est le style très dépouillé des ponts de Bordeaux sur la Garonne, de Saumur sur la Loire, du Manoir sur la Seine, entre Mantes et Rouen. Mais l'architecture peut être plus complexe, avec un tracé sinusoïdal ou ourlé du sommet de l'armature métallique ; plus élégants peut-être que les précédents sont les ouvrages de Moissac, sur le Tarn, d'Eauplet dans l'agglomération rouennaise, de la Mulatière non loin de la gare de Lyon-Perrache.

L'évolution accélérée des techniques, surtout durant ces dernières dizaines d'années, a vu l'abandon, en France comme ailleurs, de l'emploi du métal. Aussi sur le Rhône le pont de la Voulte (327 mètres), reconstruit après 1945 en béton précontraint, celui qui sur la ligne nouvelle de Cergy enjambe l'Oise depuis 1979 sont-ils caractérisés par beaucoup de sobriété et une grande élégance. Il en est de même sur les lignes du T.G.V. (voir chapitre 5).
Particulièrement spectaculaires sont certains ouvrages d'art, pourtant édifiés en plaine, soit par leur longueur, soit par leur complexité dans la mesure où se trouvent associées plusieurs techniques.
Proche de Martigues et jalonnant la ligne de Miramas à Marseille par Port-de-Bouc le viaduc de Caronte, constitué d'un tablier métallique de 9 travées reposant sur des piles de maçonnerie, est remarquable par sa longueur totale (880 mètres) et surtout par l'existence, dans la partie centrale, d'une travée pivotante : en position perpendiculaire par rapport à la voie ferrée elle permet aux navires de haute mer de gagner, sans la moindre limitation de mâture les installations portuaires et industrielles de l'étang de Berre. Un tel dispositif qui se révèle fort gênant pour l'exploitation ferroviaire n'en constitue pas moins à la fois une curiosité et une prouesse technique.

La travée mobile du viaduc de Caronte, sur la ligne de Miramas à l'Estaque.

Par ailleurs de nombreux ouvrages métalliques sont encadrés par des viaducs d'accès en maçonnerie : ainsi le pont de Romans, entre Valence et Grenoble, qui enjambe l'Isère. Cet ordonnancement, classique, atteint des dimensions considérables à Saint-André-de-Cubzac, au nord de Bordeaux sur la ligne de Nantes. En effet la Dordogne, très large et susceptible d'être remontée jusqu'à Libourne par la navigation maritime, est franchie par un splendide ouvrage complexe, long de 2318 mètres ; le pont lui-même, de 562 mètres de développement, surplombe de 40 mètres la rivière ; il est encadré de viaducs d'accès de seulement 300 mètres au nord, où une colline fournit un appui naturel, et de plus de 1300 mètres au sud (travées métalliques puis 50 arches en maçonnerie). Cet ensemble, dû à l'Ingénieur Gérard et inauguré comme la Tour Eiffel en 1889, constitue une réalisation unique en France et qui soutient la comparaison avec les ouvrages d'art ferroviaires les plus imposants rencontrés dans les autres pays.
Comme les tunnels, les ponts et viaducs vieillissent. Au-delà des travaux d'entretien courant il faut parfois envisager des opérations plus radicales ; c'est ainsi que près de Chantilly, entre Paris et Creil, la S.N.C.F. a dû récemment complètement reconstruire le viaduc de Commelles à quelques mètres de l'ancien ouvrage en maçonnerie devenu vétuste.

Très riche et étonnamment variée se présente donc la vaste famille des ouvrages d'art ferroviaires français. Ces caractéristiques s'expliquent certes par l'extrême sensibilité d'un réseau ferré aux variations de la topographie, mais aussi par le fait qu'en dehors même des massifs montagneux le relief de notre pays, très modéré il est vrai, se caractérise rarement par une platitude absolue.
Cette diversité se retrouve dans l'équipement des lignes.

La "cage" métallique du viaduc d'Eauplet à Rouen avec ici un train RO vers le Havre.

Enchevêtrement de voies à Paris-Lyon.

LES VOIES

Alors que le développement des lignes de la S.N.C.F. représente au début de 1990 34322 kilomètres dont 30909 exploités, la longueur totale des voies atteint 72000 kilomètres : 54000 kilomètres de voies principales et 18000 kilomètres de voies de service.

CARACTÉRISTIQUES GÉNÉRALES

La qualité de la voie, dans tout réseau ferré, constitue naturellement un élément de base, dans la mesure où elle conditionne l'usure du matériel roulant, la sécurité de la circulation, la charge et la vitesse des convois, le confort des voyageurs. Plusieurs paramètres entrent en compte.

Le poids des rails est variable et a augmenté au fil des décennies. Sur les grandes artères il est le plus souvent maintenant de 60 kilos au mètre, contre 50 kg/m sur les autres lignes. Les voies de service ou de garage peuvent être équipées de rails plus légers.

En France comme dans la plupart des pays d'Europe et du monde l'écartement entre les deux rails est de 1,44 mètre. Il correspond à la voie dite "normale" ou "standard", en opposition avec les voies larges qui dotent par exemple l'U.R.S.S. (1,52 mètre) ou l'Espagne (1,67 mètre) et les voies étroites (de 0,60 mètre à 1,07 mètre).

Traditionnellement les rails, souvent seulement d'une douzaine de mètres de long, sont fixés sur des traverses en bois qui elles-mêmes reposent sur le ballast ; celui-ci constitue un matelas souple et élastique qui par son épaisseur et sa composition joue un rôle essentiel dans la bonne tenue de la voie. Mais là aussi la technique a beaucoup progressé ces dernières dizaines d'années ; d'une part des traverses en béton bi-bloc ou monobloc davantage résistantes sont de plus en plus utilisées (15000 kilomètres ainsi équipés) ; d'autre part sur les principales lignes le confort a été sensiblement amélioré par la pose de barres longues, c'est-à-dire de rails soudés bout à bout dont la longueur à l'unité peut atteindre plusieurs kilomètres et dont le développement total représente 25000 kilomètres.

Les courbes sont de rayon extrêmement variable. Même si le dévers plus ou moins prononcé est appelé à compenser les effets de la force centrifuge, le souci de la sécurité, de la maintenance du matériel roulant et du confort amène à limiter les

vitesses en fonction du rayon. C'est ainsi que le 150 km/heure ne peut être autorisé en dessous de 800 mètres de rayon, le 200 km/heure en dessous de 1400 mètres. C'est dire que les lignes du T.G.V. bénéficient d'un tracé où les courbes de faible rayon sont bannies (cf. ch.5). Il faut par ailleurs remarquer que l'entrée d'une courbe est toujours progressive grâce au calcul de raccordements paraboliques, qui confèrent aux sections de ligne constituées d'une succession de courbes et d'alignements une allure très souple et fluide.
Les appareils de voie, couramment appelés aiguillages, sont de types très variés : branchements simples, traversées jonctions simples, traversées jonctions doubles... Dans le périmètre des gares leur franchissement en voie déviée ne peut être effectué qu'à vitesse très modérée (30, 40 ou 60 km/heure) en raison de la faiblesse du rayon ; mais celui-ci en pleine ligne peut être considérablement allongé, donnant à l'appareil une longueur considérable, de plusieurs hectomètres sur les lignes du T.G.V. : les trains peuvent alors sur les diverses branches de l'aiguillage rouler à des vitesses supérieures à 100 ou 150 km/heure sur les lignes classiques, à 200 km/heure sur celles du T.G.V.
L'entretien des voies constitue pour la S.N.C.F. une constante préoccupation. En effet, malgré l'élasticité de leur assise, il se trouve que la répétition du passage de convois souvent lourds et rapides, les vicissitudes climatiques, les mouvements du sous-sol peuvent à la longue provoquer des déformations verticales et transversales. Aussi les voies sont-elles régulièrement auscultées et périodiquement traitées. En dehors des grands renouvellements qui concernent rails, traverses et ballast, les opérations courantes de maintenance, autrefois longues et pénibles, sont effectuées désormais le plus souvent automatiquement : de très puissantes machines sont capables de "bourrer mécaniquement" 800 mètres de voie dans l'heure. Annuellement, 500 kilomètres de voie principale situés sur des lignes à gros trafic, sont entièrement renouvelés de nos jours.
La capacité de trafic d'une ligne dépend de nombreux facteurs, tels que le tracé et le profil, le type de signalisation, l'éventuelle électrification ; le nombre de voies constitue bien entendu un élément essentiel.

LES LIGNES À VOIE UNIQUE

Les lignes à voie unique forment un groupe lui-même tout à fait hétérogène.
Beaucoup d'entre elles sont de simples antennes en impasse greffées sur des lignes plus importantes ; elles desservent souvent des villes côtières à partir d'artères tracées à l'intérieur des terres : ainsi les lignes qui atteignent le littoral breton comme Guingamp-Paimpol, Morlaix-Roscoff ou Auray-Quiberon ; de même à travers le Pays de Caux les liaisons Motteville-Saint-Valéry-en-Caux et Bréauté-Fécamp, ou au sud de la Loire les relations Nantes-Pornic, La Roche-sur-Yon-Les Sables-d'Olonne et Saintes-Royan. En secteur accidenté de courts embranchements assument le même type de fonction, comme les lignes de pénétration pyrénéennes ou vosgiennes, qui remontent loin dans les vallées. Ces artères ont parfois été construites à deux voies ; leur mise à voie unique a correspondu à une sensible baisse du trafic et aux possibilités nouvelles, dans le domaine de l'écoulement des circulations et de la sécurité, offertes par l'amélioration de la signalisation ; la ligne Saintes-Royan, à une seule voie depuis une trentaine d'années, en est un bon exemple.
Un autre type de lignes en impasse est constitué par de simples tronçons, courts vestiges de lignes reliant primitivement deux artères, après neutralisation ou dépose de leur partie centrale en raison de la chute de l'activité. Des dizaines d'exemples probants peuvent être aisément trouvés dans l'ensemble du pays et en particulier, comme le montre la carte

Le Massif Central est sillonné presqu'exclusivement de voies uniques, largement suffisantes eu égard au trafic à assurer. Ici, un autorail sur Arvant-Aurillac.

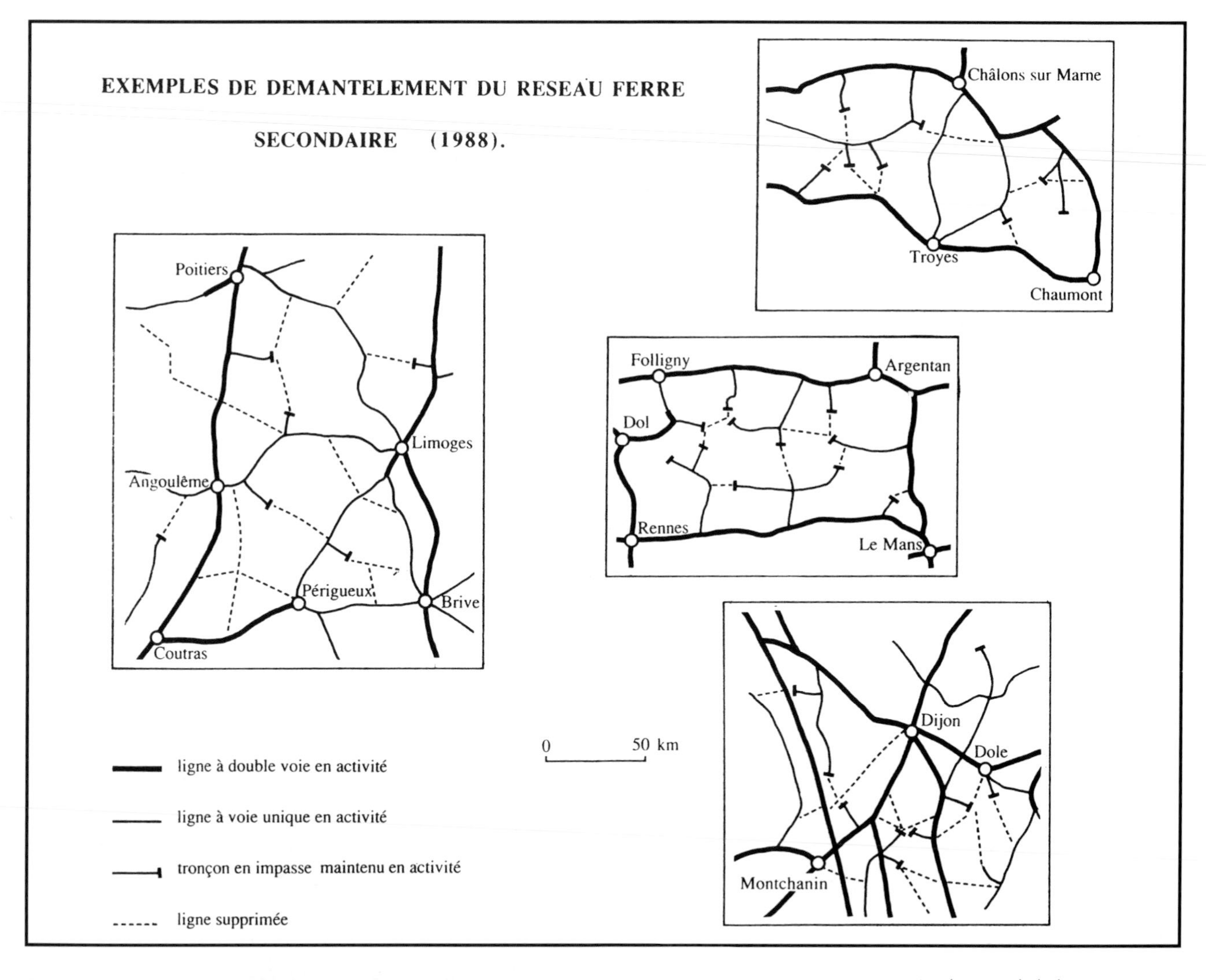

La dépose de la ligne secondaire d'Arles à Port-Saint-Louis du Rhône, rendue inutile par le raccordement des salines camargaises au complexe de Fos.

Page ci-contre : on voit nettement sur cette image de la section Dourdan-Châteaudun que la ligne Brétigny-Vendôme était autrefois à double voie.

ci-contre, dans les régions des confins armoricains, aquitains, en Champagne ou en Bourgogne. Dans leur immense majorité ces lignes ne sont plus ouvertes au trafic des voyageurs et transportent des tonnages limités de marchandises, avec souvent seulement quelques trains de desserte par semaine.

En revanche la France est toujours sillonnée par des artères à voie unique de plus grande longueur, unissant des villes et des axes ferroviaires majeurs. Nombreuses sont les lignes de ce type dont le développement se situe entre 50 et 150 kilomètres, comme les relations Saintes-Angoulême, Angoulême-Limoges ou Poitiers-Limoges ; leur prédominance dans l'ouest et le centre du pays, en relation avec l'implantation de nombreuses villes moyennes et l'absence de bassins industriels très importants ne peut constituer une surprise. Mais aussi se remarquent des axes plus longs, toujours à voie unique, qui surtout à travers des zones accidentées, établissent des liaisons de caractère interrégional. Parfois aucun trafic n'est assuré de bout en bout lorsqu'il s'agit de lignes déclassées, comme l'ancien itinéraire de l'État de Paris à Bordeaux à partir de Chartres et jusqu'à Saintes par Saumur et Niort. Dans de nombreux autres cas le rôle de transit à grande distance de ces artères reste d'actualité comme entre Livron et Briançon, Arvant et Alès, Marseille et Grenoble (315 kilomètres), Arvant et Béziers (325 kilomètres), avec l'écoulement de flux non seulement de marchandises mais encore de voyageurs. Les deux itinéraires tracés dans le Massif Central entre Bordeaux et Lyon sont également à une seule voie sur la majeure partie de leur parcours, entre Périgueux et Gannat (sauf entre Nexon et Saint-Sulpice-Laurière, ainsi qu'entre Montluçon et Lapeyrouse) sur le tracé nord, entre Niversac, près de Périgueux, et Volvic, près de Clermont-Ferrand, sur le tracé sud établi par Brive. Aussi n'est-il pas étonnant que certains carrefours ferroviaires soient le centre d'étoiles composées presque exclusivement de lignes à voie unique, comme Troyes, Montluçon, Brive ou exclusivement comme Veynes, Capdenac, Bressuire ou Mont-de-Marsan.

Enfin notre réseau comporte plusieurs sections de ligne à une seule voie d'au plus quelques dizaines de kilomètres de longueur chacune, mais au niveau de trafic élevé. C'est ainsi qu'en moyenne quotidienne plusieurs dizaines de trains, les deux sens réunis, sillonnent les sections Epernay-Reims (plus de 50 circulations), Dôle-Vallorbe, Aix-les-Bains-Annecy, Marseille-Aix-en-Provence, Toulouse-Saint-Sulpice.

Dans les deux premiers cas, la mise à voie unique, effectuée à l'occasion des électrifications s'explique par le meilleur débit autorisé par la commande centralisée de la circulation introduite conjointement. L'opération a d'autre part permis de réduire considérablement le coût des équipements fixes et des dépenses de personnel. Toujours est-il que ces artères, pour assumer une activité plus forte que celle de bien des lignes à double voie, ont bénéficié de l'installation de moyens techniques modernes et perfectionnés dans les domaines de la signalisation, des voies de croisement, de la commande centralisée de la circulation ou de l'électrification.

Une ligne à double voie célèbre : celle des Landes où le tracé rectiligne a permis en 1955 de porter le record mondial de vitesse sur rail à 331 km/h.

LES LIGNES À DOUBLE VOIE

Les lignes à double voie, elles, constituent l'ossature du réseau puisqu'elles équipent aussi bien les grandes lignes radiales, dans leur quasi-totalité, que les principaux axes transversaux. Leur famille est elle aussi très diversifiée : elle rassemble par exemple la relation Dol-de-Bretagne-Avranches où circulent moins de 10 trains par jour, les deux sens réunis, et les lignes du T.G.V.

Le maintien des deux voies sur des sections à faible trafic peut surprendre. Il se justifie pourtant lorsque chacune des voies, encore en bon état, peut espérer une vie relativement longue sans entretien coûteux, grâce à la modicité des efforts qui lui sont demandés ; la possibilité de conserver alors une signalisation très simplifiée, en particulier pour l'espacement des trains dans une même direction, représente une autre source d'économie. En dehors du tronçon cité plus haut, les lignes (Lyon) Lozanne-Paray-le-Monial, Gisors-Serqueux, dont la dépose d'une des deux voies interviendra prochainement, entrent dans cette catégorie.

Une artère dont l'activité est seulement moyenne peut se composer d'une succession de sections à voie unique et à double voie, en raison de la nature des flux à acheminer et aussi pour des motifs d'ordre historique. Ainsi la relation Valence-Grenoble, initialement à deux voies, a pu être mise à voie unique entre Romans et Moirans. La ligne Niort-Poitiers a connu un processus inverse ; elle avait été construite à une seule voie dans la mesure où elle n'assurait à l'origine qu'une liaison locale puisque le trafic entre La Rochelle et Paris s'écoulait par l'artère tracée par Saumur et Chartres ; il a fallu améliorer son équipement lorsque le grand axe du Paris-Orléans, passant à Poitiers, a récupéré la totalité des flux circulant entre la capitale et Bordeaux ; aussi une seconde voie a-t-elle été posée sur les deux tiers du parcours Niort-Poitiers, le tronçon central Saint-Maixent-Lusignan, lui, étant laissé à voie unique.

Dans leur très grande majorité les lignes à double voie acheminent dans chaque sens des convois nombreux (la plupart du temps au moins plusieurs dizaines en moyenne quotidienne) et surtout roulant à des vitesses fort différentes pouvant varier du simple au triple. Aussi a-t-il fallu prévoir, pour assurer la fluidité du trafic, les moyens permettant aux trains les plus rapides, sans voir leur marche perturbée, de dépasser les plus lents, qu'il s'agit donc d'écarter des voies principales.

Les voies de service des gares, pour peu que leur longueur soit suffisante, apportent une première solution ; mais il a été nécessaire de recourir en plus, sur les artères les plus chargées, à des "garages actifs" : ces voies de dégagement, parallèles aux voies principales et le plus souvent aménagées en rase campagne, sont accessibles sans refoulement, en voie déviée mais à des vitesses variant de 30 à 60 km/h, ce qui entraîne la libération plus ou moins accélérée de la voie rapide ; elles sont le plus souvent d'une longueur telle, parfois de plusieurs kilomètres, que les convois de marchandises qui s'y abritent peuvent continuer à vitesse lente leur progression, avant de retrouver l'itinéraire normal (cas des évitements de Villenoy près de Meaux).

Il n'est pas surprenant de découvrir ces voies de dégagement dans les secteurs de forte déclivité, là où les trains de marchandises lourds représentent la gêne la plus importante ; c'est ainsi que la rampe d'Étampes est équipée de trois voies, celle du centre étant banalisée c'est-à-dire utilisable dans les deux sens ; de même entre Bar-le-Duc et Lérouville, sur la ligne Paris-Strasbourg, les deux rampes contraires de Loxéville sont dotées d'une troisième voie qui se déroule sur l'intégralité de chaque montée. La fluidité du trafic y gagne beaucoup.

Par ailleurs entre Étampes et Cercottes, sur l'artère Paris-Orléans, une des plus chargées du réseau avec 230 circulations en moyenne journalière, les garages actifs, soit pairs soit impairs, sont généralisés ; aussi est-il permis de considérer cette section comme une ligne à trois voies, sans toutefois qu'au-delà de la rampe d'Étampes existât une voie centrale banalisée ; la mise en service du T.G.V. Atlantique contribuera largement à régler la question du bon écoulement des circulations sur cet axe majeur.

La troisième voie peut correspondre à un besoin particulier : ainsi dans le carrefour toulousain l'ensemble Matabiau-Raynal est relié à la grande gare de triage de Saint-Jory, installée 12 kilomètres au nord, par trois voies, la double voie de Montauban et Paris plus une voie banalisée.

Depuis une dizaine d'années par ailleurs la S.N.C.F. a généralisé sur ses lignes à deux voies les I.P.C.S., c'est-à-dire les installations permanentes de contre-sens. Elles consistent en liaisons composées chacune de deux appareils de voie franchissables selon les cas à 60, 90, 120 voire 160 comme sur Conneré-Le Mans qui permettent aux trains, en réduisant quelque peu leur vitesse, de passer d'une voie sur l'autre. Judicieusement espacées, ces jonctions commandées à distance et protégées par une signalisation appropriée, favorisent la fluidité du trafic, lors de travaux localisés programmés sur l'une des deux voies ou dans le cas de conflits de circulation (marche lente d'un train, détresse, etc.). Comme les garages actifs, ces installations permanentes de contre-sens équipent progressivement les grandes lignes du réseau.

La densité de la circulation sur les principaux axes a nécessité parfois la pose de voies supplémentaires sur de grandes distances pouvant dépasser largement la centaine de kilomètres.

LES SECTIONS DE LIGNES TRIPLÉES, QUADRUPLÉES OU PLUS

Les sections de plus de quatre voies sont rares. Exception faite des abords immédiats des gares de Strasbourg (au nord) et de Lyon-Perrache, elles sont concentrées dans la région parisienne, et d'abord près des grandes gares terminales où affluent trains de grandes lignes et de banlieue ; celle de Saint-Lazare est desservie par dix voies d'accès et de sortie, mais

La rampe de Loxéville sur Paris-Strasbourg. Autrefois à quatre voies, cette section de ligne n'en comporte plus aujourd'hui que trois, dont une permet le dépassement des convois lents dans le sens de la montée.

Jusqu'à l'arrivée du TGV Atlantique, l'artère Paris-Le Mans frisait au moment des pointes la saturation.

qui ne restent concentrées que sur les 4 kilomètres séparant Saint-Lazare et Asnières ; en revanche les six voies qui atteignent la gare de Paris-Lyon ou en partent se déroulent sur quinze kilomètres, jusqu'à la sortie sud du triage de Villeneuve-Saint-Georges. A quelque distance de ces vastes gares de voyageurs en impasse, de courtes sections également à six voies équipent l'axe Paris-Le Mans lorsqu'il se confond avec la ligne de la Grande Ceinture, entre les gares de Versailles-Chantiers et de Saint-Cyr et à leur proximité.
En revanche, nombreuses sont les sections quadruplées. Elles correspondent à plusieurs cas de figure. Elles équipent d'abord, à proximité immédiate de quelques-uns des principaux nœuds ferroviaires français, des artères où la circulation des convois de marchandises et de voyageurs, aussi bien de grandes lignes que de banlieue, est intense. En dehors du carrefour parisien sont ainsi dotées les sections Cercottes-Les Aubrais près d'Orléans, Strasbourg-Gare Centrale-Vendenheim (10 kilomètres), autour de Metz l'itinéraire Novéant-Thionville (40 kilomètres) ; de part et d'autre de Lyon, 42 kilomètres sont ainsi pourvus de quatre voies, de Saint-Germain-au-Mont-d'Or à Chasse. Mais c'est autour de la capitale que ces sections sont de loin les plus nombreuses avec surtout les quadruplements des lignes de Strasbourg jusqu'à Lagny (27 kilomètres), de Lille jusqu'à Orry-la-Ville (35 kilomètres), du Mans jusqu'à Trappes (35 kilomètres), d'Orléans jusqu'à Étampes (56 kilomètres).

Relation la plus prestigieuse et la plus chargée du réseau, surtout avant la création de l'axe T.G.V., l'artère classique Paris-Dijon bénéficie dans le domaine du nombre de voies d'un équipement particulièrement important et à plus d'un titre original. De Paris à Saint-Florentin, sur 172 kilomètres, le quadruplement est intégral, ce qui en fait, et de loin, la plus longue section de ligne de ce type de notre réseau ; mais entre Melun et Montereau, sur 35 kilomètres, le quadruplement a été réalisé non par la pose habituelle de deux voies supplémentaires parallèles aux deux voies initiales, mais par la construction d'une autre ligne, sur la rive droite de la Seine, tracée par Héricy : cette solution a permis à la Compagnie du P.L.M. d'éviter le doublement, qui aurait été très onéreux, des viaducs de Fontainebleau et de Moret-les-Sablons. Au-delà de Saint-Florentin il n'a pas semblé opportun de poursuivre le quadruplement, sauf entre Les Laumes-Alésia et Blaisy-Bas en raison de l'âpreté de la rampe : celle-ci exigeait de pouvoir écarter des voies principales les convois lourds et lents afin de leur permettre de progresser à leur rythme sans gêner les trains rapides. Entre Tonnerre et Les Laumes (60 kilomètres), entre Blaisy-Bas et Dijon (26 kilomètres) où la pente est également forte mais où les ouvrages d'art sont très nombreux, c'est la solution de la banalisation des deux voies, appliquée à partir de 1950, qui a été retenue : chacune d'elle peut être empruntée dans les deux sens, à grande vitesse et en toute sécurité grâce à la commande centralisée des signaux et des aiguillages. Cette disposition est d'autant plus intéressante qu'entre Paris et Dijon et inversement les trains, aussi bien de voyageurs que de marchandises, circulent souvent en batteries ; c'est-à-dire que pendant plusieurs heures de jour ou de nuit l'un des deux flux peut dominer de manière écrasante ; les convois roulant dans la même direction à des vitesses inégales sont alors répartis entre les deux voies de la ligne qui fonctionne donc littéralement en sens unique alterné, avec un excellent écoulement du trafic.

Grâce à l'ensemble de ces équipements, qui autorisent un débit suffisamment important et fluide, l'exploitation de l'ensemble de l'artère maîtresse Paris-Dijon ne pose pas dans les conditions normales de problème majeur. De plus depuis également 1950 l'électrification a sensiblement augmenté ses potentialités.

Si le réseau régresse là où la population diminue, il s'étoffe lorsque le trafic augmente comme en témoigne la mise à trois voies de la ligne Paris-Creil entre Chantilly et Orry-la-Ville en 1985.

La mise en service progressive à partir de 1981 de l'axe T.G.V. Paris-Lyon, avec une dérivation en direction de Dijon, n'a pas sensiblement altéré l'importance de l'artère classique du P.L.M., en raison de l'augmentation globale du trafic.

Au sud de Dijon il est vrai que l'artère Paris-Marseille n'est quadruplée, en apparence, que sur de courtes sections. Mais en fait cette grande ligne est constamment doublée par des itinéraires qui permettent un débit de bout en bout très important. Premier élément, entre Dijon et Lyon la ligne de la Bresse, tracée par Saint-Jean-de-Losne, Bourg et Ambérieu peut jouer un rôle de délestage du grand axe nord-sud, en plus de l'acheminement des courants en provenance ou à destination de la Savoie et de l'Italie. Plus nettement, au sud de Lyon, la liaison Lyon-Marseille est assurée par deux artères ; en effet la ligne initiale, suivie par des trains prestigieux, court le long de la rive gauche du Rhône jusqu'à Arles avant de gagner Marseille par le nord de l'étang de Berre ; un itinéraire de dédoublement, guère plus allongé, mais nettement moins performant est tracé sur la rive droite du fleuve jusqu'à Avignon pour atteindre l'antique Phocée par Cavaillon et Port-de-Bouc, après avoir recoupé une seconde fois, à Miramas, l'axe principal. Certes l'existence de deux lignes distinctes, chacune à double voie, ne procure pas la même souplesse d'exploitation qu'une véritable section quadruplée où les trains, en fonction de leur vitesse, peuvent être aisément répartis entre deux voies voisines et de même sens ; mais elle se révèle cependant d'un intérêt considérable, surtout compte tenu de l'essor de la circulation des voyageurs grâce à l'impact des T.G.V.

Enfin, le prolongement de la ligne à grande vitesse Paris-Sud-Est dotera bientôt l'axe Lyon-Marseille d'une troisième ligne à double voie.

Considérées jusqu'ici individuellement, les diverses artères du réseau français se soudent les unes aux autres en de multiples points, simples gares de bifurcation ou nœuds souvent complexes.

Une vue du complexe de voies de Thionville alors que la sidérurgie lorraine n'avait pas encore connu sa grande restructuration.

LES NŒUDS DE LIGNES

La rencontre des nombreuses lignes de notre trame ferroviaire s'effectue fort diversement.

LES TYPES DE BIFURCATIONS : JONCTIONS, CROISEMENTS, TRIANGLES

Souvent la jonction est installée en rase campagne, ou à proximité immédiate d'une gare peu importante. Le cas le plus simple est évidemment celui de la soudure de deux liaisons à voie unique comme, dans le Massif Central, à La Bastide-Saint-Laurent celle des lignes de Mende et de Nîmes, ou à Séverac celle des lignes de Rodez et Béziers ; les installations sont alors très simplifiées. Elles sont un peu plus développées dans le cas de figure, très fréquent, de la rencontre d'une artère à double voie avec une ligne à voie unique ; cette dernière peut rejoindre un axe à deux voies certes et pourtant secondaire, comme à Briouze, l'antenne de Bagnoles-de-l'Orne qui s'embranche sur la ligne Paris-Granville, mais aussi un axe d'envergure moyenne, comme à Beillant, près de Saintes, l'antenne d'Angoulême qui se soude à l'artère Bordeaux-Nantes. La ligne à voie unique peut également se raccorder à l'un des principaux axes du réseau : ainsi à Livron, sur la relation Lyon-Marseille l'artère venant de Briançon et Veynes, à Saint-Florentin, entre Paris et Dijon, la ligne de Troyes...
Un cas particulier est constitué par une section à double voie

qui, en fin de tronc commun, éclate en deux lignes à voie unique : ainsi à Mouchard, dans le Jura, les deux artères vers Lyon et Vallorbe issues de la ligne d'Arc-Senans, à Arvant l'éclatement de la double voie provenant de Clermont-Ferrand en direction de Nîmes et Béziers, et à Niversac, non loin de Périgueux, la divergence des lignes de Brive et Agen.

Plus spectaculaires sont les bifurcations qui marquent la rencontre de deux lignes à double voie, dont la charge de trafic est alors le plus souvent au moins moyenne. Elles correspondent localement à des gares plus importantes qui peuvent elles-mêmes être les satellites de nœuds de première grandeur.

Les artères qui se soudent ainsi supportent parfois toutes deux un niveau de circulation seulement modéré. C'est le cas par exemple des lignes Paris-Granville et Caen-Tours à Argentan et à Surdon, de part et d'autre d'un court tronc commun. Déjà plus actives sont les bifurcations de Chaumont, à la jonction de l'axe Paris-Belfort et de l'artère en provenance d'Amiens et Reims, de Dax, où le tronc commun né à Bordeaux diverge en direction d'Irun et de Tarbes, de Serquigny où se séparent les courants Caen-Rouen et Caen-Paris.

Parfois le trafic des diverses branches se révèle déséquilibré, lorsqu'une ligne d'importance seulement moyenne se greffe sur un itinéraire majeur. Ainsi à Saint-Benoît près de Poitiers la ligne de La Rochelle se détache de celle de Bordeaux, à Coutras celle de Périgueux et Limoges de celle de Paris, à Narbonne celle de Perpignan et Port-Bou de la grande transversale Toulouse-Marseille ; à Blesme, entre Châlons-sur-Marne et Bar-le-Duc, la ligne de Chaumont et Dijon se sépare de celle reliant Paris à Strasbourg tandis qu'à Mantes la radiale qui dessert Caen et Cherbourg se débranche de l'artère maîtresse Paris-Le Havre.

Les bifurcations les plus chargées et donc au fonctionnement le plus délicat marquent, elles, la fin de troncs communs supportant des flux de circulation intenses, qui se partagent alors entre deux directions. Elles ne sont pas forcément implantées près de villes et de gares très importantes.

Se séparent ainsi à Busigny les courants Paris-Bruxelles et Paris-Cambrai, à Remilly les flux Metz-Sarrebruck et Metz-Strasbourg, à Montauban les itinéraires Toulouse-Bordeaux et Toulouse-Paris. Plus essentielles encore sont les bifurcations de Lérouville, Creil et Les Aubrais, près d'Orléans ; elles sont en effet chargées d'organiser la répartition du trafic considérable en provenance de Paris entre les lignes de Metz et de Strasbourg (Lérouville), entre celles de Lille et de Bruxelles (Creil), entre celles de Bordeaux et Toulouse (Les Aubrais).

Les installations de ces bifurcations les plus actives sont conçues afin de garantir l'écoulement le plus rapide et le plus fluide des flux qui divergent ou qui convergent. Premier problème, celui du maintien d'une vitesse élevée lors du franchissement de la jonction ; il est résolu d'une manière généralement satisfaisante grâce à la pose d'aiguillages de grande longueur qui, en voie déviée, offrent un rayon de courbure tel que la vitesse reste importante. Aux Aubrais par exemple les itinéraires Paris-Toulouse et Paris-Bordeaux peuvent dans les deux sens être suivis à la vitesse de 110 km/heure. A Creil la bifurcation des lignes de Lille et Bruxelles peut être franchie sur chacune des 4 voies à la vitesse de 120 km/heure.

Une difficulté particulière est représentée par l'inévitable intersection, au cœur des bifurcations, de différents itinéraires. Leur croisement, quand il s'effectue à niveau, peut entraîner le ralentissement ou l'arrêt de nombreux trains et donc un engorgement ou même un étranglement de trafic. Les sauts-de-mouton constituent la parade idéale. En effet grâce à la construction d'ouvrages, les voies principales se recoupent alors à des niveaux différents, ce qui permet aux divers flux de s'écouler sans la moindre gêne réciproque. Un bon exemple est fourni à Tarascon, où au nord de la gare l'itinéraire Lyon-Nîmes passe au-dessus de la voie Marseille-Lyon. De même grâce aux sauts-de-mouton de Longueau, les trains Paris-Lille ne desservant pas Amiens évitent tout cisaillement au sud avec les convois Calais-Paris, au nord avec les trains Lille-Amiens et Tergnier-Amiens.

De nombreuses jonctions d'artères importantes sont ainsi équipées de sauts-de-mouton comme, à Gagny près de Paris, la soudure de l'axe Paris-Strasbourg avec le raccordement qui l'unit à la Grande Ceinture.

Près de la gare de Lérouville la ligne de Metz se détache de celle de Nancy et Strasbourg. Au sud de la gare de Dijon-ville un saut-de-mouton marque le débranchement des artères de Dôle-Vallorbe, Chalindrey-Nancy et Bourg-Chambéry de l'axe majeur Paris-Marseille. De part et d'autre de Lyon, à Saint-Germain-au-Mont-d'Or la ligne de Saint-Germain-des-Fossés, à Chasse celle de Saint-Etienne se détachent de cette manière de la ligne de Marseille. Cas particulier, à Melun et à Villeneuve-la-Guyard (au sud de Montereau) des ouvrages d'art de ce type permettent au trafic des sections quadruplées, où les voies de même sens sont côte à côte, de se répartir harmonieusement sur chacune des deux lignes à double voie tracées entre Melun et Montereau par Moret et Héricy.

Cette liste n'est pas exhaustive. C'est ainsi que de nombreux sauts-de-mouton, aux abords des principaux nœuds de voies ferrées, permettent aux convois de marchandises de gagner les gares de triage ou d'en sortir sans perturber le trafic sur les voies principales ; un exemple de qualité est celui des deux raccordements, au sud de Lyon, qui encadrent le grand triage de Sibelin et le relient à la ligne Paris-Marseille.

Mais la construction des sauts-de-mouton peut se heurter à des difficultés de taille ou même à des impossibilités. Ce type d'infrastructure, en effet, se composant d'un pont mais aussi de rampes d'accès, exige une superficie considérable : les rayons de courbure des voies doivent être suffisamment forts pour autoriser le maintien de vitesses élevées, tandis que les déclivités, inévitables, doivent absolument être maintenues à un taux modéré, afin de ne pas créer artificiellement des obstacles à la circulation aisée des convois lourds ; dans ces conditions, même si la différence de niveau entre les voies est obtenue simultanément par l'élévation de l'une et l'abaissement de l'autre, l'ensemble d'un tel ouvrage d'art se développe né-

cessairement sur plusieurs centaines de mètres, souvent plus d'un kilomètre de longueur, et latéralement sur plusieurs dizaines de mètres. Aussi la proximité de cours d'eau ou d'accident du relief, de zones d'habitation, d'ouvrages divers et de voies à quai nécessairement en palier a-t-elle souvent constitué un handicap insurmontable.
Il est alors aisé de comprendre pourquoi des bifurcations qui comptent parmi les plus importantes du réseau, franchies parfois par plus de 200 trains en moyenne quotidienne, les deux sens réunis, ne sont pas équipées de sauts-de-mouton. A Montauban la jonction des lignes de Paris et de Bordeaux s'effectue pratiquement dans les emprises de la gare ; à Tarascon la bifurcation ouest, qui sépare les flux Nîmes-Lyon et Nîmes-Marseille, est coincée entre la gare et le grand pont sur le Rhône. Mais c'est surtout à Creil et aux Aubrais-Orléans que se posent de délicats problèmes d'exploitation.

A Creil en effet se coupent à niveau les voies Paris-Bruxelles et Lille-Paris, aux Aubrais les itinéraires Paris-Bordeaux et Toulouse-Paris. Certes des palliatifs ont été trouvés : les horaires des convois et en particulier des grands rapides sont étudiés pour que dans la mesure du possible ils puissent se présenter successivement et donc traverser sans problème ces bifurcations ; de plus des voies de raccordement avec saut-de-mouton utilisées normalement à Creil par les trains de banlieue, aux Aubrais par les trains de marchandises à destination ou en provenance du triage, peuvent être empruntées mais à vitesse réduite par une circulation Lille-Paris ou Paris-Bordeaux afin de dégager le croisement à niveau.
Par ailleurs la mise en service des lignes nouvelles des T.G.V. Atlantique et Nord va procurer un ballon d'oxygène à ces deux grandes bifurcations, qui ne seront plus fréquentées par le même nombre de trains rapides. Toujours est-il que l'absence de sauts-de-mouton sur les itinéraires principaux de ces jonctions n'est pas sans poser de délicats problèmes aux responsables du trafic, surtout en cas d'incidents et de desheurements.
Le rendement de certaines bifurcations peut être amélioré par l'installation de sas : ainsi à Pierrefitte, entre Paris-Nord et Creil, le raccordement reliant la Grande Ceinture à l'axe radial comporte une voie centrale banalisée qui permet à un train de marchandises venant de Bobigny, après avoir coupé à niveau la voie rapide Creil-Paris, d'attendre la libération de la voie rapide Paris-Creil pour y être engagé ; ce franchissement en deux temps de la bifurcation, en l'absence de saut-de-mouton, améliore sensiblement le débit.

La rencontre de deux lignes, quelle que soit leur importance, constitue donc un élément de base de tout réseau ferré. Mais très souvent les carrefours ferroviaires correspondent à la jonction d'un nombre plus élevé d'artères.
Le croisement de deux lignes est un cas de figure fréquemment rencontré. Il peut s'agir d'itinéraires au trafic quantitativement peu important, comme ceux reliant Livron à Briançon et Marseille à Grenoble, qui se recoupent à Veynes, avec d'ailleurs nécessité de rebroussement pour les trains du second de ces itinéraires. Un axe essentiel peut être franchi par des lignes de niveau de trafic très modéré, comme l'artère Rouen-Amiens par la relation Paris-Le Tréport à Abancourt. Les croisements s'effectuent alors toujours à niveau et à proximité de gares aux installations simplifiées, tandis que les flux peuvent s'établir entre branches perpendiculaires : une gare comme celle de Veynes joue un rôle actif de correspondance dans la mesure où depuis les lignes de Grenoble et Marseille de nombreux voyageurs empruntent celle de Briançon.
Comme l'indique le tableau ci-dessous, plusieurs centres ferroviaires isolés se situent à l'intersection de deux axes importants :

Gare	Ligne
Hazebrouck	Arras - Dunkerque
	Lille - Calais
Aulnoye	Paris - Bruxelles
	Valenciennes - Thionville
Tergnier	Paris - Bruxelles
	Amiens - Reims - Dijon
Charleville-Mézières	Paris - Givet
	Valenciennes - Thionville
Culmont-Chalindrey	Paris - Belfort
	Nancy - Dijon
Vierzon	Paris - Toulouse
	Nantes - Lyon
Avignon et Miramas	Paris - Marseille et
	itinéraire de dédoublement

Souvent le croisement de courants largement indépendants les uns des autres se matérialise par un saut-de-mouton qui évite donc une intersection à niveau toujours perturbante. Cette disposition se retrouve par exemple à Avignon, Miramas, Tergnier ou Aulnoye ; dans ce dernier nœud les voies principales Valenciennes-Thionville ne traversent même pas la gare, le recoupement s'effectuant à deux kilomètres au sud. Là aussi des échanges sont possibles entre les diverses lignes : ainsi à Hazebrouck les flux en provenance de Lille se partagent entre les directions de Calais et Dunkerque, à Vierzon un délestage partiel de l'artère de Paris s'opère au profit de la ligne de Bourges et Montluçon. De même au sud de Culmont-Chalindrey le courant en provenance de Nancy et Metz et se dirigeant vers Dijon est renforcé par le flux issu de la transversale Reims-Châlons-sur-Marne-Chaumont et descendant vers la Bourgogne ; à proximité immédiate de la gare de Culmont-Chalindrey un très spectaculaire saut-de-mouton en maçonnerie et en encorbellement permet à des niveaux différents le croisement des itinéraires Chaumont-Dijon et Dijon-Nancy.
Les échanges entre les diverses branches sont encore plus diversifiés autour de la gare de Saint-Germain-des-Fossés, traversée certes par les courants Paris-Clermont-Ferrand et Lyon-Bordeaux, mais aussi Lyon-Clermont-Ferrand et Lyon-Nantes.

Dans la géographie ferroviaire les bifurcations en triangle forment une famille à part. Ce type de disposition permet la circulation des trains sans rebroussement soit entre une ligne

La gare des Aubrais ; on y voit la séparation des lignes vers Limoges à gauche, Orléans au centre et Tours à droite.

La bifurcation en triangle de Beillant où les lignes Saintes-Angoulême et Nantes-Bordeaux se séparent. Le troisième côté du triangle, permettant un itinéraire de détournement Angoulême-Bordeaux, n'est pas en service en temps normal.

La bifurcation du Dorat dans les années 60, sur Poitiers-Limoges, avec un bel exemple de convergence de trois voies uniques dont deux sont aujourd'hui fermées.

principale et une artère affluente dont le trafic doit se répartir dans les deux directions, soit entre trois lignes de même importance qui convergent en un même point. Notre réseau est riche en installations de ce genre.

La plupart d'entre elles sont intégralement équipées de double voie ; mais l'un des raccordements peut être à voie unique comme à Culoz, Redon, Narbonne où une liaison directe entre les lignes de Toulouse et de Perpignan permet une circulation aisée et directe de trains de voyageurs ou de marchandises entre le Roussillon, l'Espagne et la région parisienne. La situation est différente à Epernay ou l'artère à voie unique en provenance de Reims, à double voie depuis Ay, se rattache à l'axe Paris-Strasbourg par deux raccordements à double voie chacun qui acheminent les courants Charleville-Mézières-Paris et Reims-Dijon. Parfois un saut-de-mouton équipe l'une des trois bifurcations comme à Tarascon ou bien l'origine, sur la ligne Paris-Marseille, du raccordement Est d'Avignon. A Gagny les conditions locales n'ont pas permis de construire de saut-de-mouton, alors qu'entre la ligne de Strasbourg et la Grande Ceinture, vers le nord et le sud, le trafic est intense : pour éviter l'arrêt et donc le redémarrage, coûteux au plan énergétique, de nombreux convois lourds de marchandises (près de 200 en tout en moyenne quotidienne), la S.N.C.F. aux abords de chacune des pointes du triangle avait installé une signalisation sophistiquée : elle commandait automatiquement le ralentissement des trains sur plusieurs kilomètres afin de leur permettre de se succéder sans arrêt avec une relative fluidité sur les voies de la jonction ; la diminution du nombre des circulations a amené la suspension de cette intéressante expérience.

Il peut par ailleurs se trouver que l'une des bifurcations ne soit pas installée sur place : le triangle de Marmagne assure la fluidité des circulations entre les gares de Vierzon, Bourges et la ligne de Montluçon ; or, c'est à Bourges même que s'individualise la voie unique, à 6 kilomètres environ.

L'implantation de ces triangles a pu poser de sérieux problèmes techniques. A Marseille par exemple, non loin de la gare Saint-Charles, il a fallu creuser un tunnel pour aménager le raccordement des Chartreux reliant les artères de Paris et de Nice ; de même à Longuyon la jonction entre la ligne de Longwy et de la vallée du Chiers d'une part, celle de Valenciennes et Lille de l'autre, n'a pu s'effectuer qu'après le percement d'un souterrain. Dans l'agglomération rouennaise le triangle de Darnétal, qui permet aux convois de l'artère d'Amiens de se diriger soit vers la gare de voyageurs de Rouen-Rive-Droite soit vers le triage de Sotteville, est enserré par les constructions urbaines au fond d'une vallée étroite ; aussi les deux branches qui se greffent sur la ligne Paris-Le Havre sont-elles caractérisées par des rayons de courbure très courts, à la limite de ce qui peut être toléré.

La plupart du temps ce type de bifurcation se trouve installé non loin d'un centre ferroviaire important, que d'ailleurs vont desservir, au prix d'un rebroussement, certains trains omnibus ou directs : c'est le cas de figure de la gare de Redon, qui n'est pas située sur l'itinéraire direct Rennes-Nantes, de celles de Nevers, à l'écart de la ligne Nantes-Lyon, de Belfort, Longuyon ou Narbonne. Parfois le triangle est intégré dans l'ensemble des emprises du nœud ferroviaire, comme à Ambérieu ou à Bordeaux-Saint-Jean : sa partie centrale dans chacun de ces deux complexes accueille le dépôt des locomotives. Parfois aussi la gare de voyageurs elle-même a été bâtie au cœur du triangle, avec des quais s'écartant les uns des autres pour desservir les voies des divers raccordements : c'est la disposition retenue à Culoz, Montmélian ou Tarascon, qui traduit de manière spectaculaire le rôle essentiel de ces gares de bifurcation dans le domaine de la ventilation des courants de circulation. Mais certains des triangles de voies les plus actifs du réseau se trouvent implantés sinon tout à fait en rase campagne, tout au moins loin de toute gare importante. C'est le cas de celui de Marmagne, déjà cité, et celui d'Ostricourt ; ce dernier est formé des deux voies rapides de l'axe Paris-Lille, et, en voie

Ci-dessus, l'impressionnante bifurcation de Troyes avec quatre directions, avant sa restructuration et sa simplification. Ci-dessous, le site de Saint-Florentin sur la ligne nouvelle Paris-Sud-Est.

déviée, de deux raccordements qui assurent les relations entre Lille et Lens, Douai et Lens ; au cœur de la région industrielle du Nord-Pas-de-Calais ce triangle constitue pour l'activité ferroviaire un rouage capital.

Certains triangles de voies ferrées, bel et bien inscrits dans le paysage, ne sont pas opérationnels en permanence. A Serquigny par exemple le raccordement direct entre les lignes de Rouen et de Paris, à double voie, est normalement neutralisé ; mais il peut très rapidement être remis en service en cas d'incident sérieux sur l'artère directe Mantes-Rouen par la vallée de la Seine, afin d'établir un itinéraire de détournement sans rebroussement entre Paris et la région rouennaise. De même, près de Saintes, un raccordement désormais neutralisé unit à Beillant les lignes de Bordeaux et d'Angoulême. Comme les autres éléments du réseau, les triangles de bifurcation peuvent connaître des sorts variés, au gré des fluctuations du trafic. Ainsi, alors que certains peuvent sommeiller, la S.N.C.F. a été amenée en revanche il y a quelques années à mettre en place un nouveau raccordement à Villeneuve-lès-Avignon reliant la ligne Lyon-Marseille par la rive droite du Rhône à l'itinéraire Lyon-Nîmes ; grâce à ce nouveau triangle existe maintenant une relation directe par Avignon entre la grande artère de la rive gauche et Nîmes, qui s'ajoute à celle établie par Tarascon ; le trafic intense entre les deux artères parallèles Lyon-Marseille et la transversale sud Marseille-Nîmes-Toulouse peut maintenant, dans ce vaste et important carrefour du Bas-Rhône, être acheminé dans de meilleures conditions de rapidité et de fluidité.

Ultérieurement le chapitre consacré au T.G.V. montrera la floraison de raccordements de divers types de part et d'autre des lignes nouvelles.

DES ZONES DE BIFURCATIONS PARTICULIÈREMENT COMPLEXES

Aux abords de certains des grands carrefours du réseau le nombre des artères qui convergent ou divergent dans un secteur donné, la complexité des raccordements qui les unissent, la présence de plusieurs sauts-de-mouton déterminent plusieurs zones de bifurcations particulièrement complexes, comme le montrent à l'évidence les schémas ci-dessous.

Des ouvrages d'art ont été conçus afin d'éviter, dans la mesure du possible, le croisement au même niveau d'itinéraires différents ; ils permettent l'écoulement d'un trafic dense dans de bonnes conditions de sécurité, de rapidité et de fluidité. Le degré de complication de ces zones est varié.

A Lérouville, le tronc commun en provenance de Paris éclate sans difficulté vers Metz et Nancy, grâce à la présence d'un saut-de-mouton qui permet aux trains Metz-Paris de croiser à un autre niveau les convois Paris-Nancy-Strasbourg. Mais la gare assume une seconde fonction : un raccordement à double voie entre les deux branches, sans saut-de-mouton il est vrai, établit entre la Lorraine sidérurgique, l'artère Toul-Dijon et donc les pays rhodaniens un second itinéraire qui double celui tracé par Pagny-sur-Moselle et Pompey.

Dans la région parisienne, à l'est de Versailles, la grande artère Paris-Le Mans, alors quadruplée, peut grâce aux sauts-de-mouton de Porchefontaine, établir des liaisons aisées avec la ligne Versailles-Rive-Gauche-Invalides-Orsay et le raccordement qui se dirige vers Paris-Saint-Lazare. Grâce à ces imposants ouvrages d'art les flux est-ouest et de sens opposé sont totalement séparés puisque circulant à deux niveaux différents : les relations rapides Paris-Le Mans, les trains de banlieue Paris-Montparnasse-Rambouillet-Plaisir, Versailles-Chantiers-ligne C du Réseau Express Régional (R.E.R.), Versailles-Rive Gauche-ligne C du R.E.R., principaux courants qui traversent les installations de Porchefontaine (580 trains en tout en moyenne quotidienne), se rejoignent, s'enchevêtrent, se séparent donc dans de bonnes conditions de fluidité et de rapidité.

En Lorraine la zone de bifurcations d'Onville, Novéant, Pagny-sur-Moselle présente un autre type de complexité. Etalée sur une dizaine de kilomètres, elle est disposée en "H", cest-à-dire que les deux artères de direction nord-sud reliant l'une, le bassin sidérurgique à Lérouville par Conflans-Jarny, l'autre Metz à Nancy, sont unies par une section à quatre voies qui autorise le croisement à des niveaux différents des itinéraires Nancy-Longwy et Paris-Metz ; à la soudure de ces trois sections de ligne des sauts-de-mouton judicieusement construits établissent, sauf pour le cisaillement des voies Nancy-Conflans-Jarny et Conflans-Jarny-Lérouville, des intersections à niveaux variés qui là aussi garantissent un débit important (225 trains en tout en moyenne quotidienne).

Fortement influencée dans son dessin général par le réseau des vallées, avec celle du Rupt du Mad qui débouche dans celle de la Moselle, cette zone de bifurcations constitue un nœud de lignes de première importance, mais dont l'originalité réside dans le fait qu'aucune ville ne le marque de son empreinte et n'en détermine le centre.

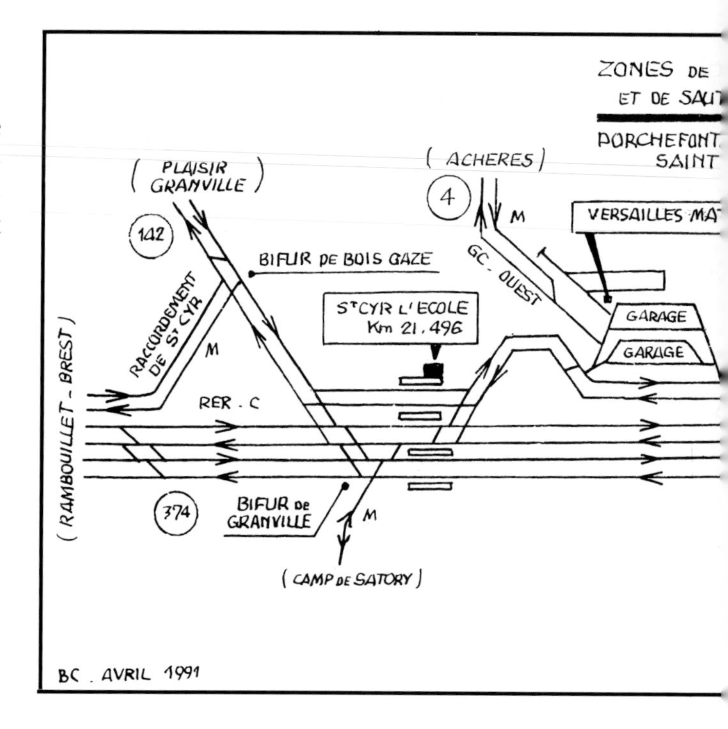

C'est à proximité immédiate de la capitale, de loin le plus important carrefour du réseau, que se discernent les secteurs ferroviaires les plus complexes de France. Quatre éléments concourent. D'abord les lignes sont nombreuses, qu'il s'agisse des radiales en éventail ou de la Grande Ceinture, qui les recoupe ; ensuite ces diverses artères sont la plupart du temps équipées de plus de deux voies, avec de nombreuses sections quadruplées ou sextuplées ; par ailleurs de puissantes gares de triage régulent le trafic des marchandises ; enfin de multiples raccordements, jalonnés de sauts-de-mouton souvent impressionnants, permettent un bon acheminement des trains.

Si Paris est ainsi en entier enveloppé par un tissu ferroviaire dense et compliqué, dont les bifurcations de Porchefontaine font partie, les lignes et installations diverses sont particulièrement nombreuses et enchevêtrées dans deux zones.

Au nord-est de l'agglomération parisienne le complexe Le Bourget-Bobigny-Noisy-le-Sec s'articule autour du grand axe Paris-Strasbourg, encadré au sud par la radiale de Belfort, qui s'en détache à Noisy-le-Sec, au nord par celle de Laon, secondaire mais qui supporte un lourd trafic de banlieue ; sa charpente est complétée par la section orientale et nord-est de la Grande Ceinture. Plus de 1400 trains en moyenne journalière traversent cet ensemble ferroviaire. De nombreux raccordements établissent les indispensables liaisons entre ces diverses artères, et avec les deux importantes gares de triage du Bourget et de Noisy-le-Sec. Aussi des sauts-de-mouton constellent-ils cet ensemble ferroviaire avec toutefois une exception de taille déjà connue, celle du triangle de Gagny et de ses cisaillements à niveau.

Au sud la structure du nœud double constitué par les installations centrées sur Villeneuve-Saint-Georges et Juvisy est du même type, mais encore plus dense et plus complexe. De part et d'autre de la Seine deux puissantes lignes radiales,

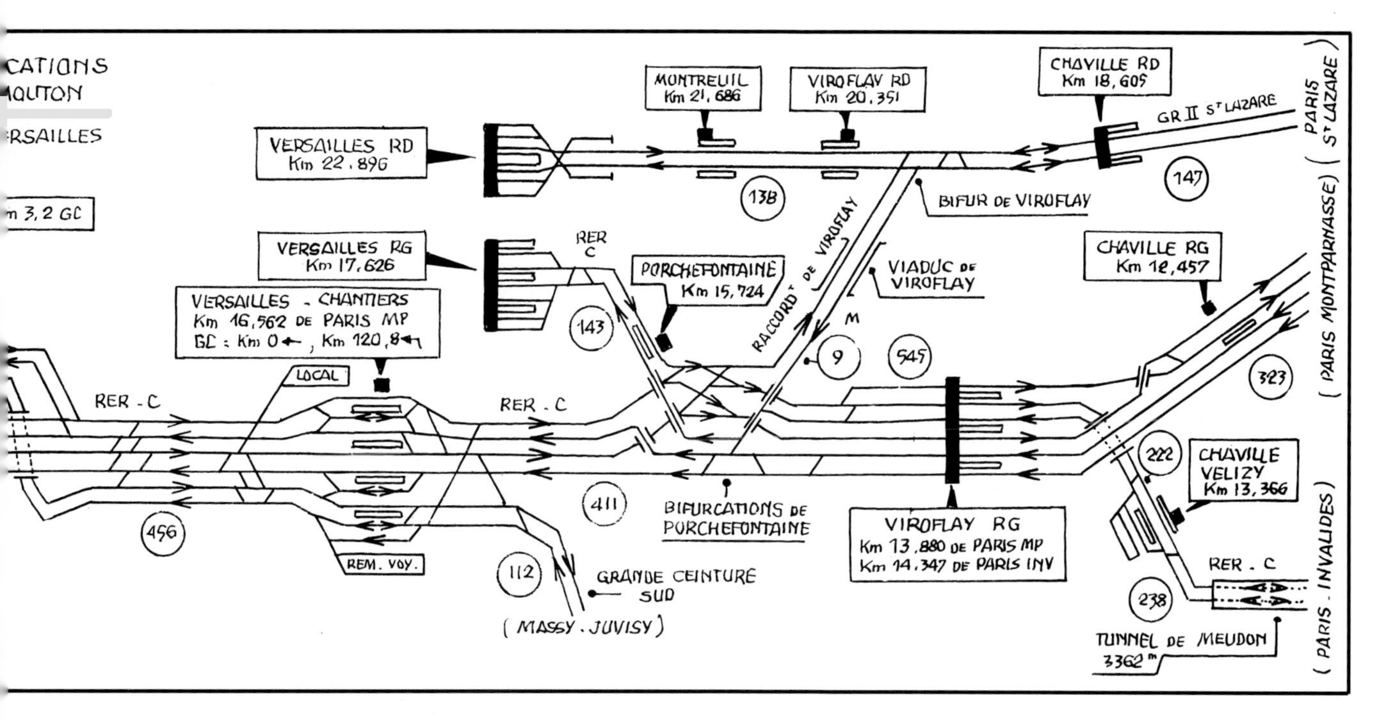

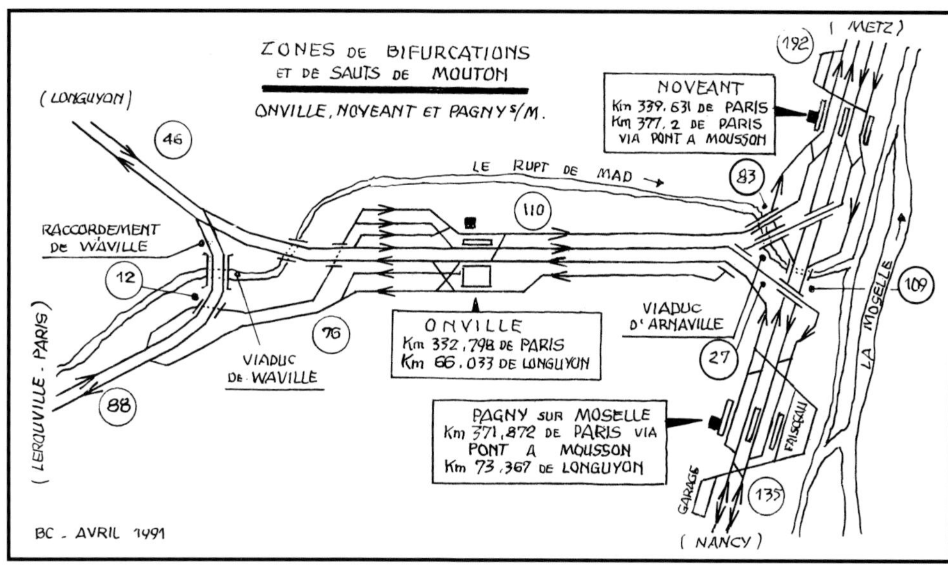

Schémas des sites Versailles/Viroflay et de Novéant/Pagny/Onville où l'on peut remarquer des exemples de bifurcations triangulaires et de sauts-de-moutons. Les chiffres entourés indiquent le nombre moyen journalier de circulations dans les deux sens réunis.

Paris-Orléans et Paris-Dijon, dotées chacune d'au moins quatre voies, constituent l'ossature de la trame. Ces deux grands axes sont recoupés par la Grande Ceinture, qui se divise elle même en deux branches, chacune à double voie, entre Valenton et Massy-Palaiseau, l'une s'infiltrant entre Orly et Rungis, l'autre tracée par Juvisy et Savigny-sur-Orge. De plus à Villeneuve-Saint-Georges et à Juvisy s'étalent les faisceaux de voies de deux des plus importantes gares de triage de France. Enfin dans la gare même de Juvisy et un peu plus au sud prennent naissance deux lignes, l'une se dirigeant le long de la Seine vers Corbeil, l'autre escaladant le plateau et desservant la ville nouvelle d'Evry. Il est aisé d'imaginer les multiples courants de voyageurs de grandes lignes, de banlieue, de marchandises qui se concentrent, s'entrecroisent, éclatent dans les emprises de ces deux grandes gares et à leurs abords. Cette densité considérable de trafic se traduit par un nombre énorme de convois de toutes directions et de toute nature : c'est ainsi qu'en moyenne quotidienne 1550 trains sillonnent les voies du complexe. Des travaux importants facilitent l'écoulement de ces flux. Ainsi, entre Choisy-le-Roi et Villeneuve-le-Roi, de part et d'autre de la gare de Savigny-sur-Orge, près de Valenton et au sud de la gare de Villeneuve-Saint-Georges, à l'intérieur du périmètre de la gare de Juvisy, des sauts-de-mouton d'allure souvent cyclopéenne isolent les uns des autres les itinéraires les plus chargés.

Les voies ferrées se rejoignent donc souvent à proximité des centres ferroviaires, des plus importants entre autres, dans des bifurcations conçues pour être franchies à des vitesses relativement élevées et évitant le plus possible, grâce à des ouvrages d'art adaptés, l'intersection à niveau d'itinéraires étrangers ou contraires.

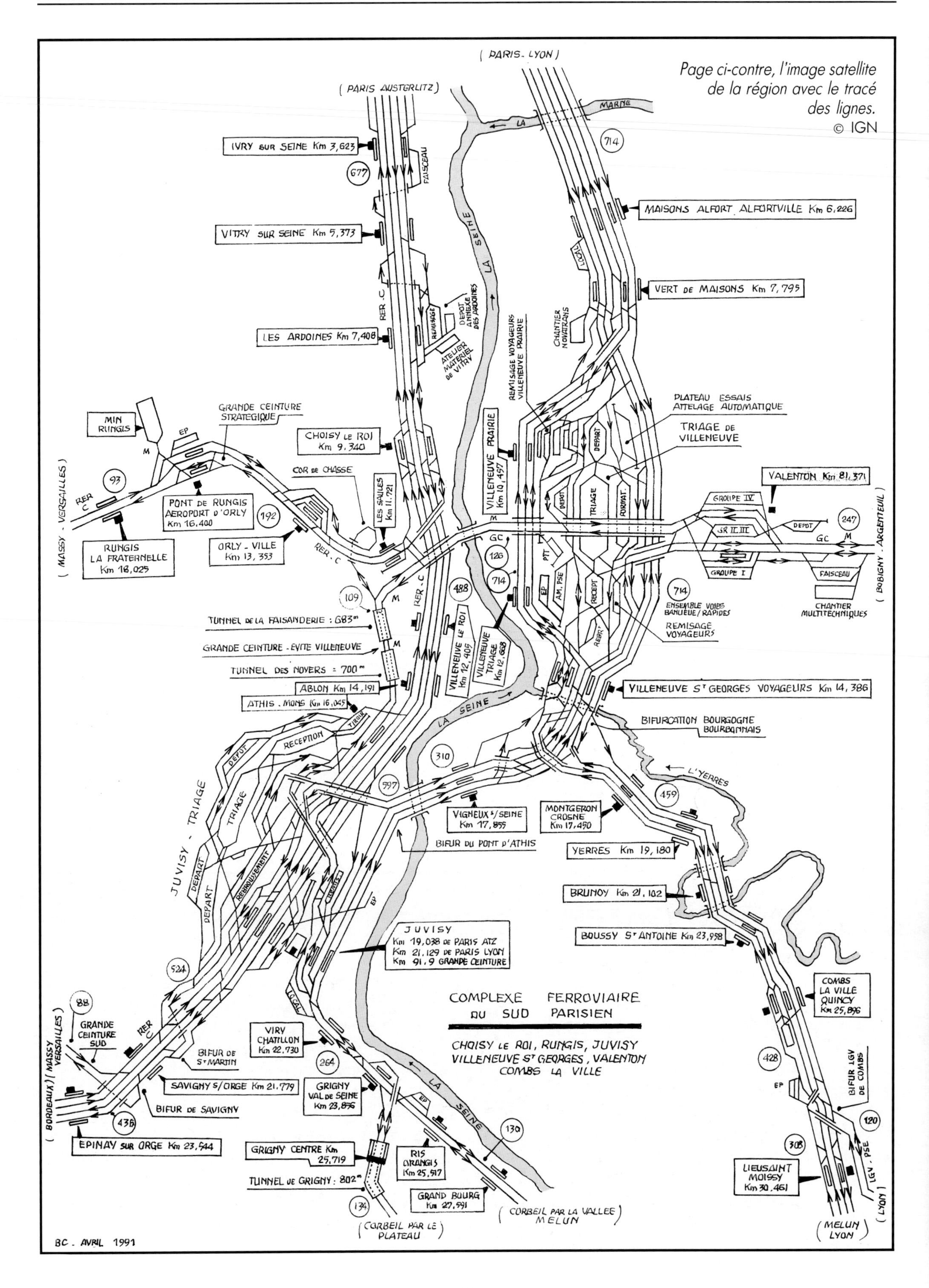

Page ci-contre, l'image satellite de la région avec le tracé des lignes. © IGN

N

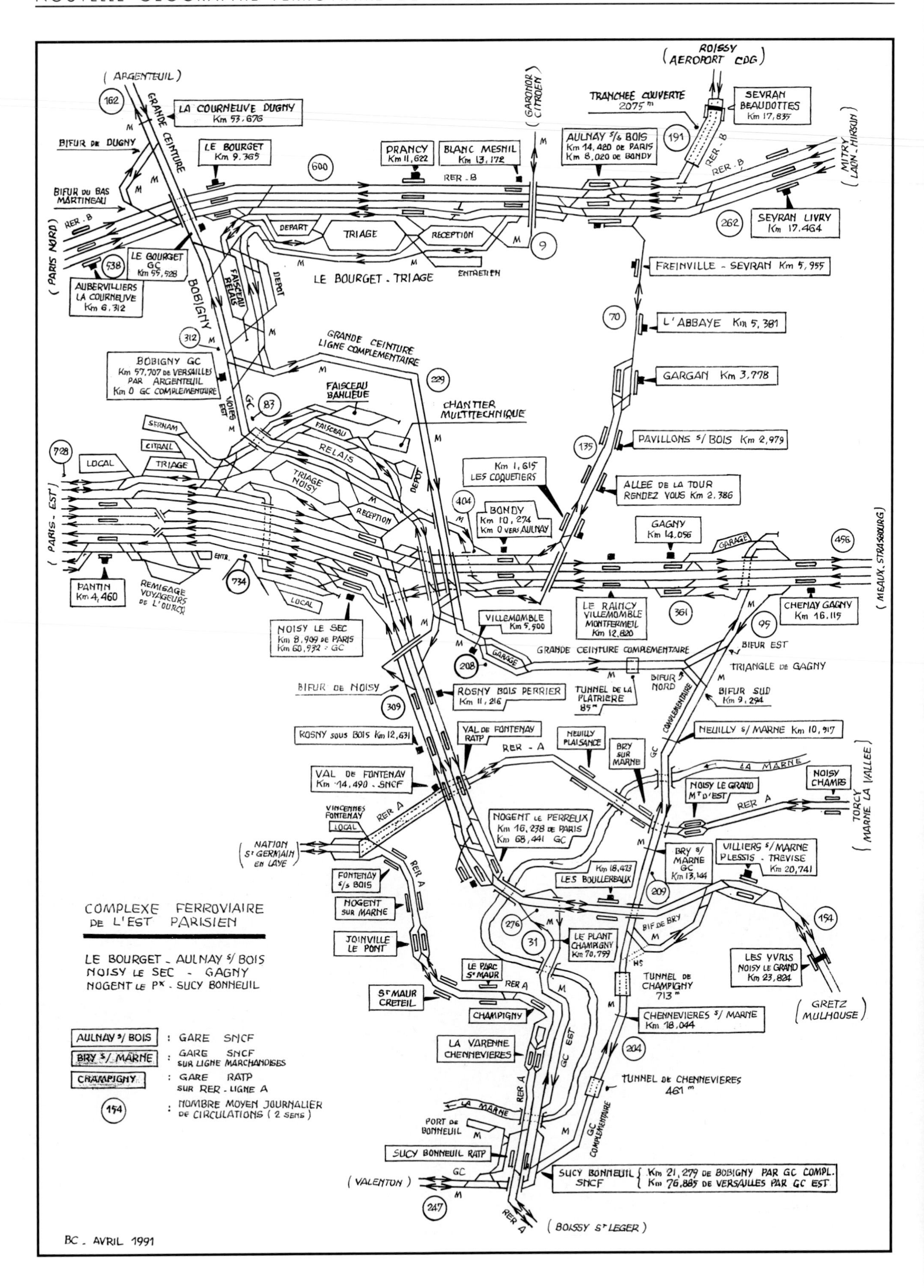
COMPLEXE FERROVIAIRE DE L'EST PARISIEN
LE BOURGET - AULNAY S/ BOIS
NOISY LE SEC - GAGNY
NOGENT LE Px - SUCY BONNEUIL
AULNAY S/ BOIS : GARE SNCF
BRY S/ MARNE : GARE SNCF SUR LIGNE MARCHANDISES
CHAMPIGNY : GARE RATP SUR RER - LIGNE A
154 : NOMBRE MOYEN JOURNALIER DE CIRCULATIONS (2 SENS)
LE BOURGET - TRIAGE
LA COURNEUVE DUGNY Km 53,676
LE BOURGET Km 9,365
DRANCY Km 11,622
BLANC MESNIL Km 13,172
AULNAY S/ BOIS Km 14,420 DE PARIS Km 8,020 DE BONDY
SEVRAN BEAUDOTTES Km 17,835
SEVRAN LIVRY Km 17,464
TRANCHEE COUVERTE 2075 m
FREINVILLE - SEVRAN Km 5,955
L'ABBAYE Km 5,381
GARGAN Km 3,778
PAVILLONS S/ BOIS Km 2,979
ALLEE DE LA TOUR RENDEZ VOUS Km 2,386
BOBIGNY GC Km 57,707 DE VERSAILLES PAR ARGENTEUIL Km 0 GC COMPLEMENTAIRE
LE BOURGET GC Km 55,528
AUBERVILLIERS LA COURNEUVE Km 6,312
PANTIN Km 4,460
NOISY LE SEC Km 8,909 DE PARIS Km 60,932 GC
BONDY Km 10,274 Km 0 VERS AULNAY
GAGNY Km 14,056
LE RAINCY VILLEMOMBLE MONTFERMEIL Km 12,820
CHENAY GAGNY Km 16,115
VILLEMOMBLE Km 5,500
ROSNY BOIS PERRIER Km 11,216
ROSNY SOUS BOIS Km 12,631
VAL DE FONTENAY RATP
VAL DE FONTENAY Km 14,490 SNCF
NEUILLY S/ MARNE Km 10,917
NOGENT LE PERREUX Km 16,238 DE PARIS Km 68,441 GC
BRY S/ MARNE GC Km 13,144
VILLIERS S/ MARNE PLESSIS - TREVISE Km 20,741
LES BOULLEREAUX Km 18,473
LE PLANT CHAMPIGNY Km 70,799
LES YVRIS NOISY LE GRAND Km 23,824
CHENNEVIERES S/ MARNE Km 18,044
SUCY BONNEUIL SNCF Km 21,279 DE BOBIGNY PAR GC COMPL. Km 76,885 DE VERSAILLES PAR GC EST
TUNNEL DE LA PLATRIERE 85 m
TUNNEL DE CHAMPIGNY 713 m
TUNNEL DE CHENNEVIERES 461 m
BIFUR DE NOISY
BIFUR EST
BIFUR NORD
BIFUR SUD Km 9,294
TRIANGLE DE GAGNY
GRANDE CEINTURE COMPLEMENTAIRE
GRANDE CEINTURE LIGNE COMPLEMENTAIRE
(ARGENTEUIL)
(ROISSY AEROPORT CDG)
(MITRY LAON - HIRSON)
(PARIS NORD)
(PARIS - EST)
(MEAUX - STRASBOURG)
(TORCY MARNE LA VALLEE)
(GRETZ MULHOUSE)
(VALENTON)
(BOISSY St LEGER)
(NATION St GERMAIN EN LAYE)
BC - AVRIL 1991

LA RENCONTRE DES LIGNES AU CŒUR DES CARREFOURS

Mais les diverses lignes peuvent également n'effectuer leur jonction qu'au cœur même des carrefours, parfois dans les emprises mêmes des grandes gares de voyageurs. C'est ainsi qu'en gare de Metz se rencontrent les artères venant de Strasbourg et Paris, en gare de Mulhouse, celles de Strasbourg et de Belfort-Paris, en gare de Bordeaux-Saint-Jean celles de Toulouse et d'Irun ; se rejoignent de la même manière à Rennes les lignes de Brest et Nantes, à Nantes celles de Paris et Bordeaux, à Marseille-Saint-Charles celles de Paris et Nice... Parfois aussi les voies ferrées se retrouvent côte à côte à quelques centaines de mètres ou quelques kilomètres de la gare principale, mais en conservant leur autonomie sur ce très court tronc commun terminal ; comme dans le cas de figure précédent il n'y a alors pas de bifurcation à proprement parler : les mêmes appareils de voie commandent à la fois l'accès aux diverses voies à quai de la gare, le départ ou l'arrivée des trains sur les lignes affluentes. Ainsi de part et d'autre de la gare de Strasbourg les lignes de Paris et de Lauterbourg au nord, celles de Mulhouse et de Saint-Dié au sud restent-elles voisines sur de courtes distances, comme au sud de la gare de Toulouse-Matabiau les artères de Bayonne et de Marseille. Bien sûr les trains n'abordent les zones complexes d'aiguillages proches des quais qu'à vitesse réduite, ce qui alors ne représente pas de gêne notable. A proximité de grandes gares s'étalent parfois des secteurs de bifurcation extrêmement compliqués, en raison du nombre et de l'importance des lignes qui convergent : le meilleur exemple est fourni par l'enchevêtrement des voies, la multiplicité des sauts-de-mouton entre les gares de Paris-Nord et de Saint-Denis, à la jonction des artères de Pontoise, de Creil, de Mitry-Claye, et de raccordements multiples.

Les nombreux points de rencontre de voies ferrées qui étoilent le réseau déterminent l'implantation des divers nœuds ferrovaires.

Beaucoup d'entre eux sont indépendants, assurant des liaisons d'importance variée, loin des principaux carrefours. Ils constituent un groupe très fourni et complexe, en fonction du nombre et de l'équipement des lignes qui effectuent leur jonction. C'est ainsi que par exemple à Rodez se nouent trois lignes à voie unique, alors qu'à Château-du-Loir l'artère à double voie Le Mans-Tours est recoupée par la voie unique joignant Chartres à Saumur. A Tergnier se croisent les artères à double voie Paris-Bruxelles et Amiens-Reims, comme à Charleville-Mézières les itinéraires Paris-Givet et Valenciennes-Thionville. Les exemples pourraient être multipliés.

D'autres nœuds, également en apparence bien individualisés sont en fait les satellites de carrefours plus importants, éloignés parfois de plus de 100 ou 200 kilomètres. Ils peuvent correspondre à des agglomérations peuplées et donc traiter un trafic local non négligeable, mais leur fonction essentielle est d'organiser la répartition de différents flux, jusque-là regroupés, entre plusieurs axes ferroviaires. Il n'est pas étonnant que les troncs communs les plus longs et les plus chargés aient leur origine dans la capitale, comme le montre le tableau ci-dessous :

Tronc commun	Longueur	Itinéraires éclatés
Paris-Les Aubrais (Orléans)	119 km	Paris-Bordeaux Paris-Toulouse
Paris-Longueau (Amiens)	126 km	Paris-Lille Paris-Calais
Paris-Le Mans	211 km	Paris-Rennes-Brest Paris-Nantes
Paris-Lérouville	289 km	Paris-Metz Paris-Strasbourg
Paris-Dijon	315 km	Paris-Lyon (ligne classique) Paris-Modane Paris-Besançon-Lausanne

Mais ils se retrouvent également à proximité de nombreux grands centres ferroviaires de province, comme l'indiquent les exemples suivants :

Metz-Remilly	22 km	Paris-Metz-Sarrebruck Luxembourg-Strasbourg Bâle
Belfort-Mulhouse	49 km	Paris-Bâle Lyon-Strasbourg
Montauban-Toulouse	51 km	Paris-Toulouse Bordeaux-Toulouse
Reding-Strasbourg	68 km	Paris-Strasbourg Luxembourg-Metz-Strasbourg-Bâle
Angers-Nantes	88 km	Paris-Nantes Lyon-Nantes
Tarascon-Marseille	100 km	Paris-Marseille Bordeaux-Marseille

Les troncs communs peuvent être emboîtés ; c'est-à-dire qu'à partir du carrefour principal des ramifications successives se détachent de l'artère maîtresse, ou bien celle-ci peut éclater en branches d'importance à peu près égale qui à leur tour se subdivisent. Quelques exemples sont particulièrement spectaculaires.

Ainsi au départ de Bordeaux l'artère de Paris supporte le trafic de la ligne de Nantes, qui s'en détache à Cenon, de celle de Bergerac qui s'en écarte à Libourne, de celle de Périgueux qui se débranche à Coutras (51 km) ; or cette dernière donne à son tour naissance, à partir de Périgueux, aux lignes de Limoges et de Brive, tandis que sur la ligne de Nantes, à Saintes, se greffe la voie qui se dirige vers Niort. Il est alors normal de considérer les gares, bien délimitées dans le paysage et en apparence autonomes de Libourne, Coutras et à un moindre degré de Périgueux et Saintes comme des satellites du nœud primaire bordelais et donc des éléments avancés du grand carrefour ferroviaire girondin.

A une autre échelle, les deux branches issues aux Aubrais du tronc commun né à Paris donnent elles-mêmes naissance à des itinéraires diffluents qui acheminent des flux en relation

avec la capitale : sur la ligne de Toulouse, à Vierzon, divergent les courants en direction de Bourges et Montluçon, tandis qu'à Poitiers, sur celle de Bordeaux, se détachent les trains reliant Paris à La Rochelle.
Le cas de figure le plus net est peut-être celui de la charpente bâtie par l'ancienne Compagnie du Nord. En effet à Creil se séparent les lignes de Paris à Lille et de Paris à Bruxelles ; de cette dernière, à Busigny, s'échappe une double voie vers Cambrai, tandis qu'à Hautmont, près de la frontière belge s'individualisent les itinéraires de Bruxelles et de Charleroi-Liège. L'autre branche se subdivise, elle aussi, et à trois reprises : à Longueau trouve son origine la ligne de Boulogne et Calais, à Arras celle de Dunkerque, à Douai, celle de Valenciennes. Grâce à ce réseau harmonieusement ramifié le tronc commun de base Paris-Creil achemine donc, en plus du trafic de banlieue, la totalité des courants de circulation qui s'établissent entre la capitale d'une part et les régions situées entre l'embouchure de la Somme et les confins nord-ouest de la Champagne de l'autre.
L'importance d'un centre ferroviaire dans le domaine de la répartition géographique des flux doit par conséquent être appréciée non seulement en fonction des lignes qui se joignent dans ses emprises mêmes, mais en tenant compte des bifurcations, parfois très éloignées, qui en fait travaillent pour son compte.
Il faut enfin signaler que certains troncs communs peuvent donner naissance à des diffluences à chacune de leurs extrémités. C'est ainsi que la section de ligne Belfort-Mulhouse est sillonnée par des courants qui certes à Belfort éclatent en direction de Paris et de Lyon, mais aussi par d'autres de sens inverse, qui à Mulhouse s'orientent soit vers Strasbourg, soit vers Bâle. Plus nettement encore au sud du Jura, sur le tronçon Ambérieu-Culoz, long de 52 kilomètres, circulent des flux qui au-delà d'Ambérieu se répartissent en direction de Paris et de Lyon, au-delà de Culoz vers Genève, Evian d'une part, Saint-Gervais-les-Bains, Chambéry, Bourg-Saint-Maurice et Modane de l'autre. Ce type de tronc commun s'explique par la convergence de voies ferrées depuis divers points cardinaux vers des couloirs offerts par la nature, trouée de Belfort et Cluse des Hôpitaux, dans des régions de relief difficile.

LA STRUCTURE GÉNÉRALE DES GRANDS CARREFOURS

La structure interne de chaque carrefour ferroviaire est largement conditionnée par la disposition générale des lignes, qui sous-tend elle même la répartition des installations de base que sont les gares de voyageurs, de marchandises ou de triage, les dépôts et ateliers. Le relief, l'histoire expliquent une forte diversité des situations.

Il est rare que dans les principaux nœuds les modules qui permettent l'acheminement du trafic soient intégralement concentrés. Toulouse et Bordeaux avant ces dernières décennies étaient dans ce cas, avec gares de triage et dépôts implantés à proximité immédiate des gares de voyageurs de Matabiau et de Saint-Jean, à l'intérieur des agglomérations ; aussi la S.N.C.F. pour lutter contre l'asphyxie qui menaçait a-t-elle dû construire deux vastes gares de triage modernes à plusieurs kilomètres de là, à Saint-Jory et à Hourcade. De même le triage de Sibelin, pièce maîtresse du carrefour lyonnais, s'étale à plus de 10 kilomètres au sud du cœur du complexe, tandis que c'est à 53 kilomètres de la gare Saint-Charles, à Miramas, que fonctionne la grande gare de triage de l'ensemble ferroviaire marseillais.
Dans leur immense majorité les principales gares de voyageurs du réseau, en dehors de Paris, sont équipées de voies de passage. Mais des exceptions de taille se remarquent comme à Marseille et Lille, où les principales lignes convergent vers des gares en impasse. Pour des raisons déjà exposées des installations en cul-de-sac se retrouvent aussi à Orléans et à Tours ; mais elles sont ignorées par les express et rapides des artères de Toulouse et de Bordeaux. La ville d'Amiens, elle, est bien dotée d'une gare de passage, où s'arrêtent les convois de la ligne de Calais ; mais elle est court-circuitée par les trains de l'axe majeur Paris-Lille qui en suivant à Longueau un itinéraire direct évitent de fastidieux et coûteux rebroussements. Autre cas particulier, celui de Lyon, où les flux de voyageurs s'enchevêtrent autour de deux pôles, la gare ancienne de Perrache et celle, ultramoderne et récente, de la Part-Dieu.
Un problème particulier et important est posé à l'intérieur des complexes ferroviaires par la circulation des trains de marchandises, dans la mesure où ceux-ci peuvent fortement contribuer à l'encombrement des principales gares de voyageurs lorsqu'ils ne peuvent les éviter. Par exemple, à Toulouse-Matabiau, les convois de marchandises de la grande transversale sud, à Rouen-Rive-Droite, ceux de la ligne du Havre doivent nécessairement emprunter les voies à quai, diminuant d'autant la capacité de réception et d'expédition des trains de voyageurs. C'est pourquoi dans plusieurs carrefours, l'existence d'une ligne de contournement représente un ballon d'oxygène d'un intérêt essentiel : à Strasbourg, à Metz, à Lille les trains de marchandises peuvent ainsi traverser l'ensemble du carrefour, ou gagner la grande gare de triage sans encombrer les gares de voyageurs et leurs abords. A Dijon c'est la trame générale du complexe qui permet aux lourds tonnages circulant entre la Lorraine et le couloir rhodanien de gagner depuis l'artère de Nancy les deux vastes triages de Perrigny et de Gevrey ou la ligne de Lyon, grâce à des raccordements judicieusement disposés, sans transiter par la gare de Dijon-Ville.

Par son gigantisme et sa complexité le carrefour parisien constitue à lui seul un monde à part. Sa structure est largement caractérisée par des séries d'installations disposées de manière concentrique.
Près du cœur de la capitale s'étalent les six grandes gares terminales de voyageurs. Depuis quelques années celles du Nord et d'Austerlitz ne sont plus vraiment en cul-de-sac puisque desservies par les lignes du R.E.R. qui traversent la capitale ; mais leur trafic et leurs installations en font tou-

Un bel exemple de ce qu'est un saut-de-mouton : la bifurcation de Novéant (voir plan page 57) où, grâce au passage dénivelé des voies, tout cisaillement est évité.

jours avant tout des gares en impasse, comme le sont intégralement celles de l'Est, de Saint-Lazare, de Lyon et de Montparnasse.
A proximité plus ou moins immédiate s'étalent dans les secteurs des Batignolles, de la Chapelle, de la Villette, de Bercy, de Tolbiac, aussi bien dépôts, faisceaux de garage des rames que cours de débords et halles réservées aux marchandises.
Plus loin, à une distance variant d'une quinzaine à une vingtaine de kilomètres court la Grande Ceinture, d'un développement total de 120 kilomètres, qui enserre complètement la capitale. Intégralement dotée de deux voies au moins elle recoupe toutes les lignes radiales qui jaillissent de Paris, qu'elle met en relation grâce à un réseau complet de raccordements : le rôle qu'elle joue, dans les échanges de marchandises surtout, est en relation directe avec la présence, à son intersection avec les artères nées à Paris même, de puissantes gares de triage ; celles de Noisy-le-Sec, du Bourget, de Villeneuve-Saint-Georges, de Juvisy ou d'Achères comptent parmi les plus importantes du pays.
Ainsi équipé le carrefour parisien est armé pour non seulement assurer le trafic de voyageurs et de marchandises propre à l'agglomération, mais aussi jouer un rôle essentiel de répartition des flux entre quelques-unes des régions françaises les plus actives.
La forte vitalité du chemin de fer s'affirme particulièrement dans la région parisienne, non seulement par la densité de l'infrastructure et l'ampleur des flux de transport, mais aussi par la mise en service, depuis une quinzaine d'années, de lignes neuves. Il a fallu en effet que la S.N.C.F s'adapte à l'évolution de l'urbanisation, au développement du trafic aérien et desserve le nouvel aéroport Roissy-Charles-de-Gaulle, en construisant une antenne qui se débranche à Aulnay-sous-Bois de l'artère de Laon. Deux autres lignes assurent la liaison entre le cœur de Paris et les villes nouvelles de Cergy-Pontoise au nord-ouest, d'Evry au sud. Par ailleurs au prix de gigantesques travaux, se développe le Réseau Express Régional, géré conjointement par la S.N.C.F. et la R.A.T.P. : la capitale est désormais traversée en tous sens puisqu'à la station Châtelet se croisent les lignes A Saint-Germain-en-Laye avec antennes de Cergy et Poissy, Marne-la-Vallée-Boissy-Saint-Léger, et B, qui résulte de l'interconnexion des artères de Roissy et Mitry au nord et de Saint-Rémy-les-Chevreuse au sud. A la gare Saint-Michel cette ligne B est maintenant en correspondance avec la ligne C qui, elle, depuis l'aménagement de la liaison Invalides-Orsay, relie Saint-Quentin-en-Yvelines et Versailles-Rive Gauche à Juvisy, Brétigny, Étampes et Massy-Palaiseau après avoir desservi le centre de Paris. Enfin la mise en service en 1988 de la relation Vallée-de-Montmorency-Invalides, qui constitue la branche nord-ouest du R.E.R. C et utilise largement des portions de lignes anciennes parfois déclassées, a amélioré sensiblement les conditions de déplacement des habitants du Val d'Oise vers la capitale.

Le dynamisme du réseau ferré français, en dehors de la région parisienne, se manifeste par une poursuite constante des efforts de modernisation des installations et entre autres des lignes. Le développement de l'électrification en est un signe particulièrement spectaculaire.

Si la SNCF poursuit toujours l'électrification du réseau classique, la construction des lignes nouvelles augmente aussi considérablement le kilométrage de lignes sous caténaires.

LE DÉVELOPPEMENT DE L'ÉLECTRIFICATION

Un profane ne peut manquer d'être sensibilisé par la diversité de l'équipement des lignes électrifiées en France : timide maintien du troisième rail entre Puteaux et Issy-Plaine, impressionnantes ogives surplombant l'artère Bordeaux-Hendaye, relative lourdeur des installations sur les voies ferrées alimentées en courant de 1500 volts ; en revanche légèreté des caténaires et de leurs supports au-dessus des lignes qui bénéficient du courant monophasé de 25000 volts, enfin allure futuriste des équipements des lignes du T.G.V. C'est que dans notre pays l'électrification est ancienne ; elle s'est développée au fil des décennies en profitant des apports successifs de l'évolution technologique. Largement amorcée avant 1939, elle concernait en 1947 3652 kilomètres de lignes ; au début de 1990 le total des lignes équipées de caténaires atteignait 12430 km, soit 40% du réseau exploité.

Son importance et son intérêt économique sont éloquemment exprimés par la constatation qu'en France les voies ferrées électrifiées, minoritaires en kilomètrage, assurent à elles seules plus de 80% de l'ensemble du trafic. Il n'est donc pas étonnant que les caténaires continuent de se dérouler au-dessus aussi bien de lignes anciennes que des axes du T.G.V. En opposition et alors que les locomotives à vapeur ont depuis longtemps disparu, l'avenir de la traction Diesel et des engins thermiques semble, lui, bien limité.

LES GRANDES ÉTAPES DE L'ÉLECTRIFICATION DU RÉSEAU

L'électrification d'une voie ferrée pose des problèmes nombreux et complexes.

Il s'agit en premier lieu d'une opération financièrement lourde : sont nécessaires, entre autres, la construction de nombreuses sous-stations, l'implantation de la forêt de poteaux et de supports qui vont permettre la mise en place des caténaires, l'acquisition des locomotives. Aussi d'une manière générale l'amortissement de ces dépenses ne peut-il être réalisé dans des conditions satisfaisantes que sur les lignes assurant un trafic abondant. C'est ce qui explique la politique constante de la S.N.C.F. de concentration des flux sur ses principaux axes électrifiés, au détriment d'itinéraires parfois plus courts voués alors à un dépérissement au moins relatif. Par ailleurs l'électrification d'une ligne exige que soit dégagé un gabarit suffisant ; c'est-à-dire que dans la plupart des cas des travaux souvent importants sont indispensables pour que les caténaires puissent être posées à une hauteur correcte dans les tunnels, sous les ponts... Le plus fréquemment le problème est résolu par le relèvement du passage supérieur ou l'abaissement du plan des voies, avec combinaison éventuelle des deux opérations ; parfois il a fallu reconstruire intégralement certains ouvrages d'art. D'autre part le courant de traction perturbe le fonctionnement des lignes téléphoniques aériennes traditionnellement installées le long des voies ; aussi a-t-il été indispensable d'enterrer systématiquement les câbles assurant les télécommunications ; c'est pourquoi le voyageur empruntant un itinéraire électrifié ne peut plus suivre du regard les nappes de fils accrochées à des poteaux de bois, éléments traditionnels du paysage ferroviaire. Enfin par la nature même de leur équipement les lignes électrifiées sont plus fragiles que les autres : cette vulnérabilité explique que ce soit seulement à une époque récente, à partir de 1955, que dans le nord et le nord-est du pays, dans des régions longtemps stratégiquement très sensibles, les caténaires aient fait leur apparition, après que l'autorité militaire ait levé son veto. Mais les conséquences positives d'une électrification sont incontestables.

L'économie générale du pays, d'abord, ne peut qu'en tirer profit. En effet les locomotives à vapeur exigeaient un charbon d'excellente qualité donc cher, tandis que les produits pétroliers utilisés par certaines d'entre elles (les 141 R après 1945) et par les engins dotés de moteur Diesel étaient et doivent être en proportion énorme importés, donc soumis aux fluctuations parfois brutales des prix et aux aléas des rapports internationaux. L'énergie électrique, elle, offre l'avantage de pouvoir être produite à peu près intégralement en France même, à partir de sources très diversifiées, et à des coûts intéressants : les usines hydroélectriques utilisent une matière première gratuite, les centrales thermiques qui fonctionnent au charbon peuvent être alimentées en houille de qualité inférieure ; les centrales installées dans les régions sidérurgiques récupèrent comme combustible les gaz résiduels des hauts fourneaux, alors que la S.N.C.F. ne peut qu'être intéressée par le développement de l'énergie nucléaire, distribuée sous forme d'électricité.

L'un des problèmes majeurs d'Électricité de France est celui des pointes de consommation, avec une énorme demande de courant à certains moments. Il n'est pas exagéré d'avancer que dans ce domaine le chemin de fer joue un rôle important de régulation ; en effet les trains de voyageurs et de marchandises roulent à toute heure du jour et de la nuit, en toutes saisons, en été comme aux heures dites creuses. Aussi le chemin de fer en France contribue-t-il à une utilisation étalée et donc rationnelle de la production d'électricité.

Par ailleurs l'électrification procure à la S.N.C.F. de sensibles gains de productivité pour des raisons extrêmement diverses. C'est ainsi que les dépenses liées à la consommation d'énergie proprement dite sont sensiblement moins élevées qu'en traction Diesel et surtout à vapeur. Mais de plus, à poids égal, une locomotive électrique est toujours plus puissante qu'une locomotive à vapeur ou à moteur Diesel, avec des possibilités très intéressantes de nettement dépasser, pendant un temps limité, la puissance produite en régime régulier et continu. Dans ces conditions la traction électrique admet des tonnages plus élevés et permet des vitesses notablement supérieures, notamment dans le cas de lignes à profil accidenté.

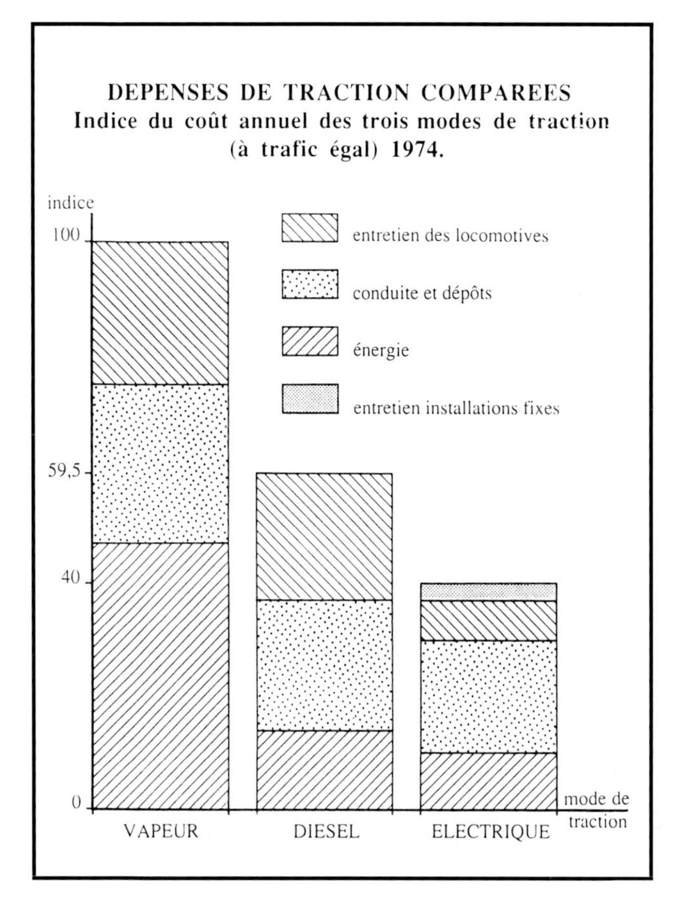

Par ailleurs ces engins peuvent circuler dans les deux sens, sans fastidieuses manœuvres de retournement ; l'usage de locomotives électriques est donc synonyme de souplesse pour l'exploitation, ce qui n'était pas le cas, et de loin, avec la traction vapeur.

De plus, au temps de la vapeur une locomotive ne pouvait être mise en route qu'après une longue préparation nécessitée par la mise à feu, la montée en pression, l'approvisionnement en eau et en combustible. Un engin de traction électrique, lui, est immédiatement disponible. Comme par ailleurs son entretien courant est beaucoup plus simple, il est aisé de comprendre qu'à trafic égal le nombre de locomotives nécessaires soit beaucoup moins élevé, inférieur à la moitié de ce qu'il était avant l'électrification. Le personnel peut être également moins étoffé.

Comment ne pas remarquer aussi les améliorations apportées dans le domaine de la conduite, beaucoup moins pénible qu'à l'époque de la vapeur, du confort des voyageurs et riverains qui n'ont plus à redouter fumée et escarbilles, et doivent supporter des nuisances sonores beaucoup moins fortes.

Trains plus lourds et donc moins nombreux, vitesses plus élevées, bilan énergétique favorable, économie d'effectifs, de dépenses d'entretien : les avantages de l'électrification sont multiples et évidents, pour peu que l'importance du trafic la rende rentable en permettant dans des délais raisonnables l'amortissement des investissements initiaux. Aussi n'est-il pas étonnant que dès le début du siècle, en France comme ailleurs, les divers réseaux aient songé à la développer.

Dès 1900 la compagnie de l'Ouest en banlieue parisienne, celle d'Orléans entre Paris et Juvisy et le Métro utilisent l'énergie électrique, fournie par troisième rail. En 1908 la Compagnie du Midi lance un ambitieux programme, se basant sur une triple constat : absence de bassin charbonnier sur son territoire, en revanche abondance dans les Pyrénées de ressources hydroélectriques potentielles, enfin difficultés de traction sur ses lignes construites en milieu montagneux. Elle entend électrifier 850 kilomètres, en choisissant le courant monophasé de 12 KV (12000 volts) ; la première réalisation concerne la ligne Perpignan-Villefranche-Vernet-les-Bains. En 1917 100 kilomètres sont ainsi électrifiés.
Peu après la Grande Guerre les réseaux, français et étrangers, sont confrontés au problème du choix d'un type unique de courant, susceptible de convenir dans un même pays à des exigences et à des cas de figure variés. C'est ainsi que notre ministère des Travaux Publics, après avoir envoyé des missions en Grande-Bretagne et aux États-Unis, fait adopter en France en 1920 le courant continu de 1500 volts. A cette époque en effet le moteur de traction à courant continu était très supérieur aux divers moteurs à courant alternatif, moins fiables ou qui se prêtaient assez mal aux variations de vitesse ; par ailleurs la tension de 1500 volts était assez basse pour limiter l'ampleur des problèmes liés au franchissement des ouvrages d'art et aux nécessaires travaux d'entretien.

Commence alors la grande aventure du courant continu de 1500 volts. C'est la Compagnie du Midi qui se reconvertit en adaptant les installations de ses embranchements pyrénéens, puis qui déroule les caténaires au-dessus d'artères importantes, comme Dax-Toulouse en 1925, Bordeaux-Hendaye en 1927, Béziers-Neussargues en 1932, Montauban-Sète en 1935 ; en 1937 1500 kilomètres de lignes du Midi sont électrifiés. Mais le réseau du Paris-Orléans ne reste pas en arrière puisque les caténaires équipent l'axe Paris-Vierzon dès 1926, la section Orléans-Tours en 1933, le long tronçon Vierzon-Brive en 1935. En 1938 la relation Paris-Bordeaux se trouve intégralement électrifiée. Alors s'illustrent les locomotives particulièrement robustes du type 2 D 2, en livrée verte, dénommées affectueusement et irrévérencieusement "nez de cochon", "bouteilles Waterman" ou "femmes enceintes" en fonction du dessin de leurs extrémités ! Le réseau de l'État, avec quelque retard, se joint au concert : en 1937 il électrifie le lourd tronc commun Paris-Le Mans qui concentre le trafic des lignes de Rennes et Nantes.
La seconde guerre mondiale freine considérablement le mouvement mais ne l'arrête pas. C'est ainsi qu'en 1943 est mise sous tension la ligne Brive-Montauban ; les locomotives électriques peuvent alors circuler sans interruption de Paris à Sète par Brive, Montauban et Toulouse.
La fin des hostilités et le début de la reconstruction du pays coïncident avec la poursuite de l'électrification. Celle-ci concerne en effet les sections Juvisy-Valenton, au sud de Paris dès 1945, et en 1947 Juvisy-Versailles. Cette même année les caténaires se déroulent au-dessus des voies de la grande transversale sud de Sète à Nîmes.
A cette époque sont activement menées les études concernant l'artère maîtresse du réseau de la S.N.C.F., l'axe Paris-Lyon-Marseille. Son électrification paraît d'autant plus rentable et donc intéressante que de bout en bout le trafic est considérable, aussi bien dans le domaine des voyageurs que dans celui des marchandises, et qu'elle doit permettre de résoudre le problème du franchissement de la difficile section Les Laumes-Alésia-Dijon. La mise sous tension de la section Paris-Dijon, en 1950, précède celle de la ligne Dijon-Lyon en 1952. Méthodiquement la S.N.C.F. procède à l'équipement d'artères qui se raccordent à l'axe majeur : sont ainsi électrifiées les liaisons ferrées Lyon-Ambérieu en 1953, Dijon-Dôle en 1956, Lyon-Saint-Etienne en 1958. Les caténaires s'élancent toujours plus loin vers le sud ; elles atteignent Avignon en 1959, Marseille en 1962.
L'expérience acquise pendant plusieurs décennies, la robustesse, la fiabilité et les performances des locomotives, des 2 D2 en particulier, héritières à partir de 1950 des engins moteurs d'avant guerre de la compagnie du Paris-Orléans, expliquent que ces lignes aient été électrifiées, elles aussi, en courant continu de 1500 volts. Mais à partir de 1950 se manifeste un concurrent extrêmement dangereux qui ne va pas tarder à prendre la première place, le courant alternatif de 25 kV (25000 volts).
Depuis de longues années, et pas seulement en France, des recherches étaient menées afin de rendre plus légères les caténaires et de pouvoir alimenter les moteurs de traction en courant de fréquence industrielle.
Amorcés par les Chemins de Fer allemands en Forêt Noire, les essais ont été repris après guerre sur la ligne accidentée du Höllenthal alimentée en courant de 20000 volts. La formule appliquée en France en 1950 sur la ligne savoyarde qui relie Aix-les-Bains à Annecy puis à La Roche-sur-Foron et Annemasse, s'est révélée rapidement satisfaisante. La mise sous tension de cette artère à voie unique en 1950-51, ultérieurement remontée à 25000 volts, marque le début d'une véritable épopée, celle du courant alternatif monophasé 25 KV 50 Hz. C'est que les avantages de ce nouveau type d'électrification sont nombreux. D'abord le courant utilisé se rencontre partout dans le pays ; aussi le chemin de fer n'a-t-il plus besoin d'usines productrices, de lignes de transport de courant particulières. Par ailleurs les sous-stations sont à la fois moins imposantes et moins nombreuses puisqu'elles peuvent n'être espacées que de 50 à 80 kilomètres, contre une quinzaine de kilomètres en moyenne pour le courant de 1500 volts. Enfin la tension élevée autorise la pose d'une caténaire beaucoup plus légère, et donc des installations fixes, poteaux, supports entre autres, plus simples et moins lourds. Aussi l'électrification en courant monophasé 25 KV 50 Hz se révèle-t-elle au plan des dépenses d'infrastructure nettement plus économique que sa devancière.

C'est pourquoi elle se développe très rapidement à partir de 1954 avec l'équipement progressif de la transversale nord-est et de ses embranchements, puis de Dôle-Vallorbe-Pontarlier, conjointement aux grandes artères des régions est et nord :

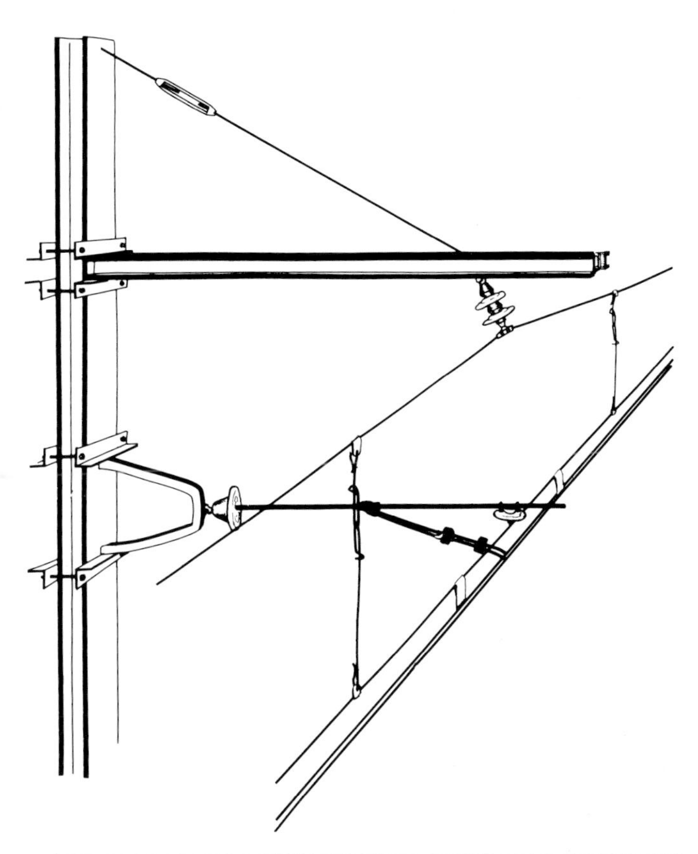

Comparaison entre les deux systèmes classiques d'électrification en France : le 1500 V continu, à gauche, et le 25 000 V alternatif 50 Hz, plus léger, à droite.

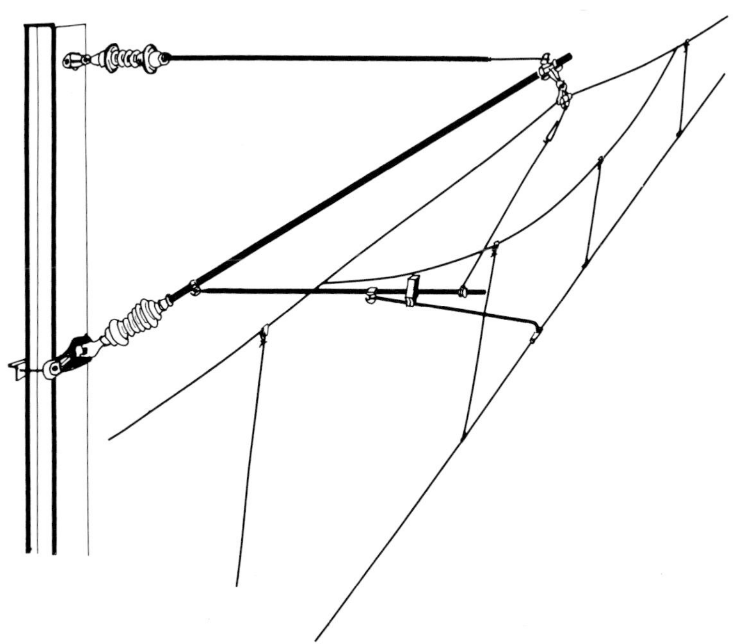

Paris-Strasbourg, Metz-Forbach, Luxembourg-Metz, Strasbourg-Bâle, Paris-Lille et Dunkerque, Paris-Aulnoye-frontière. En 1966 sont réalisées sous cette forme les électrifications des artères Dijon-Neufchâteau, Le Mans-Rennes, Reims-Charleville. Avant 1970 sont dotées de caténaires les lignes Marseille-Vintimille et Paris-Le Havre ; cette même année s'achèvent les travaux sur la relation Dôle-Mulhouse.
A cette date le nouveau type de courant règne sur un domaine de plus de 4000 kilomètres de voies ferrées, c'est-à-dire autant que ce que représentait l'électrification en 1500 volts en 1950. Sa progression a donc été très rapide et spectaculaire, puisque durant ces vingt années, parti de rien, il a presque rattrapé son aîné qui, en 1970, alimente moins de 5000 kilomètres de lignes.
Même si l'électrification en courant 25 KV Hz s'est propagée surtout dans des régions, nord et nord-est du pays, où le 1500 volts était absent, s'est posé le problème de la rencontre des deux types de courant. Il a été résolu, dans un premier temps, par l'aménagement de gares commutables, comme à Dôle, où les caténaires peuvent être alimentées en courant soit continu, soit alternatif. Par la suite la construction de locomotives bi-courant a conféré beaucoup plus de souplesse à l'acheminement des trains dans la mesure où ces engins de traction passent sans difficulté d'un domaine à l'autre, en franchissant sans arrêt, pantographe abaissé, une section neutre de séparation.
Le début des années 1970 est marqué par une pause relative dans l'extension de l'électrification du réseau. Alors en effet que le coût des produits pétroliers reste peu élevé, les principales artères du réseau français sont équipées. Les études comparatives menées à cette époque montrent que pour les lignes les plus actives non encore électrifiées la rentabilité de l'opération est problématique en raison de la lourdeur des investissements, même quand il s'agit du courant 25 KV Hz. La traction Diesel semble donc une solution judicieuse.

Mais à partir de 1975, à la suite du "premier choc pétrolier", les données fondamentales du problème changent profondément. D'une part en effet le prix du carburant consommé par les engins thermiques augmente brusquement, rendant du même coup plus attractive l'énergie électrique. D'autre part celle-ci est produite sur le sol national ; aussi les pouvoirs publics, dans le cadre de la recherche d'une plus grande indépendance économique de la France, sont-ils amenés à vivement encourager la S.N.C.F. à poursuivre l'électrification de son réseau.
Dans ces conditions la décennie 1975-85 se caractérise par la mise sous tension non seulement d'embranchements mais de nouveau de lignes de grande longueur et acheminant un trafic non négligeable. Il n'est pas étonnant que le choix se soit porté souvent sur le courant de 25 KV Hz, plus rentable, pour la liaison Amiens-Rouen (électrifiée en 1984) par exemple, mais aussi pour des sections prolongeant des artères dotées, elles, du courant continu, comme les lignes Le Mans-Nantes (électrifiée en 1983) et Tours-Angers. C'est aussi le

Page ci-contre : le système d'électrification par troisième rail et courant continu basse tension (600 à 850 V) est devenu marginal sur le réseau SNCF. Il ne subsiste que sur les deux lignes de montagne à voie étroite (en haut, celle de la Cerdagne) et sur Puteaux-Issy-Plaine (en bas).

Ci-contre, la caténaire ex-PO en 1500 V équipant la ligne Paris-Austerlitz-Orléans.

La version moderne de la caténaire 1500 V avec des mâts en poutrelles d'aluminium.

La caténaire 25 000 V de la ligne nouvelle Paris-Sud-Est avec ses suspensions en "Y" : un équipement classique malgré une vitesse de 270 km/h.

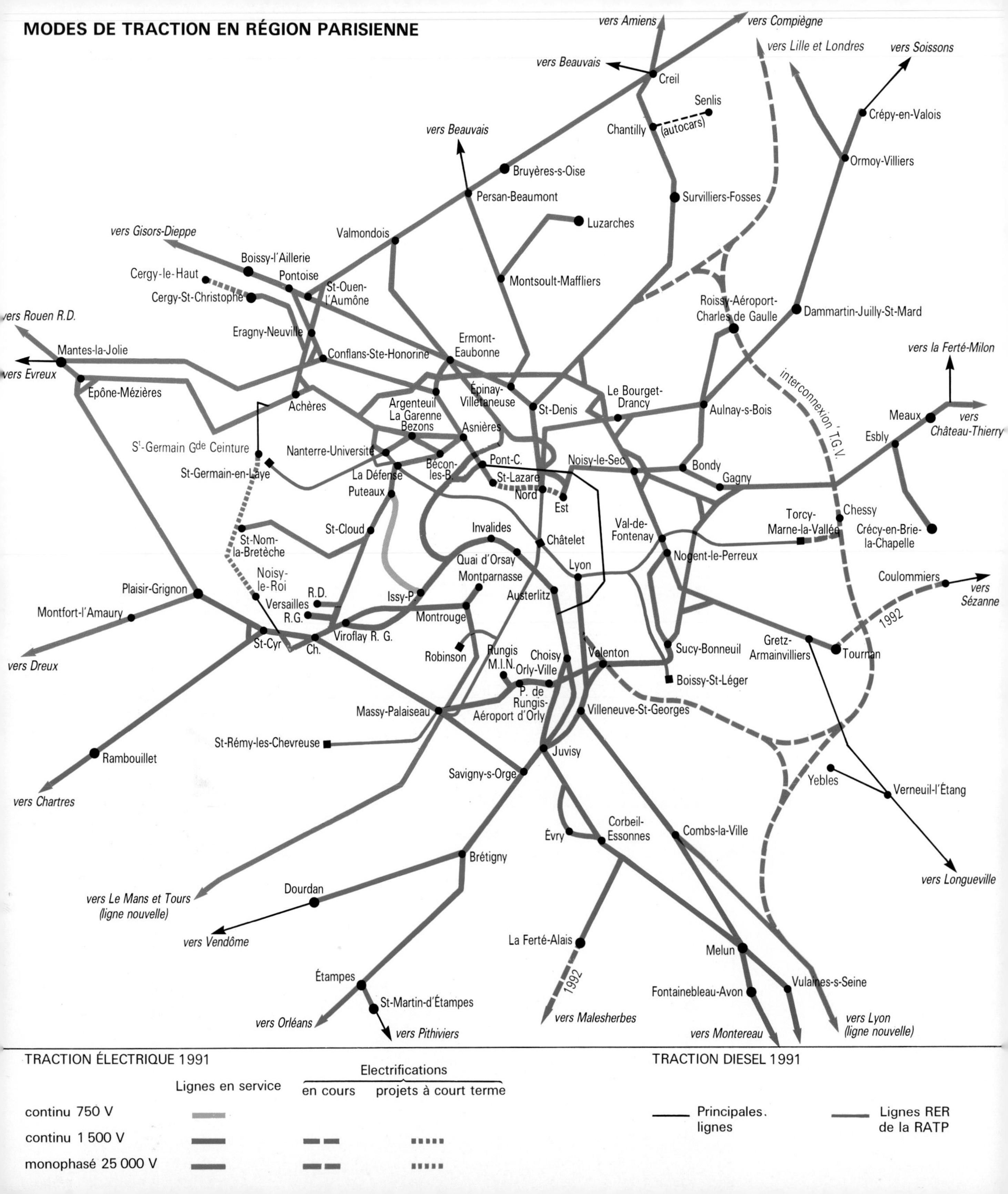
MODES DE TRACTION EN RÉGION PARISIENNE
vers Amiens
vers Compiègne
vers Lille et Londres
vers Soissons
vers Beauvais
Creil
Senlis
Chantilly
(autocars)
Crépy-en-Valois
vers Beauvais
Ormoy-Villiers
Bruyères-s-Oise
Persan-Beaumont
Survilliers-Fosses
Luzarches
vers Gisors-Dieppe
Valmondois
Montsoult-Maffliers
Boissy-l'Aillerie
Cergy-le-Haut
Pontoise
St-Ouen-l'Aumône
Cergy-St-Christophe
Roissy-Aéroport-Charles de Gaulle
Dammartin-Juilly-St-Mard
vers Rouen R.D.
Eragny-Neuville
Ermont-Eaubonne
Mantes-la-Jolie
Conflans-Ste-Honorine
vers la Ferté-Milon
vers Evreux
interconnexion T.G.V.
Épône-Mézières
Épinay-Villetaneuse
Le Bourget-Drancy
Argenteuil
Achères
La Garenne Bezons
St-Denis
Aulnay-s-Bois
Meaux
vers Château-Thierry
Asnières
Esbly
St-Germain Gde Ceinture
Nanterre-Université
St-Germain-en-Laye
Bécon-les-B.
Pont-C.
Noisy-le-Sec
Bondy
La Défense
St-Lazare
Gagny
Puteaux
Nord
Est
Chessy
Torcy-Marne-la-Vallée
Crécy-en-Brie-la-Chapelle
Val-de-Fontenay
St-Cloud
Invalides
Châtelet
St-Nom-la-Bretèche
Nogent-le-Perreux
Quai d'Orsay
Lyon
Coulommiers
vers Sézanne
Noisy-le-Roi
Montparnasse
Plaisir-Grignon
R.D.
Issy-P.
Austerlitz
Versailles
Montfort-l'Amaury
R.G.
Montrouge
1992
St-Cyr
Ch.
Viroflay R. G.
Gretz-Armainvilliers
Tournan
Robinson
Rungis M.I.N.
Choisy
Orly-Ville
Valenton
Sucy-Bonneuil
vers Dreux
P. de Rungis-Aéroport d'Orly
Boissy-St-Léger
Massy-Palaiseau
Villeneuve-St-Georges
St-Rémy-les-Chevreuse
Juvisy
Rambouillet
Savigny-s-Orge
Yebles
Verneuil-l'Étang
vers Chartres
Évry
Corbeil-Essonnes
Combs-la-Ville
Brétigny
vers Longueville
vers Le Mans et Tours (ligne nouvelle)
Dourdan
vers Vendôme
La Ferté-Alais
Melun
Étampes
Vulaines-s-Seine
Fontainebleau-Avon
1992
St-Martin-d'Étampes
vers Orléans
vers Pithiviers
vers Malesherbes
vers Montereau
vers Lyon (ligne nouvelle)
TRACTION ÉLECTRIQUE 1991
Lignes en service
Electrifications
en cours
projets à court terme
continu 750 V
continu 1 500 V
monophasé 25 000 V
TRACTION DIESEL 1991
Principales lignes
Lignes RER de la RATP

MODES DE TRACTION

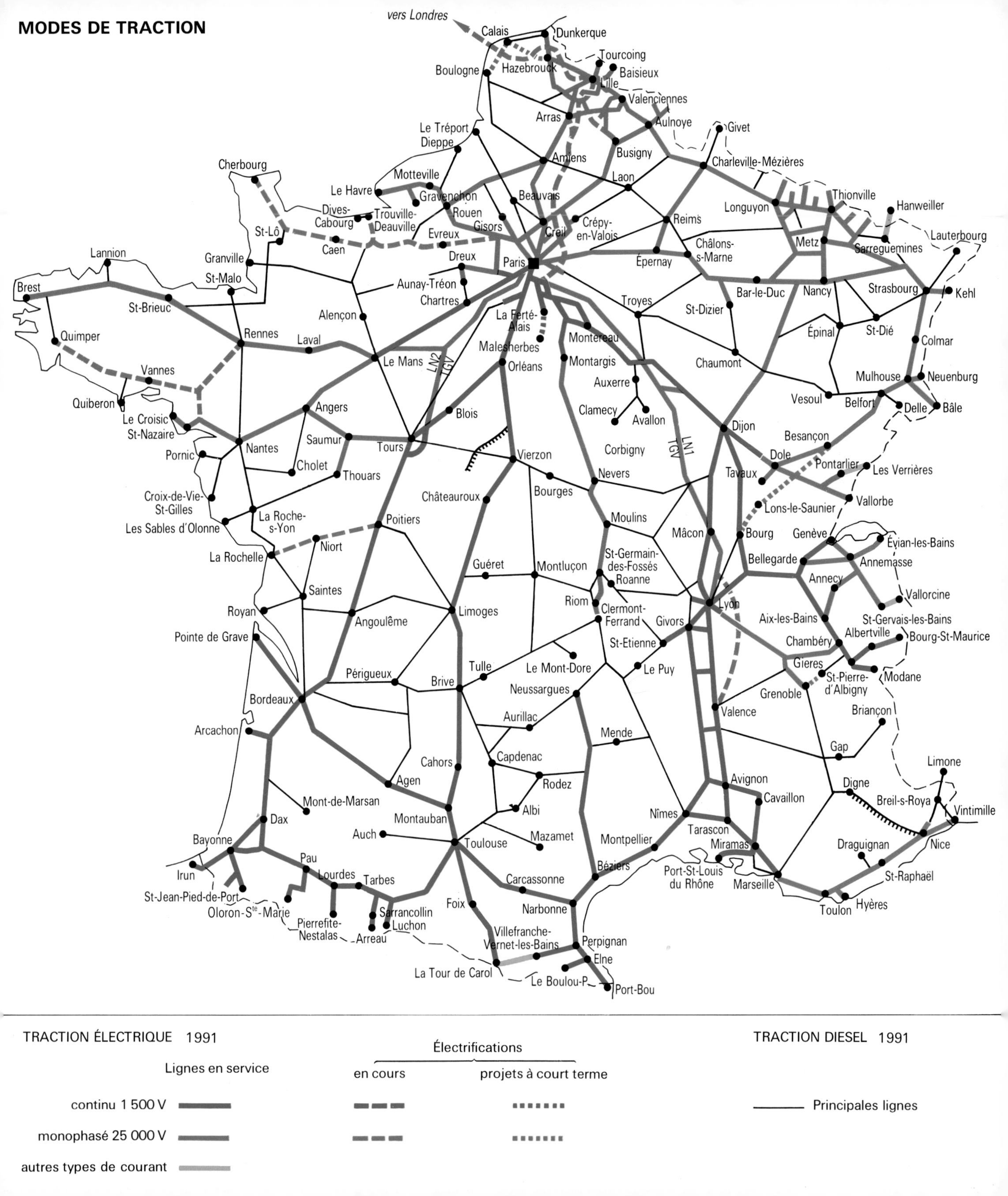

courant alternatif monophasé qui alimente les caténaires surplombant les voies de la banlieue Saint-Lazare, à l'ouest de la capitale, que l'État avait électrifiées avant 1936 en courant de 750 volts distribué par un troisième rail. Cependant la décision a été parfois prise de faire appel de nouveau au courant de 1500 volts, lorsque la ligne à équiper se trouvait étroitement imbriquée dans un ensemble de voies ferrées électrifiées auparavant avec ce type de tension. Les cas les plus remarquables sont constitués par les artères Lyon-Avignon par la rive droite du Rhône, Avignon-Miramas par Cavaillon, Bordeaux-Montauban (1980), Narbonne-Port-Bou : l'alimentation en courant continu permet alors une utilisation plus rationnelle du parc de locomotives aptes à fonctionner seulement sous tension de 1500 volts.

Cette relance de l'électrification à la suite du premier choc pétrolier a naturellement concerné la ligne du T.G.V. Sud-Est, dont les études étaient en cours en 1975, et pour laquelle la traction avec engins thermiques avait été dans un premier temps envisagée. Compte tenu de la nouvelle donne énergétique l'idée a été abandonnée. Dans la mesure où cette artère devait être largement autonome par rapport à l'ensemble du réseau, c'est le courant monophasé 25 KV Hz qui a été choisi, ainsi qu'ultérieurement pour les lignes du T.G.V. Atlantique.

RÉALITÉS, PERSPECTIVES ET EFFETS DE L'ÉLECTRIFICATION

L'analyse de la carte du réseau électrifié actuel amène à formuler plusieurs constatations.

Hormis le quadrilatère formé par les Hautes-Alpes et Alpes de Haute-Provence, aucune partie importante du territoire n'est laissée à l'écart. Longtemps délaissé, l'ouest voit les caténaires s'avancer d'ores et déjà jusqu'à Brest et Saint-Brieuc, en attendant l'équipement de Rennes-Quimper, en cours.

Sauf quelques lignes, comme celle reliant Béziers à Neussargues ou les embranchements pyrénéens, les artères électrifiées correspondent aux principaux axes et sont celles qui supportent le trafic le plus lourd, aussi bien dans le domaine des marchandises que dans celui des voyageurs ; c'est ainsi que les plus fortes densités de lignes sous tension se retrouvent en région parisienne, mais aussi dans les bassins industriels du Nord-Pas-de-Calais et de Lorraine. L'intérêt d'électrifier des artères acheminant les tonnages les plus considérables a justifié par exemple la mise sous tension du court tronçon Saumur-Thouars, où circulent de lourds convois chargés de produits de carrière, alors que l'axe Paris-Belfort, où roulent pourtant quelques rapides internationaux, est pour le moment toujours à l'écart. De même il n'est pas étonnant que les régions du Massif Central et de l'ouest restent les moins favorisées. A part quelques rares exceptions, comme celle de la ligne Puteaux-Issy-Plaine, à l'ouest de Paris, alimentée par troisième rail en courant continu de 750 volts, les courants continu de 1500 volts et alternatif de 25 kV Hz se partagent l'ensemble du territoire. L'empire du premier s'étend, à partir de la capitale, vers Le Mans, le sud-ouest et le sud-est de la France ; mais il ne règne pas sans partage puisqu'en dehors de l'axe du T.G.V. sud-est le courant monophasé s'est imposé dans le Jura, dans les Alpes du nord, entre Marseille et Vintimille. En revanche la tension de 25 kV Hz exerce une domination totale dans l'est, le nord et le nord-ouest du pays : le courant 1500 volts est en effet complètement absent au nord d'une ligne reliant Saint-Nazaire à Besançon et passant au nord de Paris. Grâce aux locomotives bi-courant, les deux tensions coexistent harmonieusement dans différentes gares "frontières" telles que Dôle, Dijon-Porte-Neuve, Plaisir-Grignon, Sucy-Bonneuil, Le Mans, Tours, Montargis, Aix-les-Bains, Saint-Priest, Chambéry, Marseille-Blancarde.

Par ailleurs la carte n'est pas figée : la section Saint-Pierre-d'Albigny-Bourg-Saint-Maurice a été mise sous tension à la fin de 1988, celle reliant Saint-Brieuc à Brest à la fin de 1989. Depuis mai 1990 l'achèvement des travaux d'électrification de la ligne Paris-Clermont-Ferrand amène le courant 25 kV Hz au cœur du royaume du 1500 volts. A la fin de l'été 1990 la mise en service de la branche Courtalain-Tours de la ligne nouvelle du T.G.V. Atlantique marque une nouvelle avancée de l'électrification.

Enfin, même si les lignes qui restent exploitées en traction thermique n'assurent au mieux qu'un trafic moyen, la question de l'électrification se pose pour certaines d'entre elles. D'ores et déjà celle de l'artère de Bretagne-sud sera réalisée en juin 1991 de Rennes à Lorient, ainsi que la jonction Savenay-Redon. Un an plus tard, ce sera le tour de la section Lorient-Quimper. Il en sera de même pour les lignes Hazebrouck-Calais, Lille-Baisieux, Douai-Cambrai, Boulogne-Calais, Poitiers-La Rochelle en 1993, Mantes-Cherbourg et Lisieux-Trouville-Deauville en 1995.

D'autres électrifications limitées sont actuellement envisagées à court terme, à la fois pour améliorer le maillage du réseau et réduire les parcours Diesel parasites (locomotives et autorails), tout en bonifiant la qualité des acheminements.

Peuvent être citées en grande couronne parisienne les sections de ligne de La Ferté-Alais à Malesherbes, Tournan à Coulommiers, Persan-Beaumont à Beauvais et en province celles de Dôle à Tavaux, Thouars à Saint-Varent, Montmélian à Grenoble, Moirans à Valence, l'ouest lyonnais.

Des études sont en cours en vue de l'équipement des deux sections Franois-Arc-Senans et Mouchard-Saint-Amour, qui font partie intégrante de la transversale Strasbourg-Lyon ; elles n'aboutiraient que si le projet du T.G.V. Rhin-Rhône n'était pas concrétisé rapidement. Par ailleurs, lors de la réalisation du T.G.V. Est, des lignes affluentes comme Blainville-Epinal et Lunéville-Saint-Dié pourraient être électrifiées.

Sauf pour la Ferté-Malesherbes et l'ouest lyonnais ces opérations feront appel au 25000 volts.

La question de l'électrification d'autres lignes ou sections de ligne peut être posée. Mais pour Paris-Belfort, Tours-Saincaize ou Saint-Germain-des-Fossés-Lyon le niveau du trafic actuel est quelque peu insuffisant, tandis que seule une augmentation spectaculaire des échanges franco-britanniques pourrait justifier la pose de caténaires sur l'itinéraire Calais-Amiens-Tergnier-Reims-Culmont-Chalindrey.

Le visage et le fonctionnement du réseau ferré français ont été profondément modifiés par le développement de l'électrification.
Dès ses débuts en effet des convois plus longs, plus lourds, aussi bien dans le domaine des voyageurs que des marchandises, ont pu être formés. Grâce à la puissance massique élevée des locomotives électriques modernes, celles-ci peuvent remorquer des trains express de 800 tonnes sur des lignes à profil moyennement accidenté (rampes inférieures à 10 mm/m) ainsi que des trains de fret de 1800 tonnes. Leur faculté d'être couplables entre elles, pour les unités de certains trains, rend possible la circulation de trains hyper lourds, allant jusqu'à 3600 tonnes sur certaines relations. Aussi, à trafic égal le nombre de trains mis en marche peut-il être moins élevé sur une ligne équipée de caténaires, dont le débit potentiel est donc supérieur à celui d'une artère exploitée en traction thermique.
Les vitesses sont également sensiblement améliorées par l'électrification. En 1948 les meilleures relations entre Paris et Lyon par exemple, assurées par train automoteur, s'établissaient en un peu plus de cinq heures ; la mise sous tension de la ligne classique devait permettre de faire passer les temps de trajet record au-dessous de la barre des 4 heures, avant les deux heures réalisées par les T.G.V. sur l'artère nouvelle. Les exemples pourraient être multipliés : il est incontestable que surtout sur les axes radiaux l'élévation des vitesses a rapproché les unes des autres les grandes villes françaises, souvent de manière spectaculaire.
A vrai dire les capacités supérieures des locomotives électriques, qui pour la plupart peuvent atteindre sans problème le 160 km/h, et même 200 pour une soixantaine d'entre elles, n'expliquent pas à elles seules ces relèvements de vitesse ; ils ont été favorisés aussi par la rectification des courbes et l'augmentation de leur rayon, l'amélioration du plan des voies et des gares, de la signalisation. Mais la mise sous tension des lignes a bel et bien joué dans ce domaine un rôle important et décisif.

Sur un autre plan l'intérêt de rentabiliser le plus rapidement possible les nouvelles installations et de profiter du moindre coût du transport sur voie ferrée électrifiée, au débit par ailleurs supérieur, a entraîné une sensible concentration du trafic sur les principales artères. Le phénomène a été le plus marqué dans le domaine des marchandises, des produits les plus lourds surtout, dont l'acheminement sur de grandes distances ne souffre pas d'un allongement kilomètrique du trajet si celui-ci est compensé par un prix de revient plus économique. C'est ainsi que l'artère Paris-Creil-Longueau supporte maintenant la totalité du trafic entre la capitale, le complexe Amiens-Longueau et au-delà, l'ancienne "ligne du charbon" desservant Montdidier étant corrélativement en partie asséchée.
L'électrification de l'axe capital Paris-Lyon a eu des effets encore plus spectaculaires et complexes. Dans un premier temps en effet le trafic "messageries" échangé entre la Provence, le couloir rhodanien et la région parisienne, acheminé au temps de la vapeur par l'itinéraire Lozanne-Paray-Moulins, d'une longueur équivalente, a été rabattu sur la "magistrale" Paris-Dijon-Lyon ; aussi l'axe précité, dit de l'Azergues, a-t-il connu après 1952 un réel dépérissement. De même, les trains roulant entre Paris et la Savoie circulaient au sud de Dijon sur la ligne établie par Saint-Jean-de-Losne et Saint-Amour ; après la reconstruction du pont sur la Saône à Mâcon, détruit lors de la guerre, et l'électrification de la section Mâcon-Bourg-Ambérieu, les trains de voyageurs et de marchandises ont été détournés pour la plupart par Mâcon, à partir de 1955, au prix d'un minime allongement de leur parcours ; mais lorsqu'elle a été dotée à son tour de caténaires, en 1969, la ligne dite de la Bresse par Saint-Amour a retrouvé une partie de son trafic antérieur en soulageant l'artère Dijon-Lyon, qui était peu à peu saturée. Il va de soi que certaines électrifications, comme celle de la rocade Tergniers-Reims-Châlons-sur-Marne-Chalindrey, conduiraient à réhabiliter des tronçons à double voie sous employés actuellement.

Couvrant le tiers du réseau et assurant plus de 80% du trafic, l'électrification se taille actuellement en France la part du lion. En Europe elle joue un rôle encore plus important en Italie (93% du trafic), dans les pays scandinaves et alpins (100% en Suisse !) où le charbon a toujours manqué mais où l'énergie d'origine hydraulique abonde. Alors que notre pays et l'Allemagne Fédérale se situent à peu près à égalité, l'électrification n'assure que les deux tiers des échanges ferroviaires en Tchécoslovaquie, environ la moitié en U.R.S.S., Pologne, Belgique, Espagne, seulement moins de 10% dans le Royaume-Uni.
D'autre part la France exerce une influence profonde hors de ses frontières. C'est ainsi que les études et travaux menés chez nous pour promouvoir le courant de 25 Kv 50 Hz ont amené des pays comme le Royaume-Uni, la Yougoslavie, la Hongrie, la Turquie, l'U.R.S.S., l'Inde, la Chine, le Japon à choisir ce type de courant pour amorcer ou poursuivre la mise sous tension de leur réseau.

Mais l'électrification en France ne constitue pas un chapitre clos. Un programme est en cours d'exécution, des projets se dessinent. Dès 1990 près des neuf-dixièmes du trafic total de la S.N.C.F. seront assurés en traction électrique. Dans les prochaines années l'ampleur des opérations va dépendre de l'appréciation de paramètres tels que la conjoncture économique nationale et internationale, l'évolution du problème de l'énergie en France, les tendances globales du trafic ferroviaire, la capacité d'investissement de la S.N.C.F. dans le cadre de son budget général, le degré de participation des collectivités territoriales.

En plus de la mise sous tension éventuelle de lignes classiques encore exploitées en traction thermique, le développement du réseau T.G.V., qui représente une certitude, assure de beaux jours à l'électrification, en particulier au courant monophasé de 25000 V 50 Hz.

Potences de signalisation lumineuse à Frasne. Ici, les tableaux indicateurs de vitesses sont également éclairés.

L'ORGANISATION ET LA GESTION DU TRAFIC

La circulation quotidienne sur l'ensemble du réseau de plusieurs milliers de trains pose de nombreux problèmes : prévision des mouvements, sécurité, respect des horaires, répartition des convois entre les diverses voies d'une gare ou les diverses lignes, nécessité de faire face à une situation imprévue.

Anciennes comme le chemin de fer lui-même ces questions ont reçu, au fil des décennies, en France comme ailleurs, des réponses variées et de plus en plus élaborées. L'originalité de la situation actuelle réside dans le fait que pour l'acheminement des trains et le contrôle de la circulation coexistent des systèmes qui tous ont fait leurs preuves, mais qui se situent parfois aux antipodes les uns des autres. Par exemple des lignes exploitées sous le régime du cantonnement téléphonique, avec simples échanges de dépêches entre les gares, viennent se souder à de grands axes dont le trafic est géré soit par des postes d'aiguillage ultra-modernes, soit par des postes de commande centralisée où l'informatique est reine. Là aussi les lignes du T.G.V. se retrouvent à l'extrême pointe du progrès.

LA SIGNALISATION

Les signaux constituent des éléments essentiels du paysage ferroviaire. Ils se répartissent en deux grandes familles.

Les signaux mécaniques sont aussi anciens que le chemin de fer. Au temps des anciens réseaux la plus grande disparité régnait, avec un foisonnement de couleurs et de formes. Dès 1936, avant même la création de la S.N.C.F., l'unification était réalisée grâce à l'application du code Verlant. Pendant les décennies qui ont suivi, les mécaniciens sur l'ensemble des lignes ont obéi aux indications fournies par les damiers blancs et rouges commandant l'arrêt absolu, les carrés jaunes pointe en bas (avertissement), les triangles jaunes (ralentissement), les barres rouges des sémaphores etc. Actuellement ces signaux tendent à disparaître, éliminés peu à peu mais inexorablement par la signalisation lumineuse.

Celle-ci, qui équipe désormais en totalité les grands axes et les principales gares, ne représente pas un phénomène récent puisque les premiers essais en France remontent à 1923, avec des réalisations en banlieue parisienne (Saint-Lazare et Austerlitz) mais aussi entre Caen et Cherbourg, Lérouville et Metz. Mais le mouvement s'est considérablement accéléré après 1945, en raison des progrès apportés. D'abord les signaux lumineux se repèrent plus aisément ; de jour, dans la mesure où les contours et couleurs des appareils mécaniques peuvent se fondre dans le paysage, de nuit surtout où l'éclat et la netteté des nouveaux feux se révèlent supérieurs à l'éclairage des signaux mécaniques ; la sécurité y trouve donc son compte. Ensuite leur commande est plus aisée, surtout en cas d'éloignement considérable du poste d'aiguillage, avec la disparition des fils de transmission au fonctionnement et à l'entretien souvent délicats (1). Enfin seule la signalisation lumineuse permet de transmettre sur le terrain immédiatement, avec souplesse et efficacité, sur des distances de parfois plus de plusieurs dizaines de kilomètres, les instructions précises qui conditionnent l'acheminement sûr, harmonieux et rapide d'un trafic important.

(1) Une solution intermédiaire a consisté à faire actionner les cibles mécaniques par des moteurs électriques.

Qu'ils soient individualisés ou regroupés sur des potences enjambant plusieurs voies, ces signaux présentent des feux colorés qui globalement correspondent pour leur signification à ceux qui règlent la circulation routière, le vert donnant la voie libre, l'orange et le rouge ordonnant respectivement le ralentissement et l'arrêt. Ils assument deux types de missions, la protection des appareils de voie dans les gares ou aux bifurcations et l'espacement des trains en ligne.

La circulation des convois sur une voie ferrée pose deux types de problèmes, leur espacement lorsqu'ils roulent dans le même sens afin d'éviter des rattrapages qui pourraient entraîner des collisions et, lorsqu'il s'agit d'une ligne à voie unique, l'évitement de rencontres frontales et donc de catastrophes pour des trains de sens opposés.

Surmonter ces difficultés, et donc assurer l'indispensable sécurité, a toujours été l'un des soucis primordiaux des responsables des réseaux ferroviaires, en France comme à l'étranger. C'est ainsi qu'a longtemps connu une assez bonne fortune le système du bâton-pilote : seul peut s'engager sur une section à une seule voie le train dont le mécanicien est en possession d'un objet longiligne, plus ou moins en forme de bâton, qui peut d'ailleurs être attrapé au passage sans la nécessité d'un arrêt complet ; comme il n'existe qu'un seul exemplaire pour un tronçon donné, la garantie de sécurité est en principe totale. Mais ce procédé ne peut être utilisé avec efficacité que sur une ligne à faible trafic, et où les convois roulent régulièrement en sens alterné ; de plus un oubli est toujours possible. Aussi depuis longtemps n'équipe-t-il plus aucune voie ferrée française, pour n'être remarqué que dans de rares pays comme le Royaume-Uni, sous une forme il est vrai un peu moins élémentaire qu'à l'origine.

Aujourd'hui, sur les diverses artères de la S.N.C.F., la sécurité est assurée grâce à la mise en œuvre de systèmes variés en raison de l'importance plus ou moins grande du trafic et de l'évolution technologique au fil des décennies. Dans ce domaine également rien n'est figé ; les recherches se poursuivent pour sans cesse améliorer les conditions de circulation, en faisant appel à des techniques de plus en plus sophistiquées.

Le tableau suivant peut être brossé.

Sur une ligne à voie unique à trafic très restreint, où ne roule par exemple qu'un train de marchandises par jour dans chaque sens, de simples consignes données au mécanicien, qui rappelant entre autres les diverses vitesses autorisées, suffisent ; bien sûr la bifurcation où elle vient se greffer sur un axe plus actif est, elle, commandée par des signaux fixes. Sont ainsi gérées les lignes Is-sur-Tille-Châtillon-sur-Seine non loin de Dijon, Guingamp-Carhaix en Bretagne, ou Saint-Mariens-Barbezieux au nord de Bordeaux.

Lorsque quotidiennement le nombre de trains roulant sur une même ligne à voie unique se situe entre la dizaine et la vingtaine, les deux sens réunis, le régime souvent conservé ou adopté est celui du cantonnement téléphonique. Un convoi ne peut partir d'une gare de croisement qu'avec l'autorisation de son responsable, qui lui-même, par échanges verbaux consignés dans un carnet de dépêches, s'est auparavant assuré auprès de son collègue situé en aval que la ligne était libre. Ce système qui en principe ne nécessite aucune signalisation au sol repose totalement sur l'intervention humaine ; par ailleurs il ne permet qu'un débit tout-à-fait moyen. Il équipe actuellement de nombreuses artères à voie unique, surtout dans l'ouest et le sud du pays, où circulent quotidiennement moins de 20 trains les deux sens réunis, comme les relations Landerneau-Pont-de-Buis, Culmont-Chalindrey-Gray ou Niort-Saint-Varent. Mais certaines lignes à double voie sont également dotées de ce cantonnement téléphonique : ainsi la majeure partie de l'artère Paris-Granville au-delà de Dreux ou bien la voie ferrée La Rochelle-Niort, qui ne font pas partie des axes principaux du réseau : peu élaborée cette technique suffit pour assurer un espacement convenable de la dizaine ou de la douzaine de trains roulant dans chaque sens en moyenne journalière.

En fait la plus grande partie des lignes à double voie et de nombreuses artères à voie unique sont maintenant équipées d'installations, block manuel ou block automatique, qui garantissent mieux la sécurité et qui offrent des possibilités de débit beaucoup plus importantes.

Le block manuel a fait très tôt son apparition sur les lignes françaises (1). Dès le début du siècle en effet il équipait les principales artères des différents réseaux. Le principe est simple : la voie est divisée en un certain nombre de cantons, la plupart du temps de plusieurs kilomètres de longueur. Chacun d'eux est protégé par un sémaphore, lui même annoncé par un signal d'avertissement, qui se ferme au passage d'un train ; il ne peut être replacé en position d'ouverture qu'avec l'autorisation de l'occupant du poste jalonnant la fin du canton, après que le passage du convoi et donc la libération de la zone aient été constatés. Ce système, qui permet de faire se succéder sans difficulté plusieurs trains par heure sur la même voie, a connu des heures de gloire mais a montré rapidement ses limites : importance de l'intervention humaine et donc risque de retards d'exécution ou d'incident, coût élevé du gardiennage amenant à fermer certains postes la nuit lorsque le trafic le permettait, avec un allongement parfois considérable de la longueur des cantons et donc une moindre fluidité de la circulation. Aussi n'a-t-il longtemps subsisté dans son état initial que sur des lignes d'activité seulement moyenne ; par exemple dans les années 60 la ligne Nantes-Bordeaux était encore exploitée sous le régime du block "1903", dont les palettes rouges s'abaissant ou se levant au sommet de mâts métalliques hauts d'une dizaine de mètres au moins pouvaient être aisément repérées par les voyageurs. De même le block Lartigue, le block Alsace-Lorraine ont-ils durant des décennies régi de nombreuses artères.

Actuellement le block manuel équipe les lignes à double voie ou à voie unique dont le trafic ne justifie pas l'installation, onéreuse, du block automatique. Mais il a été à la fois largement uniformisé et modernisé, en combinant par exemple signaux

(1) Les premières applications (block system Tyer-Jousselin ou block Regnault) apparaissent vers 1860.

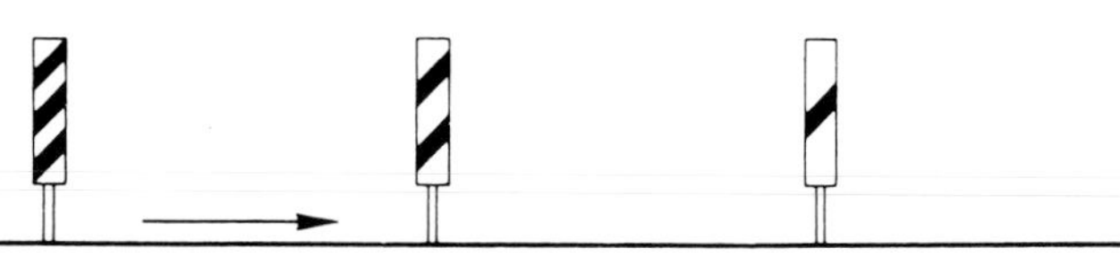

Mirlitons implantés en amont d'un signal situé en zone à visibilité réduite.

Repère de proximité au ras du sol, implanté au moins 100 m avant, par exemple, un tableau indicateur de vitesse de chantier également au sol.

Non franchissable (signal carré)

Franchissable (sémaphore)

BAPR ou block à permissivité restreinte (sémaphore)

Block manuel (sémaphore)

Disque

Avertissement

Plaques de cantonnement additives de panneaux à plaque Nf.

Tableaux indicateurs de directions à distance.

Installation permanente de contre-sens : début de parcours à contre-sens.

Fin de parcours à contre-sens.

Origine de voie unique temporaire.

Fin de voie unique temporaire, signal à distance.

Fin de voie unique temporaire.

Approche d'une gare sur ligne à voie unique à signalisation simplifiée.

Approche d'un établissement autre qu'une gare, sur ligne à voie unique à signalisation simplifiée, avec franchissement des aiguilles à 30 km/h.

Le mécanicien marque l'arrêt puis franchit la pancarte de sa propre initiative si rien ne s'y oppose.

Arrêt, puis franchissement sous l'ordre verbal de l'agent circulation ou du chef de manœuvre.

Passage à niveau non gardé avec arrêt du train.

Passage à niveau dont la fermeture incombe aux agents des trains.

Passage à niveau dont la fermeture se produit automatiquement à l'occupation d'une partie de voie commençant environ 20 m avant le PN.

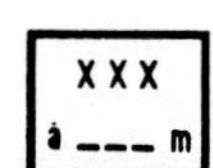

Approche d'un établissement (gare, etc.)

Voie de garage (ou de service).

Voie de dépôt.

Vous êtes dirigé sur un sas.

Voie en impasse.

Tête des trains (panneau de quai)

Point d'arrêt des trains de trois voitures (panneau de quai).

Limite de manœuvres.

Limite pour garage par refoulement.

Marche à vue.

Ouvrage d'art à gabarit réduit.

Demande de départ par téléphone (au droit d'un carré).

LAON

Indicateurs de direction avec précision de la voie le cas échéant.

Sifflez !

Entrée de tunnel à mauvaise aération, avec autorisation de refoulement d'office en cas d'impossibilité de poursuivre la marche en avant.

"Préannonce" implantée avant un tableau indicateur de vitesse

Préannonce pour TIV de chantier.

Annonce d'un TIV de chantier implanté à l'improviste (mécaniciens non avisés).

En cas de bifur entre un TIV à distance et le signal d'exécution, ce signal implanté sur la branche non concernée permet la reprise d'une marche normale.

Indicateur de vitesse pour les trains de vitesse inférieure ou égale à 140 km/h

Indicateur de vitesse : sur cet exemple, 120 km/h pour les trains ME 160 et 130 km/h pour les autres trains.

Indicateur de vitesse ne concernant que les trains automoteurs

Point kilométrique de repérage d'un point de transition entre vitesses limites différentes.

Tableau indicateur de vitesse (TIV) fixe de type ordinaire.

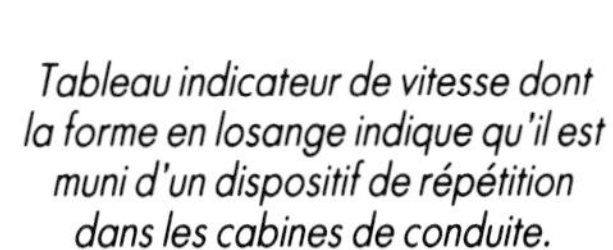

Tableau indicateur de vitesse dont la forme en losange indique qu'il est muni d'un dispositif de répétition dans les cabines de conduite.

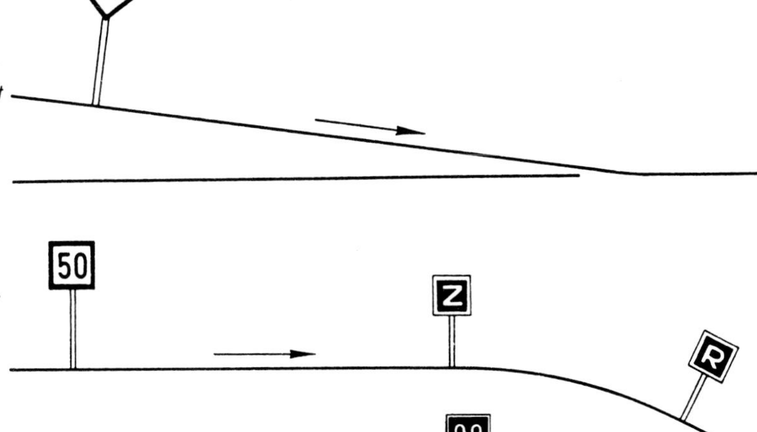

Tableaux indicateurs de vitesse. Z = exécution, R = reprise.

Tableaux indicateurs de vitesse mobiles concernant des bifurcations prises en voie déviée.

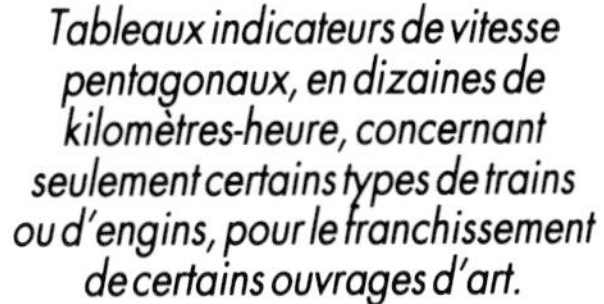

Tableaux indicateurs de vitesse pentagonaux, en dizaines de kilomètres-heure, concernant seulement certains types de trains ou d'engins, pour le franchissement de certains ouvrages d'art.

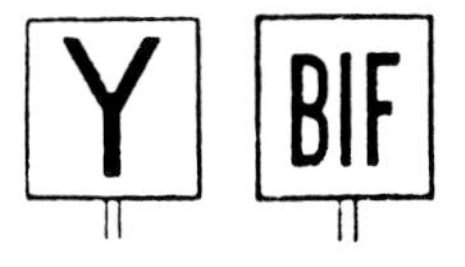

Anciens panneaux : Y = aiguille prise en pointe, BIF = aiguille prise en talon.

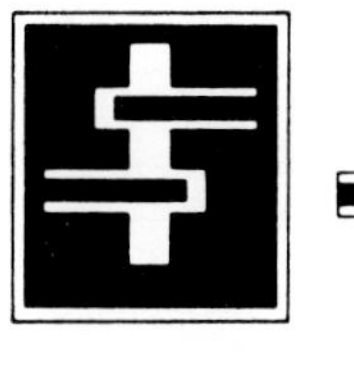

Baissez panto, signal à distance.

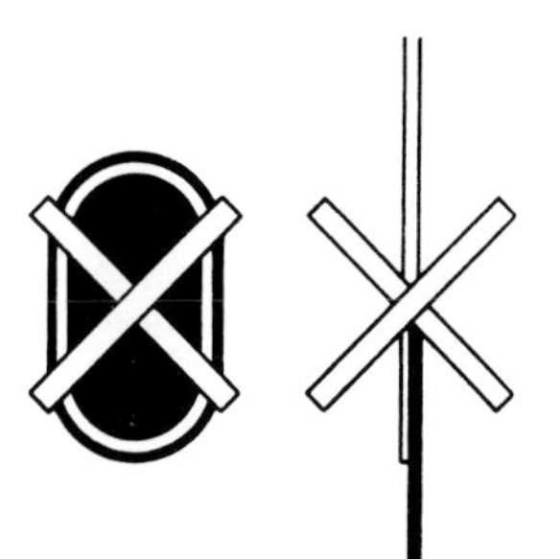

Croix de Saint-André blanche annulant un signal.

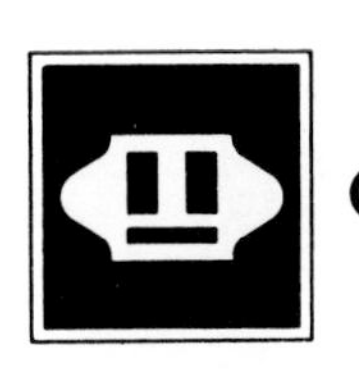

Coupez courant, panneau précédé d'une pancarte "sectionnement à xxx m".

Baissez panto, exécution.

Arrêt pour les mouvements exécutés en direction des croisements de sortie d'un faisceau de voies de service convergeantes.

Coupez courant, fin de parcours.

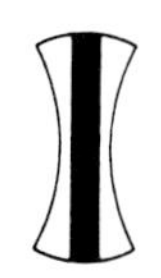

Baissez panto, fin de parcours.

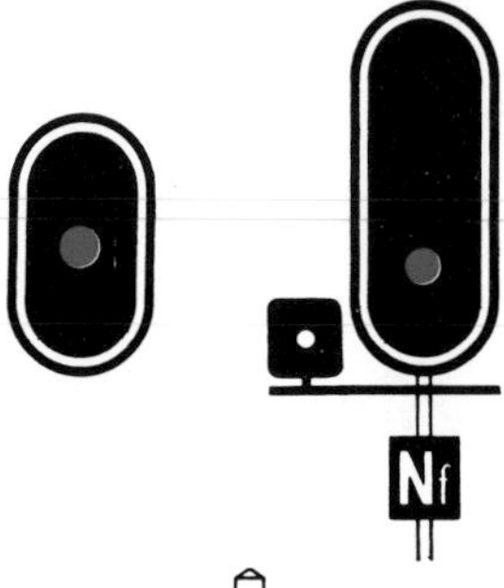

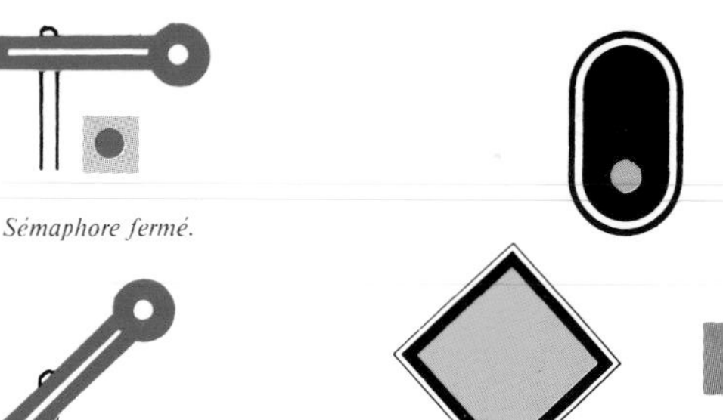

Sémaphore fermé.

Sémaphore ouvert.

Sémaphore ex-Alsace-Lorraine.

Avertissement commandant d'être en mesure de s'arrêter avant le signal d'arrêt qui va suivre.

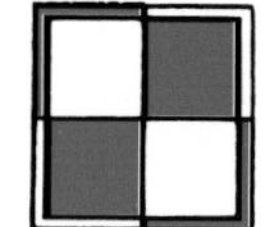

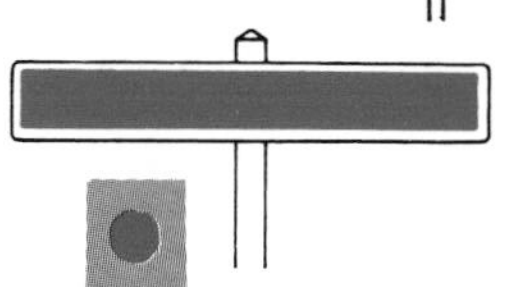

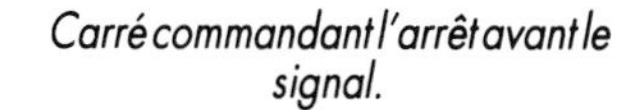

Carré commandant l'arrêt avant le signal.

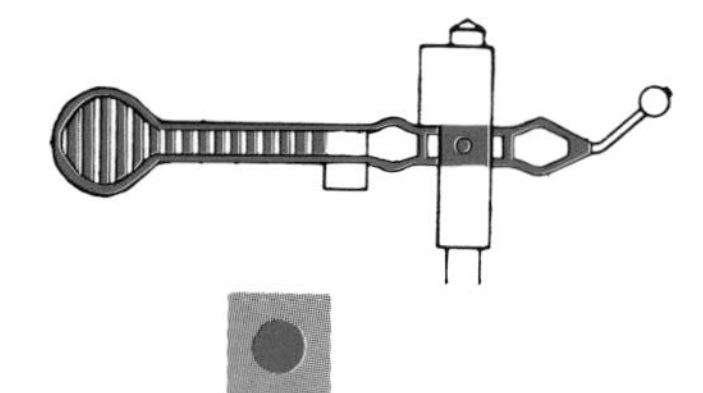

Sémaphore fermé commandant l'arrêt avant le signal.

Blanc clignotant : autorise une manœuvre, mais en aucun cas le départ en ligne d'un train.

Carré violet, implanté sur des voies de service, impliquant les mêmes dispositions que le carré classique.

Rouge clignotant commandant de se mettre en marche à vue, sans avoir à marquer l'arrêt, mais sans passer le signal à plus de 15 km/h.

Feu blanc : voie libre en marche de manœuvre. En cas d'accès à une voie principale : marche à vue.

Ralentissement 30 km/h

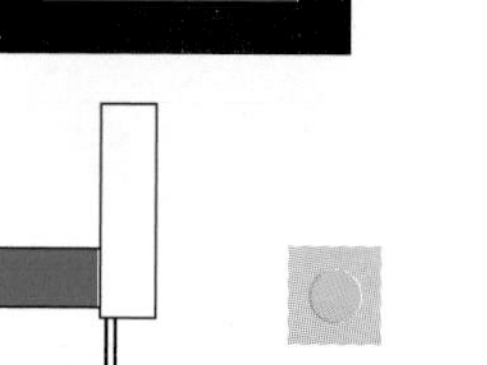

Guidon d'arrêt commandant l'arrêt avant le signal. Peut se trouver par exemple jumelé avec un PN automatique.

Jaune clignotant constituant un "pré-avertissement" et commandant d'être en mesure de s'arrêter avant le signal d'arrêt annoncé à distance réduite par l'avertissement suivant.

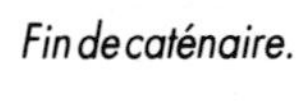

Fin de caténaire.

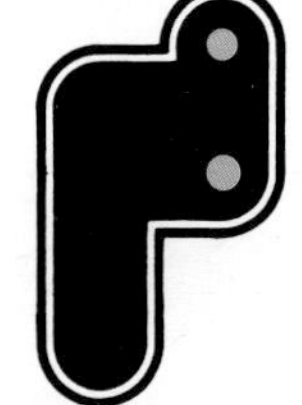

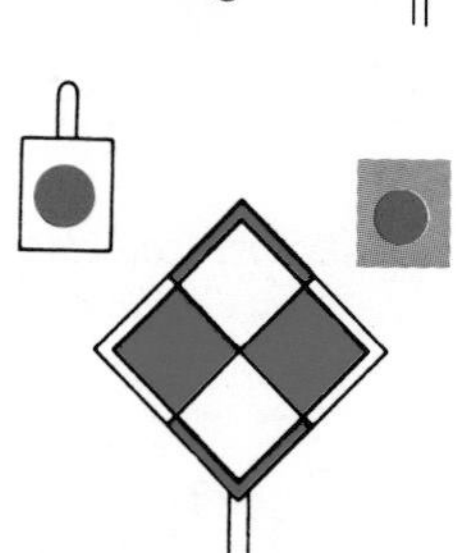

Rappel de ralentissement 30 km/h

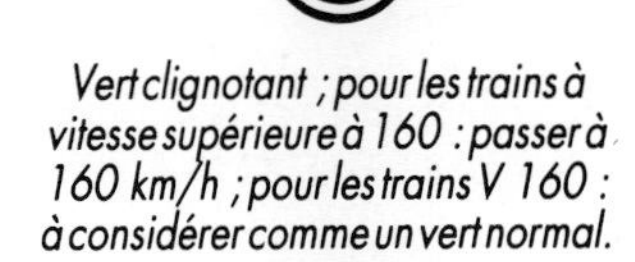

Vert clignotant ; pour les trains à vitesse supérieure à 160 : passer à 160 km/h ; pour les trains V 160 : à considérer comme un vert normal.

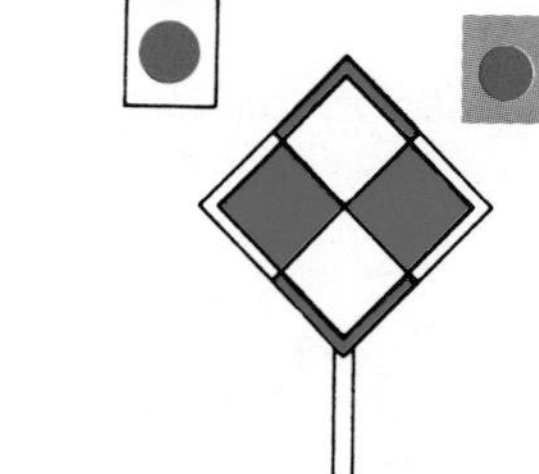

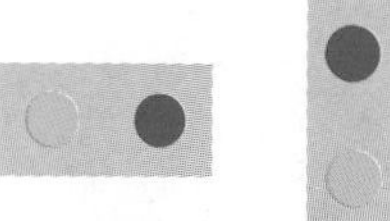

Disque commandant de se mettre dès que possible en marche à vue, après avoir marqué l'arrêt.

Feu vert : marche normale autorisée si rien ne s'y oppose.

Signaux d'arrêt portables. Le damier bleu et blanc concerne spécifiquement la traction électrique.

Bande lumineuse jaune horizontale commandant d'être en mesure de s'arrêter à quai sur une distance réduite.

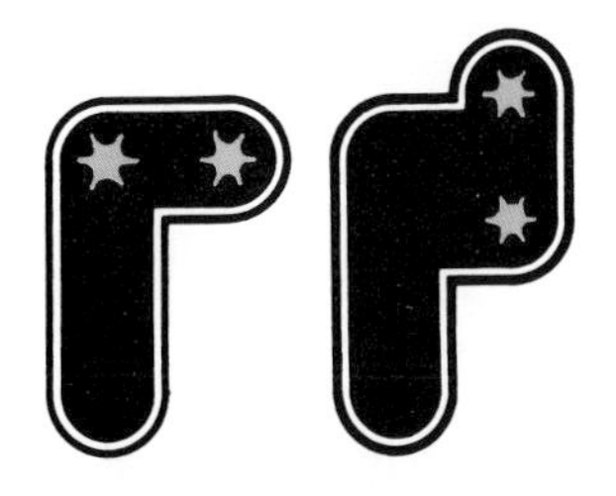

Ralentissement 60 km/h (à gauche) et rappel 60 km/h (à droite)

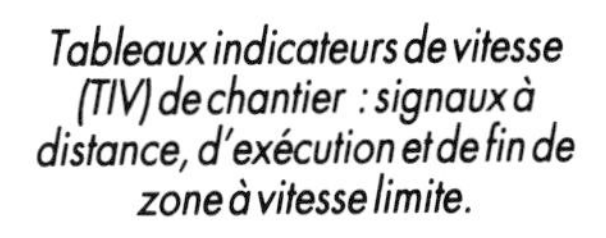

Tableaux indicateurs de vitesse (TIV) de chantier : signaux à distance, d'exécution et de fin de zone à vitesse limite.

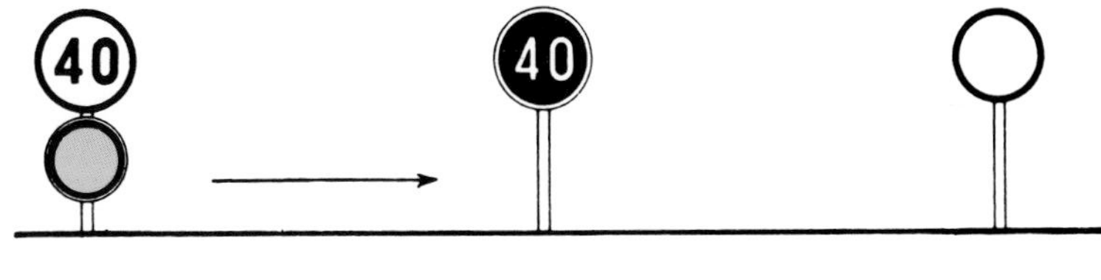

Signalisation concernant la prise en voie déviée d'une aiguille à la vitesse maximale de 30 km/h : successivement, un ralentissement 30 à distance, un rappel 30 groupé et combiné avec le carré qui précède l'aiguille et un chevron pointe en bas à l'emplacement de l'appareil de voie.

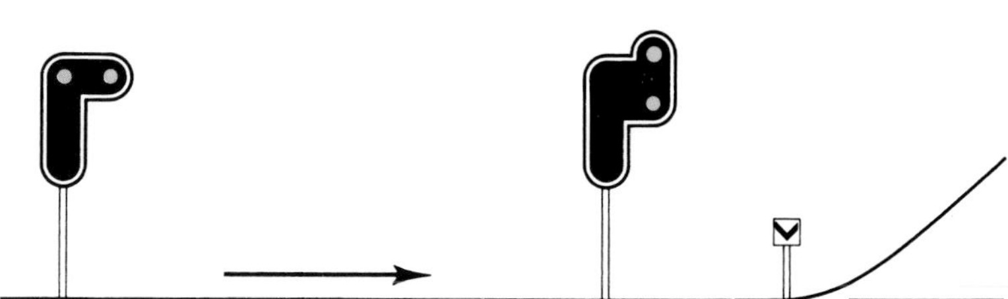

Avertissement présenté conjointement avec un rappel 30 (à gauche) et un rappel 60 km/h.

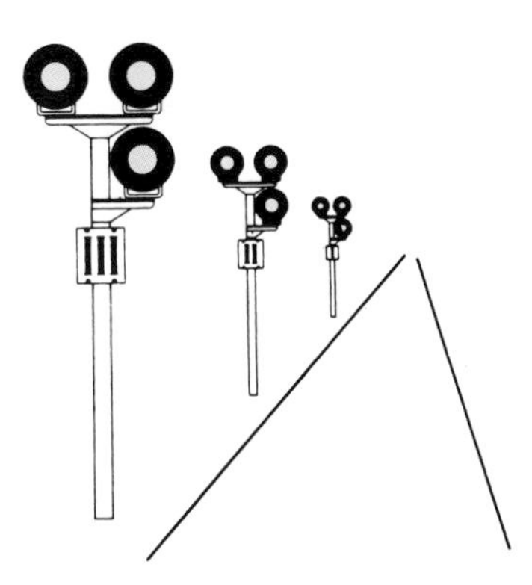

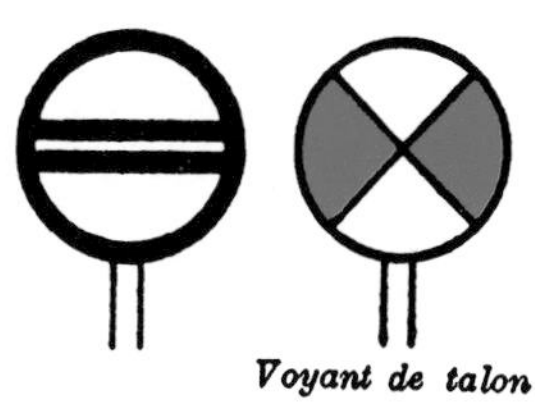

Voyant de talon

Anciens voyants de correspondance mécaniques en vigueur jusqu'en 1990 sur l'ex-réseau du Sud-Ouest : refoulement à gauche et talonnement à droite.

Rappel fermé.

Signaux de manœuvre : 2 feux blancs en ligne verticale = tirez ; 2 feux blancs en allumage alterné sur une ligne horizontale = refoulez ; extinction des feux = arrêtez.

Ralentissement fermé.

Sémaphore et rappel ouverts.

Jaune clignotant présenté conjointement avec un ralentissement 60 (en haut), un rappel 30 (ci-dessus à gauche) et un rappel 60 (ci-dessus à droite).

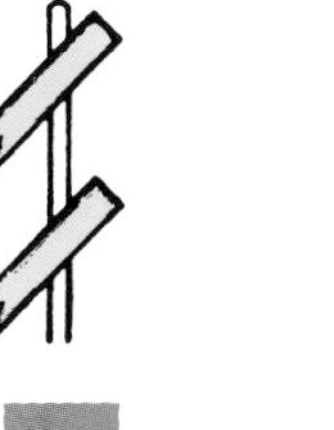

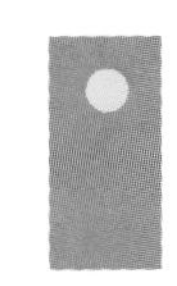

Direction de gauche   Direction de droite

Indicateur de directions mécanique concernant les régions de Paris-Rive-Gauche, Rouen, Rennes et Nantes.

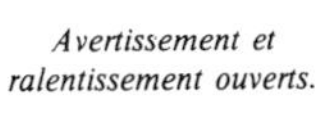

Avertissement et ralentissement ouverts.

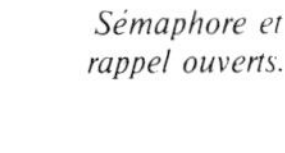

Avertissement fermé.

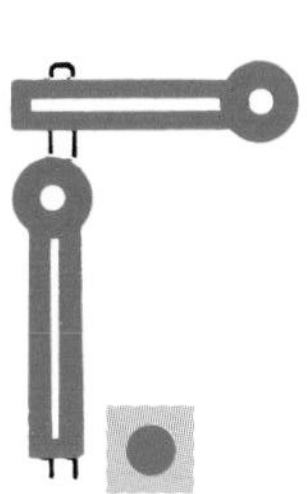

Sémaphore fermé.

Indicateurs de directions : de gauche à droite, voie de gauche, voie du milieu et voie de droite.

Ralentissement à 30 km/h ex-Alsace-Lorraine.

Sémaphore ex-Alsace-Lorraine avec rappel de ralentissement à 30 km/h.

mécaniques et lumineux, soit qu'un type de block ancien ait été rajeuni, soit que le nouveau Block manuel unifié de la S.N.C.F. ait été installé. L'intervention des hommes et l'absence d'automaticité de fonctionnement ne représentent pas une gêne sensible dans la mesure où en moyenne quotidienne ne roulent qu'au plus quelques dizaines de trains sur les voies ferrées ainsi balisées, comme les lignes à double voie Amiens-Calais, Amiens-Reims, Tours-Vierzon, Le Mans-Mézidon, Dax-Toulouse ou Lyon-Saint-Germain-des-Fossés. Le block manuel jalonne également de nombreuses artères à voie unique, garantissant un bon niveau de sécurité ; ce sont des signaux enclenchés, qu'il n'est donc pas possible de manœuvrer dans n'importe quelle condition, qui commandent à la fois l'espacement et le croisement des convois sur les relations La Roche-sur-Yon-Les Sables-d'Olonne, Lison-Folligny, Saint-Sulpice-Laurière-Gannat, Brive-Clermont-Ferrand, Toulouse-Ax-les-Thermes ou Aix-les-Bains-La Roche-sur-Foron.
Mais année après année le block automatique n'a cessé de progresser, en raison des avantages qu'il procure dans les domaines de la sécurité et des possibilités de débit.

Ce type de signalisation est ancien. En France, dès le début du siècle, plusieurs lignes de la Compagnie du Midi avaient été équipées d'un système dénommé le block "P.D." (initiale des noms de ses inventeurs Paul et Ducousso), fonctionnant sans intervention humaine ; il était fiable puisque dans les années 70 ses signaux dont les cages de section circulaire ou carrée offraient en alternance des cibles rouges ou blanches, étaient encore implantés le long par exemple de l'artère Bordeaux-Hendaye (1).
Mais c'est après 1945 que le block automatique lumineux s'est imposé sur les lignes principales de notre réseau. Le principe est simple. La voie est divisée en cantons, de longueur variant en pleine ligne de 1500 à 2800 mètres (2). Chacun d'eux est protégé par un signal lumineux qui peut présenter un feu vert, permettant le passage à pleine vitesse, ou jaune, annonçant un signal d'arrêt ou rouge, imposant l'arrêt. Ces signaux sont reliés entre eux par des câbles électriques qui établissent des circuits de voie et déterminent des enclenchements : tant qu'un train ou une fraction de train se trouve dans un canton donné le signal d'entrée de ce dernier reste fermé, avec la présentation du feu rouge de sémaphore ; il s'ouvre automatiquement quand le dernier véhicule est passé dans le canton suivant. L'originalité du système réside dans le fait qu'il ne comporte pas de signaux spécifiquement d'arrêt ou d'avertissement ; dès le passage d'un train chaque signal offre successivement trois indications, l'arrêt, l'avertissement, la voie libre ; c'est-à-dire qu'un mécanicien ne peut pas se trouver brutalement en face d'un feu rouge puisqu'il aura automatiquement franchi auparavant un feu jaune d'avertissement, et qu'un convoi circulant sur une ligne se trouve bien protégé dans la mesure où derrière lui feux d'arrêt et d'avertissement s'allument automatiquement, le rouge d'un signal donné se muant en jaune puis en vert au fur et à mesure de la progression de la circulation.
L'automatisme absolu de ce système garantit remarquablement la sécurité car non seulement toute intervention humaine est exclue, mais encore tout dérangement se traduit par la mise au rouge instantantée des signaux concernés ; de plus l'accès à un canton donné reste interdit si un train qui l'a apparemment évacué a perdu accidentellement son dernier wagon. Par ailleurs la capacité de trafic d'une ligne ainsi équipée est considérable : des convois roulant uniformément à 120 km/h peuvent se succéder à des intervalles de l'ordre de trois minutes ; la distance d'environ 6 kilomètres séparant alors deux d'entre eux suffit pour que le conducteur du second franchisse normalement des signaux offrant tous le feu vert, et qu'il puisse s'arrêter sans problème grâce à l'observation de deux feux, jaune puis rouge, si le train précédent a dû inopinément stopper. La souplesse d'exploitation est liée entre autres à l'absence de temps mort puisqu'à la seconde même où un canton se trouve intégralement libéré les feux changent automatiquement de couleur ; elle réside aussi dans le fait que le feu rouge d'arrêt n'empêche pas, après qu'il lui ait été obéi, l'entrée en marche à vue dans le canton déjà occupé, sans dépasser la vitesse de 30 km/h.
D'un fonctionnement simple et sûr, le block automatique lumineux (B.A.L.) peut être adapté aux conditions d'exploitation d'une ligne à voie unique ; le système est alors complété par des enclenchements de sens qui évitent l'envoi depuis les gares de croisement de deux trains à la rencontre l'un de l'autre.
Comme pour une opération d'électrification, l'installation du block automatique lumineux nécessite des investissements importants. Aussi la S.N.C.F. a-t-elle recherché, depuis une vingtaine d'années et pour l'équipement d'artères au trafic seulement moyen, des solutions qui conservent dans le domaine de la sécurité les atouts du B.A.L. mais sont sensiblement moins onéreuses. C'est ainsi que sont nés d'abord le block automatique à permissivité restreinte (B.A.P.R.), puis en 1984 le block automatique de voie banalisée (B.A.V.B.) : de conception très proches, faisant appel à des techniques nouvelles en France comme le comptage d'essieux, ces deux types de blocks offrent l'avantage de ne pas nécessiter le déroulement de câbles électriques entre deux signaux ; comme les cantons sont plus longs le débit des lignes ainsi équipées est moins élevé, mais la sécurité est garantie aussi bien qu'avec le B.A.L. classique.
La progression de l'ensemble des blocks automatiques lumineux est remarquable puisqu'ils équipent au 1er janvier 1990 11502 kilomètres de lignes, contre 4800 kilomètres en 1966. La répartition des différents types est la suivante :

Block automatique classique de double voie : 9515 km
Block automatique classique de voie unique : 188 km
Block automatique à permissivité restreinte de double voie (BAPR) : 1168 km

(1) Les dernières cibles ont disparu en 1984.

(2) Dans la région parisienne ou les grandes gares, la longueur peut descendre à 500 mètres, avec l'introduction d'une quatrième indication, le feu jaune clignotant.

Block automatique de voie banalisée
(BAPR ou BAVB) : 631 km

La carte montre que le B.A.L. classique est installé le long des principales artères du réseau en fonction du nombre moyen quotidien de trains à acheminer. Son implantation est particulièrement forte dans la région parisienne, le nord, le nord-est, le couloir rhodanien. Il équipe en particulier des lignes à une seule voie mais très chargées comme Epernay-Reims, Dôle-Vallorbe et Toulouse-Saint-Sulpice. Il est possible de le découvrir également sur de courtes sections de lignes d'importance seulement moyenne, à proximité de grandes villes ou de gares de bifurcation ; ainsi les troncs communs Nantes-Clisson et Saintes-Beillant sur la relation Nantes-Bordeaux, Toulouse-Portet-Saint-Simon sur la voie ferrée Toulouse-Bayonne.

Les signaux du B.A.P.R., eux, jalonnent des axes où roulent sur chaque voie, en moyenne journalière, moins d'une trentaine de trains : les lignes Pontoise-Gisors, Langon-Montauban offrent de bons exemples.

Les mêmes causes produisant les mêmes effets, les cartes des voies ferrées électrifiées et dotées de l'un des types de block automatique lumineux coïncident le plus souvent. Mais des distorsions apparaissent : intégralement dominée par les caténaires en raison d'un profil parfois difficile et de la politique de la Compagnie du Midi, la ligne Bayonne-Toulouse, qui n'est empruntée que par un nombre modéré de trains (moins de 25 dans chaque sens en moyenne journalière) n'est équipée que d'une signalisation mécanique (1) ; à l'inverse la relation Troyes-Culmont-Chalindrey, non électrifiée, bénéficie de bout en bout du block automatique à permissivité restreinte (B.A.P.R.), qui a remplacé le block automatique mécanique type Est ; celui-ci autorisait d'ailleurs un débit relativement important. Moins net, un autre exemple de décalage est présenté par la ligne Amiens-Rouen, récemment modernisée ; la circulation de convois de marchandises lourds a justifié l'électrification, mais le nombre restreint des circulations (moins d'une quinzaine sur chaque voie) a permis de s'en tenir au B.A.P.R. pour assurer la sécurité et régler les problèmes d'espacement des trains.

Comment par ailleurs ne pas remarquer que sur une même ligne plusieurs types de signalisation ont pu ou peuvent encore coexister, en fonction entre autres des différences d'intensité du trafic. Mais ces disparités s'atténuent progressivement.

En effet la carte des sytèmes de signalisation n'est pas davantage figée que celle de l'électrification. Le souci constant de la S.N.C.F. d'améliorer la sécurité et la fluidité du trafic la conduit à développer l'implantation des techniques les plus éprouvées et les plus fiables, tout en recherchant des solutions nouvelles, parfois révolutionnaires.

La politique d'extension des divers types de block est résolument poursuivie, en choisissant pour chaque ligne le système le mieux adapté aux caractéristiques du trafic. C'est ainsi que par exemple sur les artères à voie unique Saintes-Royan ou Libourne-Bergerac le cantonnement téléphonique est d'ores et déjà remplacé par le block manuel ; la S.N.C.F. entend progressivement l'implanter sur toutes les lignes à voie unique où circulent des trains de voyageurs et où l'activité ne justifie pas la mise en service du block automatique.

Celui-ci n'en bénéficie pas moins d'un important programme d'équipement portant entre 300 et 500 kilomètres par an. Sont en cours ou s'achèvent actuellement les travaux sur les sections de lignes Limoges-Brive, Mulhouse-Bâle, Dax-Bayonne, Béthune-Hazebrouck ; l'installation du block automatique est par ailleurs prévue à court terme sur l'ensemble de l'itinéraire Rennes-Quimper, ainsi que sur des lignes à une seule voie très chargées, comme en Savoie entre Aix-les-Bains et Annecy. En fonction de l'intensité de la circulation le choix concerne soit le B.A.L. classique, comme sur la relation Paris-Toulouse, soit le B.A.P.R., comme entre Rennes et Brest.

D'autre part l'augmentation progressive et spectaculaire des vitesses sur les principaux axes pose des problèmes, avec la nécessité de préserver des distances de freinage suffisantes. Le problème est le plus souvent résolu sans modifier l'implantation actuelle des signaux, en introduisant dans la chaîne des feux une nouvelle indication, un feu vert clignotant précédant le feu jaune d'avertissement bien connu. Sont d'ores et déjà ainsi équipées, comme dans la vallée du Rhône au sud de Lyon, entre Paris et Bordeaux ou entre Le Mans et Nantes, les sections de lignes où certains trains peuvent rouler à 200 km/h (1).

Dans ce domaine de la signalisation comme dans beaucoup d'autres les lignes nouvelles du T.G.V., elles, sont dotées d'un système totalement inédit en France et technologiquement très en pointe (voir au chapitre 5).

La S.N.C.F. se préoccupe également de développer les liaisons radio sol-train. D'un coût élevé cette technique procure en effet d'incontestables avantages, au plan de la sécurité, en permettant d'avertir instantanément un conducteur d'un danger qui risque de surgir devant lui en pleine voie, au plan aussi de la fluidité du trafic, en évitant certains engorgements aux abords des grandes gares.

C'est pourquoi depuis 1986, 800 kilomètres de lignes sont ainsi équipés chaque année. D'ores et déjà plusieurs des artères les plus chargées du réseau bénéficient de cette sensible amélioration comme Paris-Marseille, Dijon-Modane, Paris-Aulnoye, Paris-Lille, Paris-Le Havre, Paris-Bordeaux, Paris-Rennes, la Grande Ceinture de Paris et la plupart des lignes de la banlieue de la capitale. A l'opposé cette liaison radio sol-train va aussi profiter à des lignes à voie unique, où le problème de la sécurité se pose en termes souvent difficiles, en raison de la nature souvent peu sophistiquée des équipements en place.

Il n'était pas par ailleurs concevable qu'en dehors des axes du T.G.V. le chemin de fer en France ne cherchât pas à faire appel à l'informatique pour améliorer encore davantage les conditions de la circulation.

---

(1) Sauf la section de ligne Lourdes-Tournay, qui est équipée du B.A.P.R.

(1) Sur les lignes de l'ouest et du sud-ouest parcourues par les rames du T.G.V. A en prolongement de la Ligne à Grande Vitesse Atlantique, ces trains sont autorisés à rouler à 220 km/h.

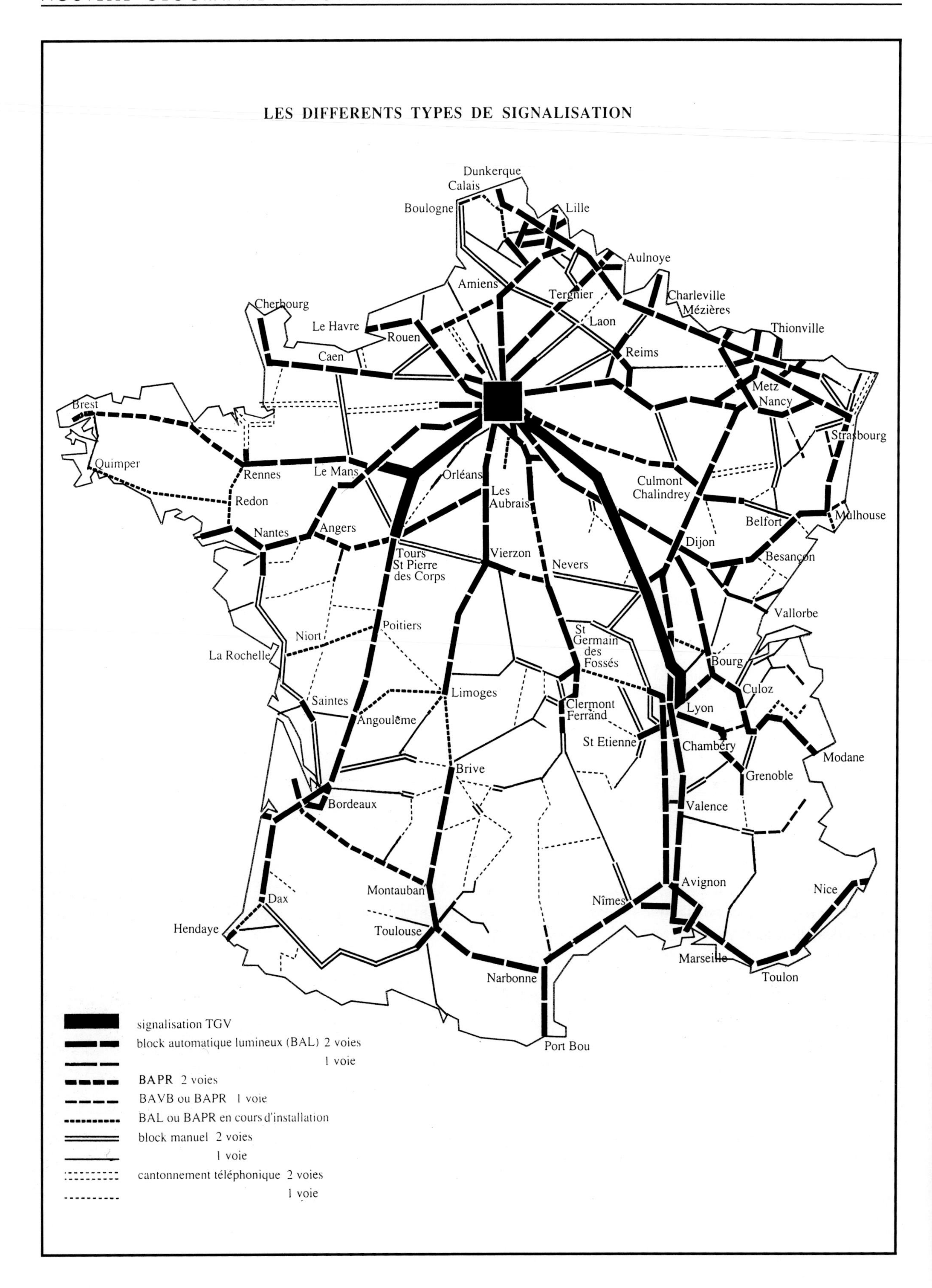
LES DIFFERENTS TYPES DE SIGNALISATION
Dunkerque
Calais
Boulogne
Lille
Aulnoye
Amiens
Tergnier
Laon
Charleville
Mézières
Thionville
Cherbourg
Le Havre
Rouen
Caen
Reims
Metz
Nancy
Strasbourg
Brest
Quimper
Rennes
Le Mans
Orléans
Les Aubrais
Culmont Chalindrey
Redon
Nantes
Angers
Tours St Pierre des Corps
Vierzon
Nevers
Dijon
Belfort
Mulhouse
Besançon
Vallorbe
Niort
Poitiers
La Rochelle
St Germain des Fossés
Bourg
Culoz
Saintes
Angoulême
Limoges
Clermont Ferrand
Lyon
St Etienne
Chambéry
Modane
Grenoble
Brive
Bordeaux
Valence
Avignon
Nice
Dax
Montauban
Nîmes
Hendaye
Toulouse
Marseille
Toulon
Narbonne
Port Bou
signalisation TGV
block automatique lumineux (BAL) 2 voies
1 voie
BAPR 2 voies
BAVB ou BAPR 1 voie
BAL ou BAPR en cours d'installation
block manuel 2 voies
1 voie
cantonnement téléphonique 2 voies
1 voie

C'est ainsi que depuis 1986 le système dénommé CAPI a pris son essor. Symbole de l'attention portée aux lignes les plus modestes, ce Cantonnement Assisté Par l'Informatique concerne les sections à voie unique non équipées de block automatique ou manuel, et soumises au régime du cantonnement téléphonique. Grâce à l'installation dans les gares de micro-processeurs reliés entre eux par une transmission bifilaire les échanges de messages informatiques remplacent les dépêches téléphoniques ; leur visualisation faisant apparaître immédiatement les incompatiblités, la sécurité sur ces artères assez peu fréquentées se trouve considérablement renforcée. En principe l'ensemble des lignes dépourvues de block devrait en 1990 être équipé de ce système CAPI.
Le souci de toujours améliorer la sécurité a très récemment amené la S.N.C.F. à concevoir et à appliquer de nouvelles techniques. C'est le système ECLAIR (Exploitation et Contrôle de Ligne Assistés par Informatique et Radio) qui depuis 1989 s'étend à l'ensemble des lignes dotées du CAPI. C'est le procédé S.A.C.E.M. (Système d'Aide à la Conduite, à l'Exploitation et à la Maintenance), étudié en commun avec la R.A.T.P., qui doit améliorer les conditions de circulation sur les lignes très chargées de la banlieue parisienne en réglant de manière extrêmement précise la vitesse des trains : il est prévu d'équiper le tronçon central de la ligne C du R.E.R. La R.A.T.P. l'a mis en service en 1989/90 sur la ligne A du R.E.R.
Plus novateur encore, plus général puisqu'il prend en compte toutes les voies ferrées de la S.N.C.F., beaucoup plus coûteux et de réalisation plus lointaine est le projet ASTREE (Automatisation du Suivi des Trains en Temps Réel). Sa mise en œuvre représentera une véritable révolution dans les domaines qui viennent d'être évoqués, comme l'espacement des trains, leur croisement sur les lignes à voie unique, mais aussi dans l'organisation d'ensemble du trafic, dont il convient d'abord d'analyser les bases actuelles pour mieux saisir ensuite ce qu'apportera globalement ce plan ASTREE.

LES POSTES D'AIGUILLAGES

Les postes d'aiguillages constituent des éléments particulièrement caractéristiques du paysage ferroviaire : leurs silhouettes, plus ou moins élancées ou trapues, aux abords des gares ou près des bifurcations, sont bien connues des voyageurs.
Là également la technologie a fait ces dernières décennies des bonds de géant. Aussi les réalisations les plus récentes, qui font appel largement à l'informatique, coexistent-elles sur le réseau avec des postes plus ou moins anciens, témoins d'une évolution spectaculaire.

En France comme ailleurs les postes d'aiguillages sont nés au siècle dernier dès lors que la croissance du trafic, autour d'une gare donnée, exigeait que la commande des appareils de voie et des signaux, pour des raisons de sécurité et afin de favoriser une circulation fluide des trains, soit concentrée en des points très précis ; des mécanismes d'enclenchement bien étudiés devaient rendre impossibles ou sans conséquence sérieuse les fausses manœuvres.
Sur les lignes et dans les gares secondaires subsistent quelques-uns de ces postes quasi-centenaires, dont l'entretien pose évidemment des problèmes de plus en plus ardus. Leur fonctionnement est uniquement mécanique, avec d'impressionnantes rangées de leviers de couleurs différentes, unis ou striés, luisants de propreté, que l'aiguilleur ne peut actionner qu'au prix d'un réel effort physique. Ces postes qui ne permettent pas une manœuvre rapide et souple des aiguillages et des signaux ne possèdent qu'un champ d'action réduit, de l'ordre de quelques centaines de mètres pour les appareils de voie. Aussi sont-ils à terme condamnés.
Entre les deux guerres apparaissent de nouvelles générations de postes, dont la conception d'ensemble peut être toujours mécanique, mais qui fait appel de plus en plus à l'électricité. C'est ainsi que sur l'ensemble du territoire fleurissent les postes électro-mécaniques ou électriques construits par les firmes Aster, à l'allure très aérienne, Saxby, Mors ou Descubes. Si leur manœuvre est de moins en moins éprouvante la souplesse d'utilisation ne progresse qu'assez lentement dans la mesure où les boutons et manettes, lorsqu'ils se substituent aux leviers, ne commandent chacun qu'un signal ou qu'un aiguillage : la confection d'un itinéraire pour l'entrée d'un train dans une gare importante demande donc un nombre d'opérations et de gestes souvent élevé, qui ne nuisent pas à la sécurité mais qui n'autorisent pas un acheminement rapide du trafic.
Au lendemain de la seconde guerre mondiale la nécessité de réparer ou de reconstruire près de 700 postes d'aiguillage stimule les recherches et favorise la mise au point de techniques tout à fait novatrices. Entre 1947 et 1950 la S.N.C.F. met en effet en service plusieurs postes qui annoncent les "PRS", Postes tout Relais à transit Souple ; le principe est simple : un seul levier, de dimension d'ailleurs réduite, commande l'ensemble des signaux et appareils de voie qui jalonnent un itinéraire précis ; s'ensuivent un spectaculaire gain de temps puisqu'un seul geste remplace plusieurs manipulations, des économies de personnel, une gestion plus rapide, plus souple et plus efficace de la circulation des trains dans la mesure où aiguilles et signaux peuvent désormais être commandés à distance, depuis donc des postes beaucoup moins nombreux.
Le premier élément de cette nouvelle génération de postes électriques à leviers d'itinéraires est installé en 1947 à Rouen, au centre du triangle de bifurcations de Darnétal, à la jonction des lignes Paris-Le Havre et Rouen-Amiens. Après la construction des postes des Laumes-Alésia et de Dijon-Perrigny, de conception semblable, un coup décisif est frappé à Montereau avec la mise en service en 1950 d'un poste à grand rayon d'action (PRA), contrôlant 119 aiguilles et 80 signaux lumineux, et remplaçant cinq postes mécaniques anciens.

Au fil des années les PRS, héritiers de ces précurseurs, de conception et de réalisation désormais uniformisées avec de plus en plus appel à l'électronique, vont connaître un succès foudroyant : en 1988 ils sont près de 500, répartis sur l'ensemble du réseau. C'est qu'au-delà de l'avantage procuré par la commande au moyen d'un seul bouton de nombreux signaux et aiguillages pour former un itinéraire parfois complexe, d'intéressantes potentialités sont appréciées : destruction automatique d'un itinéraire immédiatement après le passage d'un train, "transit souple", c'est-à-dire possibilité de manœuvrer des appareils de voie dès leur franchissement, sans attendre que le convoi ait complètement évacué la zone d'aiguillages, ou encore enregistrement de la commande d'un itinéraire lorsqu'il est incompatible avec les dispositions momentanément prises ; par ailleurs, même nombreux, les boutons représentent un faible encombrement et peuvent être groupés sur un pupitre actionné par un aiguilleur, assis et non plus debout. Non seulement dans ces conditions la sécurité est absolue dans la mesure où une fausse manœuvre ne peut entraîner au plus que le blocage des signaux en position d'arrêt, mais encore les divers itinéraires, dans la zone ferroviaire la plus compliquée, se font et se défont, sans la perte de la moindre seconde. La circulation des trains, aisément visualisée sur des tableaux de contrôle optique (T.C.O.) parfois imposants, se trouve alors réglée dans les meilleures conditions de souplesse et de rapidité.

L'atmosphère d'un P.R.S. peut surprendre le profane. Surplombant les locaux où dans un ordre rigoureux s'ordonnent les mécanismes des relais, avec leurs impressionnants câblages, la salle de commande elle-même bénéficie d'une excellente insonorisation, d'un aménagement soigné et fonctionnel, avec couleurs étudiées, vitres tamisées. Le travail s'y effectue dans le calme, dans une ambiance qui rappelle souvent celle d'une tour de contrôle aérien ou d'une salle d'opération.

A l'heure actuelle la vaste famille des P.R.S. est très diversifiée : les plus simples peuvent ne contrôler que l'entrée et la sortie d'une voie d'évitement, dans une petite gare ; les plus importants, dont la zone d'action s'étend sur plusieurs kilomètres commandent des centaines d'itinéraires, comme le montre le classement suivant :

P.R.S.	Nombre d'itinéraires	Année de mise en service
Paris-Est	652	1962
Marseille	509	1954
Paris-Austerlitz	493	1971
Lille	431	1958
Montereau	370	1950
Paris-Nord	361	1958
Juvisy	360	1983
Toulouse	336	1962
Nantes	335	1982
Lyon-Part-Dieu	330	1983
Bordeaux-Saint-Jean	320	1980
Les Aubrais	310	1965
Paris-Saint-Lazare	290	1966
Amiens	280	1960
Mulhouse-Ville	270	1957
Nice-Ville	270	1968

L'extension de la zone d'action des P.R.S. entraîne sur le terrain des types d'implantation nouveaux. A Bordeaux par exemple il est installé non pas à proximité d'une zone d'aiguillages mais au cœur du bâtiment principal de la gare Saint-Jean, en surplomb du premier quai.

Récent, construit au centre de la gare, le P.R.S. de Juvisy fournit un bon exemple des avantages procurés par ce type de poste et de ses possibilités. Remplaçant 7 postes, il commande une zone comportant 90 kilomètres de voies et 168 aiguillages qui s'étale sur une dizaine de kilomètres, entre Athis-Mons et Savigny-sur-Orge ; opérant devant un tableau de contrôle optique de 11 mètres de développement, les aiguilleurs voient défiler 1300 trains en moyenne journalière, qui se succèdent et se croisent dans ce carrefour d'importance capitale aussi bien pour le trafic des voyageurs que pour celui des marchandises. Comme celui de Lyon-Part-Dieu qui a le même âge, le P.R.S. de Juvisy bénéficie d'équipements nouveaux qui améliorent sensiblement son rendement ; par exemple l'introduction de l'informatique permet l'enregistrement à l'avance de soixante itinéraires, qui s'établissent automatiquement sur le terrain, les uns après les autres, aussitôt après le passage de chaque convoi ; la mise en œuvre d'un nouveau système de suivi des trains dans la zone du poste favorise, elle aussi, la fluidité de la circulation. Ainsi ce poste de Juvisy, à la fière et imposante silhouette rouge carminée symbolise-t-il le mariage harmonieux de l'intervention humaine et de l'informatique.

Paradoxalement, très peu de P.R.S. ont été mis en service ces dernières années : une dizaine par an depuis 1980. C'est que l'ensemble du réseau est désormais bien équipé dans ce domaine. Mais c'est aussi que les progrès incessants de la technologie et l'intérêt d'adapter le plus exactement possible le coût des constructions aux exigences du trafic a amené la S.N.C.F. à concevoir de nouveaux types de postes d'aiguillage.

Les P.R.G., Postes tout Relais à câblage Géographique, sont apparus dès 1971. Ils se caractérisent par des installations plus légères, avec des relais moins nombreux, une disposition des boutons de commande des aiguilles et signaux correspondant au plan des voies. Moins coûteux que le P.R.S., plus facile à monter grâce à l'utilisation systématique d'éléments modulaires, de maintenance plus aisée, le P.R.G. offre aussi moins de potentialités : un itinéraire ne peut plus être commandé par un geste unique et, en règle générale, l'enregistrement de divers tracés successifs n'est plus possible. Aussi ce nouveau type de poste convient-il à des gares d'importance au plus seulement moyenne : avec 150 itinéraires le P.R.G. de Saint-Germain-des-Fossés est le plus puissant des 83 postes de cette catégorie en service au début de 1990. Aussi sûrs que les P.R.S. ils ne sont pas pour eux des rivaux ; plus limités mais plus économiques, ils donnent pleinement satisfaction là où le trafic n'est pas très intense.

La réflexion et les recherches des responsables de la S.N.C.F. et des entreprises industrielles spécialisées ont abouti à la conception et à la réalisation après 1980 d'un nouveau type, le poste à relais et à commande informatique. Déjà présente

dans quelques P.R.S. l'informatique est ici la reine ; en effet, une fois programmés, les itinéraires sont gérés par le module de commande informatique qui lance les instructions dans l'ordre voulu, contrôle systématiquement leur exécution. Dans la variante actuellement la plus répandue, celle du P.R.C.I., Poste à Relais à Commande Informatique, l'intervention humaine est réduite au minimum puisque au-delà du clavier de programmation les mouvements de trains sont préparés et surveillés automatiquement, avec une précision, une rapidité de réalisation et une sécurité totales. Au début de 1990, 51 postes de ce type sont en service : celui de La Ferté-Alais (entre Corbeil et Malesherbes) construit en 1983, a été suivi entre autres par les P.R.C.I. de Châteauroux (75 itinéraires), Chagny, Gennevilliers ou Nevers (225 itinéraires).
Le plus important est celui de Paris-Montparnasse avec 780 itinéraires, mis en service en 1989. Comme les P.R.S. ces postes permettent l'enregistrement, la commande très rapide des itinéraires ; comme les P.R.G. ils sont construits et entretenus dans des conditions particulièrement aisées, en raison par exemple du précâblage des modules en usine : aussi l'avenir des P.R.C.I. et de l'ensemble des postes informatisés semble-t-il à la fois brillant et assuré, puisqu'ils correspondent à la diversité des besoins de la S.N.C.F., et qu'ils peuvent en raison de leur haute technologie s'intégrer sans difficulté dans les nouveaux dispositifs de contrôle général du trafic en cours d'application ou d'élaboration. Dans ces conditions les postes mécaniques ou électromécaniques, qui rendent encore de grands services, semblent plus que jamais condamnés à terme.

Évolution des postes : en haut, un vieux poste à levier à Alès et en dessous, un poste tout relais à câblage géographique (PRG) au Tréport. Ci-dessous, le PRS de Paris-Est.

LA GESTION D'ENSEMBLE DE LA CIRCULATION

Sur n'importe quel réseau la circulation quotidienne de plusieurs milliers de trains pose des problèmes non seulement de sécurité mais aussi d'écoulement rapide et harmonieux du trafic. Il s'agit d'éviter les arrêts intempestifs en ligne et les engorgements d'artères ou de gares ; il faut assurer le respect des horaires et pouvoir prendre très rapidement les meilleures décisions en cas de situation imprévue.

Dans ce domaine comme dans d'autres plusieurs solutions sont appliquées en France, en fonction des nécessités locales et de l'évolution de la technologie.

L'ensemble du réseau est sous le contrôle des P.C., postes de commandement. Au nombre de 24 ils sont implantés au siège des Directions Régionales, établies à Paris pour 5 d'entre elles et en province. Leur zone d'action qui n'inclut pas les lignes des T.G.V., gérées de manière autonome (cf. Chap. 5) peut donc s'étendre sur plusieurs centaines de kilomètres de voies ferrées. Dans les différents P.C. opèrent plusieurs régulateurs ; chacun d'eux est chargé d'une ou plusieurs sections de lignes bien précises ; disposant d'un graphique de la circulation théorique prévue, il trace le graphique de la circulation réelle, minute après minute, en fonction des indications concernant le départ, l'arrivée ou le passage des trains fournies systématiquement par les gares ou les postes d'aiguillages auxquels il est relié. Si tout se déroule normalement il n'intervient pas ; en revanche il est habilité en cas de besoin, retard d'un train ou incident, à prendre les mesures appropriées, qui sont immédiatement applicables. Par ailleurs, le régulateur est habilité à autoriser l'engagement des travaux de toutes natures : voie, ouvrages, caténaires, etc. L'originalité de ce système réside dans le fait que les chefs de gare et aiguilleurs, qui disposent sur le terrain de la réalité de la commande des appareils de voie et des signaux, n'ont qu'un rôle d'exécution et doivent obéir au régulateur, qui lui possède la vision d'ensemble du trafic et la capacité de décision.

La difficulté d'une table de régulateur ne dépend pas seulement du nombre de trains à acheminer, mais aussi de leur répartition dans la journée, des diverses vitesses pratiquées, des possibilités offertes par la signalisation et les moyens de garage en ligne.

Cette organisation du trafic relativement concentrée, davantage que dans beaucoup de pays où les chefs de gare disposent de plus d'autonomie, continue de donner globablement satisfaction. Elle bénéficie maintenant de l'introduction de l'informatique qui permet aux régulateurs des PC d'être mieux et plus vite informés, et donc de travailler plus efficacement. Dans cet esprit la SNCF a expérimenté ces dernières années au PC de Tours, sur l'artère Les Aubrais-Tours, équipée d'IPCS et du suivi des trains, le graphiquage automatique de la circulation ; celui-ci est alimenté directement par des balises situées sur la voie et espacées de quelques kilomètres.

Associé à des programmateurs d'itinéraires, ce système est appliqué durant l'hiver 1990 sur l'ensemble de l'axe Tours-Bordeaux, dans les 2 PC de Tours et Bordeaux ; les installations de sécurité, dans leur ensemble, sont ainsi télécommandées à distance. Le systéme équipera sous peu les différentes tables d'un même PC, soulageant l'action humaine, limitant son intervention aux situations perturbées ; les PC de Paris-Rive-Gauche, Paris-Nord, Lille et Nancy sont directement concernés par ce procédé dénommé "PC décloisonné".

Mais il est apparu très tôt intéressant, dans certains cas de figure bien précis, de regrouper dans les mêmes mains la gestion d'ensemble du trafic, ainsi que la manœuvre des aiguilles et signaux. D'où l'apparition de la notion de commande centralisée de la circulation.

A l'heure actuelle deux formules coexistent sur l'ensemble du réseau.

Première possibilité, le régulateur du P.C. commande lui-même directement les installations de sécurité sur un itinéraire donné ou sur l'ensemble de sa zone d'action : c'est la Commande Centralisée de la Circulation (C.C.C.). Elle concerne des lignes ou des sections de ligne sans gare très importante, mais où la densité de la circulation exige à la fois une excellente vision d'ensemble du trafic et la plus grande rapidité d'action ou de réaction, afin d'obtenir un acheminement des trains placé sous le signe de la sécurité, de la précision et de la fluidité. Elle se matérialise par l'implantation sur le terrain de petits postes qui sont télécommandés par le régulateur du P.C.

Encore assez rares sont les lignes à double voie dotées de ce dispositif. Il est utilisé sur certaines sections très chargées où chacune des voies est banalisée : ainsi à Dijon le P.C. "Bourgogne Nord" commande directement depuis 1950 les aiguillages et signaux du tronçon Blaisy-Bas-Dijon, long de 26 kilomètres, non quadruplé, où en moyenne quotidienne roulent 190 trains, les deux sens réunis ; répartis très inégalement dans la journée, avec des périodes de pointe très marquées, ils circulent ainsi dans de bonnes conditions de régularité. L'autre section à deux voies de l'artère de Paris, entre Tonnerre et Les Laumes-Alésia (60 kilomètres) est placée elle aussi sous le signe de la banalisation ; mais elle est contrôlée plus localement, depuis Montbard.

Sur les lignes à double voie dotées d'IPCS, Installations Permanentes de Contre Sens, chacune des voies peut être empruntée dans les deux directions, notamment en cas d'incidents ou de travaux ; l'écoulement du trafic est largement facilité par la commande à distance des signaux et aiguillages.

Dans le domaine des lignes à une seule voie, par définition banalisée, la commande centralisée de la circulation offre des perspectives particulièrement intéressantes lorsque le trafic est intense, dans la mesure où il s'agit non seulement d'assurer un bon acheminement des convois roulant dans le même sens, mais encore d'assurer de nombreux croisements en toute sécurité et sans ralentir ou stopper inopinément les trains. Elle a permis de mettre ou de maintenir à une seule voie certaines artères malgré l'accroissement de leur trafic.

Entre Dijon et la frontière Suisse, après le tronçon de 46 kilomètres à deux voies jusqu'à Dôle, commun à la ligne de Be-

sançon et où les I.P.C.S. sont actionnées depuis la capitale bourguignonne, l'itinéraire Dôle-Vallorbe, long de 100 kilomètres et composé de plusieurs sections à une et deux voies, est commandé depuis le P.C. "Jura" installé à Dijon ; celui-ci assume directement la responsabilité de la circulation de courants représentant de 24 à 70 trains suivant les sections en moyenne journalière, les deux sens réunis.
Depuis 1962 c'est également une commande centralisée de la circulation, installée au P.C. de Reims, qui contrôle la ligne Reims-Epernay, longue de 31 kilomètres, électrifiée elle aussi et mise partiellement à voie unique ; elle a déja pu écouler une centaine de circulations certaines journées chargées.
En région Midi-Pyrénées la section de ligne à voie unique Toulouse-Saint-Sulpice-du-Tarn (31 kilomètres), non électrifiée, achemine elle aussi un important trafic, 60 trains en moyenne quotidienne, les deux sens réunis. Aussi n'est-il pas étonnant qu'elle soit placée sous la dépendance d'une commande centralisée, gérée par l'informatique, qui fonctionne depuis 1985 au P.C. de Toulouse.
Enfin la dernière réalisation a concerné en 1989 la télécommande des installations de sécurité de la ligne de la Tarentaise, de Saint-Pierre-d'Albigny à Bourg-Saint-Maurice (80 kilomètres), nouvellement électrifiée et dotée du B.A.P.R.S. Au PC de Chambéry est installée une commande centralisée informatisée qui, lors des pointes de février 1990, a permis d'assurer le passage de 105 circulations en 20 heures, dans de bonnes conditions de régularité ; auparavant, avec le block manuel, des flux moins importants n'étaient écoulés que très difficilement.
Sur l'ensemble de ces lignes à voie unique modernes, le croisement des trains dans les gares s'effectue non plus sur la voie de gauche, ce qui impliquerait le ralentissement sinon l'arrêt des deux convois, mais en utilisant la voie déviée pour celui qui doit s'arrêter, la voie directe pour le train passant en pleine vitesse : la fluidité de la circulation en est encore augmentée, et la commande centralisée peut donner toute sa mesure.
Grâce aux techniques les plus récentes de télécommande un régulateur peut donc très efficacement régler la circulation sur une ligne de très grande longueur, avec comme principal atout la vision d'ensemble du trafic. Mais dans certaines zones ferroviaires très complexes les mouvements des trains peuvent être plus aisément dirigés depuis un puissant poste d'aiguillage ; installé au centre du nœud ; celui-ci reçoit alors mission de régulation dans sa zone d'action, dont il manœuvre également tous les appareils de voie et les signaux. Le premier du genre dénommé "PAR" Poste d'Aiguillages et de Régulation, a été mis en service en gare de Versailles-Chantiers en 1977. Il contrôle totalement la circulation dans une zone de 17 kilomètres de longueur, qui inclut les bifurcations de Porchefontaine, Saint-Cyr et Saint-Quentin-en-Yvelines ; une réalisation analogue concerne la ligne C du R.E.R. qui traverse Paris d'est en ouest, à Paris-Invalides : elle autorise un débit très élevé, 24 trains par sens à l'heure de pointe et un espacement de l'ordre de deux minutes.

Ainsi les modalités de suivi des trains, de commande des différents itinéraires évoluent rapidement grâce au développement de techniques informatisées de pointe.

Un régulateur à son poste de travail, graphique de circulation théorique en haut et graphique réel en bas.

Sur le terrain le nombre des postes d'aiguillage diminue sans cesse, avec la floraison d'installations satellites commandées depuis un poste parfois éloigné.
Sur les lignes nouvelles où dévalent les T.G.V. les techniques les plus élaborées de gestion du trafic, sont systématisées et s'épanouissent pleinement (voir ch. 5). Mais les responsables de la S.N.C.F. se préoccupent de rechercher les moyens d'améliorer encore les conditions d'acheminement de l'ensemble du trafic dans les domaines de la sécurité, de la souplesse et de la précision : particulièrement intéressant et ambitieux se révèle le projet ASTREE (Automatisation du Suivi des Trains en Temps Réel).
Ce système résulte directement des énormes progrès récents dans les domaines de la micro-informatique et de la transmission de données. Le principe de base est le suivi à la trace de tous les trains, à l'arrêt ou en mouvement, au moyen de radars, de micro-processeurs de bord et d'un réseau très perfectionné de communication avec le centre de suivi, véritable cerveau totalement informatisé.
Les avantages attendus sont considérables : Astrée est d'abord un système universel ; c'est-à-dire que le moindre convoi, la

ligne la moins fréquentée se trouveront pris intégralement en charge. Par ailleurs la sécurité atteindra un niveau exceptionnel dans la mesure ou toute anomalie dans le trafic sera aussitôt détectée et corrigée par la prise automatique des mesures les plus appropriées. De plus ce système se révèlera souple et multifonctionnel puisqu'il pourra assurer l'espacement des trains, leur orientation, le contrôle de leur vitesse mais aussi la régulation générale, les annonces pour les voyageurs, l'information des clients du service des marchandises, etc.
Ce projet en cours de mise au point, devrait être vraiment révolutionnaire. En effet il limite sensiblement le champ de l'intervention humaine en intégrant les applications les plus récentes de l'informatique ; il bouleverse les conditions générales du trafic ferroviaire en transférant aux trains, à l'arrêt ou en mouvement, le rôle actif dans la collecte de l'information joué jusqu'ici par les installations fixes. Il est certes coûteux au plan des investissements initiaux. Mais le renforcement de la sécurité, l'amélioration de la fluidité et de la régularité des échanges devraient conférer à cette opération, à l'orée du vingt et unième siècle, une excellente rentabilité à terme.

A la fin de cette étude globale des lignes qui constituent le réseau S.N.C.F. plusieurs remarques s'imposent.
Aujourd'hui le trafic ferroviaire bénéficie en France d'un écheveau de lignes diversifiées dans leur équipement mais soustendu par une armature de puissantes artères. En dehors des sections quadruplées ou sextuplées, en effet, nombreuses désormais sont les lignes à double voie bénéficiant à la fois de l'électrification, du block automatique lumineux, et de voies de garage actif avec entrée directe ; réunies ces trois conditions garantissent un débit particulièrement élevé et un acheminement fluide du trafic. Pris volontairement hors de la région parisienne, les exemples du tableau ci-contre montrent l'intensité de la circulation en pleine ligne sur des itinéraires à double voie, autorisée par la qualité de l'infrastructure et de l'équipement.
Néanmoins, ces chiffres ne reflètent qu'imparfaitement le degré d'utilisation d'un axe déterminé. En effet, en pleine semaine et notamment les vendredis où le trafic voyageurs intense s'ajoute à celui des marchandises, également élevé (l'activité fret est réduite du samedi au lundi), ils sont notoirement éloignés de la réalité. Ils décuplent lors des journées de super-pointe. Il est possible de dénombrer ainsi jusqu'à 300 trains sur Saint-Florentin-Aisy et Ambérieu-Culoz au cours des grandes migrations de février, vers les sports d'hiver ! Sur la ligne à grande vitesse Paris-Sud-Est le nombre de 160 mouvements est atteint de Lieusaint à la bifurcation de Pasilly.
Notre réseau est par ailleurs placé sous le signe d'une extrême diversité, qu'il s'agisse des tracés, des profils, du mode de traction, de la signalisation. Elle correspond aux avantages ou aux exigences du cadre géographique, à l'inégalité de la demande de transport, au poids de l'histoire, à l'évolution constante et de plus en plus accélérée de la technologie au fil des décennies. Il est vrai qu'actuellement subsistent de nombreuses traces d'un passé riche et qu'il n'est pas question de renier, dans

Nombre moyen journalier de circulations
les deux sens réunis, en 1989
(trains de voyageurs et de marchandises)

Section	Ligne	Nombre de circulations
Lagny-Meaux	Paris-Strasbourg	252
Châlons-sur-Marne Vitry-le-François	Paris-Strasbourg	172
Mommenheim-Vendenheim	Paris-Strasbourg	171
Chantilly-Creil	Paris-Lille	263
Villemonble-Triangle de Gagny	GC de Paris	208
Epône-Mézières-Mantes-la-Jolie	Paris-Le Havre	245
Conneré-Beillé-Le Mans	Paris-Brest	122
Les Aubrais-St-Pierre-des-Corps	Paris-Bordeaux	149
Libourne-Bassens	Paris-Bordeaux	148
Melun-Moret-Veneux-les-S.	Paris-Lyon	188
Blaisy-Bas-Dijon ville	Paris-Lyon	185
Gevrey-Chagny	Paris-Lyon	219
Vienne-St-Rambert-d'Albon	Lyon-Marseille par RG Rhône	184
Livron-Orange	Lyon-Marseille par RG Rhône	160
Avignon-Tarascon	Lyon-Marseille par RG Rhône	203
Ambérieu-Culoz	Lyon-Genève	159
Aix-les-Bains-Chambéry	Culoz-Modane	167
Bif Lieusaint-Bif Pasilly	Ligne nouvelle Paris-Sud-Est	120
Saint-Césaire Montpellier	Tarascon-Sète	163

la mesure où de nombreux exemples d'adaptation progressive et harmonieuse des installations ont pu être présentés. Mais il est vrai aussi que dans ce domaine des infrastructures les regards sont résolument tournés vers l'avenir. Les progrès de l'électrification, de l'implantation du block automatique lumineux par exemple vont se poursuivre, tandis que le développement de la radio sol-train, du système CAPI, des commandes centralisées entre autres préfigurent le réseau français de l'an 2000, qu'ASTREE devrait réguler et où les axes du T.G.V. joueront un rôle de plus en plus essentiel.

Si globalement les grands courants de circulation des voyageurs et des marchandises coïncident, chacun de ces deux vastes secteurs possède des caractéristiques propres qu'il est nécessaire de mettre en évidence.

CHAPITRE II

LES GARES ET LE TRAFIC DES VOYAGEURS

Vue aérienne de la gare Saint-Lazare, aujourd'hui enserrée comme les autres gares parisiennes dans un tissu urbain dense.

LES GARES

Chaque jour environ 9 000 trains, qui transportent plus de deux millions de voyageurs, roulent sur l'ensemble du réseau. En 1989 le volume du trafic a atteint le niveau record de 64,5 milliards de voyageurs/kilomètres.

Ces chiffres impressionnants, qui classent la France au premier rang européen devant la Pologne, l'Italie, l'Allemagne Fédérale et le Royaume-Uni, recouvrent en fait une très forte hétérogénéité. En effet, alors que les TER (antérieurement dénommés trains omnibus) poursuivent inlassablement leur travail peu spectaculaire, le trafic des grandes lignes est assuré dans des conditions qui se sont beaucoup renouvelées : les trains express classiques des années 50 ou 60 sont de plus en plus supplantés par des rames modernes, constituées le plus souvent de voitures Corail, qui circulent sur les lignes classiques à des vitesses atteignant désormais couramment 160 km/h et même 200 km/heure sur certaines artères privilégiées. Sur les lignes nouvelles T.G.V. ce sont des vitesses se situant entre 270 et 300 km/heure qui sont pratiquées. Par ailleurs, Paris est le centre d'un puissant réseau de banlieue très bien irrigué, tandis que les villes de province de Lille, Strasbourg et Lyon disposent de leur côté de dessertes régionales très fréquentées, en voie de développement.

Ces flux de voyageurs ne sont pas figés. Dans un contexte difficile où la concurrence est impitoyable, le rail dans notre pays se bat pour conserver et si possible améliorer ses positions. A l'échelle des dernières décennies une évolution multiforme se dessine nettement ; il faudra l'analyser.

Cette diversité et cette transformation constante du trafic se retrouvent dans la vaste famille des gares, autour desquelles s'établissent les multiples courants d'échanges.

Par l'envergure et la nature de leurs installations ainsi que par le volume de leur activité les gares de voyageurs, en France comme ailleurs, bien connues des usagers, marquent la vie et le paysage urbains.
Elles constituent aussi une famille tout à fait hétérogène. Une distinction fondamentale peut être immédiatement faite entre les gares en impasse, qui le plus souvent équipent des centres importants, et les gares de passage, infiniment plus nombreuses et d'une étonnante diversité.

LES GARES EN IMPASSE

Les six principales gares de Paris, celles de Lille et de Marseille- Saint-Charles, de Tours et d'Orléans sont en cul-de-sac (1). Cette disposition présente avantages et inconvénients.

La spécificité des gares en impasse

Les inconvénients majeurs des gares en impasse se situent dans le domaine de l'exploitation. D'abord, la concentration de la totalité de la circulation des trains à une seule extrémité pose souvent de délicats problèmes ; le risque de saturation est plus élevé que dans les gares de passage. Par ailleurs l'utilisation rationnelle des locomotives est plus difficile ; machines de ligne et de manœuvre évoluent avec moins d'aisance puisque la locomotive qui a tracté un convoi se retrouve à l'arrivée captive près du butoir de sa voie de réception ; une bretelle de raccordement peut lui permettre de s'échapper par la voie voisine ; mais alors celle-ci doit être laissée inoccupée tandis que pour autoriser cette manœuvre la première voiture doit se retrouver à environ 70 mètres du heurtoir. Enfin, servitude particulièrement gênante à Marseille-Saint-Charles pour les convois de la ligne Paris-Nice, les trains en escale subissent obligatoirement un changement de sens qui entraîne un échange de locomotive ; d'où des pertes de temps et des manœuvres coûteuses.
Les aspects positifs, eux, sont surtout appréciés par les voyageurs. En effet, comme les différents quais sont soudés au quai frontal, les communications entre l'entrée de la gare et les emprises commerciales d'une part, les voies et les trains de l'autre sont très aisées, à niveau et sans risque ; les usagers, surtout âgés ou encombrés de bagages, apprécient de ne pas devoir emprunter de passerelle ou de passage souterrain. En outre, dans la plupart des cas, se développent plus aisément que dans les gares de passage des locaux que les voyageurs doivent ou aiment fréquenter comme guichets, services de renseignements, de bagages, bibliothèques, buffets, bars, etc.
De plus, puisque les voies ferrées d'accès ne sont implantées par définition que d'un seul côté, les gares en impasse ont pu plus facilement être édifiées près du cœur des villes. Comme d'autre part les trains s'arrêtent en douceur près des butoirs, le niveau de pollution sonore du secteur commercial est très nettement inférieur. C'est pourquoi l'ambiance de ces gares est souvent plus calme, plus personnalisée, plus accueillante, même si le voyageur doit parfois arpenter plusieurs centaines de mètres de quai pour atteindre la tête d'une rame. Comme elles sont davantage adaptées à un trafic particulier à l'agglomération qu'à une forte activité de correspondance, il n'est pas étonnant de les découvrir dans de grandes villes, à Paris en particulier comme à l'étranger à Rome, Milan, Francfort ou Londres, Zurich ou Munich.
La capacité de trafic de toute gare est étroitement conditionnée par la nature de plusieurs types d'installations.

Les équipements

D'une manière générale, les grandes gares parisiennes bénéficient d'équipements techniques plus développés que celles de province en impasse.
Le nombre des voies à quai a une importance toute particulière. Dans ce domaine les gares de Paris se trouvent spécialement bien dotées puisque la gare du Nord en compte 33 (après les remaniements en cours), celle de l'Est 30, celle de Saint-Lazare 27. Les gares méridionales sont un peu moins richement pourvues, avec 25 voies à Paris-Austerlitz, 24 à Paris-Lyon, 24 à Paris-Montparnasse. Il convient de noter que certaines de ces voies desservent des quais supplémentaires installés en sous-sol et voués exclusivement au trafic de la banlieue. Ces gares souterraines, équipées chacune de quatre voies, sont pour le moment en cul-de-sac à Paris-Lyon, avant la mise en service du prolongement vers la station Châtelet-Les Halles du RER-B, tandis qu'à Austerlitz et Paris-Nord elles jalonnent les lignes C et B du Réseau Express Régional qui traversent la capitale de part en part. Le potentiel global est encore renforcé, au sud des gares de Lyon et de Montparnasse, par l'édification à Bercy et à Vaugirard de deux annexes de 4 voies chacune affectées entre autres au trafic des trains autos-couchettes et utilisées comme gares de dégagement.
Certes aucune gare parisienne n'atteint l'ampleur de celle de Munich par exemple, qui possède 36 voies ; mais chacune d'elle surclasse certaines gares célèbres comme celles, à Londres, de King's Cross ou de Victoria, équipées chacune de moins de 10 voies à quai.
Ces gares de la capitale doivent faire face à un très dense trafic non seulement de grandes lignes, mais encore de banlieue. Aussi les voies à quai sont-elles nettement partagées en deux groupes distincts, à la fois pour ordonner la circulation de deux catégories bien marquées de trains, et afin de tenir compte des motivations et exigences de types de voyageurs bien différents.
Celles qui sont attribuées au service des grandes lignes sont les plus longues, bordées de trottoirs dont la longueur varie le plus souvent entre 300 et 450 mètres, exceptionnellement 500. Si elles représentent plus des deux-tiers des voies dans les gares de Montparnasse, Lyon et Austerlitz, en revanche elles n'atteignent jamais la moitié du total dans les trois gares les plus septentrionales, où le trafic de banlieue est très déve-

(1) *Il faut également citer, parmi les gares moins importantes, celles de Morez et de Tulle, en raison des contraintes de la topographie, celles de nombreux ports et stations balnéaires du littoral, de la Mer du Nord à la frontière espagnole, celles qui en montagne marquent la fin des lignes au fond des vallées.*

Une gare (en impasse) d'importance moyenne : Trouville-Deauville, qui devrait connaître l'électrification en accompagnement de l'équipement de Paris-Caen-Cherbourg dans quelques années.

loppé ; elles se contentent ainsi du tiers du dispositif à Paris-Saint-Lazare. La juxtaposition des deux catégories de voies à quai s'effectue de manière variable ; les deux groupes de voies des grandes lignes consacrées soit au départ soit à l'arrivée encadrant celles réservées à la banlieue constituent la disposition la plus fréquente, qui se retrouve dans les gares de l'Est et à Montparnasse ; à Saint-Lazare les voies des grandes lignes sont regroupées dans la partie Est de la gare, à côté des voies de la banlieue affectées par ensembles de quatre ou cinq aux lignes de Versailles-Rive-Droite, Nanterre Université, Mantes par Poissy et Argenteuil ainsi que Pontoise, Saint-Nom-la-Bretèche.

En ce qui concerne la gare de Paris-Nord, tout le service banlieue a été regroupé par étapes dans la nouvelle gare de surface Est, pour les dessertes Pontoise, Valmondois, Montsoult, Luzarches, en gare souterraine pour les relations interconnectées (Orry, Mitry-Roissy).

Le réaménagement du hall et des itinéraires d'accès dans l'avant gare dans l'optique du traitement des TGV Nord/Transmanche, à partir de 1993, conduira à disposer de 19 voies de 200 à 400, plus 3 voies complémentaires en retrait pour la Grande Couronne. Ces 19 voies serviront selon leur longueur, aux réceptions et expéditions des TGV, rapides et express classiques maintenus et trains de Grande Couronne vers Beauvais, Amiens, Compiègne, Crépy, Soissons.

Enfin à Paris-Austerlitz et Paris-Lyon la totalité des voies de surface est vouée au service des grandes lignes, puisque les trains de banlieue sont tous dirigés vers la gare souterraine de passage.

Au-delà de la quantité des voies à quai et de leur disposition, la capacité de trafic d'une gare dépend aussi du nombre de ses voies d'entrée et de sortie, qui conditionne en effet le volume des mouvements qui peuvent s'effectuer simultanément. Certaines de ces voies sont réservées aux évolutions du matériel vide et des locomotives entre les gares d'une part, les faisceaux de garage et les dépôts de l'autre. Les voies principales, elles, sont en nombre variable : avec respectivement neuf et dix voies d'accès ou de départ, les gares du Nord et Saint-Lazare sont richement pourvues ; elles devancent celles de l'Est, de Montparnasse et de Lyon (6 voies), d'Austerlitz (4 voies). L'affectation à une catégorie de trains correspond dans tous les cas à la répartition des tâches entre les voies à quai.

La qualité de la soudure entre ces dernières et les voies d'accès dépend beaucoup du nombre de liaisons simultanées, c'est-à-dire des possibilités offertes de recevoir ou d'expédier en même temps deux trains sur ou depuis deux voies à quai voisines, à condition évidemment que les deux itinéraires ne se recoupent pas. Ce type de plan de voies nécessite un grand nombre d'aiguillages et présente une structure extrêmement complexe ; il offre l'avantage de multiplier le potentiel de trafic de la gare en permettant les évolutions simultanées non seulement des convois chargés de voyageurs mais aussi des locomotives isolées, des rames vides tirées vers les voies de garage. La circulation d'ensemble peut être d'autant plus intense et plus fluide que cette disposition est largement développée. C'est le cas dans chacune des six grandes gares parisiennes ; dans celle de Lyon par exemple trois mouvements concernant trois voies à quai voisines peuvent être exécutées simultanément dans la plupart des cas.

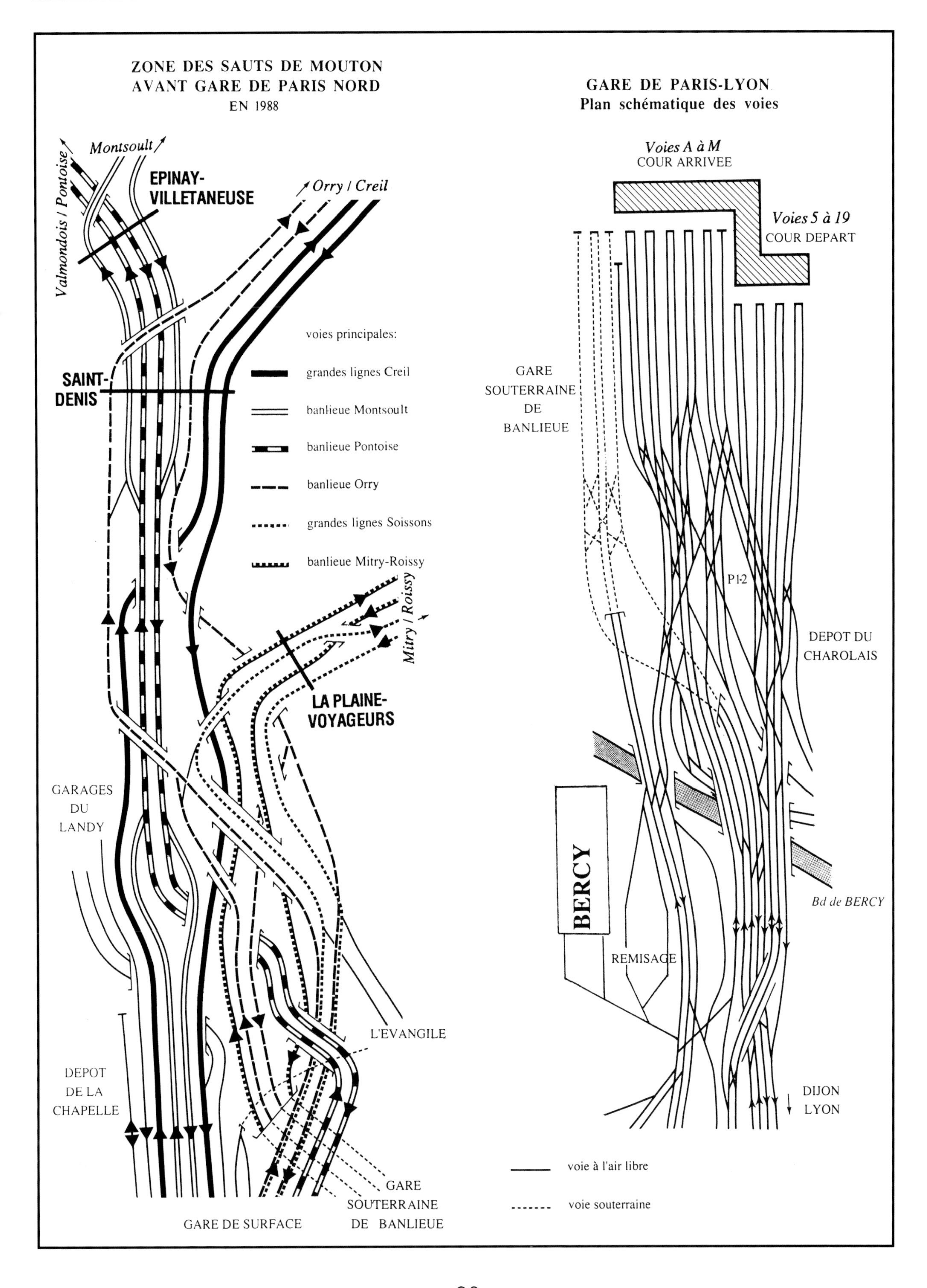
ZONE DES SAUTS DE MOUTON
AVANT GARE DE PARIS NORD
EN 1988
Montsoult
Valmondois / Pontoise
EPINAY-VILLETANEUSE
Orry / Creil
voies principales:
grandes lignes Creil
banlieue Montsoult
banlieue Pontoise
banlieue Orry
grandes lignes Soissons
banlieue Mitry-Roissy
SAINT-DENIS
Mitry / Roissy
LA PLAINE-VOYAGEURS
GARAGES DU LANDY
L'EVANGILE
DEPOT DE LA CHAPELLE
GARE SOUTERRAINE DE BANLIEUE
GARE DE SURFACE
GARE DE PARIS-LYON
Plan schématique des voies
Voies A à M
COUR ARRIVEE
Voies 5 à 19
COUR DEPART
GARE SOUTERRAINE DE BANLIEUE
P1-2
DEPOT DU CHAROLAIS
BERCY
Bd de BERCY
REMISAGE
DIJON LYON
voie à l'air libre
voie souterraine

En fait, les zones d'avant-gare ne sont compliquées qu'aux abords de Paris-Nord et Paris-Lyon où les conditions locales et les remaniements successifs ont imposé l'édification de sauts-de-mouton afin d'éviter le cisaillement à niveau des itinéraires principaux. Ainsi les premiers kilomètres au départ de la gare du Nord présentent un spectacle impressionnant, avec de multiples chevauchements de voies et une douzaine d'ouvrages d'art : c'est qu'il a fallu aménager à la fois les indispensables liaisons entre la grande gare d'une part, les faisceaux de garage et le dépôt de La Chapelle d'autre part, mais aussi organiser la séparation des lignes et des flux se dirigeant vers Saint-Denis et Aulnay, prévoir un accès bien étudié à la gare souterraine de banlieue.

Le nombre des voies à quai et d'accès, la présence de postes d'aiguillage le plus souvent hautement performants, permettent aux gares parisiennes de faire face à un trafic très important : en moyenne journalière le nombre total de trains du service commercial reçus et expédiés a été en 1989 de 348 à Montparnasse, de 608 à Austerlitz, 638 à Paris-Est, 646 à Paris-Lyon, 1 246 à Paris-Nord, 1 287 à Saint-Lazare.

Il est évident qu'à l'hiver 1990, avec la mise en service totale du T.G.V. A vers la Bretagne, les Pays de Loire et l'Aquitaine, le débit aura notoirement augmenté à Paris-Montparnasse, mais par contre, un peu diminué à Austerlitz.

Les grandes gares de province en impasse sont desservies par un nombre de voies à quai nettement moins important : 15 à Lille, 14 à Marseille-Saint-Charles, 11 à Tours, 7 à Orléans. Le volume de leur trafic de banlieue ne justifie pas une spécialisation des divers secteurs de chacune d'elles. En revanche elles disposent de possibilités comparables à celles des gares parisiennes dans le domaine des voies d'accès, puisque celles-ci sont au nombre de quatre à Marseille, de cinq à Tours, de six à Lille. Les moyens globaux actuellement en place permettent à ces gares d'assumer dans des conditions au moins acceptables l'ensemble de leurs tâches. Celle de Tours est particulièrement riche en virtualités inexploitées puisque, du fait de sa position excentrée par rapport au cœur du complexe tourangeau qu'est la gare de Saint-Pierre-des-Corps, elle n'est fréquentée en moyenne journalière que par 168 trains, reçus et expédiés en service normal de semaine, contre 222 à Marseille et 340 à Lille.

La personnalité d'une gare ne dépend pas seulement du nombre de voies à quai ou d'accès, mais aussi d'éléments que le voyageur peut plus directement apprécier, comme l'allure, l'agencement et le confort des bâtiments. Dans ce domaine, sans nier l'allure de la gare de Marseille-Saint-Charles, ce sont les gares parisiennes qui offrent l'architecture la plus majestueuse, les équipements les plus diversifiés et les plus élaborés, avec des ressemblances mais aussi des différences. Ainsi la façade de Saint-Lazare, partiellement masquée par un bloc de hautes constructions qui abritent notamment un grand hôtel, ne peut présenter le même aspect monumental que celles des gares du Nord et de l'Est. Au sud de Paris celle d'Austerlitz, à l'architecture morcelée et sans élan, souffre de la comparaison avec celle de Lyon, toute proche, aux bâtiments élégants dominés par un fier campanile, et avec celle de Montparnasse, dont les lignes très modernes et sobres se trouvent en harmonie avec l'élancement de la tour voisine. Comment par ailleurs ne pas opposer le développement et l'allure des installations commerciales à Paris-Montparnasse et à Saint-Lazare, où une vaste galerie marchande longe le quai de tête, à la moindre originalité des locaux moins vastes que doivent fréquenter les voyageurs à la gare d'Austerlitz.

Dans l'ensemble des gares en impasse, la circulation des usagers s'effectue sans problème majeur. Quand elles existent, les différences de niveaux sont le plus souvent effacées par l'installation de batteries d'escaliers mécaniques. Cependant, si dans la plupart des cas l'origine des quais se situe à proximité des services commerciaux et administratifs, quelques exceptions imposent aux voyageurs de fastidieux trajets à pied à l'intérieur de la gare ; par exemple à Lille les heurtoirs de 7 des 15 voies à quai sont décalés de près d'une cinquantaine de mètres par rapport aux autres en raison de la nécessité de poser les voies plus récentes en dehors du fer à cheval formé par les bâtiments de la vieille gare ; de même à Marseille-Saint-Charles trois voies courtes ont leur origine éloignée d'environ 150 mètres du quai de tête. Mais c'est à la gare de Paris-Lyon que se posait le principal problème : en 1928 en effet la compagnie du P.L.M. ne put agrandir ses installations devenues trop étroites qu'en construisant une nouvelle gare, affectée en principe au départ des trains de grandes lignes, et décalée de 150 mètres vers la province. La réalisation récente d'un passage souterrain transversal, relié d'une part à la salle d'accueil TGV creusée sous la plate-forme frontale des voies 5 à 19 et à un parking voitures extérieur, d'autre part à l'autre extrémité, au RER ligne A et à l'aire de stationnement des taxis et autobus, a amélioré la situation en rééquilibrant harmonieusement les flux des voyageurs.

De tels souterrains transversaux ont en outre été édifiés dans les gares de Paris-Est, Paris-Nord, Paris-Saint-Lazare, de façon à diversifier, pour les voyageurs de banlieue, les accès, tandis que celui de Marseille-St-Charles est essentiellement utilisé pour les correspondances.

La largeur des quais peut être aussi parfois une source de difficultés dans la mesure où leur étroitesse entrave la circulation des chariots de bagages, gêne la progression des voyageurs en les obligeant à marcher très près des rames, parfois en cours d'évolution. Si à la gare d'Austerlitz certains quais atteignent ou dépassent une dizaine de mètres de largeur, ceux des gares de l'Est et surtout de Lyon, avec parfois 6 mètres seulement, offrent un gabarit jugé maintenant insuffisant.

Ces quais sont le plus souvent protégés par de vastes marquises vitrées à l'armature métallique : ainsi à Marseille-Saint-Charles, Lille, Tours, à Paris-Saint-Lazare, Nord, Austerlitz et Lyon, où elles renforcent l'allure monumentale de ces gares. Majestueuses, ces vastes verrières offrent d'excellents abris aux voyageurs et au matériel roulant ; mais leur entretien est onéreux, tandis qu'elles ne peuvent que difficilement épouser la structure générale des quais, en fuseau vers leur extrémité en raison de leur resserrement et du rapprochement des voies.

La gare en impasse de Tours, reliée par navettes à celle de Saint-Pierre-des-Corps et nœud ferroviaire de première importance.

La gare de l'Est à Paris est celle qui comporte le plus de voies à quai (trente), ce qui lui permet de soulager, lors des fortes pointes, les autres gares tête de ligne de la capitale.

Aussi n'est-il pas étonnant que de nombreux quais soient recouverts de simples abris-parapluie qui préservent moins bien des intempéries mais qui par leur légèreté et leur sobriété sont d'un coût de construction et d'entretien plus modéré. Ces abris équipent intégralement la gare de l'Est, celle du départ des grandes lignes à Paris-Lyon, tandis qu'ils prolongent la protection offerte par les marquises à Saint-Lazare, Austerlitz et dans la partie la plus ancienne de la gare de Lyon. A Montparnasse, la construction de la dalle-jardin, terminée en 1990, solutionne de façon élégante la couverture des voies à quai entre les heurtoirs et le pont des Cinq Martyrs du lycée Buffon, soit les 3/4 de la longueur du groupe des voies encadrantes affectées aux TGV.
Les gares en impasse présentent donc des différences mais aussi d'incontestables analogies dans les domaines de l'agencement général et de leurs moyens techniques. Leur rythme de vie est également original.

La vie des gares en impasse

Qu'elles soient de passage ou en impasse, les gares connaissent au cours de l'année et de la semaine des périodes de calme relatif mais aussi d'activité intense. C'est ainsi que dans le cadre hebdomadaire le fait le plus marquant est constitué par l'ampleur du trafic du vendredi, où la fin de la période de travail et l'amorce du repos de fin de semaine provoquent de nombreux déplacements. Par ailleurs à l'intérieur de l'année les variations moyennes se caractérisent par l'existence de périodes d'intensification de l'activité. Elles correspondent aux diverses vacances scolaires, d'été en particulier, aux fêtes légales, générant des "ponts". Ainsi, le phénomène de migrations vers les sports d'hiver conduit à des départs de grande ampleur à Paris-Lyon et dans une moindre mesure à Paris-Austerlitz, vers les gares desservant les stations d'altitude des Pyrénées et des Alpes. Les départs et retours des vacances de février qui recouvrent trois week-ends successifs sont très chargés, alors que les pointes concernant Noël/Jour de l'An et Pâques sont moins marquées. Mais c'est l'analyse des variations du trafic dans le courant de la journée qui permet sans doute le mieux de situer l'originalité des gares en impasse.
Presque toutes les gares en impasse sont implantées dans des agglomérations de grande taille ; aussi sont-elles desservies par un grand nombre de trains de banlieue ; leur trame correspond beaucoup moins à la mise en correspondance avec les convois des grandes lignes qu'à la nécessité de faciliter les déplacements quotidiens dans l'ensemble urbain, en particulier entre lieux de résidence et le travail. Comme d'ailleurs dans les grandes gares de passage, ce trafic de banlieue est inexistant entre minuit et cinq heures ; si dans le courant de la journée l'activité n'est jamais nulle, deux pointes apparaissent nettement, celle du matin entre 6 et 9 heures, où les trains à l'arrivée sont les plus nombreux, celle du soir, entre 17 et 20 heures, où le trafic au départ l'emporte très nettement, tandis qu'une légère recrudescence se produit entre midi et 14 heures. Principal élément d'explication, le déplacement pendulaire des travailleurs habitant la périphérie, qui gagnent le matin le cœur des grandes villes pour retrouver le soir leur banlieue résidentielle, est en fait plus vigoureux que ne l'exprime le nombre de trains mis en marche : les rames qui circulent en périodes creuses sont plus courtes que lors des tranches horaires de pointe, pendant lesquelles d'autre part sont programmés de nombreux mouvements d'équilibre permettant à un train d'effectuer plusieurs trajets dans le sens du flux principal des voyageurs ; c'est ainsi que la plupart des rames qui partent des gares parisiennes en début de matinée sont beaucoup moins chargées qu'à l'arrivée, alors qu'en fin d'après-midi et début de soirée la situation est renversée.
Le rythme de l'activité des gares en impasse est très scandé et relativement simple dans le domaine du service des grandes lignes.
Le fait essentiel paraît être, en particulier dans les grandes gares parisiennes, l'alternance de trois périodes d'activité intense ou très intense, le matin, en milieu de journée et en soirée, séparées par des plages horaires où règne un calme relatif. A la tranquillité de la nuit, de minuit à 6 heures, se substitue aux premières heures de la matinée l'effervescence provoquée par le départ des premiers trains offrant des relations diurnes, et l'arrivée des trains de nuit ainsi que des convois qui, sur des distances courtes, permettent aux provinciaux acceptant de se lever tôt de se retrouver dans la capitale avec la possibilité de disposer de plusieurs heures avant le déjeuner. Après le répit de la fin de la matinée se présente une pointe d'activité, entre 12 et 14 heures trente ; elle correspond à une vague de départ de convois qui vont rouler tout l'après-midi, ainsi qu'à l'arrivée de nombreux trains qui laissent à la disposition de leurs utilisateurs la plus grande partie de l'après-midi. Après 17 heures le trafic connaît une recrudescence considérable ; en effet sortent de Paris non seulement les convois qui atteignent les grandes villes de province avant minuit mais aussi, en nombre variable suivant les gares, les trains de nuit qui parcourent le plus souvent de longues distances ; leur départ s'échelonne sur plusieurs heures. Pendant cette période arrivent les convois assurant les relations d'après-midi et de soirée entre la province et la capitale.
Ces fluctuations communes, marquées par deux pointes principales de début de matinée et de soirée, avec une pointe secondaire de milieu de journée, se retrouvent partiellement dans les pulsations des gares de Lille et de Marseille-Saint-Charles ; elles s'expliquent par le fait que ces grandes gares en impasse sont implantées dans des agglomérations particulièrement importantes, dont les besoins propres conditionnent de manière écrasante le service des trains de banlieue ou de grandes lignes, qui les desservent ; dans la mesure où le souci majeur est de permettre à la clientèle de disposer le plus souvent possible de demi-journées entières, rares sont les trains qui arrivent ou partent en milieu de matinée et d'après-midi, ou entre minuit et 6 heures du matin ; les convois qui assurent la relation Paris-Nice et retour desservent souvent la gare de Marseille dans ces tranches horaires moins fréquentées.
Ce rythme régulièrement alterné dans le cadre de la journée de la vie des grandes gares en impasse est simple mais original par rapport à celui des principales gares de passage, dont la personnalité est en effet bien différente.

Contraste entre l'affluence des départs à gare de Lyon dans la tranche 17-18 heures (ci-dessus) et le calme relatif de la gare d'Austerlitz au moment des derniers trains de nuit en partance (ci-dessous).

À Lyon-Part-Dieu, les mouvements de voyageurs sont facilités par une bonne conception des accès aux quais.

LES GRANDES GARES DE PASSAGE

Sauf Paris, Marseille et Lille, toutes les grandes agglomérations françaises sont dotées de gares de passage, généralement situées au centre du complexe ferroviaire.

Il n'est pas nécessaire de développer longuement les avantages et les inconvénients qu'elles peuvent offrir, exactement inverses de ceux analysés à propos des gares en impasse : pour l'usager davantage de bruit, nécessité d'emprunter les escaliers des passerelles ou des passages souterrains, locaux commerciaux souvent moins vastes, ambiance générale plutôt un peu moins personnalisée et accueillante, du moins jusqu'à une période récente ; en revanche, pour les services de la S.N.C.F., exploitation d'ensemble plus aisée puisque le trafic peut s'écouler non plus par une mais par deux issues, manœuvres plus faciles des locomotives, meilleure utilisation de chaque voie à quai capable d'expédier ou d'accueillir simultanément plusieurs convois courts, absence de rebroussement systématique pour les trains en escale. Par ailleurs les moyens techniques ne présentent pas les mêmes caractéristiques.

L'équipement des gares de passage

Ces gares reçoivent et expédient souvent plusieurs centaines de trains en moyenne quotidienne : sur l'ensemble des lignes qui convergent vers chacune d'entre elles circulent en moyenne quotidienne 239 convois de voyageurs à Bordeaux-St-Jean, 295 à Toulouse-Matabiau, 294 à Strasbourg Ville, 430 à Lyon-Part-Dieu.

Or globalement leur équipement est moins impressionnant que celui des gares en cul-de-sac, en particulier en nombre de voies à quai.

Dans ce domaine règne la plus grande diversité. Plusieurs grandes gares bénéficient d'une dotation très convenable, comme celles de Bordeaux-Saint-Jean (10 voies de passage), Lyon-Perrache et Lyon-Part-Dieu (9 voies), Toulouse-Matabiau, Strasbourg et Metz (9 voies), Rennes (8 voies) ; mais comment ne pas marquer une surprise relative devant le plan de gares comme Nantes, Rouen et surtout Nancy et Nîmes qui ne disposent respectivement que de 7, 6, 5 et 4 voies à quai. La longueur des quais est elle-même très variable ; de 170 à 280 mètres seulement à Rouen-Rive-Droite, elle peut atteindre 500 mètres, comme à Bordeaux-Saint-Jean.

Cette diversité s'explique par le jeu de plusieurs facteurs. Le relief peut jouer un rôle très important, à Rouen par exemple où la principale gare de voyageurs à été construite, au prix de gros travaux de terrassements, à flanc de coteau et entre deux tunnels ; la pose de nombreuses voies à quai n'était guère envisageable. Par ailleurs les conceptions des anciennes compagnies se sont révélées parfois différentes : c'est ainsi que dans leur ensemble les gares de l'ancien réseau du Nord ont été richement dotées.

Il faut toutefois remarquer que l'insuffisance numérique des voies à quai a été souvent en partie palliée par l'existence d'une ou plusieurs voies en impasse, installées aux extrémités du bâtiment principal de la gare. Très courtes (moins de 200 mètres généralement) ces voies à quai soulagent l'exploitation en accueillant des trains locaux de faible longueur ou des autorails, par exemple à Lyon-Perrache (où elles sont au nombre de 6), à Nantes ou Nancy.

Les grandes gares de passage sont aussi très inégalement dotées en voies d'accès ou de départ. La mieux équipée est celle de Strasbourg, desservie par 6 voies aussi bien dans la direction du nord que celle du sud ; si cinq voies s'échappent de Lyon-Perrache vers Marseille, la ligne de Paris est seulement à double voie ; lorsque quatre voies d'accès ou de sortie coexistent à une extrémité de la gare, il s'agit le plus souvent, en fait, de deux lignes à double voie qui se séparent à une faible distance : ainsi à Nantes, Rennes, Bordeaux, Toulouse ; nettement sous-dotées sont les gares de Rouen-Rive-Droite et Nîmes, encadrées chacune par seulement des artères à double voie, qui posent lors des pointes de trafic de délicats problèmes.

Par ailleurs, si dans l'immense majorité des cas les diverses lignes de chaque carrefour sont reliées directement à la principale gare de voyageurs, deux exceptions existent : d'une part à Nîmes aucun raccordement ne relie la gare à la ligne d'Alès, dont les trains de voyageurs doivent obligatoirement rebrousser dans les emprises de la gare de triage de Courbessac ; d'autre part, au nord de la gare de Lyon-Perrache les convois en provenance ou à destination de la ligne de Givors-Saint-Étienne par la rive droite du Rhône doivent se livrer au même type d'opération sur le pont qui enjambe la Saône.

Rennes, gare de passage très active et plaque tournante des lignes desservant la Bretagne. Les nombreuses correspondances qui s'y établissent assurent à cet établissement une animation soutenue.

Comme dans les gares en impasse, la capacité des grandes gares de passage est souvent améliorée par l'établissement de liaisons complexes entre voies d'accès et à quai, afin de permettre des mouvement simultanés sur deux voies situées côte à côte. Cette disposition est généralisée dans des gares comme celles de Lyon-Perrache ou Lyon-Part-Dieu, où la grande souplesse d'exploitation qu'elle autorise pallie le nombre relativement restreint des voies à quai par rapport au trafic à assurer. Ailleurs elle n'est que partielle, comme à Bordeaux-Saint-Jean ou Toulouse-Matabiau. En revanche, le plan simplifié des voies à Rouen-Rive-Droite limite sensiblement les possibilités de mouvements simultanés. Dans les gares de passage se pose la question de la coexistence de la circulation des trains de voyageurs et de marchandises. Souvent ces derniers sont dans l'obligation d'emprunter des voies à quai, ce qui restreint d'autant la capacité de réception et d'expédition des convois de voyageurs ; le problème est particulièrement aigu à la gare de Rouen-Rive-Droite traversée sans arrêt par les 40 trains de marchandises en moyenne quotidienne et les deux sens réunis, qui roulent sur la ligne du Havre. Là où la topographie le permettait les anciennes compagnies ou la S.N.C.F. ont construit parallèlement aux voies à quai des voies d'évitement vers lesquelles sont systématiquement orientés les convois de marchandises de passage, et qui peuvent être également utilisées par les locomotives isolées ; les gares de Nancy, Bordeaux-Saint-Jean, Lyon-Perrache, Avignon, bénéficient ainsi chacune d'une double voie de dégagement, celle de Dijon d'une voie banalisée ; cette intéressante amélioration permet de consacrer totalement les voies à quai à leur véritable vocation. En revanche, les conditions locales n'ont pas permis de prévoir ce type de disposition à Lyon-Part-Dieu, où donc les trains de marchandises des lignes d'Ambérieu et de Bourgogne via Collonges-Fontaines, au nombre d'une centaine en moyenne quotidienne, les deux sens réunis, doivent emprunter les voies à quai.

Celles-ci sont le plus souvent disposées en alignement et parallèlement les unes aux autres ; mais une exception célèbre est constituée par la gare de Dijon-Ville, dont le plan général est en courbe, ne favorisant pas l'exécution du service des voyageurs, lors du stationnement des trains, surtout lorsqu'ils sont très longs.

La personnalité de chaque grande gare de passage est également marquée par la diversité des aménagements qui concernent plus spécialement les voyageurs.

Le bâtiment principal où sont concentrés les services offerts à la clientèle a été dans la grande majorité des cas construit au même niveau que les quais et parallèlement à ceux-ci.

Mais des exceptions se remarquent : à Rouen-Rive-Droite et Limoges-Bénédictins, gares le plus souvent dominées par les rues voisines, le bâtiment de voyageurs, de plain-pied avec la voirie urbaine la plus proche, a été édifié en grande partie au-dessus des voies et des quais qu'il coupe perpendiculairement, et qui sont accessibles grâce à des batteries d'escaliers. Les inconvénients de ce type de disposition sont réels : mauvais éclairage naturel de la partie centrale des quais, différen-

Malgré la présence de Part-Dieu, Lyon-Perrache conserve une activité digne d'une gare desservant une agglomération millionnaire.

Page ci-contre, Nice à l'heure de l'arrivée des derniers trains de soirée.

ces de niveau plus importantes que dans le cas de passages souterrains, avec il est vrai, en atténuation de la gêne imposée aux usagers, la présence d'escaliers mécaniques ; par ailleurs la circulation des trains sous les locaux commerciaux peut provoquer certaines nuisances, sonores en particulier ; mais les voyageurs peuvent apprécier dans ces gares la faiblesse des distances à parcourir à l'intérieur des installations qui leur sont réservées, ainsi qu'une bonne protection contre les intempéries. A Nîmes la disposition générale est tout autre puisque les voies et les quais sont installés sur un viaduc surplombant la place et les rues voisines ; des passages souterrains assurent les liaisons indispensables. A Strasbourg, si la structure générale est moins originale, la base de la masse imposante constituée par le bâtiment principal n'en est pas moins située à quelques mètres au-dessous du plan des voies.

Ailleurs qu'à Rouen et Limoges, les quais sont reliés entre eux par des passages inférieurs qui peuvent atteindre le nombre de trois, comme à Bordeaux.

La largeur des quais peut varier du simple au double, de 6 mètres en moyenne à Lyon-Perrache, ce qui peut poser des problèmes en particulier au droit des escaliers menant aux souterrains, à une douzaine de mètres environ à Strasbourg. Par ailleurs, dans la plupart des gares de passage, les voyageurs attendant leur train doivent compter avec la circulation des chariots transportant les bagages ; cet inconvénient a pu être parfois effacé, à Rouen-Rive-Droite par l'édification au-dessus des quais de galeries couvertes accessibles grâce à des monte-charge, à Metz et dans la gare moderne de Lyon-Part-Dieu par l'aménagement de trottoirs spéciaux, plus étroits que les quais réservés aux voyageurs et affectés exclusivement au service des sacs postaux, colis, etc.

Ces quais, comme dans les gares en impasse, sont diversement protégés. Ils sont assez souvent abrités par de vastes marquises, de section arrondie comme à Reims, Strasbourg et Bordeaux-Saint-Jean, ou en ligne brisée comme à Lyon-Perrache ou Toulouse-Matabiau ; lorsqu'elles sont bien fermées à chaque extrémité sur la plus grande partie de leur hauteur, comme à Bordeaux, elles offrent une protection assez remarquable contre la pluie et le vent. Mais là aussi, en raison du coût élevé de leur construction et de leur entretien, de simples abris-parapluie leur ont souvent été préférés, comme à Nantes, Rennes, Le Mans, Dijon, Mulhouse ou Lyon-Part-Dieu. Différentes des stations en impasse par leur équipement, les gares de passage le sont aussi par le rythme journalier de leur activité.

La vie des gares de passage

Les gares de passage desservent toutes les grandes villes de province sauf Lille et Marseille. Elles sont l'origine ou l'aboutissement d'un trafic de banlieue qui n'a rien d'original, marqué par deux pointes principales, à l'arrivée le matin, au départ en fin d'après-midi et en début de soirée. Mais dans le domaine des trains de grandes lignes règnent par rapport aux gares en impasse une grande originalité, un fort degré de complexité, et une vaste diversité.

L'originalité réside dans le fait qu'à l'activité diurne qu'il est normal de retrouver, comme dans les gares en impasse, en raison des besoins des agglomérations, se superpose une activité nocturne parfois très forte ; elle se matérialise par la halte souvent brève de trains de moyen et surtout grand parcours, partis avant minuit et parvenant à destination au matin, entre 6 et 9 heures. La vie intense qui anime au cœur de la nuit la gare de Dijon, alors que se croisent les deux rafales de sens contraire reliant Paris à Lyon, Marseille, au littoral Méditerra-

néen, aux Alpes, à la Suisse et l'Italie, ne s'explique pas autrement ; elle contraste avec l'inertie qui caractérise alors les gares en impasse et en particulier les gares parisiennes.
Mais cette activité des stations de passage est plus complexe encore : en effet, durant la période diurne, la marche des trains qui s'y arrêtent est étudiée pour satisfaire les usagers des ensembles urbains desservis, avec des heures d'arrivée et de départ autant que possible en dehors des milieux de matinée ou d'après-midi ; mais elle doit permettre aussi comme pendant la nuit des relations à grande distance entre les grandes villes situées de part et d'autre. C'est ainsi que les pointes classiques de début de matinée et de début de soirée, bien réelles, sont moins nettement individualisées que dans les gares parisiennes, car quelque peu noyées au milieu d'une trame de circulation beaucoup plus compliquée.
D'une gare à l'autre se manifeste dès lors une grande diversité, en fonction du poids de chaque agglomération et de sa situation géographique. Le trafic nocturne est nul à Rouen à cause de la proximité de la capitale et de la faible longueur de l'artère Paris-Le Havre ; il existe, tout en étant minoritaire, à Toulouse-Matabiau ; à Dijon, il a toujours été très largement prépondérant, avec le paroxysme de l'activité au milieu de la nuit, et un renforcement relatif de ce déséquilibre depuis la mise en service des T.G.V. qui assurent les relations de matinée, après-midi et soirée entre Paris, Lyon et Marseille, en ne desservant pas la capitale bourguignonne.
Quelque peu masquée par la part du trafic lié à l'agglomération elle-même, la fonction de correspondance existe bel et bien dans les grandes gares de passage, même si l'importance du trafic sur les divers itinéraires qui s'y croisent justifie la mise en route de trains autonomes n'obligeant pas les voyageurs à des changements, toujours fastidieux. Ainsi à Lyon-Part-Dieu la rencontre des convois des axes Paris-Marseille, Lyon-Strasbourg, Lyon-Genève, Lyon-Grenoble, Lyon-Nantes, Lyon-Bordeaux engendre-t-elle une intense activité sur les divers quais.
Les tendances qui viennent d'être dessinées se retrouvent dans l'ensemble des autres gares de voyageurs.

Une gare de passage sur voie unique : Le Lioran, station de sports d'hiver sur la ligne Arvant-Aurillac.

LES AUTRES GARES DE VOYAGEURS

L'ensemble des gares du réseau se caractérise en effet en premier lieu par une étonnante diversité. Celle-ci correspond aux différences parfois considérables dans le trafic à assurer ainsi que dans sa nature, qu'il s'agisse d'une activité dominante de passage, de correspondance ou de desserte de l'agglomération.

Dans les principaux carrefours, nous l'avons vu, la densité de la circulation des trains est telle que les éléments du complexe, gares de voyageurs, de marchandises ou de triage, dépôt ou ateliers sont les plus souvent dissociés les uns des autres en raison de la superficie, du personnel nombreux et spécialisé qu'exige le fonctionnement de chacun d'eux. En revanche, dans les nœuds moins importants la concentration de ces installations est le plus souvent la règle ; la présence à proximité des quais réservés au service des voyageurs de voies de garage ou de triage, de halles de marchandises, de cours de débords, de remises de locomotives donne alors naissance à un paysage ferroviaire vaste et complet ; Vesoul, Angoulême ou Argentan offrent de bons exemples.

Variable, le nombre des voies à quai atteint assez souvent celui des grandes gares de passage : avec 7 voies la gare de Saintes est plus richement équipée que celles de Rouen ou de Nancy. C'est que l'arrivée et le départ journalier de nombreux trains locaux ou autorails ne peut s'effectuer convenablement qu'avec au moins un éventail de quatre ou cinq voies à quai. De plus, à l'époque de la plus forte extension du réseau français, des lignes aujourd'hui délaissées bénéficiaient d'un service de voyageurs qui se traduisait par une animation globale beaucoup plus intense qu'aujourd'hui dans de nombreux centres de voies ferrées ne comptant pas parmi les plus importants, avec le pullulement de trains de faible longueur. Si l'équipement des gares est donc souvent l'héritage d'un passé révolu, la S.N.C.F. a souvent tiré les conséquences de l'évolution du trafic en diminuant le nombre des voies à quai. C'est ainsi que par exemple la gare de Niort, dotée à l'origine de 7 voies de passage, n'en compte plus que 3 ouvertes au service des voyageurs ; à Sarreguemines les travaux récents, effectués entre 1979 et 1983, ont ramené le nombre de ces voies de 9 à 4 ; d'une manière moins spectaculaire, à Troyes et à Belfort, la réduction n'a porté que sur deux voies (de 7 à 5). L'électrification a parfois été l'occasion, afin d'éviter des poses inutiles de caténaires, d'adapter la quantité des voies à quai au trafic actuel caractérisé par un sensible appauvrissement de la trame des trains locaux, souvent disparus des lignes secondaires et plus rares sur les axes principaux.

Dans ces conditions le dispositif du réseau d'appareils de voie autorisant des liaisons simultanées ne se retrouve que rarement. Grâce en particulier aux possibilités d'écoulement rapide des circulations offertes par les postes d'aiguillage les plus modernes et la généralisation du transit souple, des simplifications dans les plans de voie ont pu être effectuées ; par exemple à Valenciennes le trafic s'écoule désormais dans des conditions satisfaisantes malgré la suppression de nombreuses possibilités de mouvements synchronisés.

La disposition générale des gares peut traduire leur vocation d'origine ou actuellement dominante. Ainsi à Figeac, Beillant (10 kilomètres de Saintes), Serquigny, Montmélian, Tarascon et Mouchard, les voies à quai dessinent une fourche, avec l'installation de la gare non pas en amont mais en aval d'une bifurcation dont les deux branches divergent de part et d'autre du bâtiment principal réservé aux voyageurs. L'inconvénient de cette structure est que les trains en provenance ou à destination de l'une des deux lignes qui se séparent ne peuvent emprunter qu'une partie des voies ; aussi est-il aisé de comprendre qu'en dehors de la région parisienne aucune gare au trafic local important ne soit ainsi agencée. Le cas de Charleville-Mézières est intermédiaire, avec la totalité des 5 voies à quai accessible aux convois des lignes de Paris, Givet et Thionville, mais deux seulement à ceux de l'artère en provenance de la région du Nord.

Le rythme de vie de l'ensemble des gares du réseau se révèle sensiblement différent de celui des principales installations, qu'elles soient en impasse ou de passage.

D'abord le nombre des trains qui les traversent sans arrêt est d'autant plus élevé que l'agglomération desservie est de dimension modeste. Tous les cas de figure se retrouvent, depuis la petite station fermée au service des voyageurs ou n'accueillant que deux autorails par jour, à une gare comme Saintes où sans exception les trains doivent marquer l'arrêt. Les gares des villes comptant par exemple entre 30 000 et 100 000 habitants peuvent dans ce domaine se répartir en deux grands groupes ; soit comme à Bourges, La Rochelle, Vannes ou Laon elles jalonnent des lignes d'importance seulement moyenne qui ne supportent pas de bout en bout des flux très denses et alors tous les trains de voyageurs s'y arrêtent ; soit elles sont situées sur des artères à grand trafic où l'envergure des agglomérations extrêmes justifie la mise en service d'une trame de trains conçue spécialement pour ces dernières : dans ce cas beaucoup de convois rapides ou express les traversent en étrangers surtout lorsqu'ils circulent la nuit ; les gares de Poitiers ou Angoulême, Châteauroux ou Valence offrent de bons exemples.

En corollaire, l'activité de nombreuses gares du réseau est marquée par l'ampleur de la fonction de correspondance qui est proportionnellement d'autant plus importante que les lignes affluentes sont nombreuses et la ville de poids seulement modéré. C'est ainsi que l'arrêt de nombreux trains desservant les grandes artères radiales ou transversales à Saintes, Brive, Angers, Agen ou Nevers est précédé de l'afflux de convois locaux, le plus souvent des autorails, qui repartent avec des voyageurs de provenance souvent lointaine. Dans des gares comme celles de Tarascon, Vierzon ou Saint-Germain-des-Fossés, qui desservent des agglomérations peu peuplées mais qui en revanche ponctuent le croisement d'axes importants, c'est souvent entre trains express ou rapides circulant sur des lignes différentes que se nouent, sur les quais, des flux de correspondance.
Il s'ensuit que le rythme journalier de l'activité, très varié, tient certes compte dans l'ensemble des gares du réseau des pointes classiques de matinée et de soirée, mais aussi de l'arrêt des principaux trains en transit : les quais d'une gare peuvent connaître une vie intense aux alentours de 10 heures ou 16 heures si alors se croisent par exemple, à quelques minutes près, deux rapides ou express en provenance ou à destination de la capitale.

Dans le domaine des constructions diverses et en particulier des bâtiments fréquentés par les voyageurs règne la plus grande variété. D'une manière générale le volume des installations se trouve en rapport étroit avec celui du trafic : la modeste gare de campagne voit à l'étage le logement du responsable coiffer les locaux de service dont la superficie peut ne pas dépasser quelques dizaines de mètres carrés, tandis qu'un peu à l'écart la halle à marchandises, à cause de la concurrence routière, est désaffectée ou visiblement peu utilisée ; en revanche les gares des villes comptant au moins 20 ou 30 000 habitants, par leur ampleur générale, la dimension des bureaux, des salles de vente des billets ou d'attente, la présence d'une librairie-bibliothèque, d'un bar, d'un restaurant, rappellent souvent les agencements et la disposition des principales gares du réseau. Mais des distorsions sont décelables : parfois les constructions peuvent sembler trop imposantes par rapport à l'activité de la gare ; celle de La Rochelle, par son aspect majestueux et monumental, le large dimensionnement de ses divers éléments attire le regard et marque le paysage urbain ; en revanche dans des gares comme celles de Saint-Germain-des-Fossés ou Culmont-Chalindrey, marquées par une forte prépondérance du trafic de correspondance et par la relative faiblesse des flux d'origine ou de provenance locales, les bâtiments sont beaucoup plus modestes ; c'est sur les quais qu'évoluent les voyageurs, dont très peu entrent dans la gare ou en sortent.
Les gares de banlieue, elles, constituent une famille à part. En effet la nature même de leur activité exclut ou à tout le moins réduit fortement le développement de services, comme celui des bagages, liés au trafic des grandes lignes ; aussi la plupart du temps les bâtiments, à volume d'activité égal, sont-ils de dimensions plus réduites, d'architecture moins recherchée que dans les gares de villes isolées. Par ailleurs il est vrai que le plan des voies, dans certaines gares de bifurcation de la banlieue parisienne comme Massy-Palaiseau, Juvisy, Saint-Denis ou Noisy-le-Sec peut être compliqué, avec un nombre important de voies à quai (12 à Juvisy) et des zones complexes d'aiguillages ; mais très souvent les gares assurent un trafic intense, avec 170 trains par jour, les deux sens réunis, marquant par exemple l'arrêt à Savigny-sur-Orge, entre Juvisy et Étampes. D'autre part, lorsqu'une ligne de banlieue se confond avec une artère du réseau de grandes lignes, les voies étant alors quadruplées ou sextuplées, seules celles affectées à la circulation des convois de banlieue sont bordées de quais. Parfois des voies supplémentaires implantées entre les voies principales de passage permettent de recevoir et de faire repartir sans cisaillement des trains ne dépassant pas ces terminus intermédiaires, comme ceux de Saint-Cloud entre Paris-Saint-Lazare et Versailles-Rive-Droite, ou de Sèvres-Rive-Gauche entre Paris-Montparnasse et Versailles-Chantiers.
Le rythme de vie quotidien de ces gares de banlieue est presque toujours d'une grande simplicité, avec deux pointes très fortes et très marquées, en début de matinée au départ, en soirée à l'arrivée. C'est ainsi qu'à proximité immédiate de chaque gare de la région parisienne, sur des parkings spécialement aménagés, des centaines d'automobiles sont le matin abandonnées par leurs conducteurs qui les récupèrent en fin de journée afin de regagner leur domicile parfois situé à plusieurs kilomètres de la voie ferrée.
Comme dans les autres pays d'Europe, les gares de voyageurs françaises sont donc très variées, en fonction de leur structure d'ensemble, en impasse ou de passage, du nombre de voies à quai, de leur architecture ancienne ou moderne, de la nature de leur activité dominante. Elles supportent un trafic globalement considérable qu'il convient maintenant de décrire et d'analyser.

L'axe Paris-Sud-Est et la ligne de Clermont-Ferrand placent la gare de Lyon en tête du palmarès national pour le trafic voyageurs de grandes lignes.

L'ORGANISATION ET LA RÉPARTITION DES FLUX DE VOYAGEURS

Que de différences entre les flux qui s'établissent sur certaines lignes à voie unique et les principales artères du réseau, entre les autorails assurant des relations locales en milieu rural, les trains de banlieue et les rapides "Corail", les bolides T.G.V. En particulier s'opposent fortement le trafic des grandes lignes et celui interne aux grandes agglomérations.

LE TRAFIC DES GRANDES LIGNES

L'examen de la carte générale des flux montre des écarts souvent considérables d'une ligne à l'autre, avec par exemple un trafic dix fois plus dense entre Paris et Lyon qu'entre Bordeaux et Toulouse ; il révèle aussi la très nette prédominance des artères radiales.

La hiérarchie des flux

C'est ainsi que près de 10 000 personnes circulent en moyenne quotidienne, les deux sens réunis, entre Paris et Lille, plus de 10 000 entre Paris et Bordeaux, Paris et Limoges ou Paris et Rouen, plus de 12 000 entre Paris et Nancy, Paris et Rennes ; entre Lyon et Avignon 30 000 voyageurs sont dénombrés, alors qu'entre la capitale et Lyon l'addition des flux draînés par la ligne classique, tracée par Dijon, et la ligne nouvelle du T.G.V. permet de dépasser le seuil des 45 000 ! Ces courants, parfois énormes, sont acheminés par une trame très serrée de trains, rapides et express dans leur immense majorité. Le tableau ci-dessous est très évocateur :

Section de Ligne	Artère desservie	A	B
Laval-Vitré	Paris-Rennes	12 500	39
Blesme-Bar-le-Duc	Paris-Strasbourg	15 800	51
Angoulême-Coutras	Paris-Bordeaux	11 800	53
Longueau-Arras	Paris-Lille	12 600	57
St-Florentin-Nuits-Sous-Ravière	Paris-Dijon	13 100	69
Ligne T.G.V.	Paris-Lyon	35 000	91
Livron-Orange	Lyon-Marseille	29 700	107

A – Nombre moyen journalier de voyageurs transportés, les deux sens réunis.

B – Nombre moyen journalier de trains de voyageurs, les deux sens réunis (1986), en incluant les T.E.R. (Trains Régionaux).

Entre Paris et Lyon se développent les échanges les plus importants qui puissent être décelés sur l'ensemble du territoire. Ils sont répartis entre la ligne ancienne et l'axe du T.G.V. ; si celui-ci l'emporte nettement, avec 35 000 voyageurs, en

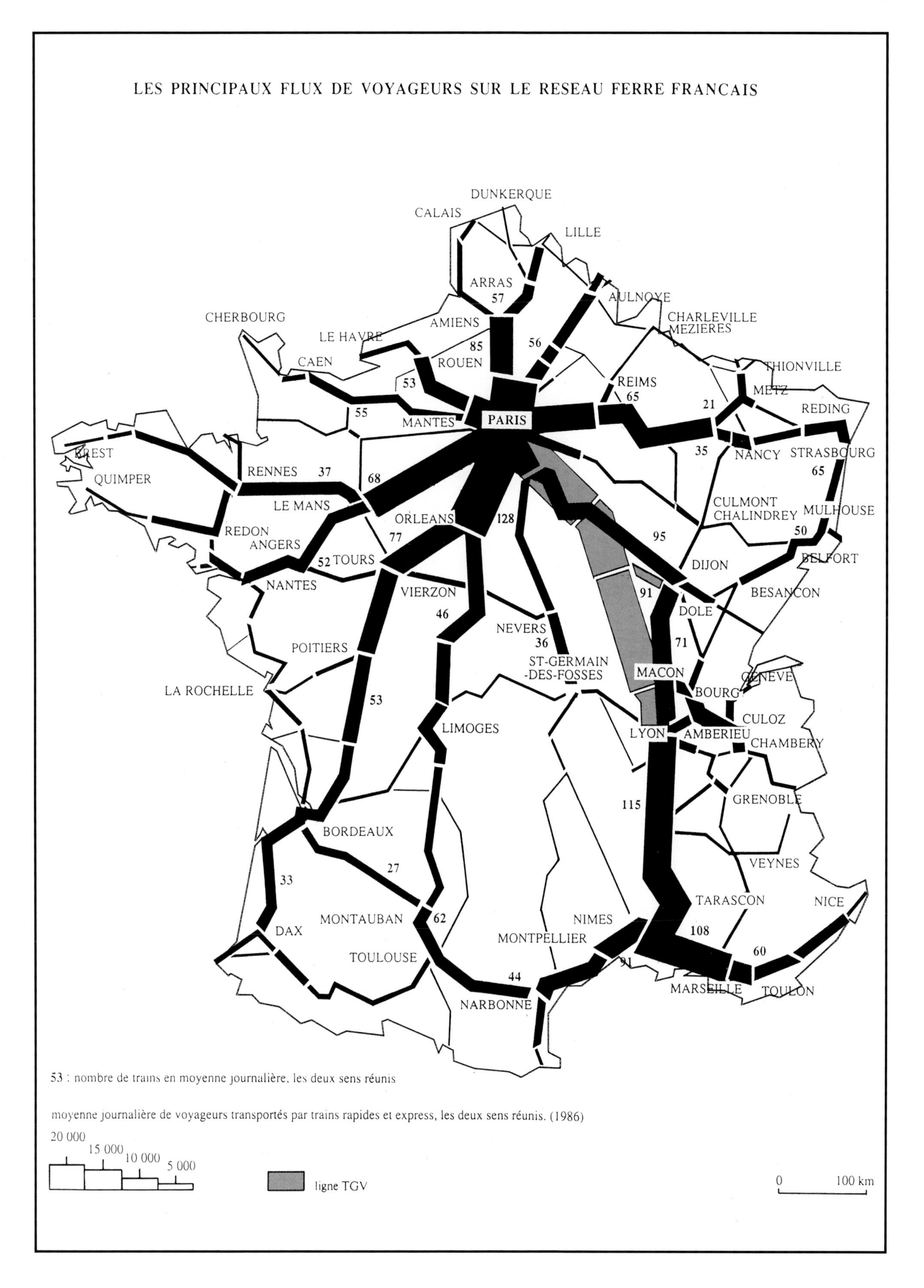
LES PRINCIPAUX FLUX DE VOYAGEURS SUR LE RESEAU FERRE FRANCAIS
DUNKERQUE
CALAIS
LILLE
ARRAS
57
AULNOYE
CHARLEVILLE
MEZIERES
CHERBOURG
LE HAVRE
AMIENS
85
56
ROUEN
CAEN
53
REIMS
65
THIONVILLE
METZ
55
21
REDING
MANTES
PARIS
35
NANCY
STRASBOURG
BREST
QUIMPER
RENNES
37
68
65
LE MANS
CULMONT
CHALINDREY
MULHOUSE
ORLEANS
128
95
50
REDON
ANGERS
77
BELFORT
52 TOURS
DIJON
NANTES
91
BESANCON
VIERZON
DOLE
46
NEVERS
36
71
POITIERS
ST-GERMAIN
-DES-FOSSES
MACON
GENEVE
LA ROCHELLE
BOURG
53
CULOZ
LIMOGES
LYON
AMBERIEU
CHAMBERY
GRENOBLE
115
BORDEAUX
VEYNES
27
33
TARASCON
NICE
MONTAUBAN
62
NIMES
DAX
108
MONTPELLIER
60
TOULOUSE
91
44
MARSEILLE
TOULON
NARBONNE
53 : nombre de trains en moyenne journalière, les deux sens réunis
moyenne journalière de voyageurs transportés par trains rapides et express, les deux sens réunis. (1986)
20 000
15 000
10 000
5 000
ligne TGV
0
100 km

moyenne journalière et les deux sens réunis, la première avec 30% du trafic global conserve un rôle important, en accueillant notamment les "batteries" de trains de nuit.
Mais les artères radiales acheminent en fait des flux de volume très varié de l'une à l'autre.
D'abord plusieurs d'entre elles, qui ne relient pas la capitale à des agglomérations de premier plan, ne supportent qu'un trafic moyen ou même faible. Alors qu'entre Paris et Nevers, Paris et Belfort circulent respectivement 6 000 et 3 000 personnes, les flux tombent à un millier sur la relation Paris-Granville au-delà d'Argentan et à 600 voyageurs sur Paris-Laon au-delà de Soissons. Au sud de Clermont-Ferrand sont bien mis en marche des trains qui entre Paris et Nîmes, Paris et Béziers établissent des relations de type radial ; mais sur les deux artères qui se séparent à Arvant le trafic, faible, est avant tout régional dans la mesure où le voyageur normalement pressé gagne, depuis la capitale, les grandes cités languedociennes en empruntant les T.G.V. Paris-Montpellier-Béziers.
Il est vrai par ailleurs qu'entre des villes importantes situées sur une même radiale s'établissent des courants qui se superposent aux flux engendrés par la capitale : ainsi les échanges entre Lyon et Marseille contribuent au niveau élevé de l'activité de l'axe majeur du réseau au sud de Lyon. Mais d'une manière générale le trafic des voyageurs sur les lignes radiales, importantes ou non, tend à décroître systématiquement en s'éloignant de Paris.
Ce phénomène, en étroite corrélation avec l'attraction de la capitale, s'exprime de manières diverses. La décroissance de l'activité est progressive et assez régulière lorsqu'une artère comme celle reliant Paris à Cherbourg est jalonnée par de nombreuses villes petites ou moyennes ; elle est plus brutale quand sur le trajet apparaissent d'importantes métropoles : le trafic de la grande radiale haut-normande diminue subitement de plus de la moitié en aval de Rouen, tout en restant important jusqu'au Havre. Cette chute progressive des flux peut se constater très loin de Paris, par exemple sur les deux lignes nord et sud-Bretagne, où le nombre moyen de voyageurs transportés quotidiennement s'amenuise peu à peu de Rennes à Brest et de Redon à Quimper. Les services de la S.N.C.F. prennent en compte cette tendance générale soit en renforçant par quelques voitures, à certaines gares intermédiaires, la composition de convois à grand parcours, ou mieux en mettant en circulation des trains supplémentaires réguliers sur les sections terminales de lignes aboutissant à la capitale, comme entre Paris et Rouen, Caen ou Tours.
Le trafic de type radial est particulièrement considérable sur les troncs communs qui regroupent les flux de plusieurs itinéraires. Lorsqu'elle est importante l'agglomération située à l'extrémité peut susciter avec la capitale des échanges certes notables, mais qui ne représentent qu'une modeste part (6% environ au Mans et à Dijon) des flux d'ensemble ; ceux-ci pour l'essentiel traversent la gare terminale pour éclater ensuite entre au moins deux directions. Par le nombre de personnes transportées et l'équilibre entre les branches qui divergent quatre troncs communs émergent nettement.
La section Paris-Les Aubrais, avec en 1986 près de 43 000 voyageurs décomptés en moyenne quotidienne, les deux sens réunis, mérite d'être considérée comme la plus chargée de France, en dehors des lignes de la banlieue parisienne ; au sud des Aubrais la ligne de Bordeaux avec 60% environ du trafic, l'emporte sur celle de Toulouse. Au nord de la capitale la gare de Creil marque l'éclatement d'un autre tronc commun (36 000 voyageurs) entre les artères de Lille (près de 60% de l'ensemble des flux) et de Bruxelles. L'ouest du réseau national, lui, est commandé par deux troncs communs d'inégale longueur mais acheminant chacun 24 000 voyageurs : à Mantes la ligne de Rouen et du Havre devance celle de Caen et Cherbourg, mais d'assez peu (54%) ; c'est que, beaucoup plus longue, la seconde dessert des villes certes individuellement moins peuplées, mais beaucoup plus nombreuses. Au Mans se séparent les artères de Rennes et de Nantes ; la première est la plus chargée, avec près de 60% du trafic, dans la mesure où au-delà de Rennes elle irrigue l'ensemble de la Bretagne grâce aux deux branches se dirigeant vers Brest et Quimper.
D'autres exemples de troncs communs démultipliés ou emboîtés peuvent être relevés. Ainsi au nord de Creil la ligne de Lille se dépare d'abord à Longueau de celle de Calais, qui représente près du tiers du trafic de la section située en amont, puis à Arras d'une antenne se dirigeant vers Lens et Dunkerque, à l'activité il est vrai de niveau très modéré (moins de 20%). De même la grande radiale Paris-Strasbourg supporte jusqu'à Epernay des flux de l'ordre de 24 000 voyageurs ; là une première diffluence détourne vers Reims et Charleville-Mézières près de 20% du trafic ; plus loin, à Lérouville, éclatent les courants se dirigeant vers Nancy et Strasbourg d'une part (63% des 15 000 voyageurs), vers Metz et Francfort de l'autre. De manière moins spectaculaire, au-delà des Aubrais, les gares de Vierzon et de Poitiers peuvent être considérées comme également situées en fin de tronc commun ; à Vierzon en effet se détachent de l'artère de Toulouse les flux qui se dirigent vers Bourges et Montluçon (moins de 15% du courant d'origine), et qui se superposent alors au trafic de la transversale Nantes-Lyon ; plus nettement Poitiers marque la séparation des flux Paris-La Rochelle et Paris-Bordeaux, ces derniers étant de loin les plus importants (plus de 80%). Par ailleurs, au sud de Bordeaux, la gare de Dax est le point d'éclatement du courant provenant de Paris en direction d'Hendaye et de Tarbes (un peu moins de 45% de l'ensemble).
Si donc sur un même axe les troncs communs peuvent s'imbriquer les uns dans les autres au fil des centaines de kilomètres, le carrefour de Dijon, avec son satellite de Dôle, offre l'exemple particulier de l'éclatement quasi simultané entre quatre branches du courant considérable qui circule sur l'artère de Paris : 53% environ des 20 000 voyageurs se retrouvent sur la ligne de Lyon, 20% sur celle de Vallorbe-Lausanne, 17% sur celle de Besançon, 10% sur celle de la Bresse.
Beaucoup moins importante, l'activité des artères transversales n'en est pas moins parfois considérable et diversifiée. C'est ainsi que certaines d'entre elles n'acheminent, parfois il est vrai sur de grandes distances, que des flux d'ampleur

La gare de Bordeaux, confluent de plusieurs axes majeurs et plaque tournante de correspondances.

modérée ou faible : ainsi, le trafic des rocades Caen-Le Mans-Tours et Reims-Culmont-Chalindrey, en dehors des sections en tronc commun, est inférieur à 1 500 voyageurs. Oscillant entre 2 800 et 3 600 voyageurs, le courant qui circule entre Bordeaux et Nantes s'explique par les échanges entre les deux agglomérations, mais aussi par ceux induits par des villes moyennes comme Saintes, Rochefort, La Rochelle ou La Roche-sur-Yon, ou qui s'établissent entre Aquitaine et Bretagne. Plus surprenant est le niveau très médiocre des échanges sur d'autres relations. C'est ainsi qu'il descend en dessous des 200 voyageurs entre Rouen et Amiens, en raison de la faiblesse des liens entre les régions du Nord et la Haute-Normandie, et aussi de la qualité discutable des services offerts par la S.N.C.F. sur une ligne de tracé et de profil certes difficiles. Sillonnée par de nombreux trains de marchandises la grande transversale Nord-Est, entre Valenciennes et Thionville, n'achemine, elle, que des flux le plus souvent inférieurs à 2 000 voyageurs : des explications du même type peuvent être évoquées, avec en outre l'attraction que représente le trajet par la capitale, en utilisant un itinéraire plus long mais plus rapide, pour la relation Boulogne-Strasbourg par exemple. Entre Bordeaux et Lyon le courant tombe à moins de 500 voyageurs dans la traversée du Massif Central ; c'est que l'obstacle que constitue ce dernier et la chute des vitesses moyennes jouent un rôle au moins aussi dissuasif que l'éloignement des deux grandes cités aquitaine et rhodanienne.

Mais plusieurs relations transversales connaissent une activité plus importante, de l'ordre de celle de beaucoup de lignes radiales, avec au moins 5 express ou rapides circulant quotidiennement dans chaque sens et pratiquant des vitesses moyennes d'excellent niveau, souvent supérieures à 100 km/h.
Depuis le nord-est de la France deux axes convergent vers la région lyonnaise. La transversale née en Alsace est la plus active puisqu'entre Strasbourg et Mulhouse près de 9 000 voyageurs, les deux sens réunis, sont transportés en moyenne quotidienne ; au-delà de Belfort et surtout de Besançon le trafic fléchit mais sans jamais descendre en dessous des 3 000 voyageurs. La branche lorraine, elle, achemine au contraire des flux plus denses dans sa partie méridionale (4 500 personnes) en raison de l'appoint à Culmont-Chalindrey du courant secondaire provenant de la rocade Reims-Chaumont ; au sud de Dijon elle vient grossir le flot déjà étoffé des trains roulant sur l'itinéraire classique Paris-Lyon.

La ligne transversale Lyon-Nantes, elle, assume une fonction essentielle dans la mesure où elle relie deux grandes agglomérations mais aussi où elle dessert de nombreuses villes moyennes ou importantes, de Roanne à Angers en passant par Moulins, Bourges et Tours ; de plus elle constitue la seule liaison ferroviaire est-ouest de qualité entre les itinéraires tracés par le carrefour parisien et l'artère Bordeaux-Marseille. Aussi

n'est-il pas surprenant que son trafic ne soit jamais inférieur à 3 000 voyageurs, et qu'il dépasse sur certaines sections les 7 000 personnes.
Dans la partie méridionale du pays la ligne Bayonne-Toulouse, (4 à 5 000 voyageurs à l'est de Puyoô), achemine bien des flux de nature transversale, mais qui ne constituent qu'environ le cinquième des courants globaux, très majoritairement en provenance ou à destination de Bordeaux et surtout de Paris, c'est-à-dire de type radial ; mais elle est loin, de toutes manières, de jouer un rôle prépondérant.
Aussi bien en effet dans le domaine ferroviaire que routier ou autoroutier, le corridor Bordeaux-Toulouse-Marseille, constitue la colonne vertébrale du réseau de transport de la moitié sud de la France. Sur les 680 kilomètres de développement de la voie ferrée le nombre des personnes transportées chaque jour est au moins égal à 5 000, les deux sens réunis, pour doubler entre Toulouse et Narbonne, tripler puis quadrupler à l'est de cette ville. C'est que cet axe, d'abord, relie trois des six principales agglomérations françaises ; de plus la ligne Marseille-Vintimille, qui est son prolongement oriental naturel, suscite des courants importants entre Aquitaine, Espagne, Languedoc, Côte d'Azur et Italie ; par ailleurs entre Bordeaux et Tarascon, 8 villes peuplées d'au moins 25 000 habitants s'intercalent entre les plus importantes cités ; enfin l'obstacle du Massif Central incite les voyageurs circulant entre la Gironde et la vallée du Rhône, ou entre Toulouse et Lyon, à choisir tout naturellement ce grand itinéraire, bien tracé et assurant de bout en bout, en moyenne journalière, dans chaque sens une demi-douzaine de relations rapides et bien étalées dans le temps.
Il convient cependant de remarquer, là aussi, que le trafic de cette artère maîtresse Bordeaux-Marseille n'est pas uniquement de nature transversale. En effet entre Toulouse et Narbonne vient se juxtaposer un flux qui s'établit entre la capitale, la cité des violettes, Perpignan et Barcelone ; à l'est de Narbonne la trame des trains est conçue pour prendre en charge les courants de transport des voyageurs entre les grandes villes du Languedoc, Lyon et Paris, avec d'ores et déjà l'arrivée des T.G.V. à Montpellier, puis à Béziers.
Le réseau des lignes qui assurent un trafic de voyageurs notable au moins à moyenne distance se trouve complété, à partir de certaines métropoles de province, par des artères plus courtes que les transversales qui viennent d'être évoquées mais qui acheminent des flux substantiels. Ainsi les lignes Lyon-Genève et Lyon-Grenoble supportent-elles des flux d'au moins 4 000 voyageurs : la relation Strasbourg-Metz assure un trafic du même ordre.
Ce rôle de plaque tournante, à la fois d'ordre régional et interrégional, des principales villes de province est renforcé par l'activité de voies ferrées au trafic certes modeste mais qui complètent opportunément l'éventail des liaisons offertes aux usagers, d'autant plus que leur longueur peut être considérable. Les lignes Bordeaux-Sarlat, Toulouse-Capdenac, Toulouse-Rodez ou Toulouse-Castres, Marseille-Grenoble, Nancy-Belfort offrent de bons exemples.

L'interpénétration et la superposition de ces flux radiaux, transversaux et régionaux donne naissance à une série particulière de troncs communs, souvent importants et drainant des courants complexes.

Section de ligne	Nombre moyen quotidien les deux sens réunis (1986)		Courants superposés et flux dominants
	de voyageurs	de trains de voyageurs	
Reding-Strasbourg	10 800	63	Paris-Strasbourg (66%) Metz-Strasbourg-Bâle
Angers-Nantes	9 950	52	Paris-Nantes (75%) Lyon-Nantes
Montauban-Toulouse	11 000	62	Paris-Toulouse (55%) Bordeaux-Toulouse
Surdon-Argentan	3 300	32	Paris-Granville (60%) Tours-Caen
Belfort-Mulhouse	6 800	50	Lyon-Strasbourg (63%) Paris-Bâle
Saincaize-St-Germain-des-Fossés	7 100	36	Paris-Clermont-Ferrand (55%) Nantes-Lyon
Ambérieu-Culoz	14 000	64	Paris-Savoie (60%) Lyon-Genève-St-Gervais-Italie

Ils se répartissent en deux types. Les trois premiers de ces troncs communs correspondent au modèle le plus simple, avec éclatement en deux branches à une extrémité ; le courant radial l'emporte à chaque fois. Les autres sections marquent, elles, le croisement d'une radiale et d'une transversale ; entre Surdon et Argentan les échanges entre lignes convergentes sont faibles, sauf entre la ligne de Paris et Alençon ; en revanche, ailleurs, des flux tangents au tronc commun l'effleurent à l'une des extrémités au moins : ainsi à Mulhouse le courant circulant entre Strasbourg et Bâle, à Saincaize celui reliant Vierzon à Nevers, à Saint-Germain-des-Fossés celui qui joint Lyon à Clermont-Ferrand. Mais c'est l'artère Ambérieu-Culoz qui se situe au centre du réseau d'échanges le plus compliqué, avec la superposition des itinéraires Paris-Savoie-Italie et Lyon-Genève, mais aussi les relations tangentes Paris-Genève et Lyon-Chambéry-Modane ; par ailleurs sur les raccordements directs construits à Ambérieu et à Culoz circulent sans rebroussement et sans emprunter vraiment le tronc commun des trains Lyon-Strasbourg et Genève-Chambéry-Grenoble-Valence.
D'autres grandes gares de bifurcation, sans se trouver à la tête de troncs communs caractérisés, jouent un rôle essentiel de répartition de flux radiaux et transversaux. La carte montre la nature des responsabilités des gares de Narbonne, Tarascon

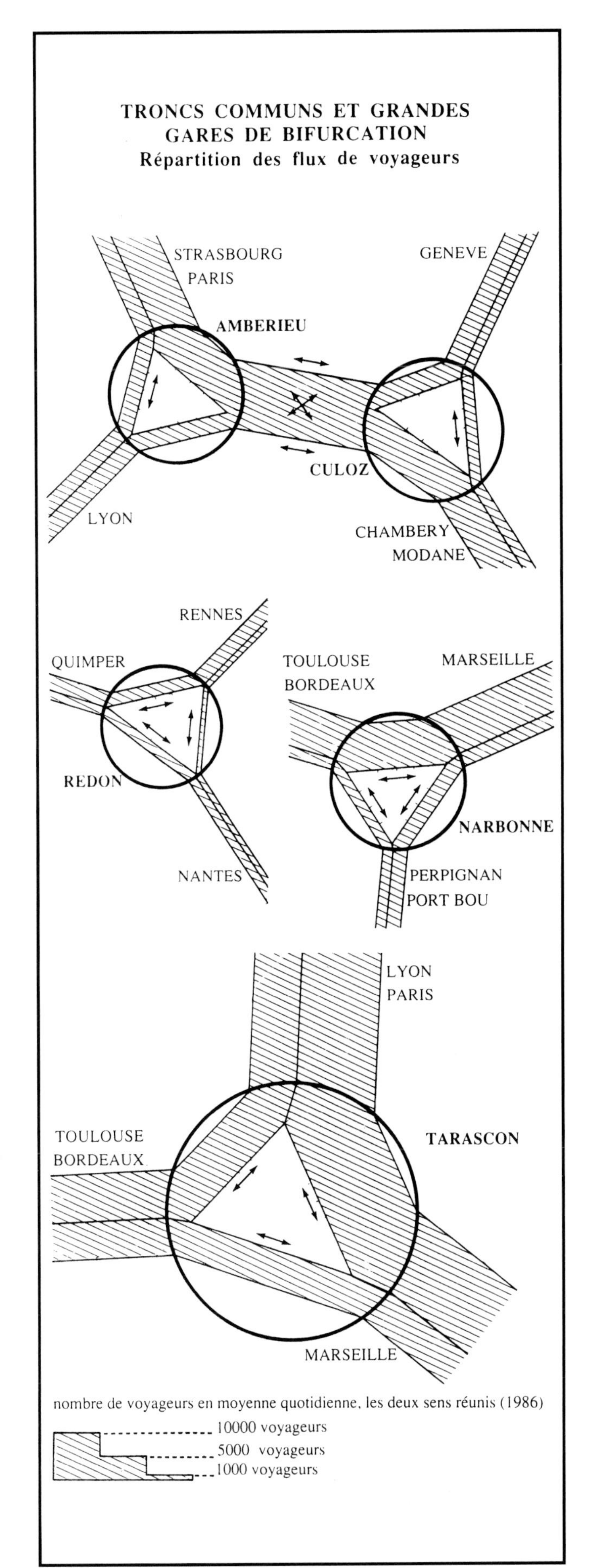

et Redon : situées chacune au centre d'échanges triangulaires et n'ayant à faire face qu'à un trafic local modéré, elles doivent assurer le passage de très nombreux trains, parfois au prix d'un rebroussement, et faciliter sur leurs quais de multiples correspondances.

La trame des grandes relations intérieures

Quotidiennement fonctionne donc entre les villes françaises un système complexe de relations ferroviaires. Vers les gares moyennes ou importantes convergent les trains de niveau régional, qu'ils roulent sur les grandes artères ou sur les lignes secondaires ; dans ces gares les voyageurs devant poursuivre leur route disposent de la trame des trains rapides et express, qui couvre l'ensemble du territoire.

Ces relations sont diurnes ou nocturnes. Rares voire inexistants sur les relations courtes comme Paris-Le Havre ou Paris-Lille, les trains de nuit représentent une proportion d'autant plus importante que les distances augmentent ; ils jouent le rôle le plus accentué sur les itinéraires Paris-Bordeaux-Hendaye (ou Tarbes), Paris-Toulouse, Paris-Strasbourg, et naturellement Paris-Marseille-Vintimille.

Les express et rapides diurnes roulent souvent en milieu de journée. Mais les exigences de la vie moderne, la demande des milieux d'affaires, la concurrence aérienne ont amené la S.N.C.F. à étoffer la trame des trains de matinée et de soirée, dont le rythme n'est cadencé que sur les relations Paris-Lyon, Paris-Rennes et Nantes, desservies par T.G.V. ; ils permettent depuis les grandes villes les plus éloignées de disposer de l'après-midi entier dans la capitale, ou inversement, au prix dans les cas les moins satisfaisants d'un départ aux alentours de 6 heures ou 7 heures, et d'un retour aux environs de minuit.

La trame des relations ferroviaires entre Paris et les autres grandes agglomérations françaises correspond à la force des traditions et réflexes centralisateurs, au dessin général du réseau, à la qualité générale des grands axes radiaux, et plus particulièrement à l'amélioration constante des vitesses pratiquées. C'est ainsi qu'à la fin de 1989, en dehors des lignes nouvelles T.G.V., la vitesse admise portait sur :

- 247 km de voie simple apte à 220 km/h (Paris-Nantes) ;
- 42 km à 210 km/h ;
- 1 045 km à 200 km/h (notamment sur les relations Paris-Bordeaux, Les Aubrais-Vierzon, Valence-Marseille) ;
- 87 km entre 190 et 170 km/h ;
- 7 843 km à 160 km/h répartis sur tous les réseaux ;
- 7 167 km entre 155 et 140 km/h.

L'analyse du tableau page suivante amène à apporter un certain nombre de nuances.

D'abord, grâce à la pratique de vitesses de pointe très élevées sur de longues distances, les moyennes sur l'ensemble des lignes majeures sont remarquables, supérieures globalement à celles relevées sur les réseaux anglais, belge ou ouest-allemand, où il est vrai la présence de villes plus nombreuses sur de plus courts trajets représente d'incontestables contraintes.

Par ailleurs c'est sur les axes radiaux que les vitesses moyennes sont les meilleures. Si les deux lignes nouvelles du T.G.V.

Relation intervilles	Temps de parcours	Km	Meilleure vitesse moyenne hiver 1990
Paris-Lyon-Part-Dieu	2 h 00	426	213 km/h
Paris-Marseille	4 h 40	777	166 km/h
Paris-Bordeaux	2 h 58	568	191 km/h
Paris-Strasbourg	3 h 50	502	131 km/h
Paris-Nantes	1 h 59	387	195 km/h
Paris-Rennes	2 h 04	365	177 km/h
Paris-Lille	2 h 02	253	124 km/h
Paris-Le Havre	1 h 59	228	115 km/h
Paris-Toulouse via Bordeaux	5 h 10	825	160 km/h
Strasbourg-Lyon-P.D.	4 h 38	472	102 km/h
Bordeaux-Marseille	5 h 19	682	128 km/h
Lyon-P.D.-Nantes	6 h 36	650	98 km/h
Nantes-Bordeaux	3 h 53	376	97 km/h
Lille-Strasbourg	5 h 22	512	95 km/h
Bordeaux-Lyon-P.D.	7 h 42	639	83 km/h

pulvérisent les records français, les trains roulent également très vite sur les artères classiques. Les différences, assez peu marquées, qui apparaissent entre elles sont en relation avec soit l'influence négative du relief, comme sur la relation Paris-Toulouse, soit la relativement faible longueur de certaines artères, par ailleurs jalonnées par des villes importantes, comme Paris-Le Havre ou Paris-Lille.
Les vitesses moyennes des convois sur les relations transversales sont dans l'ensemble moins bonnes et aussi très inégales de l'une à l'autre. Elles sont très satisfaisantes sur l'axe Bordeaux-Marseille, électrifié et tracé dans une série de corridors naturels. Ailleurs leur niveau seulement convenable ou modeste s'explique par les conditions, historiques surtout, d'établissement de leur tracé (Nantes-Bordeaux), par la nécessité de desservir de nombreuses villes intermédiaires et d'assurer certaines correspondances aux gares de croisement avec les radiales (Nantes-Lyon), ou par l'obstacle imposé par une topographie difficile (Lyon-Bordeaux), avec souvent combinaison de ces divers facteurs. Il faut noter aussi que les distances séparant les métropoles régionales, et leurs poids démographique ou économique respectifs, n'induisent pas entre elles des courants suffisamment lourds pour justifier la mise en route de trains rapides conçus spécialement ou exclusivement à cette fin.
Dans ces conditions, l'organisation de la desserte sur les principales lignes du réseau privilégie nettement la capitale, admirablement reliée à l'ensemble des grandes villes françaises, aussi bien par la densité de la trame des trains que par les vitesses pratiquées : de Strasbourg, Toulouse ou Marseille par exemple il est possible en se levant tôt et en se couchant peu après minuit de disposer de plusieurs heures de l'après-midi à Paris, ou inversement. Les Lyonnais, eux, bénéficient de ce type de possibilité pour leurs relations avec Lille, Strasbourg, Toulouse, Nantes, mais pas avec Bordeaux. Les autres métropoles, comme le montre la représentation graphique, sont le plus souvent moins bien reliées entre elles : la qualité technique un peu moins satisfaisante des axes transversaux essentiels, les contraintes du relief s'ajoutent au handicap de la situation géographique relativement excentrée de cités comme Strasbourg ou Marseille ; c'est ainsi que la disponibilité de l'après-midi n'est envisageable pour les habitants de la grande cité alsacienne, en dehors de Paris, qu'à Lille et Lyon.
L'importance des flux radiaux, liée donc au poids de l'agglomération parisienne, à son attraction politique, administrative et économique, favorisée par la disposition générale de notre réseau, se trouve encore renforcée par l'intérêt que présente pour de nombreux trajets le détour par la capitale, à l'origine d'appréciables gains de temps : ainsi par exemple entre Bordeaux et Dijon, Amiens et Nancy, Rouen et Tours, grâce aux multiples possibilités de correspondance entre gares parisiennes. Très rares encore, les trains directs interrégionaux empruntant entre lignes radiales, la Grande Ceinture, comme le Flandres-Riviéra, ne peuvent que se multiplier dans le cadre de l'extension du réseau T.G.V. : déjà existent d'excellentes relations Lille-Lyon et Rouen-Lyon.
Sur les diverses grandes artères roulent également des trains qui au-delà des frontières assurent des relations internationales variées.

Les échanges internationaux

Ce trafic, qui représente globalement moins du sixième des voyageurs empruntant les trains express et rapides de la S.N.C.F., se traduit concrètement tout de même par un flux quotidien moyen de 45 000 personnes environ. Le tableau montre une ventilation très inégale entre les divers pays :

Italie	25,5%	Espagne	7,7%
Suisse	16,4%	Pays-Bas	4 %
Belgique	14,5%	Portugal	2 %
Allemagne Fédérale	14,4%	Luxembourg	1,8%
Royaume-Uni	11,8%	Autriche	1,5%

Divers : 0,4%

Les excellentes places de l'Italie et de la Suisse s'expliquent avant tout par leur attrait au plan touristique. Le poids économique de la République Fédérale Allemande, le rôle de la Belgique et de Bruxelles au sein de la Communauté Européenne, la proximité de régions françaises comptant parmi les plus peuplées justifient les courants qui s'établissent entre la France et ces deux pays. En revanche les conditions actuelles de franchissement de la Manche ne peuvent que freiner les échanges ferroviaires avec l'Angleterre, tandis que la faiblesse relative de ceux qui s'établissent avec la péninsule ibérique (moins de 10% du total) est surtout en relation avec les conditions de fonctionnement du réseau ferré espagnol : la différence d'écartement des rails qui impose de lourdes sujétions au passage de la frontière puisque seules les rames "Talgo" peuvent rouler sur les deux types de voie, la difficulté des tracés sont à l'origine de vitesses moyennes très inférieures à celles pratiquées en France ; le handicap est d'autant plus lourd que les distances sont considérables, entre les grandes métropoles ibériques et Paris par exemple.

"Flèche d'Or", "Simplon Orient Express", "Sud-Express" : appellations prestigieuses qui évoquent l'âge d'or des trains internationaux de luxe, nés avant la seconde guerre mondiale. Le fait que cette page ait été tournée, en raison d'une diminution quantitative marquée de la clientèle riche et de la concurrence de plus en plus vive de l'avion, ne signifie pas, bien loin de là, le déclin global du transport international des voyageurs par chemin de fer. Avec l'augmentation des échanges économiques et culturels entre les pays de l'Europe occidentale la demande a évolué, dans le sens d'une profonde démocratisation. A partir de 1956 la toile d'araignée des excellentes relations accélérées "TransEuropExpress" (T.E.E.), limitées à la première classe, s'est tissée sur l'ensemble de l'Europe de l'Ouest. Elles ont dû à leur tour céder la place, à partir de 1986, aux trains du réseau "Eurocity", au moins aussi rapides, accessibles aux voyageurs des deux classes.
Actuellement la trame des liaisons régulières directes entre Paris et les principales métropoles européennes est d'un niveau correct, adapté au trafic potentiel. Sur les relations de longueur relativement courte l'avion est un rival moins efficace : aussi la desserte sur Paris-Bruxelles ressemble-t-elle beaucoup à celle de l'artère Paris-Lille, en ce qui concerne le nombre de trains, leur vitesse commerciale et la durée du trajet.

Nombre moyen de relations quotidiennes directes au départ de Paris vers

Munich-Vienne	3	Amsterdam	6
Francfort	5	Madrid (+ corresp. à la frontière)	3
Bâle	5	Barcelone (+ corresp. à la frontière)	1
Zurich	3	Genève	5
Luxembourg	5	Lausanne	6
Cologne	6	Milan (+ corr. à Lausanne et Turin)	3
Londres	8	Turin	3
Bruxelles	11	Rome	2

Phénomène déjà remarqué sur les itinéraires intérieurs français mais amplifié, les relations les plus longues sont essentiellement assurées par des trains circulant la nuit, comme les liaisons Paris-Rome par exemple ; en revanche les convois de jour dominent de manière écrasante entre Paris et les pays du Bénélux.
Il s'ensuit que sauf la gare Montparnasse, toutes les grandes gares de la capitale sont le point de départ ou d'arrivée de rapides internationaux, ce qui accentue la coloration et le cosmopolitisme de leur activité.
Pourtant réduire le trafic international des voyageurs aux flux qui touchent Paris serait une erreur. En effet, en raison de sa position centrale au sein de l'Europe de l'ouest, la France est traversée par des courants qui lui sont étrangers et qui circulent loin de la capitale, même si les trains qui les acheminent peuvent être utilisés par des voyageurs français sur une partie de leur parcours. Ce sont les lignes du nord-est qui sont les plus sollicitées dans ce domaine, avec en particulier une sensible concentration de rapides internationaux sur l'itinéraire Metz-Strasbourg-Mulhouse, où roulent en moyenne quotidienne dans chaque sens 2 convois Calais-Bâle, 4 Bruxelles-Luxembourg-Bâle ; mais sont tracées également sur nos axes ferroviaires, entre Cerbère et Vintimille, des relations qui joignent Barcelone à Rome. Par ailleurs des trains ou au moins des voitures directes relient certaines grandes villes françaises et étrangères, comme Nice à Bruxelles ou à Genève, Bordeaux à Milan, tandis que de denses relations de proximité s'établissent de part et d'autre des frontières, entre l'Alsace et les pays rhénans allemands, la Côte d'Azur et la Riviera ligure italienne par exemple.
Ainsi la vocation européenne de la France se trouve-t-elle affirmée dans le domaine ferroviaire comme dans d'autres, d'autant plus qu'au trafic assuré par des trains internationaux, qui parcourent parfois de très longues distances, s'ajoutent les flux, secondaires mais réels, acheminés grâce au jeu des correspondances, par exemple entre l'Espagne et le Bénélux avec changement à Paris.
Enfin il faut dès maintenant prévoir que l'extension de la trame des T.G.V. non plus seulement nationale mais résolument ouest-européenne dans un proche avenir, ainsi que le forage du tunnel sous la Manche, vont profondément modifier les conditions et la structure des échanges internationaux de voyageurs (voir chapitre V), et donc le visage de notre réseau.

La gare d'Hendaye, point-frontière occidental du trafic Franco-Espagnol.

LE TRAFIC DE BANLIEUE

Aux antipodes des grands rapides franchissant les frontières, d'autres trains jouent autour des principales villes un rôle moins prestigieux, plus obscur mais tout aussi essentiel, en permettant le mouvement pendulaire journalier des personnes actives et donc le fonctionnement des principaux centres économiques du pays.

En France comme ailleurs en effet les conditions de la vie moderne font que les lieux de travail et d'habitat sont loin de coïncider. Cette discordance, particulièrement sensible dans les grandes agglomérations et autour d'elles, pose l'épineux problème des migrations quotidiennes. Quelles que soient les priorités accordées au plan local par les autorités responsables soit aux transports individuels, soit aux transports en commun, le chemin de fer est toujours présent et occupe une place importante en raison de sa capacité de répondre à une demande diversifiée et massive.

Une première remarque s'impose. La séparation entre les trains de grandes lignes et de banlieue, au plan fonctionnel, n'est pas complètement étanche dans la mesure où la trame des rapides et express, à l'approche des principales villes, est utilisée le matin et le soir des jours ouvrables par de nombreux travailleurs titulaires de cartes d'abonnement.

Ce phénomène est particulièrement marqué autour de la capitale : depuis Rouen, Amiens ou Orléans par exemple, au prix certes d'un trajet d'une heure environ, il est possible en se levant vers 5 heures de se retrouver avant 7 heures dans l'une des grandes gares parisiennes ; en fin d'après-midi le retour s'effectue dans des conditions du même ordre.

Les flux de banlieue autour des villes de province

L'essentiel des migrations quotidiennes de travailleurs en dehors de la région parisienne est assuré par des trains régionaux, qu'ils soient directs ou omnibus, desservant autour du pôle citadin des régions plus ou moins urbanisées, parfois rurales, mais à l'origine de courants journaliers plus ou moins étoffés.

Généralement, autour des grandes villes de province, l'ampleur de ce trafic de banlieue, au sens très large du terme, ne justifie pas la mise en place d'installations spécifiques : dans les principales gares de province les voies à quai accueillent indifféremment convois de grandes lignes ou locaux, avec il est vrai une utilisation réservée à ces derniers des voies courtes en impasse, quand elles existent. De même les voies d'accès et de sortie sont les mêmes pour les deux types de flux, sauf sur quelques sections très limitées comme le tronçon Lyon-Chasse-sur-Rhône.

L'importance de ce trafic de banlieue dépend à la fois du poids de l'agglomération centrale, de celui des cités satellites, de la distance aussi qui les sépare : si l'attraction diminue avec l'accumulation des kilomètres, en revanche la proximité immédiate favorise d'autres moyens de transport, individuels ou collectifs, au détriment du chemin de fer. C'est au-delà d'un parcours d'une dizaine de kilomètres que le chemin de fer réussit le plus souvent une intéressante percée, surtout s'il atteint ou traverse plusieurs villes d'au moins 5 à 10 000 habitants.

Aussi n'est-il pas étonnant que le volume du trafic de banlieue soit moins important autour du carrefour toulousain qu'autour d'autres grands ensembles urbains : à peu de distance de Bordeaux la présence de villes comme Libourne, Langon ou Arcachon induit des flux quotidiens moyens de respectivement 2 500, 2 000 et 2 500 voyageurs ; de même des échanges suivis se développent sur l'itinéraire Nantes-Savenay-Saint-Nazaire. Au niveau supérieur tous les matins convergent vers les gares de Marseille et surtout de Strasbourg plusieurs dizaines de trains provenant de Miramas, Aix et Toulon, de Saverne, Haguenau, Colmar et Molsheim ; en soirée se déclenche le processus inverse.

Ce mouvement pendulaire se remarque autour de cités de poids plus modeste mais dont l'attraction se traduit par un accroissement du trafic ferroviaire à courte distance, pour peu que le dessin du réseau s'y prête. A l'opposé il s'ordonne avec une plus forte complexité dans trois régions, celles de Lyon, du Nord, de Lorraine, fortement urbanisées et organisées chacune autour de plusieurs villes importantes.

La grande métropole rhodanienne est la destination et l'origine de flux quotidiens d'environ 12 000 voyageurs. Ceux-ci utilisent matin et soir les trains mis en service sur une dizaine d'artères surgissant de toutes les directions, depuis Mâcon, Roanne, Saint-Rambert-d'Albon, Ambérieu, Vienne et Saint-Etienne. Ils sont accueillis à Lyon même dans trois gares : celle de Saint-Paul ne joue qu'un rôle mineur (10% du trafic), n'étant le point de départ que des lignes de l'Arbresle et Lozanne ; celle de la Part-Dieu, récente et vouée surtout à l'activité des grandes lignes, assure tout de même plus de 25% de ce trafic local, dont la plus grande partie est donc prise en charge par l'ancienne gare de Perrache, remarquablement située au cœur de la ville et très bien desservie par les moyens de transport intra-urbains.

Principal courant de banlieue, la relation Lyon-St-Etienne bénéficie d'un sort particulier : depuis 1976 en effet fonctionne entre les deux villes le service STELYRAIL. Créé par la S.N.C.F. grâce à la participation des collectivités locales des départements du Rhône et de la Loire, il se caractérise par la mise en circulation de rames adaptées à la nature des échanges, par une fréquence élevée et une desserte cadencée. L'amélioration sensible des liaisons entre les deux grandes agglomérations comptant respectivement plus d'un million et plus de 300 000 habitants, reliées par un chapelet de petites localités, s'est traduite par une augmentation en 12 ans de près de 60% du volume des échanges ferroviaires dans ce corridor.

Globalement plus peuplée est la région du Nord-Pas-de-Calais, où malgré les difficultés actuelles l'industrie continue de jouer un rôle dominant. Si à elle seule la conurbation lilloise atteint le million d'habitants, 12 agglomérations réparties sur 150 kilomètres environ comptent au moins 50 000 habitants chacune. Aussi les échanges journaliers à courte distance sont-ils à la fois denses et très diversifiés, dans la mesure où

Avec la disparition progressive des lignes rurales, les services régionaux ne sont appelés à subsister que pour la desserte des banlieues des villes de province ou pour des relations semi-directes entre centres urbains. Ces services, en pleine expansion, sont désormais dotés de matériels modernes qui, comme ces rames réversibles régionales, portent des teintes choisies par les régions qui les conventionnent.

l'attraction de Lille, dominante, n'est pas écrasante. Tous les matins et soir des jours ouvrables plus d'une centaine de trains locaux amènent sur leur lieu d'activité et ramènent ouvriers, employés, cadres, étudiants, lycéens, au nombre de plusieurs milliers. Les axes les plus chargés convergent vers la capitale française des Flandres, mais joignent également Valenciennes à Douai, Lens à Béthune ou encore les villes de l'intérieur aux ports de Boulogne, Calais et Dunkerque. Comme dans la banlieue lyonnaise, l'intervention financière des collectivités territoriales, et en particulier de la région Nord-Pas-de-Calais, est à l'origine d'un plan de développement des transports collectifs par voie ferrée qui depuis 1978 se traduit par de sensibles améliorations du service offert, et un regain d'activité.

Les caractéristiques des échanges régionaux et locaux en Lorraine industrielle sont assez largement différentes. Quelle que soit en effet l'importance de l'agglomération nancéienne, avec plus de 300 000 habitants, l'ampleur de celles de Metz (près de 200 000 habitants) et de Thionville (140 000) constitue d'appréciables contrepoids, à proximité immédiate du bassin sidérurgique lorrain. Aussi l'organisation générale du trafic de banlieue est-elle ici de type linéaire, avec un axe principal desservant le sillon mosellan : de Thionville à Nancy et, au-delà, jusqu'à Lunéville circulent les trains de la trame METROLOR ; créée dès 1972 grâce à une convention entre la SNCF et les collectivités départementales concernées, elle se concrétise par des rames de présentation unifiée et une desserte cadencée : actuellement chaque jour ouvrable METROLOR transporte près de 10 000 voyageurs. Son succès a entraîné en 1975 le lancement des relations METROVOSGES, d'ambitions certes plus modestes entre Nancy d'une part, Epinal et Saint-Dié de l'autre.

Autour des grandes métropoles régionales se développe donc un trafic de banlieue plus ou moins important, en fonction du poids particulier et de la capacité d'attraction de chacune d'elle, des caractères du réseau urbain environnant, des activités économiques dominantes. Ce n'est pas un hasard si les gares de province fréquentées par les flux journaliers les plus denses sont dans l'ordre celles de Lille, Strasbourg, Lyon et Marseille.

Mouvements pendulaires des travailleurs, noria des trains, desserte cadencée se retrouvent mais à une toute autre échelle, dans la région parisienne.

L'extrême densité du trafic de banlieue en région parisienne

L'activité ferroviaire dans la banlieue de la capitale se signale en effet d'abord par son énormité.

En 1989, le volume global du trafic a représenté plus de 482 000 000 de trajets, c'est-à-dire environ 1 500 000 en moyenne chaque jour ouvrable : les trains de la banlieue parisienne accueillent ainsi près de 15% du nombre total de voyageurs/kilomètres, plus de 60% de celui des voyageurs de l'ensemble du réseau de la S.N.C.F. Plus de 1 200 rames entrent et sortent quotidiennement de la gare Saint-Lazare, qui lors

Ci-dessus, affluence coutumière des heures de pointe sur la ligne C du RER.

de la pointe de soirée voit passer près de 60 000 voyageurs dans l'heure : un train part alors toutes les 45 secondes !
Cette ampleur exceptionnelle des échanges correspond à l'importance de l'agglomération, peuplée de plus de 10 000 000 d'habitants, à son extension spatiale, à l'éloignement souvent très marqué des pôles d'activité économiques, administratifs ou culturels par rapport aux ensembles urbains à vocation résidentielle. Les incontestables efforts consentis depuis une quinzaine d'années surtout pour restructurer la région parisienne dans le sens d'un aménagement plus rationnel, ont certes abouti à la profonde transformation de secteurs anciens et à la floraison de villes nouvelles comme Cergy, Evry, Saint-Quentin-en-Yvelines, Marne-la-Vallée ; si la structure des déplacements internes s'en trouve modifiée la nécessité de faire face à une demande toujours considérable n'en demeure pas moins très grande, d'autant plus que les pouvoirs publics ont désormais pris pleinement conscience du rôle irremplaçable des transports en commun.

Le réseau ferroviaire de banlieue, pour l'essentiel, étend ses tentacules dans un rayon d'une soixantaine de kilomètres autour du centre de la capitale, et dans toutes les directions. La disposition radiale domine de manière écrasante, avec au départ des grandes gares des troncs communs très chargés qui se démultiplient au fil des kilomètres, les éventails les plus épanouis étant dessinés par les lignes des banlieues des gares Saint-Lazare et du Nord. Seule la relation Juvisy-Versailles par

Page ci-contre et ci-dessous : avec 1200 mouvements de trains par jour, la tranchée des Batignolles est rarement inoccupée, tandis que la gare Saint-Lazare voit partir un train toutes les 45 secondes à l'heure de pointe du soir.

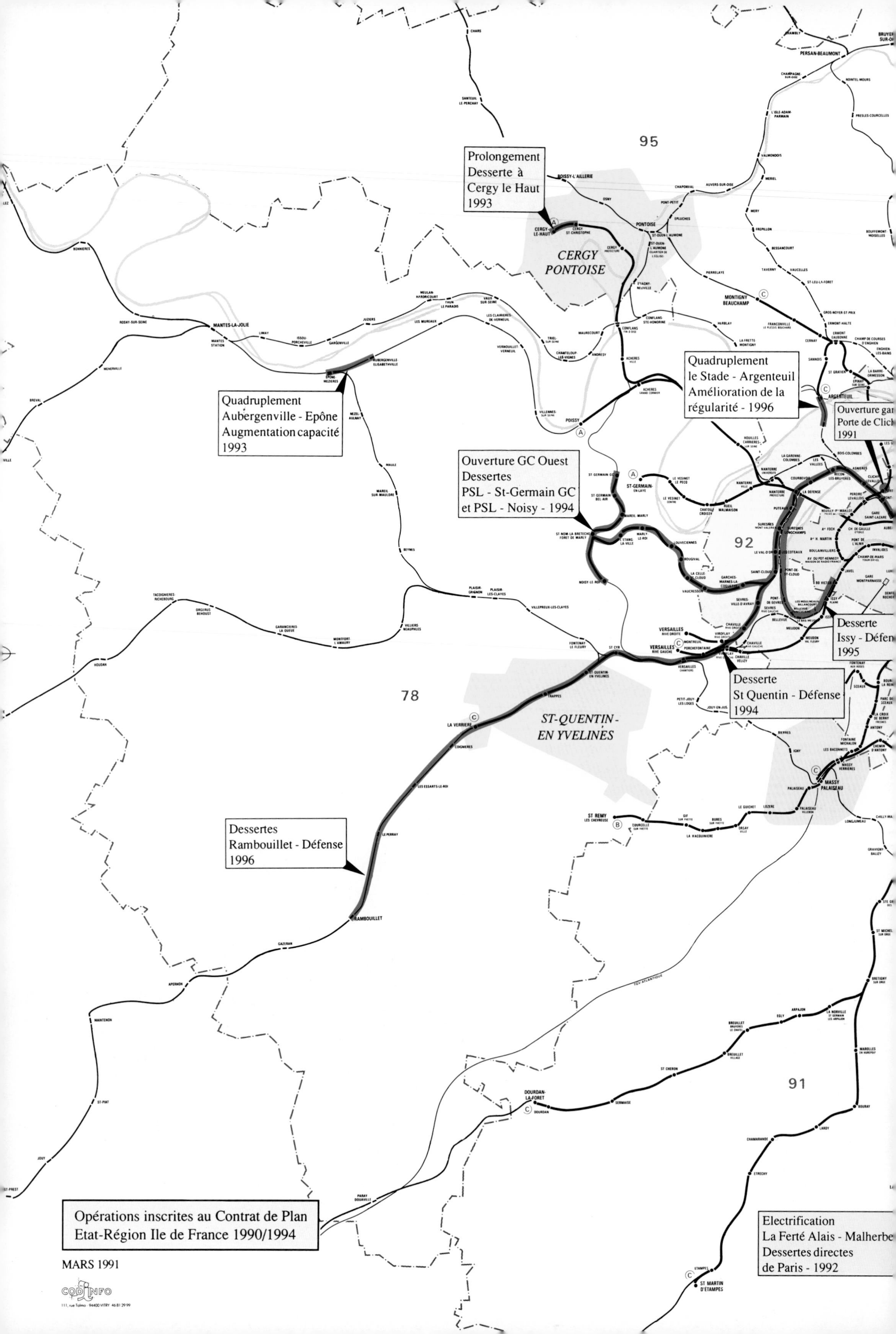

95
Prolongement
Desserte à
Cergy le Haut
1993
CERGY
PONTOISE
Quadruplement
Aubergenville - Epône
Augmentation capacité
1993
Quadruplement
le Stade - Argenteuil
Amélioration de la
régularité - 1996
Ouverture gar
Porte de Clic
1991
Ouverture GC Ouest
Dessertes
PSL - St-Germain GC
et PSL - Noisy - 1994
92
Desserte
Issy - Défen
1995
Desserte
St Quentin - Défense
1994
78
ST-QUENTIN-
EN YVELINES
Dessertes
Rambouillet - Défense
1996
91
Opérations inscrites au Contrat de Plan
Etat-Région Ile de France 1990/1994
Electrification
La Ferté Alais - Malherbe
Dessertes directes
de Paris - 1992
MARS 1991
CODINFO

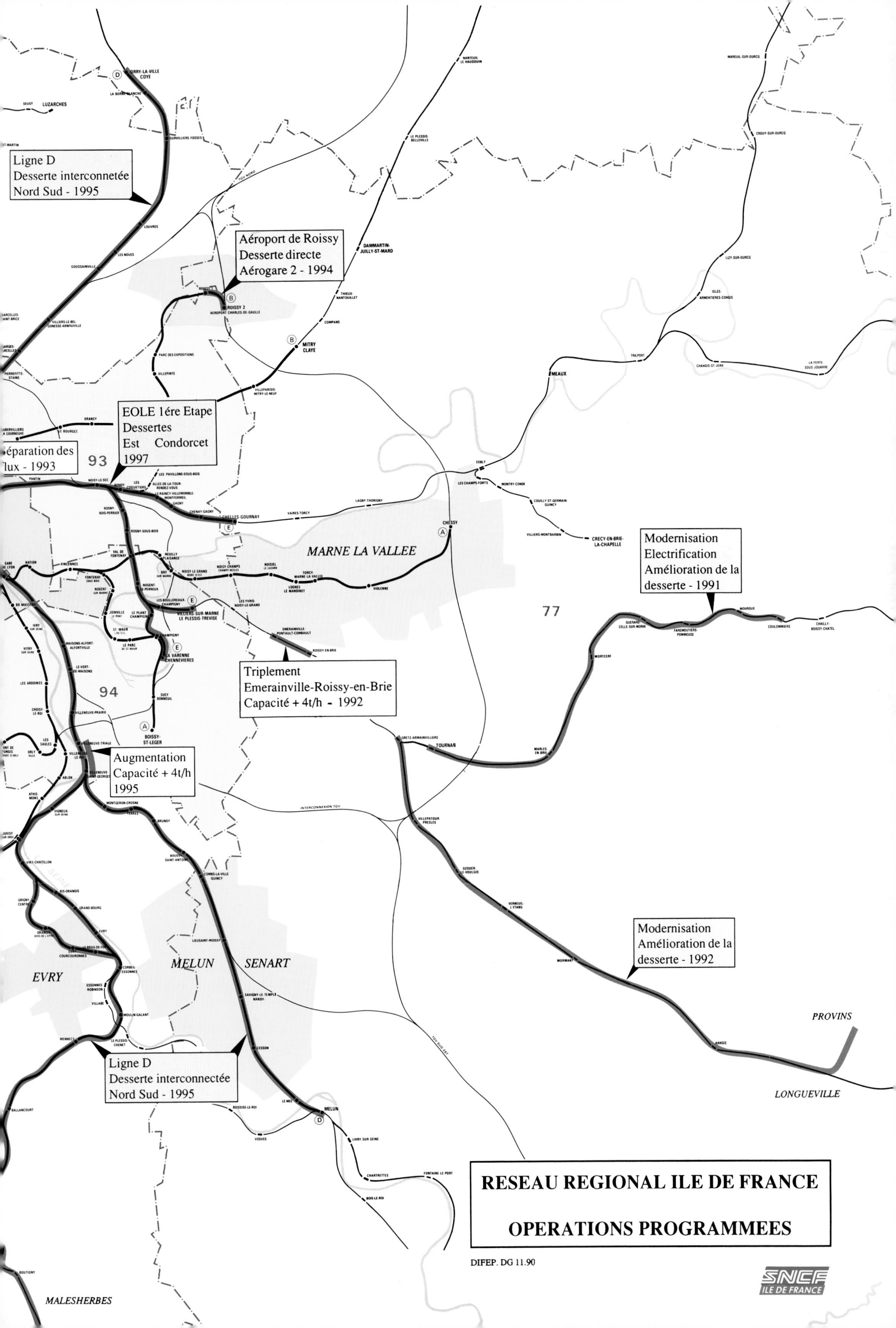

Ligne D
Desserte interconnetée
Nord Sud - 1995
Aéroport de Roissy
Desserte directe
Aérogare 2 - 1994
EOLE 1ére Etape
Dessertes
Est Condorcet
1997
éparation des
lux - 1993
93
MARNE LA VALLEE
Modernisation
Electrification
Amélioration de la
desserte - 1991
77
Triplement
Emerainville-Roissy-en-Brie
Capacité + 4t/h - 1992
94
Augmentation
Capacité + 4t/h
1995
Modernisation
Amélioration de la
desserte - 1992
PROVINS
LONGUEVILLE
EVRY
MELUN
SENART
Ligne D
Desserte interconnectée
Nord Sud - 1995
MALESHERBES
RESEAU REGIONAL ILE DE FRANCE
OPERATIONS PROGRAMMEES
DIFEP. DG 11.90
SNCF
ILE DE FRANCE

Massy-Palaiseau, qui utilise une section de la Grande Ceinture relativement peu chargée dans le domaine du transport des marchandises, établit une liaison de type transversal de grande longueur ; aussi le chemin de fer ne joue-t-il malheureusement à l'heure actuelle qu'un rôle effacé dans les échanges entre banlieues.
Cet énorme trafic de banlieue ne peut coexister avec celui des voyageurs de grandes lignes et des marchandises que grâce à des infrastructures très largement spécialisées. C'est ainsi que dans la proche banlieue (moins de 25 kilomètres de Paris) les trains roulent souvent sur des lignes complètement indépendantes consacrées exclusivement à la banlieue, comme celle joignant Paris-Saint-Lazare à Versailles-Rive-Droite ; quand ils circulent sur les grands axes aux voies quadruplées ou sextuplées ils empruntent alors celles réservées aux convois les plus lents ; en revanche en grande banlieue, où la trame est moins serrée, les trains des diverses catégories doivent souvent utiliser les mêmes voies dans la mesure où les sections quadruplées sont plus rares. De même, dans les grandes gares de Paris, les rames de banlieue sont dirigées sur des voies à quai qui leur sont spécialement affectées ; à Saint-Lazare en particulier chaque ligne de banlieue est autonome, avec des voies d'accès, de sortie et à quai complètement indépendantes tandis que les diverses gares souterraines de la capitale accueillent exclusivement les banlieusards.

Jusqu'en 1977 ce trafic de banlieue aboutissait ou prenait naissance en totalité dans des gares en impasse. Or depuis longtemps des plans avaient été élaborés sur le thème de l'établissement de liaisons entre ces gares, dans Paris même, qui prolongeraient les lignes anciennes : cette interconnexion devait présenter deux avantages, d'abord faciliter la desserte des divers quartiers de la capitale, en particulier ceux du centre, ensuite favoriser les échanges entre banlieues éloignées, parfois opposées géographiquement. Compte tenu des difficultés techniques liées à ces travaux, de leur coût en milieu urbain très dense, c'est seulement en 1977, avec la mise en service de la ligne Saint-Germain-en-Laye-Boissy-Saint-Léger, que ces ambitieux projets ont pris corps. Depuis, de spectaculaires opérations ont été réalisées, comme le percement des jonctions Invalides-Orsay et gare du Nord-Châtelet-Luxembourg. Actuellement le R.E.R., Réseau Express Régional, constitué d'artères interconnectées gérées par la S.N.C.F. et la Régie Autonome des Transports Parisiens (RATP), couvre la capitale et la banlieue d'une trame de plus en plus serrée et homogène, qui se superpose dans Paris même au réseau du Métropolitain et en banlieue aux autres relations offertes par la S.N.C.F. La carte montre la disposition orthogonale des lignes A et B, se croisant au Châtelet, et à chacune de leurs extrémités l'existence de fourches à deux branches ; alors que les trains de la ligne D ne dépassent pas vers le sud la station du Châtelet, la ligne C, elle, qui coupe la ligne B à la station Saint-Michel, présente un tracé général en encorbellement qui épouse le cours de la Seine et résulte de la juxtaposition des anciens axes limités aux gares d'Orsay et des Invalides ; si dans ces conditions le parcours de bout en bout ne présente que peu d'intérêt, en revanche les voyageurs en provenance de l'ouest ou du sud de la région parisienne peuvent désormais atteindre aisément la plupart des secteurs de la capitale où se concentre l'activité commerciale, administrative et intellectuelle. Ce réseau est en constante évolution, comme le montre la mise en service en 1988 de la "VMI", relation entre la vallée de Montmorency et la gare des Invalides, qui pénètre en diagonale dans la capitale en recoupant la ligne A et en se raccordant à la ligne C.
Depuis la naissance de ce R.E.R. la répartition des principaux flux de voyageurs dans la banlieue parisienne s'est sensiblement modifiée, même si des constantes peuvent s'observer. D'abord sur chaque axe les courants, souvent ténus à l'origine, s'épaississent peu à peu en se rapprochant de Paris ; afin

Page ci-contre, le Val d'Argenteuil, une de ces nombreuses gares de banlieue associées à un immense ensemble d'immeubles collectifs.

Ci-contre, la ville nouvelle d'Evry, pour laquelle a été construite une ligne reliée à la banlieue Paris-Lyon dans le milieu des années 70. Il y avait alors pratiquement 40 ans que l'on n'avait pas construit de ligne de chemin de fer en France...

de faire face à cette augmentation progressive de la demande de transport, le service est étoffé sur les sections terminales par de nombreux trains supplémentaires, à partir de gares terminus intermédiaires au-delà desquelles les rames parties de la station tête de ligne, omnibus jusque-là, deviennent directes.

Ensuite le succès foudroyant du Réseau Express Régional se traduit par l'énormité du trafic sur les tronçons centraux de ses lignes : 270 000 voyageurs en moyenne quotidienne les jours ouvrables circulent sur la ligne C, 440 000 sur la ligne B, tandis que sur la ligne A les records sont pulvérisés avec 810 000 personnes ! Mais les grandes gares parisiennes qui ne sont pas desservies par le R.E.R. voient elles aussi s'écouler des flux considérables ; ainsi les gares Montparnasse, de Lyon et de l'Est voient respectivement passer environ 80, 110 et 160 000 personnes, tandis que celle de Saint-Lazare, qui était menacée dans sa primauté par la gare du Nord avant la mise en service de la ligne B du R.E.R., est fréquentée quotidiennement par plus de 400 000 banlieusards. Le fait que chaque voyageur effectue le plus souvent deux de ces trajets journaliers n'enlève rien, au contraire, à l'ampleur de ces échanges, que l'activité intense régnant dans les stations de correspondance du Châtelet et de Saint-Michel illustre bien.

Hors de Paris même certaines gares sont à l'origine ou à destination de courants particulièrement importants, en fonction de la population des villes, de la distance qui les sépare de la capitale : le volume du trafic de plusieurs d'entr'elles dépasse les 20 000 voyages quotidiens chaque jour ouvrable, c'est-à-dire 10 000 personnes effectuant un aller retour :

Versailles (ensemble des trois gares)	36 000	Juvisy	23 000
Pontoise	26 000	Argenteuil	22 000
Garges-Sarcelles	26 000	Aulnay-sous-Bois	20 000

Ce classement reflète le poids particulier des échanges entre Paris et les localités périphériques de l'ouest et du nord, dont la très forte urbanisation s'explique en grande partie par l'essor des voies ferrées dès le 19e siècle.

Comme tous les organismes vivants, le réseau de la banlieue parisienne et en particulier le R.E.R. grandissent, évoluent en posant des problèmes qui sont avant tout de croissance. En effet l'aménagement du vaste ensemble de loisirs d'Eurodisneyland à l'est de la capitale va amener le prolongement au-delà de Torcy de la ligne A. Par ailleurs le très récent raccordement (1988) de la ligne de Cergy à cette ligne A en gare de Nanterre-Préfecture, puis la dérivation en 1989 des trains de l'artère de Poissy doivent très rapidement amener à la première ligne du R.E.R. 100 000 voyages journaliers supplémentaires ; de même le branchement de la V.M.I., en provenance de la vallée de Montmorency, sur la ligne C doit apporter à cette dernière environ 190 000 usagers supplémentaires. Aussi est-il aisé de comprendre l'ampleur des difficultés que représente le bon écoulement du trafic. L'asphyxie du réseau, qui serait victime de son succès, ne peut être évitée que par l'étude et la mise en œuvre de toute une série de solutions, comme la progression de l'automatisation de la gestion de la circulation grâce à l'informatique, et surtout la généralisation progressive du matériel à 2 niveaux sous forme de rames automotrices. Mais l'augmentation prévisible des échanges à l'horizon de l'an 2000 semble telle qu'au-delà de l'amélioration du débit des lignes actuelles, le Réseau Express Régional ne pourra faire face à ses missions que grâce à des opérations d'envergure comme le triplement ou le quadruplement de certaines sections ou la création de liaisons nouvelles, en particulier dans Paris même. C'est à ce souci que répond le Projet Eole mis au point par la SNCF et qui devrait voir le jour pour 1997. Il consiste à rabattre partiellement le trafic de la banlieue Est sur un nouveau tracé souterrain, desservant les gares du Nord et de Saint-Lazare.

LE CLASSEMENT D'ENSEMBLE DES GARES FRANÇAISES

Etablir le classement des grandes gares françaises en fonction de leur niveau d'activité est une opération tentante mais difficile en raison de la nature des flux dominants, de banlieue ou de grandes lignes, et des critères choisis : nombre de trains, nombre de voyageurs à l'entrée, à la sortie ou en correspondance, distances parcourues par eux. La confrontation des tableaux ci-dessous permet toutefois de dégager quelques lignes de force (1).

Nombre de trains de voyageurs de toutes les catégories, en moyenne quotidienne entrant dans les gares et en partant (les trains de banlieue traversant les gares du Nord et d'Austerlitz ne sont comptés qu'une fois)

1 Paris-Saint-Lazare	1 386	9 Dijon	313
2 Paris-Nord	1 134	10 Marseille	265
3 Paris-Est	683	11 Strasbourg	264
4 Paris-Lyon	644	12 Toulouse	245
5 Paris-Austerlitz	603	13 Nancy	230
6 Lyon (Perrache + Part-Dieu)	557	14 Bordeaux	229
		15 Rouen	189
7 Paris-Montparnasse	442	16 Nice	180
8 Lille	325	17 Nantes	152

Nombre total de voyages de plus de 100 kilomètres à l'arrivée et au départ de l'ensemble des gares des principales agglomérations (moyenne quotidienne)

1 Paris	158 000	14 Dijon	6 100
2 Lyon	22 000	15 Avignon	5 800
3 Marseille	11 000	16 Valence	5 800
4 Bordeaux	9 900	17 Nantes	5 700
5 Orléans	8 800	18 Montpellier	5 000
6 Toulouse	8 200	19 Toulon	5 000
7 Lille	8 100	20 Nancy	4 900
8 Rouen	8 100	21 Amiens	4 400
9 Strasbourg	7 800	22 Le Mans	4 300
10 Caen	6 700	23 Reims	4 300
11 Tours	6 400	24 Metz	4 100
12 Rennes	6 300	25 Mulhouse	4 100
13 Grenoble	6 300	26 Angers	4 100
		27 Nice	4 000

Nombre total de voyageurs "grandes lignes" des gares de Paris à l'arrivée et au départ (moyenne quotidienne)

1 Paris-Lyon	73 000	4 Paris-Est	34 000
2 Paris-Austerlitz	45 000	5 Paris-Montparnasse	31 000
3 Paris-Nord	40 000	6 Paris-Saint-Lazare	29 000

Nombre total de voyageurs à l'arrivée et au départ, grandes lignes et banlieue (moyenne quotidienne)

1 Paris-Saint-Lazare	460 000	9 Lyon-Part-Dieu	30 000
2 Paris-Nord	380 000	10 Lyon-Perrache	29 000
3 Paris-Lyon	240 000	11 Marseille-Saint-Charles	27 000
4 Paris-Est	213 000	12 Toulouse-Matabiau	21 000
5 Paris-Montparnasse	130 000	13 Nice	19 000
6 Paris-Austerlitz	110 000	14 Bordeaux-Saint-Jean	17 000
7 Lille	45 000	15 Nantes	16 000
8 Strasbourg	35 000	16 Rennes	13 000
		17 Rouen	12 000

La première constatation qui s'impose est celle de la prépondérance absolue des grandes gares parisiennes, qui sur tous les plans surclassent celles de province. Dominées dans le domaine de la banlieue par les gares Saint-Lazare et du Nord, celles de Lyon et d'Austerlitz prennent leur revanche avec les trains express et rapides, sans toutefois les rejoindre au plan de l'activité globale, comme le montre le dernier tableau. Avec près d'un demi-million de voyageurs qui arpentent chaque jour ses quais la gare Saint-Lazare s'affirme comme l'une des premières gares d'Europe : nulle part ailleurs en effet n'émerge une semblable accumulation de flux importants dans le domaine des grandes lignes et un aussi énorme trafic de banlieue.

Ensuite, il apparaît que la hiérarchie des grandes gares de province correspond à celle de la population des principales agglomérations, surtout si les deux gares lyonnaises de Part-Dieu et de Perrache sont considérées comme une entité. Par ailleurs comment ne pas remarquer l'attraction exercée par Paris et par la qualité des relations ferroviaires radiales dans le bassin parisien avec, dans le tableau du nombre de voyages de plus de 100 kilomètres, l'excellent classement de villes comme Orléans, Rouen, Caen, Tours, Amiens, Le Mans ou Reims, qui s'intercalent au milieu d'agglomérations plus importantes. Enfin apparaît l'affirmation plus ou moins nette de la fonction de correspondance : à Dijon par exemple le trafic local, exprimé en nombre de billets délivrés est proportionnellement beaucoup moins élevé que celui des trains s'arrêtant en gare. Un exemple tout à fait spectaculaire est fourni par Saint-Germain-des-Fossés, où se croisent quotidiennement environ soixante trains transportant près de 20 000 voyageurs et dont les quais connaissent une belle animation en raison des échanges entre les convois assurant les relations Paris-Clermont-Ferrand, Lyon-Nantes, Lyon-Bordeaux, Lyon-Clermont-Ferrand ; or aux guichets de la gare, en raison de la faible population de la localité, ne sont vendus chaque jour, en moyenne que 250 billets.

Dans les pages qui précèdent vient donc d'être brossé le panorama du trafic actuel des voyageurs sur le réseau de la S.N.C.F., à la fois massif et diversifié. Mais ces flux connaissent des fluc-

(1) Il s'agit de moyennes calculées sur les années les plus récentes.

tuations diverses, tandis que des perspectives d'évolution assez nettes se dessinent.

L'ÉVOLUTION DU TRAFIC ET LES PERSPECTIVES D'AVENIR

Lors de la présentation des grandes gares de passage et en impasse, et de leur activité quotidienne, l'accent a été mis sur les similitudes mais aussi sur les différences dans leur rythme de vie ; des pulsions se remarquent en début de matinée et en fin d'après-midi, toujours sensibles mais plus nettement perceptibles dans les grandes gares parisiennes. Or pour l'ensemble des courants de trafic des voyageurs des fluctuations régulières sont aisément décelables à l'échelle de la semaine et de l'année, tandis que d'intéressantes variations se sont produites durant ces dernières décennies.

Les fluctuations dans la semaine

Le tableau ci-après fournit d'utiles indications, valables pour l'ensemble des grandes gares du réseau, en ce qui concerne les trains rapides et express.

Trafic voyageurs de grandes lignes
de l'ensemble des gares parisiennes
Activité moyenne journalière (en milliers)

	Départ	Arrivée	Total
Dimanche	114	151	265
Lundi	118	150	268
Mardi	109	117	226
Mercredi	111	110	221
Jeudi	123	112	235
Vendredi	192	142	334
Samedi	114	96	210

L'élément de loin le plus important est la différence entre le trafic du milieu de semaine, du mardi au jeudi inclus, étalé harmonieusement, et celui de la fin de semaine. Véritable phénomène de civilisation, la libération du samedi pour les étudiants et les militaires, pour les fonctionnaires, ouvriers, employés, cadres, sans cesse plus nombreux, entraîne des départs massifs dès le vendredi après-midi ; soit en effet les habitants des grandes villes les abandonnent pour les deux jours, soit surtout des cohortes de voyageurs ayant terminé leur semaine de travail ou d'études regagnent leur localité d'origine quand son éloignement ne permet pas des allers et retours quotidiens ; aussi les gares sont-elles bourdonnantes d'activité le vendredi dès le début de l'après-midi, avec souvent un triplement ou un quadruplement des trains par rapport au service des jours précédents ; en fonction des distances à parcourir les usagers empruntent les relations soit de soirée, soit de nuit. Le retour de ce mouvement pendulaire à l'échelle de la semaine s'effectue lui, de manière plus complexe, par les trains du dimanche soir, de la nuit de dimanche à lundi, ou du lundi matin, avec là aussi un service renforcé. Dans ces conditions le moindre niveau du trafic le samedi s'explique aisément.

Autour de Paris comme autour des grandes métropoles de province les variations dans la semaine des flux de banlieue offrent un profil différent et plus simple, avec un rythme binaire : du lundi au vendredi inclus s'enchaînent rigoureusement les pointes de trafic du matin et du soir, avec une recrudescence secondaire en milieu de journée ; le samedi et surtout le dimanche la trame des trains est en revanche considérablement allégée, avec en effet une demande de transport infiniment moins forte.

Au plan de l'année les fluctuations sont d'une nature plus complexe.

Les fluctuations dans l'année

L'ensemble des grandes gares parisiennes peut de nouveau servir d'utile terrain d'expérimentation, en prenant d'abord comme base le nombre total moyen quotidien de voyageurs, à l'arrivée et au départ, pour chaque mois (années 1984 à 1987, trafic de grandes lignes) :

Janvier	242 000	Juillet	274 000
Février	257 000	Août	255 000
Mars	258 000	Septembre	250 000
Avril	275 000	Octobre	242 000
Mai	248 000	Novembre	240 000
Juin	277 000	Décembre	255 000

Les enseignements de ce tableau sont, à quelques variantes près, valables pour les autres gares du réseau. C'est ainsi que globalement les fluctuations intermensuelles n'atteignent pas une très forte amplitude, seulement de l'ordre de 15% entre les mois extrêmes. Cependant les périodes d'intensité plus marquée sont bien caractérisées : elles correspondent aux vacances scolaires, qu'il s'agisse des congés d'été, de ceux de fin d'année ou de printemps ; par ailleurs l'amorce des vacances estivales, mais aussi le maintien de l'activité économique à un haut niveau, l'activité universitaire avec de multiples examens et concours, ainsi que les voyages scolaires éducatifs, expliquent le volume important du trafic en juin. A la fois les flux massifs à acheminer et la spécificité de la demande estivale, fortement influencée par le facteur touristique, amènent la S.N.C.F. à prévoir, de mai à septembre, une trame de trains renforcée et des horaires particuliers.

Mais une analyse plus fine montre que le rythme d'écoulement des flux de voyageurs est en fait beaucoup plus syncopé, avec à l'intérieur de certains mois des pointes liées aux départs massifs de vacances et à leurs retours : les jours qui précèdent immédiatement Noël et le Jour de l'An, ceux qui cernent le 14 juillet, le 15 août ou qui établissent la jonction entre les mois de juillet et d'août comptent parmi les plus chargés de l'année ; le paroxysme est atteint lorsqu'un départ en congé coïncide avec un vendredi ou un samedi : alors de l'ensemble des gares parisiennes plus d'un demi-million de voyageurs quittent la capitale du vendredi au dimanche inclus, transportés par près d'un millier de trains rapides et express, réguliers ou supplémentaires.

Ces variations de l'activité des grandes lignes sont loin de correspondre à celles du trafic de banlieue. C'est en effet justement durant les vacances, et entre autres celles d'été, que les mouvements pendulaires des travailleurs sont les moins denses. Mais les situations peuvent être fort diverses : dans des gares comme celles de Nice, de Marseille-Saint-Charles, Paris-Lyon, Austerlitz ou Montparnasse, le regain d'intensité de circulation des rapides et express en saison estivale compense le fléchissement du transport de banlieue beaucoup plus que dans des gares comme celles de Paris-Nord ou Saint-Lazare, qui ne desservent pas des régions aussi attractives au plan touristique.
Ces éléments de différenciation entre transport à courte et à grande distance se retrouvent dans l'évolution interannuelle du trafic.

L'évolution du trafic

Ensemble du trafic voyageurs de la S.N.C.F.

	En millions de voyageurs	En milliards de voyageurs/kil.
1938	539,9	22,1
1946	696,3	31,5
1951	548,5	28,1
1956	525,7	30,8
1961	576,3	33,6
1966	628,0	38,4
1971	607,5	41,1
1976	655,0	51,0
1981	697,8	55,8
1986	778,7	59,9
1987	782,4	60,0
1988	810,0	63,3
1989	825,0	64,5

Au vu de ces statistiques le transport ferroviaire des voyageurs se porte bien en France, puisque durant les trois dernières décennies son volume a régulièrement et sensiblement augmenté. Cette appréciation, qui va peut-être en sens inverse de certaines idées reçues, ne constitue pas une contestation de la progression sans nul doute plus spectaculaire encore du trafic routier, autoroutier et aérien ; elle est renforcée par le constat de l'évolution la plus récente, dans la mesure où depuis une dizaine d'années la progression s'est accélérée de très nette manière. Par ailleurs comment ne pas remarquer que l'amélioration générale, évidente en prenant en compte le nombre de voyageurs transportés, est beaucoup plus remarquable dans le domaine des voyageurs/kilomètres, puisque ces 30 dernières années les premiers ont seulement augmenté d'un peu moins de la moitié, tandis que les seconds ont pratiquement doublé ; ceci revient à constater que la longueur moyenne des trajets s'allonge sans cesse.
Mais l'activité de la banlieue parisienne et du reste du réseau n'a pas évolué de façon similaire.

	Millions de voyageurs		Milliards de voyageurs/kilomètres	
	Banlieue parisienne	Reste du réseau	Banlieue parisienne	Reste du réseau
1938	249,5	290,4	3,7	18,3
1946	363,8	332,5	5,5	26,0
1951	289,6	258,9	4,0	24,1
1956	286,1	239,6	4,0	26,7
1961	318,8	257,5	4,5	29,0
1966	374,5	253,5	5,7	32,6
1971	389,3	218,2	6,4	34,7
1976	410,8	244,1	7,0	44,0
1981	432,7	265,0	7,5	48,3
1986	481,9	296,8	8,6	51,2
1987	482,3	300,0	8,65	51,3
1988	499,0	311,0	8,9	54,4
1989	511,0	314,0	9,1	55,4

A l'évidence le trafic de la banlieue parisienne, ces dernières décennies, se caractérise par une croissance rapide et constante, les usagers plus nombreux couvrant des trajets de plus en plus longs. Force est de constater par ailleurs que l'activité du reste du réseau exprimée en nombre de voyageurs a évolué autrement, avec un sensible tassement autour de 1970 suivi d'un redressement spectaculaire dès 1975. Mais il est vrai que se remarque également une progression, plus marquée ici, des distances couvertes par les voyageurs puisque le parcours moyen a bondi entre 1957 et 1986 de 111 à 173 kilomètres. Ce phénomène se traduit par une augmentation accélérée du nombre de voyageurs/kilomètres qui lui n'a pas connu de fléchissement.
En dix ans, de 1976 à 1987, le nombre de voyageurs/kilomètres transportés en voitures particulières et par les lignes aériennes intérieures a progressé respectivement de près de 35% et de 130% : avec seulement une amélioration de 17% le chemin de fer se trouve donc relativement en retrait, mais la tendance actuelle n'en est pas moins favorable : plusieurs facteurs d'explication entrent en jeu.
Durant les vingt années suivant la Libération la nécessité prioritaire de reconstruire le réseau durement frappé n'a pas permis d'améliorer comme il aurait fallu la qualité du matériel remorqué, alors que la concurrence routière et aérienne se développait et que dans le domaine du confort et de la rapidité des liaisons la clientèle potentielle de la S.N.C.F. devenait à juste titre plus exigeante. C'est ainsi que, pour la plupart, les relations de type "grandes lignes" étaient assurées dans les années soixante, par des voitures de couleur uniformément vert foncé, d'allure triste et austère, à l'aménagement intérieure sévère et souvent peu avenant, tandis qu'étaient encore en service des automotrices ou des autorails d'un autre âge.
Aussi la S.N.C.F. s'est-elle attachée à diversifier et à améliorer l'offre de transport : l'électrification a permis d'augmenter la fréquence et la vitesse des convois sur les grandes relations, tandis que des demandes précises de la clientèle ont pu être mieux satisfaites, avec par exemple l'essor des trains-autos-

Que ce soient les vacances d'été ou la période des sports d'hiver, la SNCF doit mobiliser personnel et matériel pour assurer des pointes de trafic extrêmement coûteuses pour l'entreprise, en raison de l'entretien de rames qui ne roulent que quelques jours par an et des nombreux retours à vide.

couchettes et les trains d'agence. Un progrès décisif dans le domaine du confort a été réalisé avec la mise en circulation à partir de 1976 des voitures "Corail" au nombre de plus de 4 000 en 1990, et qui désormais font la loi sur les grandes lignes classiques ; leur impact a été d'autant plus fort qu'il a coïncidé avec les effets immédiats et profonds du premier choc pétrolier ; celui-ci, en provoquant l'augmentation brutale du prix de l'essence, du fuel et du gas-oil, a permis au transport ferroviaire, qui avait déjà largement misé sur l'électrification, de redevenir très compétitif et donc attrayant. Autre coup de fouet, plus efficace encore, la mise en service dès 1981 des premiers Trains à Grande Vitesse dont l'effet précis sera mesuré au chapitre V ; non seulement ils ont induit directement sur l'axe Paris-Lyon-Marseille et ses embranchements une impressionnante augmentation du trafic, mais encore leur technologie avancée, leur succès commercial ont provoqué sur le trafic de l'ensemble des lignes classiques un effet de stimulation non négligeable.

Certaines tendances générales concernant les trains à vocation régionale s'expliquent aisément. L'essor du trafic de banlieue est en rapport, surtout en région parisienne, avec l'expansion urbaine et l'asphyxie guettant la circulation automobile, la qualité du réseau ferré et sa capacité d'adaptation démontrée par plusieurs lignes nouvelles, ainsi qu'avec une politique générale plus favorable que jadis aux transports en commun. En revanche les échanges à caractère régional, d'une amplitude de moins de 100 kilomètres autour des villes de province, ont longtemps décliné lentement, minés par la concurrence de l'auto, la lenteur et le matériel vieilli des relations dites "directes" ou "omnibus", la fermeture de lignes ou la suppression du service des voyageurs. Mais depuis quelques années une réaction est amorcée, placée sous le signe de conventions conclues entre la S.N.C.F. et les collectivités territoriales.

Peu à peu en effet s'est forgée l'idée que pour permettre au service public de fonctionner convenablement une collaboration entre la Société Nationale et les Collectivités Territoriales était normale et même indispensable. Les premières réalisations, comme la mise en route de Métrolor, Métrovosges, Stélyrail, ont été ponctuelles, concernant une relation précise. Mais il est apparu au fil des années qu'il fallait aller plus loin, au vu des premiers résultats qui étaient très encourageants ; les problèmes de saturation du réseau routier ont contribué à l'évolution de l'opinion publique et de l'état d'esprit des élus ; dans le cadre nouveau de la décentralisation, contribuer à financer l'exploitation déficitaire de certains services ferroviaires à caractère régional n'a pas alors semblé aux autorités territoriales plus anormal que d'assurer, grâce à l'entretien des routes, la bonne circulation des automobiles, surtout en tenant compte du nouveau contexte énergétique. Par ailleurs cette mise en commun des efforts était tout à fait autorisée par la LOTI (Loi d'Organisation des Transports Intérieurs).

Le contenu des conventions en vigueur actuellement est riche et varié. Il couvre en effet le financement aussi bien de la création de dessertes nouvelles que la modernisation ou l'acquisition de matériel roulant, l'amélioration des infrastructures comme la mise en œuvre d'une tarification multimodale. Si pratiquement toutes les régions sont maintenant concernées par cette expérience, celles du Nord-Pas-de-Calais, du Midi-Pyrénées, du Languedoc-Roussillon, des Pays de la Loire et de Provence-Côte d'Azur sont particulièrement engagées ; parmi les départements celui de la Charente-Maritime a inauguré en novembre 1987 ce type d'entente avec la S.N.C.F. à propos de la desserte par trains locaux des lignes rayonnant autour de La Rochelle et Saintes. Dans ces conditions a pu être mis en service en mars 1987 le réseau TER (Transport Express Régional) ; ses rames automotrices ou autorails, confortables, de ligne moderne et de couleurs chatoyantes, sont d'ores et déjà bien connues des voyageurs et des riverains, et leur succès est certain. Ce partenariat avec les collectivités doit permettre d'arrêter le dépérissement du trafic local aussi bien sur les lignes secondaires que sur les grandes artères.

Si, de son côté, la S.N.C.F. entend poursuivre cette fructueuse collaboration, elle veut aussi pour l'ensemble du transport des voyageurs promouvoir une politique innovante, dynamique et variée, afin de mieux faire face à une concurrence, routière entre autres, qui s'affirme sans cesse.

Ainsi, et alors que les années à venir vont être marquées par l'essor accéléré du réseau T.G.V., les relations assurées sur les lignes classiques radiales ou transversales ne seront pas pour autant négligées. D'ailleurs la S.N.C.F. développe des actions dans des directions très variées : c'est l'expérience de la "nouvelle première" destinée à enrayer le déclin de fréquentation de la "première traditionnelle", menée à titre d'essai à partir du service d'hiver 1988 et proposée aux voyageurs de la relation Paris-Strasbourg ; elle se caractérise par de sensibles améliorations dans le domaine du confort et de la restauration en particulier, afin de créer une ambiance plus personnalisée rappelant celle des trajets aériens de haut de gamme. C'est depuis 1988 le développement des forfaits "Joker", attractifs pour les jeunes, des cartes "Kiwi", intéressantes pour les familles, des cartes "Businesspress" s'adressant aux entreprises et sociétés.

Si l'amélioration qualitative du matériel roulant est poursuivie avec détermination, la S.N.C.F. consacre aussi beaucoup d'efforts afin de rendre les parcours à grande distance moins fastidieux ; ainsi depuis 1980 développe-t-elle une politique originale d'animation culturelle, artistique et de distraction dans des trains comme le Cévenol ou l'Aubrac dans le Massif Central, l'Alpazur dans le sud-est, le Valentré entre Paris et Toulouse.

Donc l'essor continu du T.G.V. ne va pas empêcher l'amélioration des prestations offertes sur les lignes classiques. Les efforts déjà consentis pour améliorer le service des voyageurs dans son ensemble, dessertes attractives et matériel confortable, se retrouvent dans un secteur à la fois particulier et spectaculaire, celui de la rénovation des gares.

Lyon-Part-Dieu, première et remarquable construction de grande gare voyageurs en province depuis la seconde guerre mondiale.

LA RÉNOVATION DES GARES DE VOYAGEURS

Il n'est pas exagéré d'avancer que le visage des nombreuses gares françaises, et pas seulement les plus importantes, s'est beaucoup plus modifié en quelques années que pendant un siècle.

Durant de longues dizaines d'années en effet les conditions d'accueil des voyageurs sont restées à peu près les mêmes, trop souvent marquées par un décor majestueux, parfois pompeux, désuet ou fatigué, des installations peu engageantes, inadaptées, où la qualité des contacts entre usagers et cheminots n'était guère facilitée. Les responsables de la Société Nationale ont certes très tôt perçu la nécessité d'une action ; mais l'ampleur de l'opération à mener sur l'ensemble du réseau, son coût, la priorité qu'il fallait donner à la reconstruction du réseau après 1945 puis à sa modernisation au plan technologique, ont longtemps retardé le déclenchement du processus de rajeunissement des installations réservées aux voyageurs qui, dans le même temps, ont dû supporter la modification des méthodes d'exploitation.

LES CONDITIONS DU RENOUVEAU

Pourquoi à partir de 1978-80 surtout la situation a-t-elle très rapidement évolué ?

Des faits nouveaux sont intervenus comme la restructuration du plan de voies de certaines gares, parisiennes entre autres, avec parfois la construction de stations souterraines de banlieue, amenant à repenser globalement l'aménagement d'ensemble des installations. Par ailleurs l'intérêt a été perçu de mieux utiliser les emprises de la S.N.C.F. et le volume qu'elles dégageaient, en édifiant par exemple des dalles au-dessus des quais pour y implanter services ou parkings. De même la suppression du contrôle des billets à l'entrée et à la sortie des gares, intervenue dans les années 1970, a contribué à créer une nouvelle ambiance en favorisant la liberté des déplacements à l'intérieur des périmètres ferroviaires. Autre élément non négligeable, la nécessité d'améliorer la liaison entre les trains et les moyens de transport intra-urbains en raccourcissant le plus possible les trajets à effectuer à pied. D'une manière plus générale la recherche de la progression du confort et du cadre matériel a été inspirée par une évolution d'ensemble des mentalités et de l'art de vivre qui rend de moins en moins supportables à la clientèle, à l'ère du T.G.V., des pratiques longtemps tolérées. D'autre part comment ne pas noter l'importance de l'aiguillon de la concurrence, dans la mesure où les grandes compagnies aériennes par exemple montraient depuis longtemps ce que pouvait être un accueil personnalisé, dynamique et agréable.

Enfin ces actions de rénovation n'ont souvent été rendues possibles que grâce au concours financier et techniques des collectivités locales, des mairies ou communautés urbaines en particulier : elles ont compris l'intérêt d'améliorer ainsi l'image de marque des cités tout en repensant les conditions de la circulation aux abords des emprises du chemin de fer.

La vaste opération de rajeunissement de l'ensemble des gares du réseau, menée vigoureusement, est loin d'être terminée. Elle se caractérise par son ampleur puisque en 1990 près de 200 gares, grandes et moyennes, avaient été entièrement rénovées, par l'extrême diversité des installations concernées dans la mesure où parmi elles se retrouvent la gare de Marseille-Saint-Charles ou de Chambéry, mais aussi celles de Flers ou de Toul ; la variété des interventions, plus ou moins spectaculaires, est aussi remarquable avec l'accent plus ou moins mis, en fonction de la situation de départ, sur l'amélioration de l'esthétique d'ensemble, du confort des usagers ou du fonctionnement général des services. Dans tous les cas, il s'est agi, tout en rendant plus efficace le travail du personnel, d'accueillir mieux des voyageurs espérés sans cesse plus nombreux. Les multiples améliorations apportées l'ont été dans les bâtiments mêmes, mais aussi autour d'eux et en particulier sur les quais. Quelques tendances générales se remarquent aisément.

Immédiatement apprécié par les plus blasés, le toilettage extérieur et intérieur des bâtiments a été généralisé, avec une architecture aux lignes sobres, des couleurs diversifiées, gaies et vives, l'emploi de matériaux nouveaux (verre, brique, aluminium, etc.) et l'ouverture de larges baies pour laisser entrer la lumière. Un effort a été fait par ailleurs afin de rendre les indications, présentées aux voyageurs sous forme de panneaux, pancartes ou flèches, plus claires ou parfois plus compréhensibles. Fresques, bas-reliefs, sculptures apportent souvent une touche artistique appréciée. Déjà améliorée par la disparition des bruyantes locomotives à vapeur, souillant les bâtiments par les émissions de fumée, l'ambiance sonore bénéficie maintenant souvent d'un fond musical de volume modéré et d'informations qui ne sont plus assurées par des haut-parleurs tonitruants, mais plutôt suggérées par des voix bien modulées, généralement féminines...
De mille autres manières le niveau de confort des voyageurs a été augmenté. Les divers services techniques (billets, bagages, etc.) auxquels ils ont accès ont été restructurés, disposés plus judicieusement, agencés afin de permettre un meilleur contact avec le personnel de la S.N.C.F. De même les restaurants, cafétérias, bibliothèques offrent un accueil plus engageant. Le plus souvent possible des escaliers mécaniques, dans les principales gares, pallient l'inconvénient des dénivellations ; personnes âgées ou lourdement chargées y trouvent leur compte, comme lorsque les portes s'ouvrent automatiquement devant elles. Quand les flux d'usagers sont importants de grands travaux, à Marseille et à Bordeaux par exemple, ont eu comme objectif la séparation des courants de départ et d'arrivée grâce à l'aménagement de niveaux de circulation différents : non seulement les courants s'écoulent plus aisément à l'intérieur même de la gare, mais les nombreux services utilisés par les voyageurs sont alors implantés de manière plus rationnelle ; cette individualisation des flux de départ et d'arrivée permet aussi une liaison plus efficace, aux lisières de la gare, avec les moyens de transport en commun urbains. Souvent surélevés, pour faciliter la montée et la descente des personnes, les quais ne sont pas oubliés avec leur couverture par des dalles ou, dans des gares en impasse comme celle de Marseille-Saint-Charles, la construction d'un passage souterrain transversal, qui évite aux voyageurs en correspondance devant changer de quai de parcourir de fastidieuses centaines de mètres en faisant le détour par la plate-forme frontale. Dans le même esprit de nouvelles voies d'accès et de sortie ont parfois été créées, comme à Nantes ou Rennes, à l'opposé des issues traditionnelles de la gare, afin de répartir harmonieusement les flux internes et de faciliter les liaisons avec les quartiers environnants.
Ces améliorations, très diverses, sont particulièrement spectaculaires dans quelques grandes gares profondément remaniées, tandis que dans des installations entièrement neuves comme celles de Lyon-Part-Dieu les idées nouvelles ont pu pleinement s'exprimer. Quelques exemples précis vont permettre de réaliser plus concrètement l'ampleur du travail accompli.

DES RÉALISATIONS SPECTACULAIRES

Achevée dès 1983, pour l'accueil des T.G.V., la rénovation de la gare de Marseille-Saint-Charles est caractérisée avant tout par la séparation très poussée dans le plan vertical des courants arrivée et départ. Le niveau ancien, celui des voies, est voué à l'écoulement des flux "arrivée" : le voyageur qui descend du train peut accéder aisément au service d'accueil, à l'organisation "train + auto", au syndicat d'initiative, au relais-toilettes, aux consignes automatiques, aux bureaux de l'office national d'immigration et du change... quelques mètres plus loin il a à sa disposition, au ras du bâtiment principal, autobus, taxis, autocars de l'aéroport ; grâce à un escalier mécanique, le métro est en fait tout proche. Le niveau "départ", lui, est intégralement nouveau et souterrain ; disposant d'accès indépendants, il s'ordonne autour d'un très ample vestibule avec buvette, bibliothèque, service des billets, cabines téléphoniques... Un vaste tableau de téléaffichage indique clairement la succession des trains qui doivent quitter la gare. Rehaussés, les quais, mieux éclairés, sont désormais dotés, en dehors de la marquise, d'abris transparents ; le souterrain transversal facilite la démarche des voyageurs en correspondance entre par exemple un autorail provenant d'Aix et un T.G.V. partant en direction de Paris.
Flanquée d'un parking payant de trois niveaux, la nouvelle gare Saint-Charles est donc tout à fait opérationnelle. Au plan esthétique sa rénovation, qui allie plutôt harmonieusement le rajeunissement de la pierre ocre d'origine et l'emploi des matériaux les plus modernes comme le polyester ou l'aluminium, est une réussite.

Depuis septembre 1989 la gare de Rennes est desservie par les T.G.V. Plus qu'une rénovation une transformation radicale s'imposait, en raison d'une vétusté et d'une exiguïté des installations plus marquées qu'à Bordeaux. L'idée principale a été ici d'aménager de nouveaux volumes non pas en profondeur mais en hauteur, avec au-dessus des voies et des quais la construction d'une dalle triangulaire ; elle constitue le cœur de la gare nouvelle avec, dans le vaste hall de verre et d'acier qu'elle supporte, de nombreux services comme celui des billets, des commerces et les accès aux divers quais. Cette dalle aux formes hardies relie le bâtiment ancien, lui-même rajeuni et restant le trait d'union privilégié avec la ville, à la "gare sud" ; entièrement neuve, celle-ci offrira aux habitants de la partie méridionale de l'agglomération un accès direct et aisé aux divers services de la S.N.C.F. ; elle doit se situer au cœur d'un complexe en cours de construction et comportant parkings, bureaux, hôtel et centre commercial. Ainsi à Rennes la restructuration de la gare doit améliorer la qualité des prestations offertes aux voyageurs et leur confort ; elle doit aussi favoriser la vie de la cité en effaçant l'obstacle que constituent les installations ferroviaires, en reliant mieux les quartiers entre eux et en faisant naître de nouveaux foyers d'attraction. C'est un projet d'inspiration voisine qui a été réalisé en 1989 en gare de Nantes, pour coïncider avec l'arrivée des T.G.V. Atlantique en septembre. Cette gare, en effet, disposait de locaux étroits et surtout souffrait de sa situation à proximité immédiate d'un axe routier très fréquenté, d'où des difficultés considérables d'accès et de stationnement. Aussi après la création en 1983 d'un nouvel accès direct aux quais, au sud des voies, la décision drastique a été prise d'édifier une seconde gare, de l'autre côté des quais par rapport aux bâtiments anciens ; reliée à la première par deux passages souterrains mais autonome car dotée de tous les services et équipements nécessaires, elle devrait assurer les deux-cinquièmes du trafic global. Comme à Rennes, la réalisation de ce projet s'accompagne de l'implantation d'un hôtel, d'importantes opérations de voirie urbaine et de restructuration du quartier ; elle doit ainsi désenclaver au plan ferroviaire le sud de l'agglomération nantaise.

En 1990 la gare de Bordeaux-Saint-Jean a reçu à son tour les T.G.V. : dans cette perspective sa restructuration a été réalisée, sans que l'allure extérieure des majestueux bâtiments édifiés par la Compagnie du Midi soit modifiée. Comme à Marseille le principe de base est l'aménagement d'un niveau souterrain affecté aux départs ; depuis la grande salle et son service des billets les voyageurs accèdent aisément aux divers passages souterrains grâce en particulier à une galerie longitudinale creusée sous le premier quai ; l'originalité est ici que la fonction "départ" est également assurée par l'ancien hall, situé en rez-de-chaussée, qui conserve sa décoration primitive et abrite une aire commerciale avec boutiques et services divers de préparation au voyage. Les abords immédiats de la gare ont par ailleurs été totalement remodelés, dans le cadre d'une fructueuse collaboration entre la S.N.C.F. et la Communauté Urbaine de Bordeaux : sous les installations à l'air libre réservées aux taxis, autobus ou autocars, a été créé un vaste parking souterrain de 560 places, à quatre niveaux, tandis qu'un point-rencontre a été aménagé.
Coûteux (plus de 120 000 000 de francs globalement) ces travaux permettent à la capitale de l'Aquitaine maritime de disposer désormais d'une grande gare dont la majesté architecturale continue d'évoquer son prestigieux passé, mais qui se trouve adaptée aux conditions nouvelles du transport ferroviaire.

Le problème posé par la gare de Rouen-Rive-Droite, ancienne et exiguë, est aussi celui de la saturation des installations ; mais la topographie locale, la disposition d'ensemble de l'agglomération ne permettaient pas ici d'envisager de nouveaux accès et a fortiori la construction d'un nouveau bâtiment "voyageurs". Les dispositions arrêtées ont consisté en 1988 à remodeler les locaux actuels, édifiés en bordure de la tranchée

Cergy-Saint-Christophe, gare ouverte avec le prolongement de la ligne nouvelle de Cergy-Pontoise.

La gare de Lille à quatre époques : ci-dessus, entre les deux guerres ; ci-dessous, en 1967.

Ci-dessus, en 1983 et, ci-dessous, une vue contemporaine après la dernière rénovation.

des voies, dans le sens d'une répartition plus rationnelle, d'une présentation plus jeune et plus moderne des services, d'un écoulement plus fluide des flux de voyageurs. Par ailleurs, au-dessus des quais, a été édifié un parking de 350 à 400 places qui permet de dégager totalement la place de la gare de tout stationnement automobile et de l'affecter exclusivement aux taxis et autobus. Si l'allure et l'architecture d'ensemble, remarquables, ne sont pas modifiées par ces travaux, ceux-ci donnent à la grande gare rouennaise les moyens de mieux faire face aux exigences du trafic et à la demande de la clientèle.

Les lignes de force et les constantes qui marquent ces vastes opérations de rénovation se retrouvent dans les grandes gares parisiennes, où elles accompagnent les très importants travaux de remaniement du plan de voies déjà évoqués.
Les gares de surface ont connu ces dernières années relativement assez peu de transformations spectaculaires dans la mesure où depuis longtemps, en raison des masses de voyageurs à accueillir, la S.N.C.F. avait apporté un certain nombre d'améliorations. Toujours est-il qu'elles ont toutes bénéficié d'une meilleure signalisation des trains en partance ou attendus, avec généralisation du téléaffichage, d'une restructuration des services administratifs et commerciaux, d'une liaison de qualité supérieure avec les moyens de transport en commun urbains, le métropolitain et les autobus RATP en particulier ; grâce à de nouveaux couloirs et escaliers, souvent mécaniques, les distances ont souvent été opportunément raccourcies. Les travaux les plus lourds ont été effectués dans les gares de Lyon et de Montparnasse, fréquentées d'ores et déjà par les voyageurs des T.G.V., toujours plus nombreux et demandeurs de prestations sans cesse améliorées ; à Paris-Lyon le secteur affecté plus spécialement aux T.G.V. a bénéficié d'une modernisation d'ensemble, avec construction en sous-sol d'une vaste salle d'accueil reliée par des souterrains aux divers quais affectés aux T.G.V. et au départ des trains classiques, tandis que des parkings ont été aménagés ; à Montparnasse se termine l'édification d'une vaste dalle de 55 000 m², recouvrant l'ensemble des voies et des quais et qui supportera, entre autres, un vaste parking ; de plus dans le bâtiment frontal les installations réservées aux trafics de banlieue et de grandes lignes ont été mieux séparées afin de bien faire face à l'augmentation prévue de l'activité (voir chapitre V).
Les gares souterraines, elles, très récentes, se caractérisent d'abord par la recherche des dispositions les plus fonctionnelles, avec par exemple la systématisation des escaliers mécaniques, la construction de quais larges pour faciliter l'écoulement des flux très denses de voyageurs et renforcer leur sécurité ; l'éclairage artificiel a été très soigneusement étudié, répartissant uniformément une lumière teintée et chaude. Très sobre au début dans les stations Auber, Invalides ou Orsay par exemple, la décoration s'est peu à peu enrichie, pour aboutir à la station Saint-Michel de la ligne B du R.E.R., ouverte en 1988, à une symphonie particulièrement heureuse de formes élégantes, de couleurs racées et de graphismes originaux.

Entièrement nouvelle, ouverte en 1983, la gare de Lyon-Part-Dieu offre une remarquable synthèse des tendances qui caractérisent depuis plusieurs années la rénovation des gares. Les quatre quais, protégés par des abris légers et avenants, sont desservis par à la fois escaliers classiques, rampes, escaliers mécaniques et ascenseurs ; élément de confort de premier ordre pour les voyageurs, l'absence de chariots et autres véhicules de la S.N.C.F., qui empruntent des trottoirs spéciaux, beaucoup plus étroits, aménagés entre les voies. L'ensemble des services offerts à la clientèle se trouve réparti dans les deux grands bâtiments longitudinaux qui s'allongent de part et d'autre des voies, et surtout dans une immense galerie souterraine transversale qui relie l'une à l'autre les deux places est et ouest : long de 120 mètres, large de 65 mètres, ce hall aux lignes architecturales sobres et modernes, bien éclairé et aux couleurs très étudiées, assume l'indispensable rôle de liaison avec chacun des quais ; il abrite du côté nord les guichets et les autres locaux affectés aux activités de la S.N.C.F., du côté sud des boutiques et vitrines commerciales formant une brillante guirlande ininterrompue. Comme ailleurs les initiateurs du projet ont donc souhaité que, loin de constituer un obstacle, cette gare favorise la liaison entre des secteurs particulièrement actifs de l'agglomération lyonnaise et que, située à proximité immédiate d'un quartier d'affaires très dynamique, elle en facilite le fonctionnement et la vie : parkings, hôtels, souvent de grande classe, centres commerciaux constellent les abords immédiats de la gare, par ailleurs très bien reliée aux divers moyens de transport urbains, dont le métro.
Installations fonctionnelles, locaux spacieux et aérés, volumes équilibrés, couleurs vives et variées, architecture à la fois sobre et hardie caractérisent également les autres gares édifiées ces dernières années, ainsi qu'un vif souci d'une bonne intégration dans le tissu urbain environnant : à Saint-Quentin-en-Yvelines, Evry ou Cergy-Préfecture et Saint-Christophe, le chemin de fer vit en osmose avec la ville nouvelle. Ainsi la qualité de la présentation et de l'équipement des gares doit-elle constituer un facteur particulièrement attrayant et positif.

Malgré la vigueur de la concurrence routière et aérienne, le transport ferroviaire des voyageurs continue de jouer un rôle essentiel en France. C'est qu'il bénéficie d'atouts non négligeables, comme la qualité d'ensemble du réseau et son amélioration constante qui garantissent des performances de haut niveau sur les grandes lignes, la forte capacité des services de banlieue, les possibilités de renouveau du trafic régional grâce au concours des collectivités territoriales. Les vitesses pratiquées, l'exactitude d'ensemble des trains, le confort et le niveau de sécurité rendent toujours le chemin de fer attractif. Aussi les responsables de la S.N.C.F. ont-ils compris que les énormes progrès représentés par les T.G.V., analysés plus loin, ne devaient en aucun cas amener à négliger le reste du réseau : dans le cadre de l'aménagement du territoire et de la dynamisation des régions, le rail doit faire fructifier partout ses potentialités, et pas seulement sur quelques très grands axes privilégiés.

CHAPITRE III

LES GARES ET LE TRAFIC DES MARCHANDISES

La nouvelle et vaste gare de Valenton, destinée entre autres à pallier la fermeture des chantiers marchandises de Paris intra-muros, chassés par la spéculation foncière.

Quotidiennement environ 400 000 tonnes de marchandises les plus diverses, depuis les fruits et légumes jusqu'aux minerais, chargées dans plusieurs dizaines de milliers de wagons qui forment environ 3 500 trains, circulent sur les diverses lignes du réseau. Seule en Europe Occidentale la République Fédérale Allemande connaît un trafic plus important.

Il est exact que depuis plusieurs lustres le transport des marchandises par voie ferrée en France n'est pas en expansion. La conjoncture économique d'ensemble, marquée par un tassement de l'activité générale depuis une quinzaine d'années, par le déclin de l'industrie lourde, a été et reste d'autant moins favorable au rail que la concurrence routière, stimulée par un contexte difficile aussi pour elle, est vive. Aussi depuis 1975 et le premier choc pétrolier le total des tonnages acheminés annuellement subit-il une lente érosion.

Mais l'objectivité commande de remarquer que c'est le transport de produits particulièrement lourds comme le charbon ou le minerai de fer qui se trouve, pour l'essentiel, à l'origine de ce déclin quantitatif : dans d'autres domaines des résultats positifs et encourageants sont enregistrés. Par ailleurs les responsables de la S.N.C.F. ont entendu réagir : il va être intéressant de décrire les efforts de plus en plus appuyés consentis pour présenter une offre de transport de meilleure qualité et des services plus diversifiés, pour promouvoir une politique commerciale plus agressive et allant de plus en plus au devant de la clientèle potentielle. Dès maintenant des résultats de bon augure sont enregistrés et laissent entrevoir des perspectives réelles de redressement global.

Auparavant, dans le domaine de la technique ferroviaire, le transport des marchandises amène à évoquer deux grandes séries de questions.

D'abord, les tonnages sont chargés ou déchargés dans des lieux précis, grâce à l'utilisation d'installations particulières qui sont à la base du trafic. Il va s'agir de les décrire.

Mais l'organisation des échanges, c'est-à-dire celle de la circulation des milliers de wagons qui roulent journellement, méritera une attention particulière : alors que l'activité des gares de triage tend à diminuer, la mise en route de trains entiers et de rapilèges, constitués de rames à composition limitée, reliant directement points de chargement et de déchargement, donne un visage nouveau au transport des marchandises.

Plus généralement la S.N.C.F. entend accompagner son offensive commerciale par de sensibles améliorations au plan technique, qui doivent fournir dans le cadre concurrentiel des arguments de poids au "fret" ferroviaire. D'ores et déjà de remarquables réalisations permettent de dessiner des perspectives tout à fait positives.

LES INSTALLATIONS DE CHARGEMENT ET DE DÉCHARGEMENT DES MARCHANDISES

Pour l'observateur intéressé, les tonnages sont chargés et déchargés dans des gares, constituées de vastes halles et de cours de débords, et le plus souvent très proches des gares de voyageurs. Cette constatation reste vraie mais ne correspond qu'à une vue très partielle de la réalité, dans la mesure où de plus en plus les marchandises sont manutentionnées sur de très nombreux embranchements particuliers, éparpillés dans l'espace et très divers par leur envergure et leur activité. En tout la S.N.C.F. met à la disposition de sa clientèle 14 000 points de chargement et de déchargement.

LES INFRASTRUCTURES

Gares de marchandises au sens strict de l'expression et embranchements particuliers présentent des aspects très différents.

Les gares de marchandises

Elles se composent de quatre types d'installations plus ou moins développées en fonction de l'importance de la gare, souvent dominées par de puissants projecteurs juchés au sommet de pylônes en treillis métallique.

Des faisceaux de voies permettent de recevoir les trains, de classer les wagons en fonction de leur destination précise, à l'inverse de préparer les rames en vue de leur expédition ; grâce à des appareils de voie judicieusement disposés les locomotives de manœuvre peuvent dans la plupart des cas aisément évoluer.

Fréquemment imposantes sont les halles, qui peuvent s'allonger sur plusieurs centaines de mètres ; presque toujours d'allure rectiligne mais parfois incurvée elles sont couvertes de toits d'ardoise ou de tuiles, souvent surmontés du sigle "SERNAM" (Service National des Messageries).

Le SERNAM a été créé en 1970 afin d'enrayer la baisse du trafic de détail de la S.N.C.F. Lié à cette dernière mais autonome, il s'intéresse à l'envoi des colis, aux expéditions en express, au secteur des bagages. Bénéficiant d'une organisation souple et dynamique il est capable grâce à son réseau de correspondants locaux, de desservir à la demande n'importe laquelle des 36 000 communes françaises ; à l'échelle du territoire la densité de son implantation avec ses 7 000 employés, ses succursales, ses centres d'exploitation, de vastes entrepôts répartis dans 200 villes, la judicieuse alliance du rail et de la route en conjuguant leurs qualités respectives, permettent un service de qualité, rapide, efficace et personnalisé. Les moyens techniques sont à la mesure de l'activité : les 4 000 véhicules routiers de livraison, les 2 750 wagons propriété de la société ont en 1989 transporté 1 700 000 tonnes de marchandises, 65 000 000 de colis. En tête, par le chiffre d'affaires, du trafic de la messagerie et de l'express au plan national, le SERNAM assure au chemin de fer, vu le difficile contexte actuel, un rôle essentiel dans un créneau où la concurrence est extrêmement vive.

La fonction des halles consiste à traiter à l'abri des intempéries les marchandises fragiles. Les voies les longent d'un seul côté

Embarquement de bestiaux dans une cour de débords : une scène autrefois courante, mais aujourd'hui limitée à quelques sites spécialisés comme ici à Parthenay. Pour ce trafic, des wagons couverts spécialement adaptés et peints en jaune avec toit blanc.

Le type même de ce qui achève de disparaître actuellement : le trafic des débords qui, contrairement à l'embranchement, nécessite un camionnage de ou vers la gare, transformé aujourd'hui, la plupart du temps, en camionnage tout court...

Ci-contre, cette image caractéristique des années 60 avec, à Saint-Omer, le chargement de légumes dans des "couverts" dont certains sont frigorifiques, tandis que des trémies attendent, "sauterelles" en place, les charbonniers détaillants et leurs camions.

Ici aussi, en Languedoc-Roussillon comme en Provence, le trafic des fruits et légumes qui animait les cours, immanquablement flanquées de leur grue typique.

Page ci-contre, les derniers jours de l'ancienne gare de la Chapelle-Charbons, victime, comme la plupart des autres sites marchandises parisiens, de l'urbanisation.

ou de part et d'autre, parfois les pénètrent en leur axe médien, tandis que les véhicules routiers peuvent y accéder soit dans leur secteur frontal soit latéralement ; des portes coulissantes assurent la sécurité. Depuis quelques dizaines d'années le travail dans ces halles est rendu moins pénible par le développement de la palettisation, qui se traduit par une noria de petits tracteurs ou chariots capables de déplacer chacun des montagnes de caisses, ou par la mécanisation des quais : des tapis roulants transportent les marchandises depuis les wagons aux aires de stockage, aux camions et semi-remorques, et inversement. La hauteur des quais correspond à celle du plancher des wagons et facilite les diverses évolutions.
Par ailleurs les tonnages les plus lourds et les moins fragiles sont chargés ou déchargés en plein air dans des cours de débords. Ces chantiers sont composés de voies en impasse, généralement courtes, disposées en épi ou en éventail, rectilignes ou en courbe, suffisamment éloignées les unes des autres pour qu'entre elles les véhicules routiers puissent évoluer et venir se placer au plus près des wagons. Elles sont souvent équipées de grues fixes, portiques ou grues automobiles.

Enfin peuvent se rencontrer des chantiers spécialisés, établis également en plein air, spécialement équipés pour faire face à des trafics bien déterminés, dans le cadre par exemple de transports combinés rail-route : les installations "FERDOM" permettent de transférer un wagon de sa voie de destination sur une remorque routière afin de le mener chez le client, avec bien entendu possibilité de manœuvre inverse ; à l'opposé, soit les semi-remorques routières, soit des caisses mobiles ou des conteneurs sont chargés sur des wagons plats spécialement aménagés. Intéressantes car souples et économiquement rentables, ces techniques demandent de vastes surfaces et aussi de puissants engins de levage, comme des portiques capables de soulever jusqu'à cinquante tonnes.
Dans le même ordre d'idées certaines gares de marchandises étalées en milieu urbanisé peuvent être structurées en fonction d'activités dominantes bien précises, et dotées d'équipements particuliers : la nouvelle gare de Perpignan-Roussillon, aménagée pour le chargement et l'expédition accélérés des fruits et des légumes offre un exemple intéressant.
En position marginale et plutôt d'allure discrète dans les gares de marchandises, des locaux abritent les services administratifs et d'accueil de la clientèle ; ils sont implantés soit à l'extrémité même des halles, soit de manière autonome dans des bâtiments modestes situés à proximité des points d'entrée et de sortie des camions.

La localisation des gares de marchandises est diversifiée.
Elles se rencontrent à proximité immédiate des gares de voyageurs dans deux cas, et en premier lieu dans la plupart des nœuds de faible ou moyenne importance : à Redon comme à Vichy, à Agen comme à Epernay les halles de marchandises et les cours de débords flanquent les quais réservés aux usagers ; c'est que le volume du trafic n'exige pas des infrastructu-

res et donc des surfaces considérables ; par ailleurs, en fonction des pulsations de l'activité, le personnel peut facilement, en cas de nécessité, passer d'un service à l'autre, tandis que les engins de manœuvre peuvent être utilisés de manière plus rationnelle.

Cette relative imbrication des installations réservées aux voyageurs et aux marchandises se retrouve dans quelques carrefours de première importance comme Bordeaux et Toulouse par exemple, où la Compagnie du Midi avait su acquérir très tôt de vastes terrains, et où les diverses infrastructures sont fortement regroupées ; il est vrai que surtout à Bordeaux les gares ont été implantées loin du centre de la ville, ce qui a facilité l'opération. Dans le cadre du grand carrefour parisien, les chantiers de marchandises, grâce à la prévoyance des anciens réseaux, avaient pu souvent être installés dans Paris intra-muros, très près des grandes gares de voyageurs, comme celui de Vaugirard près de Montparnasse, Tolbiac près d'Austerlitz, Bercy près de Paris-Lyon. Les emprises de la Villette, de La Chapelle et des Batignolles sont certes éloignées de 1 500 à 2 000 mètres des gares de l'Est, du Nord et de Saint-Lazare, mais à l'échelle de l'agglomération ces distances ne sont guère considérables. Tous ces chantiers ont perdu de nos jours une grande partie de leur activité, car les terrains sont peu à peu vendus à la Ville pour des opérations immobilières, ou vont permettre la restructuration d'installations ferroviaires : c'est le cas de Vaugirard, Tolbiac, La Chapelle et bientôt La Villette. En compensation, les fonctions Fret ont été reportées dans des gares de la Petite Couronne parisienne comme Noisy-le-Sec, Rungis, Valenton, etc.

Le plus souvent les gares de marchandises des principaux centres ferroviaires s'étalent à bonne distance de celles des voyageurs, plus loin du cœur des ensembles urbains mais plus près des principaux secteurs industriels. En effet la périphérie des villes offrait plus de possibilités d'acquisition des vastes surfaces nécessaires et se prêtait davantage à l'interpénétration, économiquement intéressante, des voies ferrées et des usines. Un bon exemple est fourni par la guirlande d'installations affectées au chargement et au déchargement des tonnages aux abords de l'agglomération lyonnaise, où un complexe entièrement nouveau a été créé à Vénissieux-Saint-Priest, pour remplacer les débords de la Part-Dieu et les halles de groupage de Guillotière.

La localisation des gares de marchandises est fréquemment liée à celle des gares de triage, elles-mêmes dévoreuses d'espace, qui les approvisionnent en wagons, ou qui en retour assurent l'acheminement parfois lointain de leurs expéditions ; c'est ainsi qu'à Strasbourg-Cronenbourg, Saint-Pierre-des-Corps, Nantes-État ou Mulhouse-Nord les faisceaux de triage côtoient halles ou cours de débords, tandis que la gare de Rouen-Orléans s'est développée à proximité du port et aussi du grand triage de Sotteville.

Pour des raisons d'ordre topographique ou historique certaines gares de marchandises ont été construites à distance notable de tout autre module ferroviaire : elles sont alors reliées à l'ossature d'ensemble du réseau par des raccordements qui peuvent être complexes, comme à Marseille où les convois peuvent accéder à la gare du Canet à la fois depuis la ligne de Paris et depuis le chantier de Marseille-Maritime grâce à deux liaisons à voie unique, ou à Bordeaux où deux relations à double voie chacune établissent depuis la gare de la Bastide des jonctions directes avec la gare Saint-Jean et l'artère de Paris.

Il est certain que les gares de marchandises ont besoin de beaucoup d'espace pour s'épanouir, de l'ordre de quelques dizaines d'hectares pour les plus importantes. Aussi leur présence au cœur des villes a-t-elle rapidement posé des problèmes multiples comme les nuisances provoquées par le bruit, la fumée des locomotives à vapeur, le rôle involontaire d'écran entre quartiers, tandis que les promoteurs immobiliers ne pouvaient que s'intéresser à des terrains particulièrement bien situés. Jusque dans les années 1950-60 la prépondérance du chemin de fer, son rôle essentiel dans le transport de tous les types de marchandises ont prévalu sur ces inconvénients, afin que le centre des agglomérations soit le mieux possible desservi.

Mais depuis une trentaine d'années une sensible évolution s'est produite, qui s'est traduite par un net recul de l'étalement des gares de marchandises à l'intérieur des périmètres urbains. En effet l'essor des opérations d'urbanisme, la fréquente restructuration des secteurs centraux des villes, le développement de la lutte contre toutes les formes de pollution ont exercé une pression de plus en plus forte contre la présence de ces vastes installations ferroviaires ; elle s'est révélée d'autant plus efficace que les conditions du transport des marchandises par chemin de fer se modifiaient : progrès rapides de la concurrence routière dans le domaine des produits légers et de grande valeur marchande, nécessité de regrouper en de vastes chantiers un peu éloignés mais bien équipés, reliés par des rocades ou des voies routières de pénétration au cœur des agglomérations, les activités assumées jusque-là par des gares souvent nombreuses qui étaient encastrées et à l'étroit dans le tissu urbain. C'est ainsi par exemple que dans Paris la gare des bestiaux de la Villette, celle du Champ-de-Mars ont disparu.

En revanche les infrastructures anciennes subsistent en milieu fortement urbanisé lorsqu'elles desservent un secteur relativement éloigné des quartiers centraux et depuis longtemps marqué par l'industrialisation : ainsi à Paris la gare de La Chapelle, non loin de la gare du Nord. En outre durant ces dernières décennies des gares de marchandises entièrement neuves ont été édifiées, des installations ont été agrandies pour que le rail puisse faire face à de nouveaux besoins et s'adapter à de nouvelles conditions ; c'est ainsi que dans la périphérie de la région parisienne, à Rungis, des faisceaux de voies et des quais ferroviaires innervent le périmètre des nouvelles halles, tandis que non loin de Villeneuve-Saint-Georges de puissants chantiers rail-route, à Pompadour et à Valenton ont prospéré rapidement.

Par ailleurs, loin des grands ensembles urbains la floraison depuis plusieurs années des Gares Multi-Fonctions (G.M.F.)

Aujourd'hui, embranchement particulier rime souvent avec céréales. Ici, un locotracteur manœuvre à Marles-en-Brie pour disposer un train complet devant un silo par petites coupes.

marque la volonté d'adapter, à partir des installations actuelles, l'activité des gares moyennes ou petites à la demande nouvelle de la clientèle.

Pour spectaculaires que soient les infrastructures des gares de marchandises au sens précis de l'expression, la majeure partie du trafic est assurée depuis ou à destination des embranchements particuliers.

Les embranchements particuliers

Environ les neuf-dixièmes des tonnages actuellement transportés sur les lignes de la S.N.C.F. ont comme origine ou comme destination, et souvent les deux à la fois, des "installations terminales embranchées", c'est-à-dire des embranchements particuliers.

Ce type d'infrastructure, de plus en plus développé sur les réseaux ferrés du monde entier, correspond à l'objectif des responsables du chemin de fer d'aller le plus possible à la rencontre de la clientèle potentielle, d'amener ou d'aller chercher les wagons au cœur des usines, des entreprises industrielles ou commerciales ; ce "porte à porte" permet d'éviter ou de limiter les ruptures de charge, toujours coûteuses en temps et en argent.

A l'heure actuelle, près de 11 000 embranchements particuliers sont implantés. Ils sont extrêmement divers, et d'abord par leur envergure.

Les plus simples en effet se composent d'une seule voie, directement greffée sur l'une des lignes du réseau ; l'aiguillage est disposé pour des raisons de sécurité en talon s'il s'agit d'une artère à double voie, est équipé d'un dispositif de verrouillage s'il s'agit d'une ligne à voie unique nécessitant la prise en pointe des lames d'aiguille ; l'emprise industrielle ou commerciale desservie est rarement éloignée, parfois allongée le long de la voie ferrée. A l'opposé certains embranchements particuliers constituent de véritables réseaux en miniature ; dans les régions minières ou marquées par l'industrie lourde, dans les secteurs portuaires, des kilomètres de voies réunies en faisceaux ou ramifiées strient le paysage, s'infiltrent partout, investissent terrils, hauts-fourneaux, usines et bassins, tandis que le raccordement aux lignes de la S.N.C.F. s'effectue grâce à des bifurcations tout à fait classiques, parfois dotées de sauts-de-mouton. Si les voies les plus actives sont souvent en site propre, il est très fréquent de rencontrer des intersections à niveau avec la voirie urbaine ou les routes : une réglementation stricte en garantit la sécurité.

L'implantation des embranchements particuliers est fort variée. Presque toujours aménagés près d'une ligne ou d'une voie de la S.N.C.F., ils peuvent se rencontrer en rase campagne, desservant une carrière, un silo céréalier, une coopérative de fruits et légumes, un entrepôt de produits pétroliers. Mais les plus nombreux se retrouvent à l'intérieur ou non loin des agglomérations, qu'il faut alimenter en toutes sortes de marchandises et qui attirent les activités industrielles les plus diversifiées. Dans un périmètre urbain déterminé, les raccordements de voies ferrées privées se concentrent en quelques secteurs que privilégient les facilités particulières offertes par

L'installation terminale embranchée des eaux de Vittel : non moins de trois locotracteurs, des kilomètres de voies et un train complet qui démarre au fond.

la disposition des infrastructures de la S.N.C.F. ; mais ils peuvent être aussi déterminés par le jeu de facteurs externes favorisant l'implantation d'entreprises industrielles et commerciales comme les superficies disponibles, la proximité des voies d'eau, la qualité des liaisons routières.
Le régime d'exploitation peut être varié : des conventions entre la firme embranchée et la S.N.C.F. règlent les diverses questions financières, les conditions d'entretien des voies, de remise ou d'enlèvement des wagons. Si sur la plupart des installations mineures la Société Nationale assure elle-même l'essentiel de l'activité ferroviaire, en revanche les principaux réseaux privés possèdent leur propre organisation, gèrent eux-mêmes leur trafic grâce par exemple à une signalisation et des engins de manœuvre souvent autonomes.

Très nombreux et diversifiés, les embranchements particuliers peuvent cependant pour la plupart se regrouper dans quelques familles bien caractérisées comme les installations céréalières, minières, industrielles lourdes et portuaires.
Le voyageur qui traverse la Beauce, la Brie, la Champagne ou les autres régions françaises productrices de céréales ne peut manquer de remarquer la haute et fière silhouette des silos, qui dominent parfois en rase campagne de plusieurs dizaines de mètres le paysage. Construits à proximité immédiate des lignes de la S.N.C.F. ils sont desservis par des voies formant souvent des faisceaux, et disposées de manière à faciliter le plus possible d'une part le chargement automatisé des grains dans des wagons spécialisés, d'autre part la formation de trains entiers. Leur manœuvre interne est assurée par des locotracteurs prisonniers du périmètre de l'embranchement, qui utilisent pour les opérations de changement de voie et de refoulement des voies en "tiroir" évitant toute interférence avec la ligne proche.
Desservant le plus souvent des installations qui appartiennent à des coopératives agricoles, ces embranchements connaissent au rythme des saisons une vie très syncopée. D'une part en effet l'activité intense au moment de la campagne céréalière baisse ensuite pour parfois être nulle pendant de longs mois ; d'autre part lors même de la période de pointe. les expéditions s'effectuent surtout par trains complets, longs et lourds, se succédant le plus souvent à quelques jours d'intervalle.
Les silos et les voies ferrées qui les desservent peuvent être implantés près de l'un des axes majeurs de la S.N.C.F., comme le long des artères Paris-Bordeaux ou Paris-Le Mans dans la traversée de la Beauce ; mais ils jalonnent aussi des lignes secondaires à voie unique, depuis longtemps fermées au trafic des voyageurs, qui sans ce transport épisodique mais mas-

sif de céréales seraient bien souvent totalement abandonnées. Il arrive même que des voies ferrées où toute activité avait cessé retrouvent ainsi une nouvelle jeunesse : dans les Ardennes le constraste est saisissant à Novion-Porcien entre l'allure vieillote de l'ancienne gare désaffectée et le modernisme du silo à grains géant, du poste de chargement des wagons dont la capacité atteint 3 000 quintaux par heure, l'expédition de trains entiers chargés de 1 300 tonnes nettes chacun.

Cette catégorie d'embranchements particuliers implantés dans les régions productrices de céréales se trouve donc à l'origine de vigoureux flux de transport qui impriment fortement leur marque sur le trafic des lignes de la S.N.C.F. : comment pourrait-il en être autrement en Champagne-Ardennes par exemple, où chaque année plusieurs centaines de trains complets partent des 54 embranchements céréaliers à destination de la région parisienne, des ports de Rouen, du Havre et de la Belgique, entre autres.

Malheureusement, la S.N.C.F. a perdu au cours des années 1960, lors de la grande percée des camions, la totalité du trafic des betteraves à sucre qui justifiait auparavant une noria de convois avec tombereaux spécialisés entre les gares et aires de chargement et les sucreries ; c'était notamment le cas dans le Nord, l'Est, la Normandie et la Beauce. Il en est de même du trafic des bestiaux sur pieds vers les abattoirs des grandes villes.

La mise en place de la "chaîne du froid" qui consiste à abattre les têtes de bétail dans les régions de production et à les expédier vers celles de consommation est, de nos jours, l'apanage exclusif des transporteurs routiers qui se sont équipés de camions frigorifiques adaptés.

Les embranchements industriels, au sens large de l'expression, sont légion et d'envergures diverses. A la différence des précédents, ils se retrouvent en moyenne à une distance plus faible des villes, dans la mesure où les exploitations minières et les usines qu'ils desservent ont attiré et fixé des masses humaines souvent considérables.

Particulièrement développés sont les réseaux des régions minières et sidérurgiques. Ils ont proliféré dès le 19e siècle dans les bassins de Decazeville, des Cévennes et de Saint-Étienne, du Nord et de Lorraine, bien souvent à l'origine du développement du chemin de fer dans ces diverses régions ; comment ne pas rappeler en effet que la ligne de faible longueur reliant dès 1827 Saint-Étienne à Andrézieux, sur la Loire, considérée à juste titre comme la première voie ferrée construite en France, fut conçue pour transporter le charbon stéphanois jusqu'au fleuve le plus proche ; à la traction des chevaux succéda l'ère des locomotives à vapeur puis celle des engins électriques. Depuis quelques décennies le recul de la houille, puis le déclin de la métallurgie lourde, ont entraîné la mise en hibernation ou parfois la disparition, le plus souvent la réduction d'installations ferroviaires devenues surdimensionnées.

Actuellement ces réseaux donnent cependant toujours une juste impression de puissance et d'activité ; ils présentent des caractères communs.

D'abord, raccordés en de nombreux points aux lignes de la S.N.C.F., ils peuvent être très étendus : dans le nord autour de Lens, Béthune, Somain ou Valenciennes s'étalent de complexes toiles d'araignée dont le diamètre peut dépasser la dizaine de kilomètres ; en Lorraine sidérurgique la disposition, en raison du relief accidenté, est davantage linéaire : dans les vallées de la Moselle, de la Fentsch, de l'Orne et du Chiers s'allongent les voies ferrées qui constituent l'ossature des ensembles industriels. Extrêmement digités ces réseaux ferrés sont aussi très hiérarchisés, à l'image de celui de la S.N.C.F. auquel ils sont raccordés par des bifurcations commandées par des postes d'aiguillages efficients. Leurs artères maîtresses internes sont dotées parfois de la double voie afin de faire face au volume du trafic ; elles sont jalonnées par des faisceaux comportant parfois plusieurs dizaines de voies et fonctionnant, grâce à des buttes de débranchement, comme de véritables petites gares de triage : leur fonction consiste à recevoir les rames acheminées par la S.N.C.F., à orienter les wa-

Les embranchements sidérurgiques par leur ampleur exceptionnelle développent souvent de véritables réseaux intérieurs, mais ce secteur a connu une régression énorme.

Comme la sidérurgie, la pétrochimie (ci-dessus) est un secteur qui utilise des embranchements aux développements considérables. Dans le domaine des céréales, les installations – moins impressionnantes– sont cependant conçues la plupart du temps pour accueillir les trains complets (ci-dessous).

gons vers les divers embranchements, dans le lacis des voies qui cernent ou pénètrent les sites d'extraction du minerai, les terrils, desservent par de multiples ramifications hauts fourneaux, fonderies ou aciéries... A l'inverse le rôle de ces installations revient à regrouper les wagons et à constituer les convois qui vont s'élancer sur les lignes du réseau national ; même si elle est amoindrie par le développement de la mise en route de trains complets qui roulent entre leurs points précis de départ et d'arrivée, sans adjonction ni retrait, la fonction de régulation de ces gares internes n'en est pas moins essentielle. Par ailleurs ces voies sont quelquefois électrifiées et leur tracé est souvent sinueux, avec des courbes de très faible rayon ; en revanche les voies, de largeur normale, sont équipées en rails lourds et de traverses proches les unes des autres afin de permettre le passage de wagons très lourdement chargés (jusqu'à 80 tonnes). Favorisée par une signalisation autonome, souvent lumineuse, la circulation interne sur ces réseaux est rendue plus fluide par l'intersection à des niveaux différents de leurs voies avec celles de la S.N.C.F., et par des tracés indépendants lorsqu'elles sont voisines ou parallèles.
Un très bon exemple est fourni, dans la Lorraine métallurgique, par le réseau privé qui relie entre elles les principales unités sidérurgiques mosellanes. Tracée en arc de cercle de Moyeuvre à Hayange dans les vallées de l'Orne, de la Moselle et de la Fentsch, sur près de 40 kilomètres, la ligne à voie unique qui en constitue l'épine dorsale est raccordée aux artères de la S.N.C.F., mais n'en est pas moins totalement autonome. Elle dessert entre autres les puissants ensembles de Rombas, Gandrange, Ebange, Uckange.
L'équipement est de haut niveau : Postes d'aiguillages, bosses de débranchement, faisceaux de voie imposants constituent de véritables gares de triage au pied des hauts fourneaux, aciéries et laminoirs de la Sollac, d'Unimétal ou Lorfonte.
Par ailleurs, tandis que la densité du trafic nécessite la tenue et l'observation de graphiques de circulation, la traction est assurée depuis le début des années 1960 par des locomotives Diésel : les engins les plus puissants peuvent tirer des trains de 1 000 tonnes sur des rampes de 19 m/m. La signalisation lumineuse, largement automatisée, garantit la sécurité et la fluidité de la circulation.
Ainsi, par leur développement dans l'espace, la nature de leur trafic et les modalités de leur gestion ces réseaux qui innervent les bassins miniers et métallurgiques rappellent tout à fait celui de la S.N.C.F.

Les embranchements industriels installés à l'intérieur du périmètre des grands ensembles urbains ou à proximité immédiate présentent des caractères quelque peu différents.
Il n'est pas surprenant, d'abord, qu'ils desservent des entreprises de nature très variée, marchés de produits alimentaires, chantiers de matériaux de construction, usines de métallurgie différenciée, de mécanique, chimiques, etc. Leur importance

Le secteur des pondéreux figure aussi en bonne place dans le domaine des installations embranchées, lesquelles incluent souvent une logistique élaborée pour le chargement de rames complètes.

et donc celle des emprises ferroviaires sont extrêmement variables. Si l'implantation des lignes du réseau général souvent ramifiée explique parfois une relative dispersion des embranchements, ceux-ci sont souvent concentrés sur des secteurs précis.

C'est ainsi que beaucoup d'entre eux se remarquent à proximité des gares de marchandises et de triage, en raison des facilités de mise à disposition de la clientèle ou d'expédition des wagons qu'elles offrent, sans perte de temps et en évitant des manœuvres parasites sur les voies principales ; aussi ces gares sont-elles souvent le centre de véritables toiles d'araignée constituées par des dizaines d'embranchements particuliers, comme à La Plaine Saint-Denis, Mulhouse-Nord, Vénissieux ou Nantes-État ; parfois l'observateur profane peut éprouver des difficultés pour discerner dans l'écheveau des voies ferrées qu'il découvre celles qui appartiennent à la S.N.C.F. et aux firmes privées, tant l'imbrication peut être poussée.

Mais d'autres facteurs peuvent s'ajouter et expliquer la naissance et la croissance de vastes zones industrielles, comme la disponibilité de terrains étendus et bien situés, la présence de ports maritimes ou fluviaux, la qualité des liaisons possibles avec le réseau routier ou autoroutier, la nécessité d'éloigner du cœur des agglomérations des industries particulièrement polluantes. Depuis le siècle dernier s'est ainsi développé un périmètre fortement industrialisé à Bassens, à une dizaine de kilomètres au nord de la gare de Bordeaux-Saint-Jean, où des usines très diverses ont grandi entre les appontements longeant la Garonne et la ligne de Paris ; un exemple du même ordre est fourni par le secteur proche du port de La Pallice, près de La Rochelle, avec regroupement d'entreprises métallurgiques, chimiques ou agroalimentaires, raccordées à une courte ligne à voie unique et en impasse de la S.N.C.F., et désormais desservies par une rocade routière.

Comme la plupart des embranchements urbains, ceux du secteur La Plaine-Saint-Denis sont en phase de régression.

Or, depuis plusieurs décennies les pouvoirs publics, les autorités locales, ont cherché, dans le cadre de l'aménagement du territoire, à créer de toutes pièces des zones industrielles délimitées rationnellement, pourvues des infrastructures de base et donc attractives. Certaines ne sont pas du tout raccordées au chemin de fer, lorsque leur vocation les tourne vers des productions légères et très diversifiées ; mais dans la très grande majorité des cas, le rail est présent ; la zone industrielle dite de la Plaine de l'Ain raccordée à Ambérieu par une voie unique de 18 kilomètres, celles des Grands Mortiers et des Yvaudières aménagées à Saint-Pierre-des-Corps offrent des exemples significatifs. La structure interne des voies ferrées est souvent identique, avec une voie-mère de raccordement au réseau de la S.N.C.F., un faisceau plus ou moins étoffé de voies de réception, de classement et d'expédition des wagons, et les voies de desserte des entreprises ; en impasse, accessibles par refoulement, elles divergent dans toutes les directions et serpentent dans l'intégralité du périmètre.

Les embranchements pétroliers constituent, eux, un groupe légèrement à part dans la mesure où raffineries et réservoirs ont été généralement construits près des ports de réception des hydrocarbures et à bonne distance des agglomérations, pour des raisons de sécurité évidente. C'est autour de l'étang de Berre, à Ambès, Donges, Gonfreville, Notre-Dame-de-Gravenchon, Grand-Couronne, c'est-à-dire à de nombreux kilomètres de Marseille, Bordeaux, Nantes, Le Havre et Rouen, qu'ont été édifiés les complexes pétroliers comptant parmi les plus puissants du pays ; aussi sont-ils desservis par de longs embranchements ferroviaires : 18 kilomètres pour la ligne privée reliant Pas-des-Lanciers à Bel-Air-la-Mède, dans les Bouches-du-Rhône ; les voies uniques SNCF Bassens-Ambès, Breauté-Gravenchon-Port-Jérome assument le même type de fonction. A l'intérieur même du périmètre de certaines raffineries, les emprises ferroviaires sont très développées, puisqu'à Shell-Berre deux faisceaux regroupant en tout plusieurs dizaines de voies s'allongent de part et d'autre de la ligne Paris-Marseille ; un saut-de-mouton évite toute intersection à niveau du trafic de la grande artère avec la circulation interne des wagons citernes.

Pourtant des raffineries ont aussi été établies en plein cœur du pays. Alimentées par oléoducs elles sont rattachées au réseau national directement par embranchement, comme celles de Grandpuits près de Nangis, reliée à la radiale Paris-Mulhouse, et de Feyzin jouxtant le triage de Sibelin au sud de Lyon, sur l'axe Paris-Marseille.

Le port de Rouen et son vaste chantier de conteneurs.

Les voies portuaires

Elles se caractérisent d'abord par leur développement considérable : chacun des grands ports français, fluviaux ou maritimes, est desservi par plusieurs dizaines de kilomètres de voies ferrées qui longent les bassins, sont enjambées par les grues, atteignent les multiples entrepôts et parcs de stockage. Leur disposition d'ensemble est dans ces conditions très éclatée et ramifiée, d'autant plus que les ports les plus anciens présentent un plan général complexe qui ne favorise pas toujours le chemin de fer : très souvent, pour aboutir aux quais les voies doivent accepter de faibles rayons de courbure, tandis que des manœuvres de refoulement compliquées sont parfois nécessaires. Le cas le plus difficile est présenté par les quais et les bassins perpendiculaires à la ligne du rivage, comme ceux du secteur d'Arenc dans le port urbain de Marseille ; en revanche ceux de Mourépiane et de la Joliette qui les encadrent, plus récents, ont été aménagés suivant une disposition en diagonale qui a facilité l'implantation des voies ferrées ; à Bordeaux, Nantes ou Rouen la desserte des quais qui bordent le fleuve n'a posé aucun problème majeur, avec la pose de voies épousant les très amples sinuosités du cours d'eau.

L'organisation du trafic pose un certain nombre de problèmes, dans la mesure où dans les ports les plus actifs plusieurs centaines de wagons doivent être quotidiennement amenés ou retirés. Aussi de nombreuses navettes circulent-elles, parfois au nombre de plusieurs dizaines par jour, en provenance ou à destination des gares de triage proches, alors que des trains complets chargés par exemple de minéraux, de produits pétroliers ou de céréales accèdent directement aux installations portuaires ou en partent, en court-circuitant les triages. Dans ces conditions la qualité de la liaison avec les lignes de la S.N.C.F. revêt une importance essentielle : très souvent en site propre, à double voie et électrifiés, ces raccordements offrent un débit potentiel considérable, surtout lorsque, comme à l'Estaque au nord de Marseille, un saut-de-mouton évite tout cisaillement à niveau des itinéraires. Pendant longtemps un point noir s'est révélé fort gênant, à Rouen avec la nécessité, pour les rames circulant entre les emprises portuaires de la rive droite de la Seine et le triage de Sotteville, de rebrousser en gare de Darnétal, sur la ligne d'Amiens ; depuis quelques années un raccordement direct, construit partiellement sur le site de la vieille gare de Martainville, permet à la

Le port de Fos, fleuron des réalisations récentes en la matière ; ici un train de bauxite au môle minéralier.

Une desserte plus modeste, avec ce train Blaye-Saint-Mariens sur le port de Blaye.

dizaine de convois circulant quotidiennement dans chaque sens d'éviter des manœuvres difficiles, longues et onéreuses. La réception des trains, le classement des wagons en fonction des divers quais, bassins ou entrepôts à desservir, inversement leur regroupement et la préparation de leur expédition sont effectués sur des faisceaux de voies exploités par la S.N.C.F., à l'intérieur du port ou immédiatement à proximité. Parfois modestes, comme à Bordeaux-Saint-Louis par exemple, ces infrastructures sont souvent très développées : la gare de Rouen-Orléans, qui régule le trafic ferroviaire de la majeure partie de la rive gauche du port de Rouen, est équipée de trois faisceaux qui totalisent 42 voies. Dans les trois ports les plus importants du pays la circulation des wagons est commandée et organisée par des chantiers de classement parfois de grande ampleur : Marseille Arenc et Mourepiane, Soquence près du Havre, et surtout le vaste triage de Grande-Synthe près de Dunkerque. Le rôle de régulation interne de ces installations est d'autant plus essentiel que la disposition des quais

et des bassins, imposant de longs détours ne facilite guère les relations directes ; c'est ainsi qu'en raison de la construction très en amont des ponts ferroviaires, les deux rives des principaux ports fluviaux à Rouen, Nantes ou Bordeaux, très isolées l'une par rapport à l'autre, sont irriguées par des réseaux ferrés très largement autonomes.
Par ailleurs, en raison de l'activité maritime qui a attiré les usines, les voies portuaires sont souvent l'origine d'embranchements industriels variés. Cette imbrication et donc cette dualité de la vocation ferroviaire, remarquables par exemple sur la rive gauche du port de Rouen ou à Strasbourg, atteignent une complexité considérable et se traduisent par des infrastructures particulièrement imposantes autour du golfe de Fos.

Le complexe industrialo-portuaire de Fos est jeune, puisque c'est en 1968 que les dirigeants du Port Autonome de Marseille prirent la décision d'aménager le vaste secteur s'étendant en bordure du golfe de Fos entre l'étang de Berre, la plaine de la Crau et le Rhône. Très rapidement de profondes darses furent creusées, de puissantes usines s'installèrent, dominées par l'industrie lourde.
Actuellement, même si l'élan initial s'est ralenti depuis une dizaine d'années en raison de la conjoncture générale, un spectacle impressionnant est présenté dans un rectangle d'orientation est-ouest, d'environ une quinzaine de kilomètres de longueur et une demi-douzaine de largeur. Dans un paysage grandiose mais assez deshumanisé, très peu verdoyant, sans une structure urbaine digne de ce nom, se juxtaposent les vastes bassins qui reçoivent des navires de toute nature, pétroliers ou minéraliers entre autres, les parcs de stockage des minerais et les entrepôts pétroliers, les diverses usines, chimiques et sidérurgiques surtout.
Dès le début de l'aventure le rail a été naturellement présent et occupe toujours une place privilégiée, en raison d'une forte demande de transport de marchandises lourdes et de valeur marchande à la tonne fort peu attractive pour la concurrence routière.
La structure du réseau implanté par la S.N.C.F. et géré par elle est à la fois simple et classique : son épine dorsale est constituée par une ligne spécialement construite se raccordant à Lavalduc à l'artère Miramas-Marseille par Port-de-Bouc. Longue de 25 kilomètres elle est dotée de deux voies sur la moitié de son parcours ; alors qu'à Coussoul, non loin de Lavalduc, deux faisceaux de voie permettent de régulariser et d'organiser le trafic à l'intérieur du périmètre, une série d'embranchements se détachent en éventail de la ligne-mère ; ils desservent les entrepôts pétroliers, les usines de métallurgie lourde comme celles de la Solmer ou d'Ugine-Aciers, le quai minéralier, le terminal des conteneurs de Graveleau ainsi que la gare de Port-Saint-Louis-du-Rhône, jadis desservie par une antenne à voie unique en provenance d'Arles et aujourd'hui partiellement désaffectée.
Chaque jour plusieurs dizaines de trains formés le plus souvent de wagons spécialisés amènent à l'intérieur de la zone industrialo-portuaire ou en sortent globalement 25 à 30 000 tonnes des produits les plus variés. Ce trafic massif s'écoule dans de bonnes conditions grâce à la qualité des équipements : l'ensemble des voies, sauf celles qui longent directement les darses, est électrifié, ce qui évite de coûteux changements de locomotives à l'entrée et à la sortie du complexe ; par ailleurs la sécurité de la circulation est garantie par de modernes postes de type P.R.S., tandis que le plus souvent, hors des embranchements particuliers eux-mêmes, la vitesse des convois peut atteindre 80 km/heure.
Ainsi à Fos le chemin de fer joue-t-il un rôle irremplaçable, et d'autant plus intéressant que les installations actuelles, bien dimensionnées, pourraient sans extension considérable faire face à une éventuelle augmentation substantielle de l'activité globale de ce complexe industrialo-portuaire, qui compte parmi les plus puissants d'Europe.

Qu'ils soient en provenance ou à destination de gares de marchandises ou d'embranchements particuliers, les wagons peuvent être appelés à franchir les frontières ; d'où l'implantation à la périphérie du territoire métropolitain de gares à la vocation particulière.

Les gares-frontières

Leur mission principale ne consiste pas à permettre le chargement et le déchargement des marchandises mais à faciliter leur passage, compte tenu des contraintes qui subsistent. En effet, même entre pays de la Communauté Européenne doivent encore s'effectuer des opérations de douane, tandis qu'au plan spécifiquement ferroviaire la transition d'un réseau à l'autre pose toujours, malgré de réels progrès, quelques problèmes techniques comme ceux de l'échange de personnel, de l'interpénétration des engins de traction, des désheurements parfois importants.
Néanmoins, depuis quelques années, la S.N.C.F. a simplifié les opérations douanières en frontière en les reportant sur les triages situés en amont. C'est le cas de Lille-Délivrance pour Tourcoing, d'Aulnoye pour Feignies et Jeumont, de Woippy pour Apach, de Thionville pour Zoufftgen, de Mulhouse pour Saint-Louis et d'Ambérieu pour Genève.
Ces sujétions, qui se retrouvent il est vrai, même atténuées, dans le domaine du transport des voyageurs, sont à l'origine de la présence, dans les gares-frontières, de voies de garage ou de service où peuvent stationner en escale les convois en transit. Plusieurs de ces gares sont équipées d'infrastructures très développées, en raison de leur rôle particulier.

Quotidiennement 25 000 tonnes de marchandises environ franchissent la frontière franco-italienne près de Modane, sur la ligne Paris-Turin. Ce trafic, qui se caractérise par une nette prédominance des exportations avec plus des deux-tiers du total, a sextuplé en trente ans. Aussi la gare, tapie le long de l'Arc, a-t-elle connu plusieurs extensions successives ; actuellement de vastes halles, des faisceaux qui regroupent plusieurs dizaines de voies recevant chaque jour en moyenne 60 trains, les deux sens réunis, créent un paysage ferroviaire inattendu par son ampleur au fond de cette vallée alpine.

Ci-dessus, Modane, point de transit principal avec l'Italie et la première gare frontière française. Ci-dessous, Hendaye où la différence d'écartement entre les voies espagnoles et françaises oblige au changement d'essieux, voire au transbordement.

Par ailleurs de part et d'autre de la chaîne pyrénéenne la soudure entre les réseaux français et espagnol est fortement influencée par la nécessité de faire face au problème de la différence d'écartement des voies.
C'est ainsi que symétriquement les deux grands itinéraires internationaux Paris-Madrid et Paris-Barcelone sont jalonnés par deux complexes ferroviaires dédoublés qui réunissent chacun une gare française et une gare espagnole, Hendaye et Irun à l'ouest, Cerbère et Port-Bou à l'est.
Sur quelques kilomètres l'interpénétration des voies est une réalité puisque les voies larges pénètrent dans les emprises d'Hendaye et de Cerbère, et inversement. Aussi ces quatre centres ferroviaires offrent-ils chacun un spectacle rare avec des groupes de voies, soit larges, soit "normales", le plus souvent côte à côte, mais parfois enchevêtrées. Si une partie de ces installations est vouée au transport des voyageurs, avec les opérations de modification d'écartement des roues pour les rames Talgo, et les installations de changement de bogies de voitures voyageurs dans le cas d'Hendaye, le trafic des marchandises occupe une très large place. Il a représenté en 1989 1 700 000 tonnes à Hendaye-Irun, 1 534 000 tonnes à Cerbère-Port-Bou, importations et exportations confondues.
Avec la chute spectaculaire des agrumes, fruits et légumes vivement convoités par la route, le sens dominant est devenu celui de l'export (Nord-Sud) dans les deux points frontières. Des faisceaux de voies de garage permettent de recevoir les convois ou de les placer en attente de départ, des halles et des cours de débords équipées de puissants portiques de levage assurent le transbordement des marchandises et plus particulièrement le transfert des conteneurs, lorsque la rupture de charge ne peut être évitée ; grâce par ailleurs aux chantiers Transfesa, dont l'activité est en expansion, les wagons spécialisés passent d'un réseau à l'autre sans problème majeur après changement de leurs essieux, opération longue mais économiquement intéressante. Ces diverses installations souffrent de l'insuffisance des superficies dont elles disposent, en raison des contraintes d'une topographie accidentée ; à Cerbère en particulier les voies ferrées s'infiltrent avec difficulté entre la mer et la montagne qui la surplombe, au prix de nombreux travaux de terrassement ; à Hendaye c'est par le remblaiement aux dépens de l'océan que des superficies supplémentaires ont pu être gagnées. Toujours est-il qu'avec le développement des échanges franco-ibériques stimulés par l'entrée de l'Espagne et du Portugal dans la Communauté Économique Européenne, et malgré la concurrence routière, ces gares-frontières ont un bel avenir devant elles ; seule la pénétration possible jusqu'au cœur de l'Espagne de lignes à écartement normal pourrait remettre en question la nature de leurs missions.
En 1989, les meilleurs résultats en milliers de tonnes, ont été obtenus par les gares-frontières de Modane, Bâle, Thionville, Feignies, Jeumont, Forbach, Tourcoing et Apach.
La description de la structure des installations si diverses affectées au chargement des marchandises et à leur déchargement amène naturellement maintenant à situer l'importance respective, au plan national, des diverses gares et chantiers.

	Import	Export	Total
Modane	2 510	5 650	8 160
Bâle	1 431	4 581	6 012
Thionville	3 571	1 449	5 020
Feignies	2 723	2 146	4 869
Jeumont	2 855	1 233	4 088
Forbach	1 801	1 325	3 126
Tourcoing	1 446	1 199	2 645
Apach	1 341	911	2 252

LE CLASSEMENT DES GARES DE MARCHANDISES

L'analyse du tableau ci-dessous amène à formuler un certain nombre de remarques. Pour qu'elles prennent tout leur sens il faut savoir d'abord que le vocable "gares", compris dans son sens le plus général, est attribué non seulement aux gares de marchandises traditionnelles mais aussi aux ensembles d'embranchements particuliers, comme celui de Fos ; par ailleurs les tonnages reçus ou expédiés sur les voies privées raccordées à une gare sont comptabilisés avec le trafic spécifique de cette dernière.

Trafic des 20 principales gares françaises en 1989

Gares	Régions S.N.C.F.	Trafic Total	Dont expéditions (en milliers de tonnes)
1 Dunkerque	Lille	12 282	8 157
2 Fos	Marseille	6 371	5 174
3 Le Havre	Rouen	5 266	3 042
4 Thionville-Ebange	Metz	4 475	3 272
5 Varangeville	Nancy	3 409	1 029
6 Creutzwald	Metz	2 878	2 298
7 Petit-Quevilly	Rouen	2 799	1 005
8 Gandrange	Metz	2 547	378
9 Pont-à-Mousson	Nancy	2 400	410
10 Creil	Paris-Nord	2 418	753
11 Marseille	Marseille	2 197	1 218
– Martigues	Marseille	2 197	1 894
13 Cocheren	Metz	2 182	2 167
14 Hagondange	Metz	1 970	1 177
15 Tucquegnieux	Metz	1 720	1 720
16 Strasbourg	Strasbourg	1 632	741
17 Béning	Metz	1 631	1 500
18 Longwy	Metz	1 604	725
19 Richwiller	Strasbourg	1 395	1 387
20 Saint-Varent	Nantes	1 387	1 387

Il est avant tout frappant de constater, dans ce classement, le poids des régions où sont fortement concentrées les industries lourdes : 60% des principales gares françaises sont implantées dans le bassin du Nord-Pas-de-Calais et surtout en Lorraine industrielle, qui regroupe à elle seule 10 de ces 20 gares. Le transport du minerai de fer, de la houille, de l'ensemble de la production sidérurgique, tôles, poutres, profilés, rails, etc., se traduit naturellement par des tonnages massifs. Lorsque le chemin de fer est très sollicité pour l'approvisionnement d'un complexe métallurgique en matières premières les arrivages l'emportent, comme à Pont-à-Mousson ; les expéditions en revanche dominent si la production confiée au rail émane du sous-sol, comme à Béning ou Cocheren.

Les ensembles industrialo-portuaires se situent globalement en excellente position : l'implantation de la métallurgie lourde ou de la pétrochimie, le volume des flux de marchandises chargées ou déchargées autour des bassins et prises en charge par le rail sont des éléments d'explication concordants. Le déséquilibre général de l'activité des ports français au profit des importations se trouve à l'origine de la prédominance des expéditions dans le trafic ferroviaire, à Dunkerque et à Fos en particulier.

En contrepoint, le rôle joué par les gares de marchandises qui desservent les principales agglomérations du pays se révèle proportionnellement faible, puisque celles qui sont installées dans la capitale n'apparaissent pas dans ce classement, pas davantage que celles de nombreuses grandes villes. C'est que les arrivages de marchandises indispensables à la vie des cités, produits alimentaires par exemple, ainsi que la production des industries les plus intégrées dans le tissu urbain, ne peuvent se concrétiser par des tonnages concurrençant ou même approchant ceux des fonderies, des aciéries, ou des raffineries. De bons exemples sont fournis par le trafic total de chacune des gares de Nice, Clermont-Ferrand et Limoges, inférieur à 500 000 tonnes, alors qu'elles desservent des agglomérations peuplées de plus de 150 000 habitants ; Vénissieux enregistre un trafic d'un million de tonnes moins parce que sa gare est située à l'intérieur du périmètre urbain lyonnais qu'en raison du poids de la zone industrielle qui s'y est développée.

Dans Paris même, aucun chantier de marchandises n'atteint par son activité le million de tonnes annuel ; or certaines gares installées en banlieue dans des localités relativement peu importantes voient passer des tonnages au moins aussi volumineux lorsqu'elles assurent un trafic particulier comme celui d'un secteur portuaire (Gennevilliers, le port de Bonneuil), d'un grand marché de fruits et légumes (Rungis), d'une infrastructure rail-route (Pompadour, Valenton) ou d'une vaste zone industrielle.

Gares de la région parisienne
Trafic total (en milliers de tonnes, en 1989)

Gare	Trafic	Gare	Trafic
1 Valenton	1 787	7 Le Bourget	581
2 Gennevilliers	1 270	8 Maisons-Alfort-Pompadour	568
3 Vaires-Torcy	1 111	9 Paris-La Chapelle	523
4 Noisy-le-Sec	767	10 Sucy-Bonneuil	494
5 Rungis	756	11 Pantin	450
6 Paris-Tolbiac	624	12 Poissy	279
		13 Paris-Bercy	214

Globalement le total des tonnages reçus et expédiés dans la région parisienne est certes proche de 9 000 000 de tonnes, mais dans le cadre d'un dispositif très éclaté dans l'espace en de multiples points de chargement et de déchargement, et desservant un ensemble urbain qui regroupe à lui seul tout de même le cinquième de la population française. Les besoins de ces dix millions d'habitants en produits les plus divers, alimentaires ou énergétiques en particulier, expliquent que la plupart du temps les arrivages l'emportent sur les expéditions avec près de 80% du trafic total à Rungis, 90% à Paris-La Chapelle, près de 100% à Vaires-Torcy.

Ce type de déséquilibre se retrouve dans l'activité de la plupart des gares qui desservent les autres grandes agglomérations du pays, avec 60% des flux à l'arrivée à Lille, 84% à Limoges, 90% à Nice. Le rapport se modifie si un vaste ensemble urbain abrite des installations portuaires ou industrielles : les expéditions dominent alors comme à Rennes (52%), à Caen (près de 70%) ou à Valenciennes (74%).

Dans les gares de marchandises classiques et sur les embranchements particuliers sont donc reçus et expédiés quotidiennement des tonnages considérables, qui nécessitent la mise en circulation de plusieurs milliers de trains. Le regroupement et le dégroupement des wagons, la composition des convois, leur mode d'acheminement posent un certain nombre de questions sur la gestion d'ensemble du trafic.

Sur la voie-mère Garonor-Citroën, un train d'automobiles se dirige vers le triage du Bourget.

Diversité des marchandises transportées par fer qu'illustre le faisceau de Mont-Saint-Martin en Lorraine.

L'ORGANISATION GÉNÉRALE DU TRAFIC DES MARCHANDISES

Il semble indispensable, avant d'analyser le fonctionnement du délicat mécanisme qui règle le mouvement des wagons et des trains, de tenter d'évaluer la charge globale du trafic à assurer.

LA DEMANDE GLOBALE DE TRANSPORT

L'analyse du tableau joint amène à formuler plusieurs remarques complémentaires.

D'abord, au-delà de l'ampleur du trafic global (plus de 146 000 000 de tonnes transportées en 1989) comment ne pas noter l'étonnante diversité des marchandises prises en charge par la S.N.C.F., qui se traduit par l'extrême variété des wagons composant la plupart des convois, où s'éparpillant sur les faisceaux des gares de triage : lourdes trémies chargées de minerais, de houille ou de produits de carrière, wagons-citernes bariolés, véhicules spécialisés dans l'acheminement des céréales, des automobiles ou des machines agricoles, wagons Débach-Vit et à toit ouvrant accueillant les marchandises les plus diverses... Cette pluralité correspond naturellement à l'activité d'un pays fortement industrialisé, à la population nombreuse et dont le niveau de vie exige des approvisionnements massifs et diversifiés.

Mais, exprimé en tonnages chargés et déchargés, le trafic de la S.N.C.F. se caractérise par la prédominance très nette des produits les plus lourds et de valeur marchande, à la tonne, relativement modeste, ceux-là même qui n'intéressent pas beaucoup la concurrence routière. De son côté, le transport fluvial, qui ne bénéficie en France que d'une pénétration géographique très réduite du fait du dessin de son réseau, n'assure plus qu'une petite partie du trafic lourd.

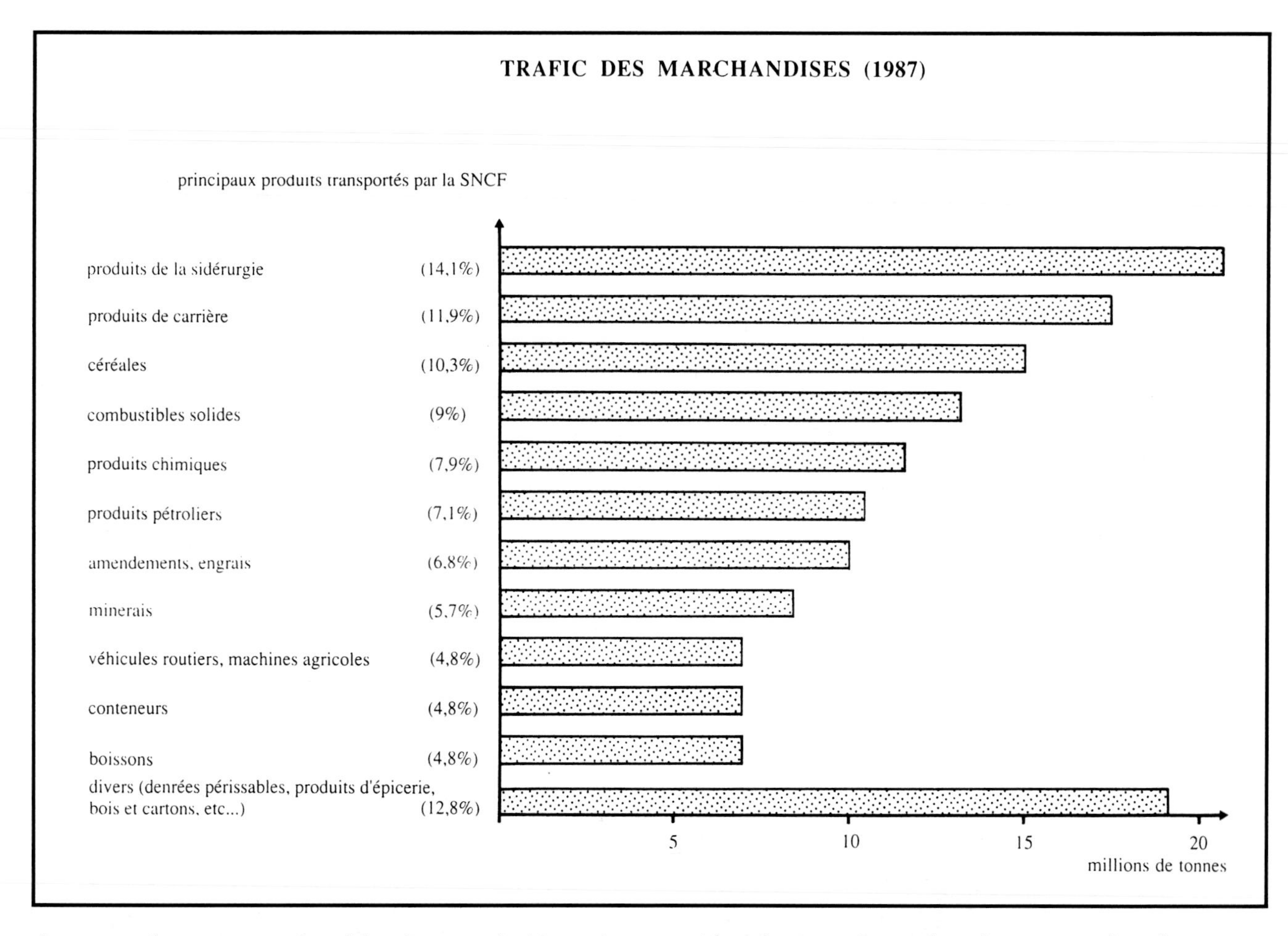

Il est particulièrement significatif de relever que l'addition des produits de la sidérurgie et des carrières, de la houille, des minerais et des produits pétroliers, marchandises peu ou pas élaborées, représente près de la moitié du trafic total de la S.N.C.F. Par ailleurs la vocation et les capacités agricoles de la France sont à l'origine des importants transports de céréales. A l'opposé, les besoins de la consommation courante, même s'ils se révèlent intéressants au plan des recettes, n'induisent que des tonnages proportionnellement réduits. L'ensemble des denrées périssables par exemple, c'est-à-dire les fruits, légumes et produits de la mer entre autres, en baisse perpétuelle ces dernières années, tout comme les transports de bestiaux, ne constituent plus qu'environ 2% du fret ferroviaire français. Leur volume et surtout leur poids relativement modérés, la technicité et les délais d'acheminement très compétitifs de la concurrence routière dans un secteur alléchant, expliquent cette faible part.

En position intermédiaire les produits manufacturés, qu'ils sortent des usines de métallurgie différenciée comme les automobiles ou les machines agricoles, ou des complexes pétrochimiques ou carbochimiques, constituent une base non négligeable du trafic de la S.N.C.F. : par exemple les produits chimiques et les engrais regroupés atteignent près des 15% de son total.

Cette demande de transport correspond dans ses grandes lignes à la situation que connaissent les autres pays de l'Europe occidentale. Dans chacun d'eux les courants de trafic s'organisent en fonction des distances à parcourir entre les zones d'approvisionnement en produits énergétiques et en matières premières, les principaux secteurs de production et de fabrication, les concentrations de population les plus denses et donc les foyers de consommation les plus nombreux.

En France, les échanges ferroviaires de marchandises tissent un écheveau à la fois complexe et solidement structuré autour de plusieurs puissants points d'ancrage.

En premier lieu la carte des principaux flux interrégionaux montre combien la position de chaque région est particulière. A l'image de l'activité économique générale, le transport par chemin de fer n'atteint qu'un niveau limité dans le Massif Central et l'ouest du pays, où ne circulent que peu de flux épais et de grande amplitude : aucun courant d'au moins 500 000 tonnes ne s'échappe des régions de Basse Normandie, des Pays de la Loire ou du Limousin, ou n'y parvient. En revanche la vitalité ferroviaire est forte dans beaucoup de celles qui constituent la moitié de la France, à l'est d'une ligne imaginaire joignant Le Havre au delta du Rhône ; en raison en effet de la forte population et du développement de l'industrie, lourde en particulier, les régions d'Ile-de-France, du Nord-Pas-de-Calais et surtout de Lorraine se classent très nettement en tête, devant celles de Provence-Côte d'Azur et Rhône-Alpes.

Les flux sont d'amplitude très variée : la circulation à l'intérieur de chaque région représente parfois une part importante

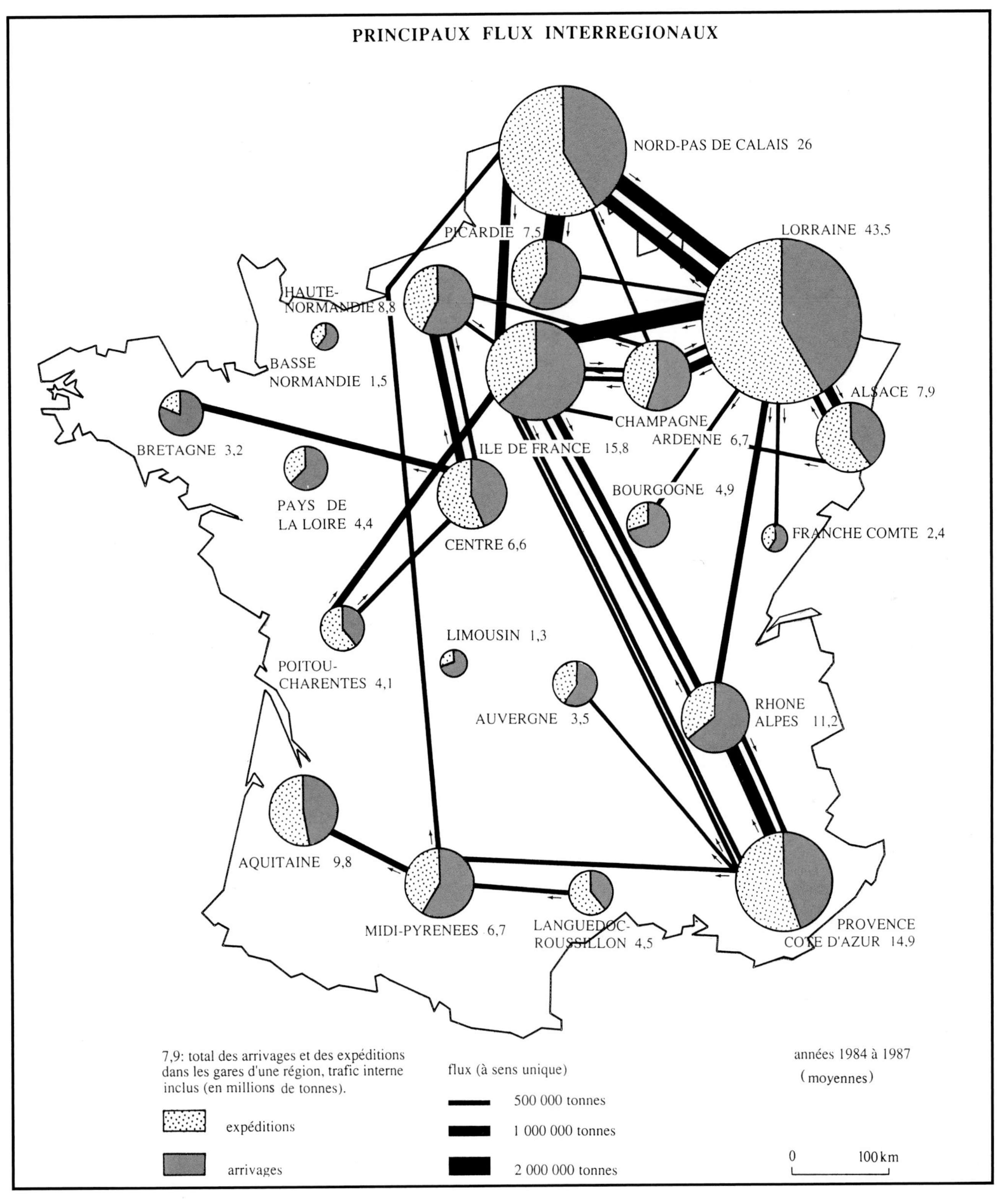

de son trafic global, atteignant par exemple les deux-cinquièmes en Aquitaine et en Lorraine. Mais les courants d'origine ou de provenance externe sont toujours les plus importants, l'emportant souvent de manière écrasante, avec plus de 90% du total par exemple en Ile-de-France, Haute Normandie ou Champagne-Ardenne. C'est que si à courte ou même moyenne distance la concurrence routière peut s'exercer avec efficacité, sauf pour le transport de marchandises lourdes comme les minerais ou les produits de la sidérurgie à l'intérieur de la Lorraine, le chemin de fer continue de jouer un rôle éminent à l'échelle de l'ensemble du pays.

Ainsi, avec la fermeture prochaine des derniers points d'extraction de la minette Lorraine, des convois de minerai de fer importé via Dunkerque alimentent maintenant les sites sidérurgiques de Lorraine. Par contre, dans le bassin du Nord-Pas-de-Calais, la houille qui avait fait la grandeur de toute une région cessera définitivement d'être remontée sur le carreau des mines, en 1991, privant le chemin de fer de tonnages volumineux. De même vers l'Ile-de-France, c'est-à-dire pour l'essentiel vers la région parisienne, convergent de multiples courants qui fournissent au cinquième de la population française les masses de produits alimentaires, énergétiques, manufacturés ou semi-ouvrés qui sont indispensables à sa vie et au fonctionnement des industries : dans le domaine de l'approvisionnement en produits sidérurgiques le rôle joué par la Lorraine apparaît avec évidence, non seulement vis-à-vis de la région parisienne, mais aussi par rapport à l'Alsace ou à la région Rhône-Alpes entre autres.

Si la production des complexes métallurgiques, des usines chimiques ou des raffineries explique la plupart des grands courants qui sillonnent l'ensemble du pays, des flux particuliers s'individualisent : les expéditions de céréales vers les secteurs portuaires ou la Bretagne depuis les plaines du centre, ou encore celle des produits des carrières depuis le Poitou-Charentes sont de bons exemples.

Dans ces conditions il est normal que d'une région à l'autre le poids relatif des tonnages chargés et déchargés soit extrêmement variable. Les expéditions dominent d'une part dans les régions relativement peu peuplées et productrices de marchandises massives et bien précises, d'autre part dans celles qui concentrent la plus grande part des industries lourdes françaises, comme bien sûr la Lorraine. En revanche les arrivages l'emportent soit dans les secteurs les plus peuplés comme les régions Ile-de-France ou Rhône-Alpes, soit dans ceux qui sont économiquement les moins vivaces et les moins développés : Franche-Comté, Auvergne ou Limousin entrent dans ce cas de figure.

Importante et variée, cette demande de transport donne naissance sur les diverses lignes de la S.N.C.F. à un trafic lui-même très diversifié.

LA HIÉRARCHIE DES FLUX SUR LES LIGNES

Comme le montre la carte, l'organisation de la circulation des marchandises par voie ferrée en France rappelle assez fortement celle des voyageurs, mais avec des différences sensibles. La force d'attraction de la région parisienne constitue la première similitude : vers la capitale convergent la plupart des artères les plus chargées du réseau, provenant de Lille et de Belgique, de Strasbourg, de l'axe rhodanien, d'Aquitaine ou du Havre : les deux sens réunis les marchandises transportées quotidiennement sur chacune de ces relations dépassent toujours 20 000 tonnes dans leur portion terminale. Par ailleurs, et corrélativement, le trafic tend à diminuer en s'éloignant de Paris, tout au moins dans l'ouest et le sud-ouest du pays. Enfin des liaisons transversales comme Bordeaux-Marseille ou Nantes-Lyon assurent un trafic comparable par son ampleur à celui des voyageurs qu'elles écoulent.

Mais des disparités très nettes sont facilement décelables.

D'abord, l'activité des diverses lignes apparaît comme plus contrastée, dans la mesure où de nombreuses artères qui accueillent un trafic de voyageurs non négligeable ne supportent que de faibles flux de marchandises : les lignes Paris-Granville, Nantes-La Rochelle, Arvant-Nîmes et Arvant-Béziers, Besançon-St-Amour par Mouchard et Lons-le-Saunier offrent d'intéressants exemples.

Inversement, l'activité de certaines lignes est dominée, parfois de manière écrasante, par le trafic des marchandises. C'est le cas, à bonne distance de la capitale, des artères Rouen-Amiens, Tergnier-Dijon via Reims et Châlons-sur-Marne, tracées en rocade, et surtout de la grande transversale du Nord-Est : reliant Lille à Thionville, c'est-à-dire les importants bassins d'industrie lourde du Nord-Pas-de-Calais et de Lorraine, elle mérite d'être considérée comme l'un des axes essentiels du réseau français ; de même la ligne Nancy-Dijon assure une autre liaison essentielle entre la Lorraine sidérurgique et l'ensemble des régions rhodaniennes, et supporte elle aussi un trafic journalier supérieur à 25 000 tonnes de marchandises, les deux sens réunis.

A l'intérieur même des principaux ensembles urbains et industriels la circulation des marchandises est autrement structurée : dans le Nord l'originalité est constituée par la puissance du trafic d'une ligne tracée de Valenciennes à Hazebrouck par Somain et Lens, c'est-à-dire suivant l'axe du bassin houiller ; en Lorraine ce n'est pas exclusivement autour de Metz et Nancy que s'enchevêtrent les flux les plus denses, mais autour de Longuyon, Thionville ou Conflans-Jarny, au cœur du vaste complexe sidérurgique. En région parisienne le contraste est saisissant entre l'énorme prépondérance du trafic radial de voyageurs, de grandes lignes ou de banlieue, à destination ou en provenance des principales gares terminales, et le volume considérable du trafic de transit de marchandises, tangent à l'agglomération, assuré par la Grande Ceinture ; celle-ci, dans sa partie orientale, entre Bobigny et Valenton, se classe en tête de toutes les artères du réseau avec en moyenne journalière un trafic d'au moins 60 000 tonnes, les deux sens réunis.

Dans le quart sud-est du pays deux différences essentielles par rapport à l'écoulement des flux de voyageurs apparaissent.

D'abord le volume du transport des marchandises est proportionnellement beaucoup plus considérable sur les lignes Dijon-Ambérieu par Bourg-en-Bresse et Culoz-Modane, situées dans le prolongement l'une de l'autre : ce courant important, de l'ordre d'au moins 20 000 tonnes, correspond surtout au développement massif des échanges ferroviaires entre la France et l'Italie par la ligne du Mont-Cenis. Ensuite, dans la vallée du Rhône au sud de Lyon, l'acheminement du trafic de marchandises s'effectue de préférence par l'artère qui court sur la rive droite par Peyraud, Le Teil et son prolongement vers Miramas via Cavaillon. Toutefois, quelques trains suivant des marches accélérées (ME 120-140-160) et circulant le plus souvent la nuit, empruntent l'itinéraire prestigieux de la rive gauche, tracé par Valence et Avignon.

Comme pour le transport des voyageurs certaines sections de ligne jouent le rôle de troncs communs, avec à une extrémité le même éclatement hiérarchisé des flux dans au moins deux directions.

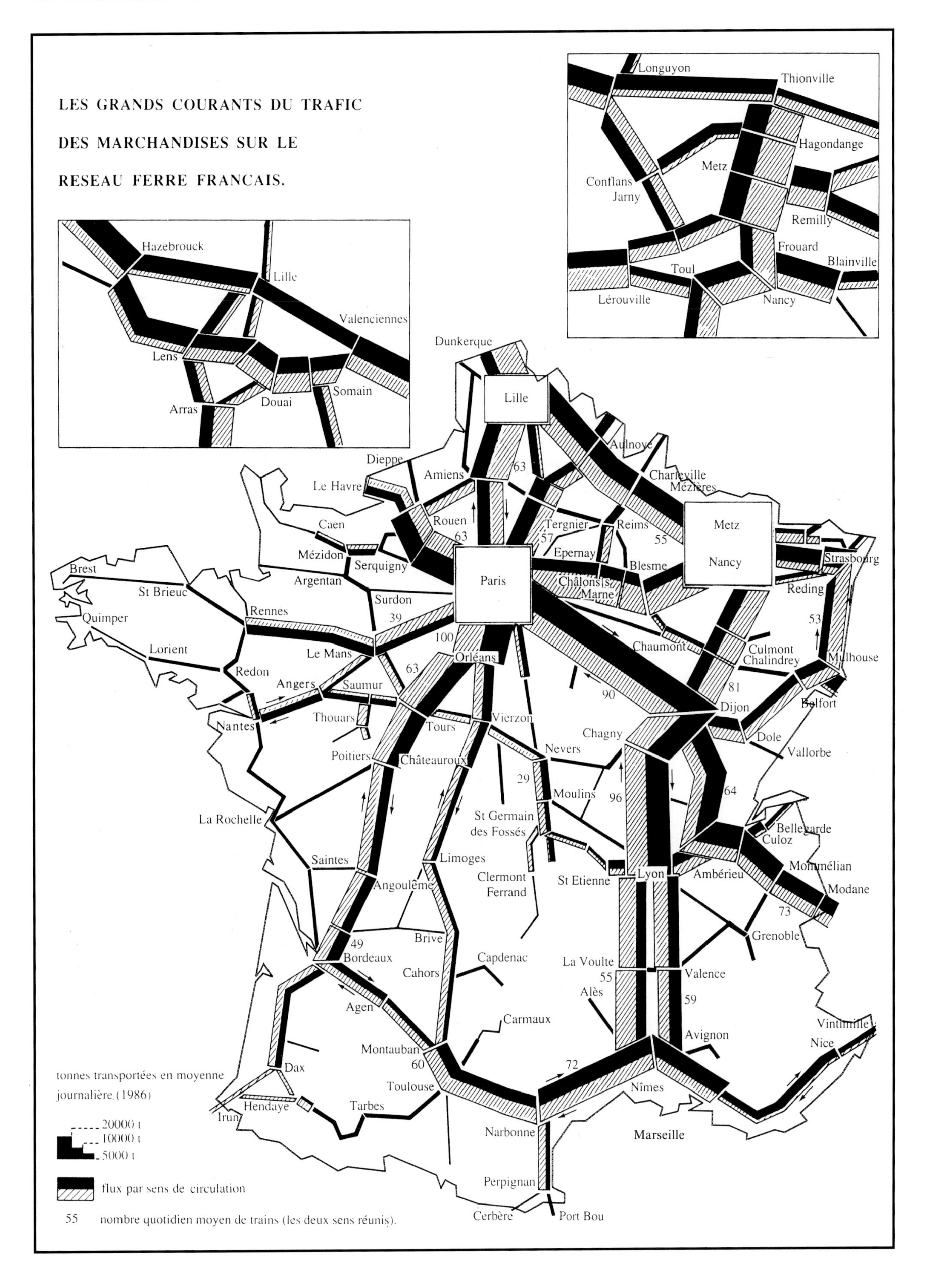
LES GRANDS COURANTS DU TRAFIC
DES MARCHANDISES SUR LE
RESEAU FERRE FRANCAIS.
Hazebrouck
Lille
Valenciennes
Lens
Arras
Douai
Somain
Longuyon
Thionville
Hagondange
Metz
Conflans
Jarny
Remilly
Frouard
Blainville
Toul
Lérouville
Nancy
Dunkerque
Lille
Dieppe
Amiens
63
Le Havre
Rouen
63
Aulnoye
Charleville Mézières
Tergnier
57
Reims
55
Metz
Nancy
Strasbourg
Caen
Mézidon
Serquigny
Epernay
Paris
Blesme
Châlons s/Marne
Reding
Brest
St Brieuc
Argentan
Surdon
39
Quimper
Rennes
53
Lorient
Le Mans
100
Chaumont
Culmont Chalindrey
Mulhouse
Redon
Orléans
63
90
Belfort
Angers
Saumur
81
Dijon
Nantes
Thouars
Tours
Vierzon
Chagny
Dole
Vallorbe
Nevers
Poitiers
Châteauroux
29
64
Moulins
96
La Rochelle
St Germain des Fossés
Bellegarde
Culoz
Saintes
Limoges
Lyon
Ambérieu
Montmélian
Angoulême
Clermont Ferrand
St Etienne
Modane
73
Grenoble
49
Brive
Bordeaux
Capdenac
La Voulte
Valence
Cahors
55
Alès
59
Agen
Carmaux
Vintimille
Avignon
Nice
Montauban
60
Dax
72
tonnes transportées en moyenne journalière (1986)
Toulouse
Nîmes
Hendaye
Tarbes
Irun
20000 t
Narbonne
Marseille
10000 t
5000 t
Perpignan
flux par sens de circulation
55 nombre quotidien moyen de trains (les deux sens réunis).
Cerbère
Port Bou

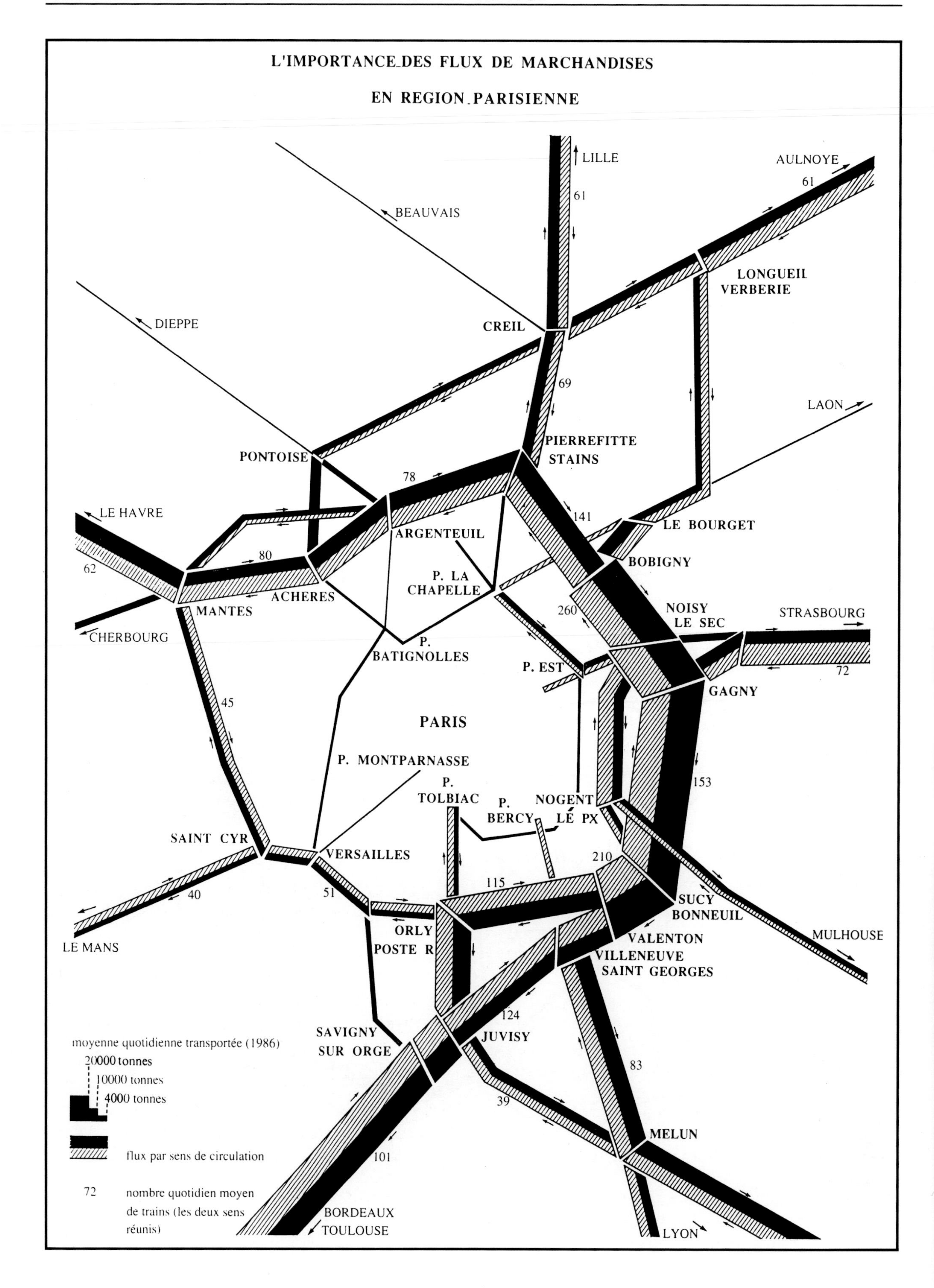
L'IMPORTANCE DES FLUX DE MARCHANDISES
EN REGION PARISIENNE
LILLE
61
AULNOYE
61
BEAUVAIS
LONGUEIL
VERBERIE
DIEPPE
CREIL
69
LAON
PIERREFITTE
STAINS
PONTOISE
78
LE HAVRE
141
LE BOURGET
ARGENTEUIL
80
BOBIGNY
62
P. LA
CHAPELLE
ACHERES
MANTES
260
NOISY
LE SEC
STRASBOURG
CHERBOURG
P.
BATIGNOLLES
P. EST
72
GAGNY
45
PARIS
P. MONTPARNASSE
153
P.
TOLBIAC
P.
BERCY
NOGENT
LE PX
SAINT CYR
VERSAILLES
210
115
40
51
SUCY
BONNEUIL
ORLY
POSTE R
VALENTON
MULHOUSE
LE MANS
VILLENEUVE
SAINT GEORGES
124
SAVIGNY
SUR ORGE
JUVISY
moyenne quotidienne transportée (1986)
20000 tonnes
10000 tonnes
4000 tonnes
83
39
MELUN
flux par sens de circulation
101
72
nombre quotidien moyen
de trains (les deux sens
réunis)
BORDEAUX
TOULOUSE
LYON

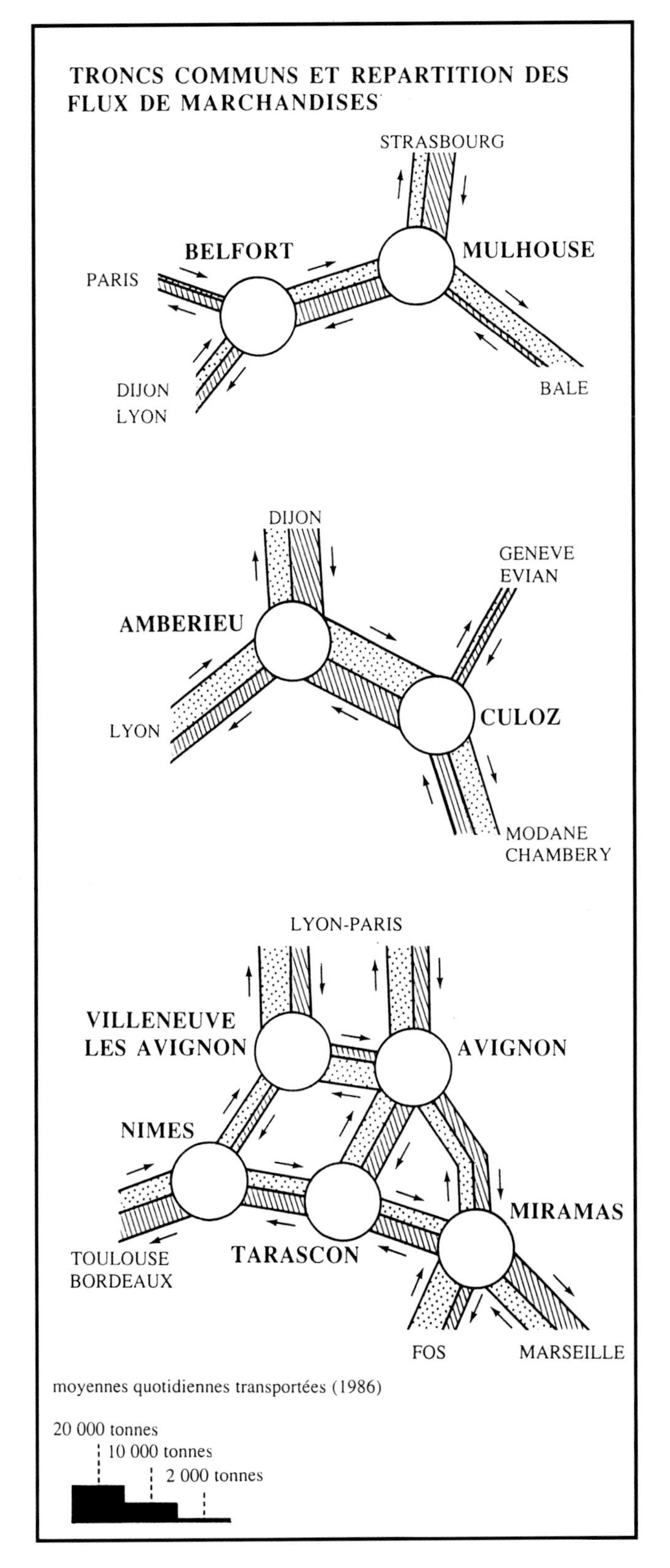

Si parfois le poids respectif des diverses branches est à peu près le même, des différences sont sensibles, qui parfois aboutissent à de spectaculaires inversions par rapport aux flux de voyageurs.

Ainsi à Dax ou à Creil la répartition des courants en direction ou en provenance d'Hendaye ou Tarbes, de Lille ou de Bruxelles est à peu près de même nature ; la même constatation peut être faite aux Aubrais, où le trafic de la ligne de Bordeaux pèse plus lourdement que celui de l'artère de Toulouse. Second cas de figure, celui où le classement des deux axes est identique, mais avec un écart beaucoup plus nettement creusé par le plus actif : ainsi au Mans et à Dôle les lignes de Rennes et de Besançon-Belfort l'emportent beaucoup plus largement sur celles de Nantes et de Vallorbe, en raison sur la première d'importants flux de produits industriels et agricoles, sur la seconde du volume considérable des échanges de marchandises entre régions rhénanes et rhodaniennes. A Mantes le trafic Paris-Rouen-Le Havre est environ dix fois plus élevé que celui qui est supporté par la ligne Paris-Cherbourg : c'est l'impact de l'énorme activité portuaire et industrielle de la Basse-Seine qui explique l'ampleur et la différence, alors que dans le domaine du transport des voyageurs l'essor des turbotrains sur la relation Paris-Caen-Cherbourg atténue le décalage.

Enfin dans certains cas précis le classement se trouve inversé : à Montauban la ligne de Bordeaux l'emporte pour les marchandises, d'assez peu il est vrai, sur celle de Paris. Plus nettement, à Angers l'artère de Tours supporte un trafic deux fois plus important que celui de la ligne de Paris, en raison surtout du volume représenté par les produits des carrières du nord du département des Deux-Sèvres. En Lorraine le poids de la grande région de métallurgie lourde et de ses expéditions ferroviaires explique que sur l'axe Paris-Strasbourg les deux branches qui viennent se greffer à Lérouville et à Reding, en provenance du complexe Metz-Thionville, acheminent des tonnages plus massifs que ceux qui sont transportés de part et d'autre de Nancy.

L'analyse du trafic des voyageurs a permis d'identifier des troncs communs particulièrement complexes, avec éclatement des flux à chacune de leurs extrémités. Avec quelques variantes ces tronçons de ligne jouent pour l'écoulement des courants de marchandises un rôle important et assez comparable.

En Basse Normandie, entre Surdon et Argentan c'est cette fois, l'itinéraire transversal Tours-Mézidon qui l'emporte, et très nettement, moins en raison de l'importance de son trafic propre que de l'atonie des flux de marchandises sur la radiale Paris-Granville, courant à travers des régions dont la vocation agricole est très marquée. D'autres troncs communs de ce type connaissent une activité globale sensiblement plus importante. Entre Saincaize et Saint-Germain-des-Fossés le courant Paris-Auvergne se trouve quelque peu occulté par les échanges transversaux entre pays de la Loire moyenne et région lyonnaise ; le fait que le premier se sépare en deux branches à Saint-Germain-des-Fossés, se dirigeant vers Vichy et Clermont-Ferrand par Gannat, que les seconds divergent à Moulins pour s'écouler soit par Paray-le-Monial soit par Roanne ajoute à la complexité du trafic des marchandises dans la vallée de l'Allier, au même titre que l'existence d'un flux direct Lyon-Clermont-Ferrand. Entre Belfort et Mulhouse par ailleurs le courant transversal Lyon-Strasbourg domine, plus nettement que pour le service des voyageurs, le trafic radial Paris-Mulhouse-Bâle. Enfin les tonnages transportés autour des deux pôles d'Ambérieu et de Culoz dessinent une structure plus simple que pour les échanges de voyageurs, dans la mesure où les échanges entre les pays du lac Léman et la ligne de la Maurienne par Culoz sont très faibles. Mais la primauté du courant Paris-Dijon-Modane est du même ordre, en raison des échanges massifs de marchandises avec l'Italie ; ils sont le principal élément d'explication de l'ampleur du trafic de la section Ambérieu-Culoz, qui représente près de 35 000 tonnes en moyenne quotidienne, les deux sens réunis. Par ailleurs se retrouve un important flux tangent à Ambérieu au tronc commun, qui correspond au second itinéraire tracé entre Dijon et Lyon par Bourg-en-Bresse afin de délester la ligne directe, saturée, établie par Mâcon. Aussi est-il permis d'avancer que l'addition des tonnages transportés sur ces deux artères voisines, au moins égaux à 45 000 tonnes, donne à la relation ferroviaire globale entre les deux grandes cités bourguignonne et rhodanienne la première place en France dans le domaine du fret, exception faite de la Grande Ceinture parisienne : alors que pour le transport des voyageurs le nœud de Dijon constitue surtout un point de dispersion vers le Sud-Est des courants en provenance de la capitale, pour celui des marchandises il représente plutôt un centre de convergence des principaux flux, issus de la capitale et de tout l'est de la France.

Au sud du sillon rhodanien, le grand carrefour du Bas-Rhône fonctionne avec une complexité beaucoup plus grande que pour le transport des voyageurs, où les trains de l'axe Paris-Marseille et de la transversale sud se retrouvent en gare de Tarascon. La carte montre l'enchevêtrement des courants de marchandises autour de Tarascon mais aussi d'Avignon, de Nîmes et de Miramas, en raison de l'existence de deux voies ferrées parallèles ouvertes à ce trafic dans la vallée du Rhône, et d'une ligne de dédoublement établie entre Villeneuve-lès-Avignon et l'étang de Berre par Cavaillon, qui recoupe à deux reprises l'axe principal.

Sur une artère donnée les flux de voyageurs de direction opposée ont à peu près la même ampleur. Or, compte tenu de la nature et du volume très différents des courants qui se croisent, il n'est pas étonnant que dans le domaine du trafic des marchandises règne d'une ligne à l'autre une assez grande diversité.
Les courants inverses sont sensiblement de même densité lorsque les voies ferrées desservent des régions vastes et ne possédant pas de foyers industriels ou de bassins d'extraction importants : c'est le cas des lignes Paris-Bordeaux, Paris-Toulouse et Lyon-Tours par exemple. L'équilibre est à peu près réalisé, également, quand la ligne relie des régions industrielles puissantes mais à la production très diversifiée : les axes Paris-Lille et Paris-Aulnoye-Bruxelles entrent dans ce cas de figure. Entre Valenciennes et Thionville l'écart n'est pas très marqué, même si le flux en provenance du bassin du Nord-Pas-de-Calais est plus épais : c'est que les tonnages en provenance ou à destination du port de Dunkerque, ceux qui approvisionnent les deux grands ensembles d'industrie lourde du Nord et de Lorraine ou qui en sont issus atteignent des masses assez comparables : le rôle de trait d'union de la grande transversale du nord-est s'affirme tout naturellement dans chacun des sens de circulation.
En revanche sur certaines lignes le trafic est nettement déséquilibré. L'origine du décalage est parfois très localisée : c'est ainsi par exemple que les 10 000 tonnes quotidiennes expédiées depuis les carrières de la région de Thouars, dans le nord des Deux-Sèvres, sont chargées dans des trains complets qui à Saumur se dirigent soit en majorité vers Tours, soit vers Nantes, et qui minorent relativement le reste du trafic de cette partie de la transversale du centre. De même l'impact de la production de la métallurgie lourde lorraine et des charbonnages est évident sur les courants qui s'écoulent vers l'ouest, le sud et l'est : sur chacune des lignes Metz-Lérouville, Metz-Frouard et Metz-Reding en effet les flux issus des usines des vallées de la Moselle, de l'Orne, de la Fentsch ou du Chiers représentent environ les deux tiers de l'activité globale ; cette prépondérance se retrouve exactement sur l'artère Nancy-Dijon, un peu moins nettement sur la relation Reding-Strasbourg-Mulhouse, également marquées par l'influence lorraine et où dominent les courants nord-sud.
Le poids des échanges industriels explique également le déséquilibre enregistré sur l'axe Chambéry-Modane, avec un trafic en direction de l'Italie deux fois supérieur au flux inverse ; par ailleurs, dans la vallée du Rhône au sud de Lyon, et pour l'ensemble des deux voies ferrées qui longent le fleuve, le courant sud-nord l'emporte, avec environ les trois-cinquièmes du total : la masse des tonnages expédiés par le complexe industrialo-portuaire de Fos constitue l'élément d'explication le plus décisif.

La circulation des wagons et des trains de marchandises tisse donc une trame qui ressemble à celle du service des voyageurs, avec l'extrême importance de la plupart des grandes lignes radiales et de transversales comme la liaison Bordeaux-Toulouse-Marseille. La différence essentielle, représentée par la puissance du trafic d'autres transversales comme les artères Valenciennes-Thionville ou Nancy-Dijon, tire son origine du poids de l'industrie lourde, régnant dans des régions qui ne comptent pas forcément parmi les plus peuplées du territoire. Mais l'ensemble du trafic s'écoule aussi en fonction d'impératifs techniques, d'options prises dans le domaine de l'organisation qu'il est nécessaire maintenant d'analyser.

L'ACHEMINEMENT DU TRAFIC : LES GARES DE TRIAGE

Quotidiennement plusieurs milliers de wagons transportant 400 000 tonnes environ des marchandises les plus diverses partent des 14 000 points de chargement, gares ou embranchements particuliers, ou y arrivent. Ils sont regroupés en des centaines de trains qui circulent sur le territoire métropolitain, couvrant parfois près d'un millier de kilomètres, franchissant souvent les frontières.

Une vue déjà ancienne (années 60) mais qui montre bien l'ampleur des emprises du triage de Villeneuve-Saint-Georges.

Wagons et chargements sont extraordinairement variés, à l'image de l'ensemble de l'activité économique, et exigent des traitements différents, avec aux deux extrémités de la chaîne les lourds tombereaux ou wagons-citernes, et les wagons des transports combinés et du SERNAM, aptes aux grandes vitesses.
Pour faire face à une demande aussi importante et aussi diversifiée, le trafic est régi par un ensemble de dispositions précises qui constituent une mécanique à la fois complexe et de très haute précision. Parmi les rouages permettant son fonctionnement, et même si la circulation des trains entiers progresse sans cesse, les gares de triage continuent de jouer un rôle important et déterminant.

Faisceaux trapus comptant souvent plusieurs dizaines de voies parallèles, wagons regroupés en longues files ou éparpillés, descendant silencieusement et lentement la pente d'une petite butte, puissant éclairage nocturne par des projecteurs juchés au sommet de hauts pylônes métalliques : le voyageur, même peu observateur, ne peut pas ne pas avoir remarqué, le plus souvent à proximité de grandes villes, les gares de triage ; elles comptent parmi les installations les plus spectaculaires de tout réseau ferré.

Le rôle essentiel d'une gare de triage est simple. Il correspond à l'absolue nécessité, dans un nœud de quelque importance, situé à la jonction de voies ferrées actives, d'isoler les uns des autres les wagons de marchandises des trains reçus pour les regrouper dans d'autres convois en fonction de leur destination. De toutes les solutions possibles le triage par gravité est la plus simple, la plus rapide et la plus économique : il consiste à refouler à faible vitesse vers le sommet d'une bosse chaque rame dont les wagons auparavant dételés se dirigent sous l'effet de la pesanteur, les uns après les autres, vers la voie du faisceau qui leur est destinée. Après la dernière guerre, le nombre de triages en service était supérieur à la centaine ; mais certains d'entre eux n'avaient qu'un rôle limité en raison de leurs équipements médiocres : absence de freins de voie, postes obsolètes, voies courtes. La modernisation des plus grands a été dans certains cas jumelée avec leur reconstruction, après les ravages de la guerre. C'est le cas de Noisy-le-Sec, Châlons-sur-Marne, Mulhouse-Nord, Hausbergen, Le Bourget, Tergnier, Aulnoye, Somain sur l'Est et le Nord, Achères, Juvisy, Vierzon, Saint-Pierre-des-Corps sur le réseau Atlantique, Villeneuve-Saint-Georges, Perrigny, Gravanches (Clermont-Ferrand) et Miramas, sur le Sud-Est. Entre 1950 et 1970 plusieurs autres ont été créés de toutes pièces : Saint-Jory près de Toulouse, Gevrey au sud de Dijon, Avignon-Champfleury, Woippy, Grande-Synthe près de Dunkerque, Sotteville (1), Hourcade près de Bordeaux et Sibelin.
En 1990 les opérations de triage des wagons se trouvent concentrées dans seulement 29 gares, dotées d'équipements très performants. C'est que la restructuration des méthodes d'acheminement a accompagné la baisse générale du nombre de wagons isolés, due elle-même à la fois à l'importance du parc des wagons à bogies et à la chute considérable du trafic diffus.
Ces triages sont le plus souvent situés aux points de rencontre des lignes les plus chargées. Ils impulsent et gèrent l'ensemble du trafic.
Cependant les installations de nombreux faisceaux de triage qui n'interviennent plus dans le plan de transport Fret ont été laissées en l'état : elles servent de réservoir à wagons, permettent la rétention de trains en cas d'incidents, des relais de machines ou d'agents de conduite. Par ailleurs ces ex-grands triages classent les wagons destinés à leur zone de distribution ou en provenant. Conservent en particulier ces fonctions locales les chantiers de Vaires, Reims, Belfort, Lumes, Longueau, Nantes-Blottereau, Mézidon, Les Aubrais, Angoulême, Coutras, Morcenx, Brive-Estavel, Saincaize, Besançon, Saint-Germain-au-Mont-d'Or, Culoz, Portes, Avignon, Béziers et Narbonne.

L'implantation géographique

Composées de divers faisceaux qui peuvent compter jusqu'à 48 voies et dont la longueur est de l'ordre de 750 à 500 mètres, les gares de triage sont de toutes les infrastructures ferroviaires celles qui réclament, et de loin, le plus de place. Alors que la superficie moyenne des gares de voyageurs de la capitale est de l'ordre d'une dizaine d'hectares, le triage de Sibelin, près de Lyon, s'étale sur 72 hectares, celui de Woippy, près de Metz, sur 114 hectares. Comme la nécessité de situer ces gares le plus près possible du cœur des carrefours ferroviaires s'est trouvée contrariée par la difficulté de trouver à des coûts modérés les vastes superficies indispensables, différents types d'implantation peuvent être dégagés.
Plusieurs triages sont enserrés par le tissu urbain, comme ceux de Moulin-à-Vent, encastré dans la gare de Lyon-Guillotière, ou de Metz-Sablon. Le plus souvent anciens, édifiés à une époque où les agglomérations étaient moins étendues, ils présentent certes l'avantage d'être bien situés par rapport à l'ensemble des voies ferrées qui desservent le nœud, et sont aisément accessibles. Mais outre les nuisances, sonores en particulier, infligées aux quartiers qui les entourent, ces gares ne sont guère extensibles ; aussi, non seulement aucune d'entre elles ne compte parmi les plus importants triages de la S.N.C.F. mais encore certaines ont été désaffectées, parfois très récemment, avec report de leur activité sur des chantiers modernes, bien dimensionnés et beaucoup plus efficaces : ainsi les faisceaux des triages de Trappes, Bordeaux-Saint-Jean, Toulouse-Rayal ou Paris-Tolbiac sont-ils maintenant voués au garage des rames de voitures de voyageurs.
Une famille beaucoup plus nombreuse regroupe les gares de triage qui, installées à l'origine en rase campagne, se retrouvent maintenant à la lisière de l'agglomération : celles de Perrigny près de Dijon, La Délivrance près de Lille, Sotteville près de Rouen, Hausbergen près de Strasbourg, Saint-Pierre-des-Corps près de Tours ou Hourcade près de Bordeaux sont

(1) En fait, faisceaux neufs construits à côté de l'ancien triage remanié.

La "raquette" de Gevrey : une curiosité ferroviaire ; grâce à cette boucle les trains de marchandises venant du sud accèdent comme les autres à la tête nord du faisceau de réception du triage, sans gêner les opérations de débranchement qui s'effectuent à la tête sud (au fond sur la photo).

de bons exemples. Les gares de triage de la région parisienne se rattachent pour la plupart à cette catégorie : rejointes et parfois nettement dépassées par l'essor de la banlieue, comme à Villeneuve-Saint-Georges ou Juvisy, elles se situent cependant en position très marginale par rapport au centre de l'agglomération.

Situées généralement à quelques kilomètres du cœur de la cité, ces gares ont disposé et profitent encore parfois de larges possibilités d'extension : c'est ainsi que le triage de Sotteville a été profondément remanié en 1966 avec la mise en service de nouvelles et vastes installations. Très souvent, par ailleurs, ces triages constituent le cœur du carrefour ferroviaire comme aux Aubrais, près d'Orléans, à Saint-Pierre-des-Corps ou à Nîmes-Courbessac, ou en sont l'un des deux ou trois éléments les plus centraux comme à Sotteville ou à Perrigny. Les trains en provenance des diverses lignes les atteignent toujours facilement, au besoin en circulant sur des raccordements spéciaux lorsque le triage s'étale le long de l'une des branches de l'étoile, au-delà de la principale zone de bifurcations, comme au Mans, à Hausbergen ou à Hourcade : à la différence de son homologue strasbourgeois le grand triage bordelais n'a pu être installé sur l'un des deux axes les plus chargés qui desservent le carrefour, ceux de Paris et de Dax, mais sur celui de Toulouse moins fréquenté : aussi se trouve-t-il quelque peu décentré par rapport aux principaux flux de marchandises qui se croisent dans l'ensemble ferroviaire bordelais.

Le troisième groupe rassemble les gares de triage installées loin des agglomérations. Implantées parfois délibérément à l'écart des villes, là où s'offraient les vastes superficies permettant aux faisceaux de voies de s'épanouir sans contrainte, elles sont en moyenne les plus vastes et les plus récentes : en effet celle de Saint-Jory, près de Toulouse, a été mise en service en 1950, celle de Woippy, près de Metz, en 1963, celle de Sibelin, près de Lyon, en 1970. La distance entre le triage et la principale gare de voyageurs du centre ferroviaire est de l'ordre de 8 kilomètres entre Gevrey et Dijon, 10 entre Woippy et Metz, 12 entre Saint-Jory et Toulouse, 14 entre Sibelin et Lyon-Perrache, pour atteindre 23 kilomètres entre Blainville et Nancy, une cinquantaine de kilomètres entre Miramas et Marseille-Saint-Charles. Dans tous les cas ces grandes gares de triage s'étalent le long de la principale ligne aboutissant au carrefour, parfois comme à Blainville ou Miramas à proximité immédiate d'une importante bifurcation. Compte tenu de la situation particulière de ces triages des raccordements ont dû être construits, qui permettent aux trains circulant sur les diverses lignes d'éviter tout rebroussement.

Diverses par leur implantation géographique les gares de triage le sont aussi par le niveau de leur équipement technique.

Woippy-Triage, près de Metz : le passage d'un train quittant le faisceau relais devant le poste D.

La structure générale des gares de triage

La capacité de trafic de chaque chantier dépend d'un certain nombre d'éléments plus ou moins spectaculaires, d'une technicité plus ou moins poussée.

Comme il l'a été déjà remarqué, en règle générale, grâce à la disposition des lignes les convois peuvent emprunter des itinéraires directs entre artères affluentes et triages.

A Rouen a été enfin mis en place un raccordement, près de Darnétal, qui évite tout rebroussement aux rames reliant la rive droite du port au triage de Sotteville ; en revanche à Nantes n'a jamais été construit le raccordement, initialement prévu, reliant la ligne de Bordeaux au triage du Blottereau ; aussi les trains de marchandises concernés doivent-ils obligatoirement aller rebrousser à la gare de Nantes-État ; leur nombre total, inférieur à la dizaine en moyenne journalière, les deux sens réunis, limite l'inconvénient présenté par des manœuvres coûteuses et génératrices de pertes de temps.

La qualité de la liaison entre les voies d'un triage et les voies principales des lignes voisines est essentielle : tout cisaillement à niveau d'itinéraires suivis par de nombreux trains de voyageurs et de marchandises risque de se traduire par des retards imposés aux seconds, qui en général ne sont pas considérés comme prioritaires ; ainsi à la sortie nord de la gare de Toulouse-Saint-Jory les convois se dirigeant sur Paris coupent la voie où dévalent les express et rapides roulant vers Toulouse ; de même à Rennes c'est la voie rapide Rennes-Paris qui doit être cisaillée par les trains entrant dans le triage. Mais dans de nombreux cas ces contraintes et raideurs imposées à l'exploitation ont pu être éliminées.

Le saut-de-mouton représente la solution la plus fréquente : grâce à l'édification de passages supérieurs ou inférieurs avec rampes d'accès, l'intersection des voies principales et de liaison avec la gare de triage s'effectue à des niveaux différents, donc sans gêner le trafic. L'utilisation de ce procédé peut être partielle comme aux Aubrais, Gevrey ou Aulnoye, mais aussi totale comme à Sibelin, où les convois entrant au triage ou en sortant ne cisaillent jamais à niveau les voies principales Lyon-Marseille de sens contraire.

Ce type d'ouvrage d'art exige beaucoup de terrain et nécessite la pose de voies en pente, de 5 à 15 mm/m généralement, qui peuvent constituer une contrainte pour les trains lourds. Aussi une disposition particulièrement intéressante, qui évite à la fois sauts-de-mouton et recoupements à niveau des itinéraires, est-elle celle des voies principales encadrant les différents faisceaux de la gare de triage, comme à Sotteville, Nantes-Blottereau ou Miramas ; à Villeneuve-Saint-Georges ou à Lyon-Guillotière ce sont des lignes à double voie chacune qui enserrent les triages. Mais cette structure présente l'inconvénient de limiter les possibilités d'extension, tandis que des sauts-de-mouton, dans chacune de ces diverses gares, ont dû tout de même être construits pour établir des relations de qualité avec des lignes adjacentes ou des gares de marchandises proches : ainsi à Sotteville et à Nantes-Blottereau des raccordements avec les gares de Rouen-Orléans et Nantes-État recoupent-ils les voies rapides venant de Paris. Mais cette structure encadrante possède le double avantage de limiter le nombre et l'importance des ouvrages d'art, et de garantir à l'écoulement de la circulation une fluidité satisfaisante.

La plus grande variété règne donc dans ce domaine de la liaison entre triages et voies principales, d'autant plus que parfois, comme à Blainville ou Nîmes-Courbessac, la topographie et la densité du tissu urbain de proximité ont imposé, malgré l'ampleur du trafic, des jonctions et des intersections systématiquement à niveau.

C'est surtout par leurs faisceaux de voies plus ou moins allongés ou ventrus que les gares de triage s'inscrivent dans le paysage. Ils correspondent à trois fonctions principales.

Les trains sont accueillis sur les faisceaux de réception. Leur composition dépasse la quinzaine de voies à Woippy (17) à Villeneuve-Saint-Georges et Hausbergen (18) pour atteindre 20 voies à Sotteville. Leur rôle est important puisqu'ils permettent de dégager les lignes affluentes de la présence de convois qui pourraient gêner la circulation des autres trains, sans encombrer les faisceaux de débranchement proches. Par ailleurs les rames de wagons, délaissées par leurs locomotives qui gagnent le dépôt ou le relais de traction aménagés non loin de là, sont préparées pour le triage : la destination de chaque wagon est reconnue, contrôlée, alors qu'une machine de manœuvre s'apprête à pousser le moment venu vers la butte de débranchement la rame, dont les éléments auront été auparavant dételés.

Les faisceaux de débranchement ou de triage constituent le cœur de chaque gare de triage. Sur les différentes voies les wagons qui descendent de la butte sont répartis en fonction de leur destination, venant sagement s'agglutiner les uns derrière les autres. Aussi le nombre de voies de ces faisceaux est-il nettement plus élevé puisqu'il se situe le plus souvent entre la trentaine et la cinquantaine : 40 à Hausbergen et Sotteville, 44 à Sibelin, 45 à Gevrey, 48 à Villeneuve-Saint-Georges, Le Bourget et Woippy.

Dès que sur une voie de triage se retrouve un nombre de wagons suffisant pour former une rame, celle-ci est généralement poussée ou tirée vers un troisième type de faisceau, celui d'attente au départ : le nombre de ses voies est le plus souvent comparable à celui du faisceau de réception, passant de 14 à Gevrey et Woippy à 16 à Sotteville et atteignant 22 à Villeneuve-Saint-Georges ; tout en désengorgeant le faisceau de débranchement les convois sont préparés pour le départ et attendent l'heure fixée. Mais l'existence de ce faisceau n'est pas la règle absolue ; pour diverses raisons comme le manque de terrains disponibles il est en effet absent dans des gares de triage parfois importantes comme celles d'Hourcade ou de Mulhouse-Nord ; les trains doivent alors attendre le départ sur le faisceau de débranchement lui-même, ce qui peut poser certains problèmes d'exploitation.

Des faisceaux moins importants, ne comptant le plus souvent que de 4 à 10 voies, sont parfois implantés dans les centres de triage : faisceaux de formation pour le classement des wagons destinés aux gares les plus proches, de relais pour le garage des trains en simple escale, dont la composition ne doit pas être modifiée : des changements de locomotive ou de personnel de conduite peuvent être effectués, alors que l'état des roues et des essieux est vérifié par des appareils perfectionnés et automatisés ; les convois sont lancés de nouveau sur les voies principales des diverses lignes au moment voulu. Ces fonctions de relais et de formation sont toujours présentes même si elles sont assurées dans de nombreux triages non pas sur des faisceaux spécialisés, mais dans l'un des trois groupes classiques décrits plus haut.

La longueur des voies des différents faisceaux est variable, d'abord d'un type à l'autre : c'est ainsi que celles des faisceaux de débranchement, où des manœuvres de wagons sont effectuées à partir de chaque extrémité, sont généralement plus longues que celles des groupes de réception ou d'attente au départ ; l'écart est de l'ordre d'une centaine de mètres, 900 mètres contre 800 mètres environ, à Sotteville, Hourcade, Woippy, Miramas ou Villeneuve-Saint-Georges. Par ailleurs dans les triages récents les voies sont sensiblement plus longues que dans les gares anciennes, enserrées par le tissu urbain et construites à une époque où en raison des possibilités limitées des locomotives à vapeur les trains étaient nettement plus courts : c'est ainsi qu'au Bourget ou à Lille-Délivrance les voies du faisceau de débranchement ne dépassent pas une longueur utile de respectivement 750 et 600 mètres.

Si par ailleurs faisceaux de réception et d'attente au départ sont systématiquement électrifiés, en revanche ceux de triage ne le sont qu'assez rarement : les manœuvres sont le plus souvent assurées par des locomotives à moteur thermique. Cependant, certaines des voies ont leurs têtes équipées de caténaires, utiles pour le départ direct de trains depuis le plateau de débranchement, en l'absence de voies spécialisées d'attente au départ.

La personnalité d'une gare de triage dépend également de la disposition des principaux faisceaux les uns par rapport aux autres. Parfois la topographie ou la disposition des lignes affluentes a imposé une structure d'ensemble originale de la gare de triage : c'est ainsi que celle de Longueau, près d'Amiens, a été construite en fourche, à l'intérieur d'un triangle, avec deux groupes de voies de réception et de triage qui divergent à partir de la bosse de débranchement ; ce plan original a toujours posé un certain nombre de problèmes, en imposant des manœuvres complexes et coûteuses. D'une manière générale, dans les chantiers anciens les faisceaux de réception et de débranchement se trouvent souvent accolés ; c'est la disposition qui avait été retenue à Bordeaux-Saint-Jean ou Toulouse-Raynal par exemple. L'exploitation n'est alors guère facilitée par l'obligation de tirer chaque rame depuis sa voie de réception sur une voie de tiroir d'où elle est ensuite poussée vers la butte de triage. Aussi les faisceaux sont-ils le plus souvent, en particulier dans les triages les plus ré-

cents, alignés dans le prolongement les uns des autres, solution qui réduit au minimum les manœuvres. Cette structure qui se retrouve aussi bien à Hausbergen qu'à Toulouse-Saint-Jory, à Sibelin comme à Woippy, explique un trait caractéristique de l'inscription dans le paysage des gares de triage, leur extrême étirement : si leur largeur ne dépasse pas quelques centaines de mètres leur longueur atteint aisément plusieurs kilomètres lorsque les trois grands faisceaux classiques existent ; par exemple les emprises des gares de Sibelin ou de Sotteville s'allongent sur 4 500 mètres environ.
Le travail le plus délicat, celui du triage proprement dit, s'effectue à la soudure des faisceaux de réception et de débranchement. Aussi l'arrivée directe des convois dans ce secteur névralgique risque de poser des problèmes en interrompant les opérations de classement des wagons. Deux solutions ont été mises en pratique : dans la plupart des grandes gares de triage le faisceau de réception se compose en fait de deux groupes de voies indépendants ; grâce à des voies de circulation judicieusement disposées, comme à Hourcade ou Sibelin, un train peut accéder sans difficulté à l'un des groupes pendant que depuis l'une des voies de l'autre demi-faisceau le triage d'un autre convoi est en cours. L'autre solution est plus spectaculaire : à Lille-Délivrance et à Gevrey a été posée une voie dont la forme rappelle celle d'une raquette et qui, grâce à son tracé presque circulaire, permet à tous les trains, quelle que soit leur origine, d'entrer sur le faisceau de réception par l'extrémité opposée à celle proche de la butte de débranchement. Au plan de l'efficacité du fonctionnement des triages cette conception semble idéale, mais son application nécessite des acquisitions considérables de terrains dans une zone très précise, ce qui n'est pas toujours possible : à Sibelin par exemple les installations du triage sont coincées entre une autoroute et une ligne de collines.

Au-delà du nombre de faisceaux et de voies la capacité d'une gare de triage est fonction du niveau de son équipement technologique, plus ou moins perfectionné.

L'environnement technique des opérations de triage

Pendant longtemps les méthodes de travail et l'ambiance des gares de triage sont restées à peu près les mêmes, avec un très large appel à l'intervention humaine et une série d'opérations délicates, voire dangereuses. C'est ainsi que les cheminots postés au sommet de la butte de débranchement annonçaient, le plus souvent par haut-parleur, le numéro des voies attribuées aux différents éléments de la rame, auparavant détachés les uns des autres. Depuis sa cabine l'aiguilleur devait surveiller la descente des wagons, commander les aiguilles pour les répartir sur l'éventail des voies. Comme tout reposait sur son coup d'œil les incidents n'étaient pas rares, depuis le wagon orienté sur une mauvaise voie jusqu'à celui qui déraillait à la suite de la malencontreuse manœuvre d'un aiguillage sous ses roues... Ralentis par des freins de voie disposés à la tête du faisceau de débranchement, et commandés par des cheminots spécialisés, les wagons étaient arrêtés la plupart du temps par des sabots lourds et encombrants que des "caleurs" ou enrayeurs travaillant en équipe plaçaient sous les roues, en se fiant à leur intuition : il s'agissait, en fonction surtout de l'occupation de la voie, d'éviter à la fois les chocs violents et la perte de place ; ce travail était dangereux dans la mesure où il était effectué de nuit comme de jour, par n'importe quel temps, et alors que les cheminots devaient rapidement passer d'une voie à l'autre, au milieu des wagons qui glissaient silencieusement depuis le haut de la bosse. Par ailleurs, avec le halètement des locomotives de manœuvre, les annonces tonitruantes des haut-parleurs et le choc des wagons parfois portés très loin par les vents, les gares de triage ont longtemps représenté des chantiers à la fois périlleux et bruyants, non sans nuisances pour l'environnement.
Cette manière de travailler n'est pas abolie ; elle subsiste, en particulier dans les gares de moindre importance. Mais durant ces dernières décennies et plus particulièrement cette dernière quinzaine d'années d'énormes progrès permettent, aux principaux triages entre autres, de fonctionner dans des conditions bien supérieures d'efficacité, de rapidité et de sécurité.

Une première innovation importante a été, dans les années 1950, la création et le développement des postes de débranchement à billes : dans ces combinateurs électromécaniques chaque wagon est matérialisé par une bille métallique ; cheminant par gravité dans un tube qui correspond à la voie de destination, elle commande automatiquement les divers aiguillages qui se succèdent depuis le sommet de la butte. Ces postes équipent encore de nombreuses grandes gares de triage, comme celles de Villeneuve-Saint-Georges, Gevrey ou Miramas. Mais depuis 1966 ils ont été victorieusement concurrencés par les postes électroniques qui font largement appel aux circuits intégrés, et qui équipent entre autres les triages de Sotteville, Sibelin et Hourcade.
En outre, depuis 1974, les postes de débranchement bénéficient des améliorations spectaculaires apportées par l'informatique à l'ensemble des postes d'aiguillage : c'est ainsi qu'apparaissent maintenant des postes à logique programmée par mini-ordinateur, qui grâce à l'automatisation généralisée des opérations, permettent un fonctionnement toujours plus productif, fiable et sûr. Les gains dans ces domaines sont impressionnants : alors que les postes de débranchement traditionnels à leviers ne permettent qu'une cadence de triage de 3 wagons environ à la minute, les postes les plus récents sont à l'origine d'un rythme de 6 à 8 wagons.

Un nouveau bond en avant a été réalisé, à partir de 1974, avec le développement de la technique du "tir au but". Depuis l'origine des gares de triage en effet se posait le problème, jusque-là mal résolu, du mauvais dosage du freinage des wagons descendant de la butte : les freins de voie situés en amont ne pouvant provoquer qu'un ralentissement approximatif, il fallait s'en remettre pour l'arrêt définitif des véhicules à l'inter-

vention humaine, celle des caleurs ou des enrayeurs de fond ; malgré leur habileté et leur expérience il était impossible d'éviter soit des immobilisations prématurées génératrices de perte de place sur les voies, soit surtout des chocs parfois brutaux qui endommageaient chargement et wagon. La technique du tir au but pallie ces inconvénients.
Elle fait intervenir deux paramètres essentiels. D'une part deux étages de freins se succèdent ; alors que les freins de voie primaires subsistent au bas de la bosse de débranchement, chaque voie de classement est dotée à son origine, c'est-à-dire aussitôt après le dernier aiguillage, d'un frein secondaire. D'autre part les opérations de ralentissement sont commandées automatiquement grâce à la systématisation de l'informatique ; un ordinateur détermine en effet l'intensité des deux ralentissements imposés à chaque wagon ; il prend en compte son poids, la qualité de son roulement, la force du vent qui peut être très élevée quand par exemple dans les régions méditerranéennes souffle le mistral, la présence et la position précise d'autres wagons occupant éventuellement déjà la voie de destination. Dans ces conditions le véhicule vient doucement s'immobiliser à proximité immédiate du wagon qui l'a précédé.
Ce système, qui s'est développé également dans un certain nombre de réseaux ferrés étrangers, comme ceux de Suisse ou d'Angleterre, équipe désormais les grands triages de Woippy, Hausbergen, Mulhouse-Nord, Sotteville, Hourcade, Saint-Jory, Villeneuve, Gevrey, Sibelin. Les deux derniers équipés, ceux de Vénissieux et Miramas, ont été dotés en plus d'un 3e étage de freins, dits ponctuels, pour moduler la vitesse d'accostage. Certes onéreuse en raison de l'importance des infrastructures de haute technologie à mettre en place, cette automatisation maintenant complète des opérations de freinage dans les principaux triages doit être jugée comme tout à fait positive en raison des avantages qu'elle procure : suppression d'interventions humaines dangereuses et aux effets souvent aléatoires, très forte diminution des chocs et donc des dégâts infligés aux chargements et aux wagons, meilleure utilisation des voies. Grâce au tir au but le travail dans les triages gagne donc beaucoup en sécurité, en efficacité et en productivité.

Sans doute moins spectaculaires, d'autres améliorations ont été apportées au fil des récentes années.
C'est ainsi qu'à l'intérieur même de chaque gare de triage le rendement est considérablement augmenté par la généralisation des liaisons radio, qui permet une excellente communication entre le centre nerveux qu'est la DOT (Direction Opérationnelle du Triage), et les cheminots placés aux divers endroits névralgiques, ou conduisant les locomotives de manœuvre.
Par ailleurs l'informatique est à la base d'une circulation de qualité de l'information, non seulement interne, mais aussi entre les diverses gares : ordinateurs et imprimantes émettent des listings qui, transmis d'un poste central de triage à l'autre, contribuent à ce que soient réunies les meilleures conditions de travail, puisque la composition très détaillée d'un train est connue d'une DOT bien avant son arrivée.
Aussi n'est-il pas étonnant que le personnel nécessaire au fonctionnement des triages ne soit pas très nombreux par rapport à l'ampleur du trafic, puisque même dans les plus importants l'effectif est toujours inférieur à 500 cheminots, dont les conditions de travail sont très différentes de celles de leur collègues qui assurent le service des voyageurs.

Le rythme de travail des triages

L'élément le plus marquant est constitué par la nette prépondérance de l'activité nocturne. Les usagers qui empruntent les relations de soirée ou de nuit ne peuvent en effet manquer de remarquer l'animation qui règne alors sur les divers faisceaux des gares de triage, ceux de débranchement en particulier, brillamment éclairés par de puissants projecteurs, alors que pendant la journée peut parfois régner une certaine torpeur, d'ailleurs plus apparente que réelle.
L'explication essentielle réside dans le fait que c'est en fin d'après-midi et au début de la soirée, après la journée normale de travail, que les convois omnibus de ramassage, les navettes qui desservent les gares de marchandises, les ensembles industriels ou les ports, partent et amènent dans les triages les lots de wagons qui, quelques heures après, éclatent dans les diverses directions en milieu ou en fin de nuit. Pourtant les grands triages sont rarement inactifs car ils peuvent être appelés à réceptionner à n'importe quel moment de la journée des trains en provenance de gares parfois éloignées de plusieurs centaines de kilomètres.

A l'échelle hebdomadaire se manifeste une réelle originalité : c'est en milieu et en fin de semaine et tout particulièrement le vendredi que le trafic est le plus intense, alors que dimanche et lundi sont les deux journées les plus creuses. En effet un inévitable décalage se produit, parfois de l'ordre d'une journée, entre le moment où un wagon est chargé et celui où il est trié ; aussi l'activité soutenue des gares de marchandises du lundi au vendredi inclus, qui contraste avec leur inertie durant la fin de la semaine, explique-t-elle le rythme sans faiblesse du travail dans les triages jusqu'au samedi inclus, ainsi que le très net ralentissement dans les quarante-huit heures suivantes, avec la sensible reprise du mardi.
Dans ces conditions depuis plusieurs années se développe la pratique du "figeage" : dans de nombreuses gares de triage l'activité cesse totalement pendant une journée complète, par exemple du dimanche à midi jusqu'au lundi à midi. La S.N.C.F. évite ainsi de mobiliser de manière peu rentable et donc coûteuse personnel et matériel pour assurer un trafic très clairsemé ; le gain de productivité est d'autant plus net que dès que se termine la période de figeage le nombre de wagons à trier exige un travail continu ; l'inconvénient de ce procédé est limité dans la mesure où les wagons dont l'acheminement peut être ainsi ralenti sont le plus souvent chargés de marchandises lourdes, non périssables, qui peuvent donc être retardés de quelques heures.

La succession des opérations dans un triage :
Ci-dessus à gauche : le "démaillage", consistant à desserrer les attelages à vis.
Ci-dessus : la "coupe" ou dételage des wagons avant passage à la bosse, à l'aide d'une barre à mine.
Ci-contre : le passage sur la bosse de débranchement, permettant le lancement des wagons par gravité.

Le premier freinage des wagons descendus de la bosse s'effectue à l'aide des freins de voies primaires (ci-dessous). Le freinage complémentaire peut être confié à un enrayeur qui dispose un sabot sur le rail (ci-contre), mais cette tâche dangereuse est de plus en plus confiée aux freins secondaires (ci-dessous à droite) qui permettent un "tir au but" du wagon sur sa rame en stationnement.

À l'intérieur d'un poste à manettes de voies (PMV), d'où l'on commande les aiguilles de têtes de faisceaux dans un triage.

Ci-contre un poste de butte de débranchement avec la commande des itinéraires.

Ci-dessous, le poste de débranchement électronique à billes de Sotteville en 1968. Ce type d'équipement cède aujourd'hui le pas aux tables électroniques de débranchement (ci-dessous à Hourcade).

La différence la plus sensible par rapport à l'animation des gares de voyageurs se constate au niveau de l'ensemble de l'année : pour des raisons aisément compréhensibles l'activité des triages fléchit quelque peu en décembre et janvier, au moment donc des fêtes de fin d'année, et surtout en période estivale : l'impact des congés et de la fermeture en août de nombreuses usines et entreprises commerciales est particulièrement marqué.
Ces décalages entre les principales pulsations du trafic des voyageurs et des marchandises ne sont pas sans intérêt pour la S.N.C.F., qui peut ainsi mieux lutter contre l'engorgement de certaines lignes et utiliser de manière plus rationnelle personnel et engins de traction.

Les gares de triage françaises forment une famille très vaste mais également variée en fonction de la localisation géographique, du volume de l'activité et aussi de la nature du travail de chacun des éléments qui la composent : or la distinction bien connue et classique entre triages de régime accéléré et ordinaire n'est plus d'actualité, en raison de la profonde mutation en cours.

La réforme des acheminements et le remaniement de la carte des triages : ETNA

Peu après la seconde guerre mondiale a été mise en place en France une organisation dualiste basée sur l'implantation de deux groupes complètement distincts de triages, à la vocation bien différente.
Les gares de triage de régime ordinaire (R.O.) devaient traiter les courants qui transportaient les marchandises les plus pondéreuses, les moins fragiles, et qui n'exigeaient pas un acheminement rapide. En revanche les gares de régime accéléré (R.A.) devaient recevoir et orienter des wagons globalement moins nombreux, chargés de colis et expéditions de détail, produits périssables comme fruits, légumes, produits de la mer, animaux de boucherie ou d'autres marchandises, souvent enfermées dans des conteneurs, qui devaient parvenir le plus rapidement possible à destination. Bien entendu la tarification proposée à la clientèle tenait compte de la qualité de chacun des deux types de prestations.
A partir de 1948-50 les deux grands services ont fonctionné de manière autonome : les wagons chargés dans les gares ou sur les embranchements particuliers étaient récupérés par des navettes ou des convois omnibus, ensuite pris en compte par l'un ou l'autre des deux réseaux de gares de triage et incorporés dans des trains de régime soit accéléré soit ordinaire ; en phase finale la mise à disposition de la clientèle s'effectuait suivant les mêmes modalités que lors du départ.
Cette organisation n'a pas été modifiée durant une quarantaine d'années : c'est dire qu'elle a longtemps donné satisfaction, en permettant de traiter différemment des courants très dissemblables par la nature et les exigences des marchandises transportées. Elle reposait sur deux groupes de gares de triage, bien séparés et aux caractéristiques souvent spécifiques.
C'est ainsi que les triages du régime accéléré possédaient des installations moins étendues : les faisceaux de réception et de débranchement du principal d'entre eux, celui de Noisy-le-Sec, ne sont dotés que de respectivement 8 et 30 voies ; ces dernières, comme les trains sont plus courts, n'atteignent que très rarement la longueur de celles des gares du régime ordinaire. Aussi n'est-il pas étonnant que la SNCF ait spécialisé dans le traitement du régime accéléré ceux de ses triages investis par le développement urbain et donc non extensibles : Lille-Champ de Mars, Toulouse-Raynal, Moulin-à-Vent (Lyon-Guillotière), Bordeaux-Saint-Jean, Paris-Tolbiac offrent des exemples significatifs.

Si par ailleurs, dans le fonctionnement des deux types de gares de triage des analogies étaient évidentes, comme la similitude des opérations de débranchement, l'esprit qui animait les cheminots n'était pas le même. Dans les gares du R.O. passaient en effet des wagons chargés de marchandises qui n'intéressaient qu'assez peu, en raison de leur poids et de leur volume, les transporteurs routiers. Aussi s'agissait-il surtout de former des rames assez longues pour que la rentabilité de leur mise en circulation soit assurée. Lorsque le nombre de wagons était suffisant les services de la S.N.C.F. lançaient des trains directs reliant des triages parfois éloignés de plusieurs centaines de kilomètres les uns des autres, sans remaniement dans les triages intermédiaires, même très importants.

Le rythme de travail des triages de régime accéléré obéissait à des impératifs d'un ordre différent. Comme les wagons regroupés sur leurs faisceaux transportaient des marchandises attractives pour la concurrence routière, priorité absolue était donnée à la rapidité des acheminements : les convois, constitués de véhicules aptes à rouler à des vitesses égales ou supérieures à 100 km/heure, étaient souvent de courte longueur, dans la mesure où il n'était pas question de perdre de précieuses dizaines de minutes pour former avec un nombre élevé de wagons des trains très allongés ; l'aisance et le nombre important des correspondances, qui évoquaient celles du service des voyageurs, garantissaient au même titre que les vitesses élevées une arrivée dans les meilleurs délais des marchandises dans les gares destinatrices.

Ainsi, jusque dans les années 1980, les échanges ferroviaires de marchandises en France étaient-ils sous-tendus par deux organisations complètement différentes, reposant chacune sur un réseau particulier de puissantes gares de triage.
L'analyse du tableau du classement des deux familles de gares, de régime ordinaire et accéléré, en fonction des niveaux de trafic amène un certain nombre de constatations.

D'abord les échanges du R.O. représentaient un volume beaucoup plus considérable puisque l'activité de chacun de ses 16 premiers triages était supérieure à celle de la première gare du R.A., et que globalement le nombre de wagons traités dans le groupe des plus grands triages du R.O. était plus de deux fois plus élevé que dans l'autre structure. La nature même des diverses marchandises concernées expliquait aisément ce déséquilibre.

Activité des principaux triages de la S.N.C.F.
Nombre moyen quotidien de wagons expédiés
(Période 1970-76)

Régime ordinaire (R.O.)		Régime accéléré (R.A.)	
1 Woippy (Metz)	2 770	1 Noisy-le-Sec (Paris)	1 160
2 Gevrey (Dijon)	2 350	2 Dijon-Perrigny	1 050
3 Villeneuve-St-Georges (Paris)	2 320	3 Juvisy (Paris)	1 040
4 Somain (Nord)	2 050	4 Avignon-Champfleury	1 030
5 Le Bourget (Paris)	2 020	5 Paris-Tolbiac	1 030
6 Sibelin (Lyon)	1 910	6 Chasse-sur-Rhône (Lyon)	930
7 Hausbergen (Strasbourg)	1 820	7 Trappes (Paris)	850
8 Sotteville (Rouen)	1 800	8 Strasbourg-Cronenbourg	770
9 Miramas (Marseille)	1 750	9 Lille-Champ-de-Mars	720
10 St-Pierre-des-Corps (Tours)	1 540	10 Lyon-Guillotière	650
11 Vaires (Paris)	1 440	11 Toulouse-Raynal	640
12 Tergnier	1 440	12 Sotteville	600
13 Hourcade (Bordeaux)	1 430	13 Metz-Sablon	600
14 Blainville (Nancy)	1 400	14 St-Pierre-des-Corps	540
15 St-Jory (Toulouse)	1 360	15 Rennes	460
16 Achères (Paris)	1 240	16 Bordeaux-St-Jean	440

Saisie des données dans un poste de triage, dans le cadre d'"ETNA".

Ensuite émergeait avec éclat le poids ferroviaire de la région parisienne : avec plus de 11 000 wagons manœuvrés quotidiennement l'ensemble de ses gares de triage assurait plus du quart de l'activité générale. D'une manière plus large se retrouvait la disparité déjà notée entre les deux moitiés de la France délimitées par une ligne joignant Le Havre au delta du Rhône. En effet 7 seulement des 32 triages étaient situés au sud-ouest de cette droite imaginaire, tandis que dans ce petit groupe 4 se classaient à la fin de la liste des gares du R.A. Cette distorsion, reflétant l'inégale densité de l'activité industrielle et des échanges commerciaux, se traduisait plus précisément par une implantation plus drue des principales gares de triage dans la région parisienne mais aussi dans le nord, le nord-est, dans les carrefours dijonnais ou lyonnais.
Par ailleurs, de nombreux nœuds ferroviaires étaient équipés de deux triages, spécialisés chacun dans le trafic de régime ordinaire ou de régime accéléré : Dijon, Strasbourg, Toulouse, Bordeaux offrent des exemples intéressants. Parfois, comme à Saint-Pierre-des-Corps ou Sotteville des circonstances locales favorables, la disponibilité de vastes terrains en particulier, avaient permis de regrouper sur un même site les deux triages, toujours séparés mais aux faisceaux juxtaposés : une telle disposition ne pouvait que favoriser les échanges de locomotives et de wagons entre les deux organisations.

Cette structure d'ensemble n'a jamais été figée. Au-delà des retouches de détail qui ont été apportées au fil des décennies, des créations de taille sont venues à partir de 1950 augmenter le potentiel global de triage. Naissance du triage R.O. de Saint-Jory en 1951 permettant d'affecter au seul régime accéléré la gare de Toulouse-Raynal, remodelage intégral du complexe de Sotteville et mise en service du triage de Woippy en 1966, ouverture du triage R.O. de Sibelin en 1970, puis de celui d'Hourcade avec, comme à Toulouse, la spécialisation en R.A. du chantier ancien, ici celui de Bordeaux-Saint-Jean : voilà autant d'événements spectaculaires qui ont marqué l'histoire ferroviaire française récente. Le souci majeur de la S.N.C.F. de concentrer le plus possible les opérations de triage dans de grandes gares récentes ou modernisées, puissamment équipées, à la fois efficaces et rentables, a eu par ailleurs comme corollaire le déclassement ou même l'abandon d'installations secondaires, dispersées et vétustes.

Or depuis quelques années l'organisation des échanges de marchandises par voie ferrée dans notre pays connaît une mutation profonde, avec la mise en œuvre du plan ETNA, qui tourne délibérément le dos au dispositif dualiste basé sur la distinction entre les régimes ordinaire et accéléré. La conception de base est en effet celle de la poursuite de la concentration des activités de triage, mais en rendant polyvalentes les principales gares. Désormais, les deux régimes antérieurs étant abolis, les wagons seront classés, en fonction de l'urgence de leur acheminement, à l'un de trois niveaux de priorité clairement définis et, dans les mêmes triages, traités différemment.
Pourquoi un tel bouleversement ? En raison de plusieurs constats.
Le fait majeur est que l'activité globale des gares de triage en France a baissé régulièrement depuis une vingtaine d'années. Plusieurs facteurs doivent être évoqués pour comprendre cette évolution. Il est vrai que la baisse incontestable des tonnages chargés par la S.N.C.F. depuis quelques années ne peut qu'entraîner des répercussions directes et immédiates sur le rythme de travail des triages. Mais le phénomène a été amorcé

et s'est développé, à partir des années 50, alors même que le trafic des marchandises augmentait constamment ; ainsi durant la période 1970-74, particulièrement florissante au plan général pour le chemin de fer, le grand triage de Villeneuve-Saint-Georges, près de Paris, n'a traité en moyenne quotidienne que moins de la moitié des wagons qu'il recevait vingt ans auparavant, époque où il enregistrait des pointes proches des 5 000 unités journalières. Deux éléments d'explication, d'ordre technique, interviennent.
En premier lieu le chargement moyen de chaque wagon a au fil des années considérablement augmenté, puisqu'il a doublé de 1962 à 1987, atteignant maintenant près de 34 tonnes ; les trains sont de plus en plus constitués de véhicules longs et lourds, à bogies, souvent spécialisés. Dès lors il était normal que même lors de la période de croissance de l'activité les triages reçoivent de moins en moins de wagons et voient leurs tâches allégées.
Au moins aussi importante est la tendance, qui semble irréversible, de développer le trafic par trains complets et directs. De plus en plus, surtout depuis une vingtaine d'années, des convois sont mis en circulation qui, partant d'une gare ou d'un embranchement particulier desservant un périmètre minier, une usine, une carrière, un ensemble portuaire, un silo agricole, atteignent directement leur point de destination, sans transiter par le moindre triage. Constituées de wagons spécialisés ces rames, qui sur leur trajet ne subissent pas le moindre remaniement, transportent aussi bien du minerai de fer que des produits pétroliers, des céréales que des automobiles neuves. S'inscrivant dans une politique générale développée plus loin, accompagnée par des mesures tarifaires intéressantes pour la clientèle, cette évolution est à plus d'un titre avantageuse : acheminements plus rapides, suppression de manœuvres toujours susceptibles, malgré les progrès réalisés, d'endommager les chargements, économies de personnel, meilleure rotation des wagons. Les chiffres sont éloquents : ils montrent en effet que désormais les échanges par trains directs et complets constituent avec 56% la majeure partie du trafic de marchandises de la S.N.C.F. : donc l'ensemble des gares de triages ne doit traiter qu'une minorité, même forte, des wagons en circulation.

La conjonction de ces trois paramètres, tassement de l'activité générale dans le contexte de la vive concurrence routière, diminution du nombre de wagons en raison de l'augmentation de leur capacité, essor des trains complets et directs, auxquels s'ajoute la très vive concurrence routière, explique le constat effectué par les responsables de la société nationale dès le début des années 80 : d'abord un ensemble très lourd de gares de triage souvent sous-utilisées, et une séparation entre régimes accéléré et ordinaire accentuant l'élévation des coûts à cause du maintien de deux réseaux de triages indépendants ; ensuite la mise en route de deux séries de trains étrangers les uns aux autres et devenant globalement trop nombreux par rapport au nombre de wagons à acheminer, enfin des dessertes terminales parfois compliquées par cette dualité.

Le plan ETNA ("Évolution Technologique pour un Nouvel Acheminement"), progressivement mis en application depuis 1986, a pour objectif, en contrepoint, d'instaurer une structure plus légère et plus souple, avec un seul groupe de grandes gares de triage : elle doit permettre une circulation plus rapide des wagons, une réduction des dépenses et donc un gain sensible dans le domaine de la rentabilité.
Les principes de base du système ETNA sont les suivants :
Il s'agit d'abord de profiter pleinement du relèvement de la vitesse des trains de marchandises, qu'autorise l'amélioration technique du matériel roulant : les 100 km/heure sont désormais très souvent atteints ou même nettement dépassés.
Par ailleurs ETNA ne sera pleinement efficace qu'en faisant appel le plus largement possible aux techniques informatisées. D'ores et déjà fonctionne la GCTM (Gestion Centralisée du Trafic Marchandises), dont les ordinateurs commandent l'ensemble des échanges dans le cadre de la mise en œuvre du projet NAW (Nouvel Acheminement des Wagons) ; cet organisme central s'appuie sur les BIL (Base d'Intérêt Local) implantées sur le terrain et qui assurent la gestion opérationnelle de chaque gare de triage.
L'organisation ancienne reposant sur la dualité R.O.-R.A. est abolie. Dans le cadre du nouveau système, unifié, trois niveaux de priorité sont définis (N1, N2, N3) : chaque wagon est alors acheminé plus ou moins rapidement, en fonction du niveau choisi compte tenu de la nature de son chargement et donc de la demande de l'expéditeur. Le niveau N1 doit offrir la même qualité de prestations que le régime du R.A., c'est-à-dire dans la plupart des cas la mise à disposition de la clientèle le lendemain de l'expédition du wagon ; le N2, lui, correspond au régime R.O. amélioré, avec une arrivée, pour au moins les deux-tiers des véhicules, deux jours après la mise en circulation ; le N3 enfin, doit permettre de garantir à coup sûr un trajet en quatre jours.
Dans ce schéma les grandes gares de triage conservées deviennent en principe toutes polyvalentes. C'est-à-dire que chaque voie d'un faisceau de débranchement est affectée non seulement comme auparavant à une destination, mais aussi à l'un des trois niveaux. Les rames formées sur les voies réservées au N1 sont bien sûr prioritaires et mises en route sans délai.

Mais vers certains nœuds ferroviaires convergent de très nombreux wagons classés N1. Aussi en restant tout à fait dans l'esprit du système ETNA, a-t-il été décidé de spécialiser dans le traitement de ces wagons prioritaires des gares de triage comme Noisy-le-Sec, Juvisy ou Vénissieux, qui auparavant se consacraient exclusivement au régime accéléré.
Les avantages offerts par la nouvelle organisation sont certains : la clientèle d'abord ne perd rien, puisque non seulement le niveau 1 correspond à l'ancien R.A., mais aussi dans la mesure où des wagons classés N2 peuvent être appelés à compléter un train N1 ; les acheminements ne peuvent donc être que plus rapides. La S.N.C.F. de son côté, apprécie un système plus souple et plus fluide où la concentration dans une même gare de triage des wagons de tous niveaux est

Le triage de Sotteville, vu après les grands travaux de 1966 : à gauche le triage RA et au centre, le triage RO.

source, à résultats au moins égaux, de gains très intéressants de productivité dans les domaines de l'utilisation du personnel et des installations ; la mise en route des trains des diverses catégories correspond désormais exactement aux besoins constatés à un moment bien précis, dans un complexe ferroviaire donné.
Pour des raisons aisées à comprendre la mise en œuvre au plan ETNA ne pouvait être brutale. Aussi, dès le début des années 80 certains réajustements dans le cadre des régimes R.O.-R.A. peuvent-ils en être considérés comme les signes annonciateurs : transfert d'une partie de l'activité du triage de Paris-Tolbiac sur celui des Aubrais, report progressif du trafic des triages R.A. de Bordeaux-Saint-Jean et Toulouse-Raynal sur les grandes gares R.O. d'Hourcade et Saint-Jory, qui ont ainsi glissé peu à peu vers la mixité. Ces diverses restructurations ont permis non seulement de rationaliser les opérations de triage, mais aussi, à proximité d'importantes gares de voyageurs, de dégager de nouveaux groupes de voies pour le garage et l'entretien des rames de voitures de voyageurs, Corail et autres.

A partir de 1986 le projet ETNA est entré dans sa phase de systématisation. La généralisation de son application à partir du début de 1988 permet de dessiner clairement la nouvelle trame conditionnant les échanges ferroviaires de marchandises en France.

Sur les diverses lignes roulent deux catégories de convois, les trains directs et complets d'une part, ceux qui sont formés dans les gares de triage d'autre part.

Activité des gares de triage en 1989
Nombre moyen quotidien de wagons expédiés (1)

Gare	Type	Wagons	Gare	Type	Wagons
1 Woippy (Metz)	POLY	2 334	16 Rennes	COMP	879
2 Gevrey (Dijon)	POLY	2 211	17 Aulnoye	COMP	878
3 Villeneuve-St-Georges	POLY	2 010	18 Nîmes-Courbessac	COMP	857
4 Le Bourget	POLY	1 810	19 Châlons-sur-Marne	COMP	843
5 Sibelin (Lyon)	POLY	1 802	20 Achères	COMP	703
6 Miramas	POLY	1 474	21 Ambérieu	COMP	645
7 Hourcade (Bordeaux)	POLY	1 291	22 Blainville (Nancy)	COMP	641
8 St-Pierre-des-Corps	POLY	1 272	23 Noisy-le-Sec	SPE	632
9 Sotteville (Rouen)	POLY	1 234	24 Vierzon	COMP	544
10 Hausbergen (Strasb.)	POLY	1 161	25 Gravanches (Cl.-Fd)	COMP	535
11 Lille-Délivrance	POLY	1 084	26 Juvisy	SPE	462
12 Mulhouse-Nord	POLY	1 067	27 Puy-Imbert (Limoges)	COMP	437
13 Somain	COMP	947	28 Le Mans	COMP	405
14 St-Jory (Toulouse)	POLY	946	29 Vénissieux (Lyon)	SPE	358
15 Tergnier	COMP	908	30 Nantes-Blottereau	COMP	354

POLY = triage polyvalent
SPE = triage spécialisé
COMP = triage complémentaire

(1) En excluant les journées où l'activité est au moins en partie figée.

Ces dernières restent les poumons du système d'acheminement des marchandises, dans la mesure où subsiste et subsistera toujours un nombre élevé de wagons chargés en des points multiples des produits les plus divers et aux destinations les plus variées, donc impossibles à regrouper en rames complètes dès leur origine.
Les gares de triage françaises peuvent être classées suivant deux approches, celle de leur importance en fonction du nombre de wagons qu'elles expédient, celle du rôle qu'elles jouent dans la mise en œuvre du plan ETNA.
En 1990 viennent d'être mis en sommeil les triages de Vaires, Trappes et Juvisy dans la région parisienne, de Culoz, Chasse, Avignon, Narbonne, Creil Petit-Thérain, Longueau, Dijon-Perrigny, qui ne font plus partie du réseau de base. Désormais les carrefours comme Strasbourg, Nantes, Tours, Bordeaux, Toulouse ou Dijon ne possèdent plus individuellement qu'un seul triage, tandis que celui de Paris-Tolbiac n'existe plus.
Par ailleurs le dynamisme d'ensemble du nœud ferroviaire parisien, l'importance du trafic dans le nord et le nord-est du pays, dans la région lyonnaise où apparaît le triage de Vénissieux, constituent des constantes ; ce sont les mêmes grands triages qui se retrouvent en tête du classement.

Mais, dans le cadre du plan ETNA, les diverses gares appartiennent maintenant à trois groupes différents, dont les missions actuelles sont respectivement définies avec la plus grande clarté.
Les triages polyvalents, au nombre de 13, assurent de loin le trafic le plus volumineux : à part celui de Creil ils occupent tous les premières places. Chacun d'eux contrôle dans une vaste zone géographique l'ensemble des gares de marchandises jalonnant les lignes qui convergent vers lui. Il en assure la desserte, c'est-à-dire qu'il organise successivement chaque jour la distribution et l'enlèvement par des trains locaux des wagons provenant ou à destination d'un autre point de son secteur, ou de n'importe quelle gare française. Dans cette perspective ces divers triages sont reliés entre eux par une trame de trains, très complexe comme le montre la carte. Réguliers ou facultatifs, ces convois parcourent des distances extrêmement variables, soit courtes, comme entre Le Bourget et Villeneuve-Saint-Georges à l'intérieur de la région parisienne, soit très longues comme entre Hausbergen et Saint-Pierre-des-Corps, ou Miramas et Lille-Délivrance ; pour peu que le nombre de wagons soit suffisant, en effet, un gain intéressant à la fois de temps et de prix de revient est obtenu en mettant en circulation un train direct qui peut traverser tout le pays ; soit il dépasse en étranger les grands triages intermédiaires qui ponctuent son parcours, soit il n'y marque que des escales brèves, sur les faisceaux de relais, pour des changements de locomotives ou d'agents de conduite, et des vérifications techniques de la rame, sans donc opération de triage proprement dit. La polyvalence de ces grands centres réside dans le fait qu'ils reçoivent et expédient des wagons de chacun des trois niveau de priorité, en principe acheminés dans des trains dif-

férents : wagons frigorifiques mais aussi lourds tombereaux chargés de ferrailles peuvent donc se côtoyer sur les voies des différents faisceaux. Alors que les wagons N2 et N3 sont triés tout au long de la journée, en revanche ceux du premier niveau de priorité, qu'il faut expédier le plus rapidement possible, sont à l'origine de pulsions très vives de l'activité, la nuit entre autres.
Chacun de ces triages possède une personnalité affirmée et à plus d'un titre originale, en fonction par exemple de sa situation, plus ou moins centrale à l'échelle du territoire ou de l'activité dominante de la région où il se trouve implanté. Ainsi les ensembles portuaires et industriels de la Basse-Seine et de Marseille-Étang de Berre influencent-ils profondément le travail des triages de Sotteville et de Miramas, situés à proximité immédiate ; de même la gare de Woippy fonctionne en symbiose avec les mines et les usines du bassin métallurgique lorrain. En revanche des triages comme ceux de Gevrey ou de Saint-Pierre-des-Corps, à volume de trafic comparable, exercent un rayonnement spatial plus considérable dans la mesure où les wagons qu'ils orientent ne sont en majeure partie ni originaires ni à destination de leur environnement immédiat.
Dans le réseau de ces grands triages polyvalents, rouages primordiaux des échanges de marchandises, se trouve imbriquée une seconde famille, celle des triages spécialisés.

Au nombre de deux seulement, après la suppression en juin 1990 de Juvisy, ces gares reçoivent, trient et expédient uniquement les trains formés de wagons de niveau N1, c'est-à-dire qui exigent l'acheminement le plus rapide. Denrées périssables mais aussi caisses mobiles, conteneurs, produits manufacturés les plus divers constituent les chargements, en fonction par exemple de l'urgence de l'arrivée dans une entreprise bordelaise d'une pièce métallique de rechange fabriquée en Lorraine. Aussi les wagons du SERNAM (Service National des Messageries) sont-ils des usagers assidus de ces triages.
Leur localisation mérite d'être soulignée. Ces triages se trouvaient en effet, à l'origine, pour la plupart installés dans le quart sud-est du pays, de Dijon à Narbonne, avec une concentration très poussée autour de Lyon : c'est que les régions Provence-Côte d'Azur, Languedoc-Roussillon et Rhône-Alpes produisent d'importantes quantités de marchandises à la fois chères et fragiles ; fleurs, légumes, fruits, fabrications diverses des industries mécanique, électrique ou électronique, sont expédiés dans l'ensemble du pays, la région parisienne entre autres, et vers la Suisse ou l'Italie. Aussi a-t-il paru indispensable, dans le cadre du plan ETNA, de soulager les triages polyvalents en spécialisant dans le corridor rhodanien, et à proximité, des complexes ferroviaires qui d'ailleurs, dans l'ancien système, étaient tous affectés au traitement des convois du régime accéléré.

L'évolution du trafic, avec l'essor constant des trains complets et directs, a amené à ne conserver en 1990 que deux de ces triages spécialisés, ceux de Noisy-le-Sec et Vénissieux. Ils n'apparaissent qu'à des rangs modestes dans la hiérarchie générale actuelle des triages français. Moins étalé dans la journée, le travail est en revanche marqué par des pointes brutales, lorsque se présentent à plusieurs minutes d'intervalle, en début de nuit en particulier, des trains en rafale dont il faut au plus vite dissocier les éléments pour constituer de nouvelles rames lancées sans délai vers leur destination avec des correspondances ne dépassant guère 1 heure. Comme dans les anciens triages R.A., dont ils sont les successeurs, la qualité et la rapidité des diverses opérations constituent l'exigence et l'objectif majeurs.

L'armature de base du réseau des principales gares de triage est renforcée par un troisième ensemble, celui des triages complémentaires. Au nombre de 14 ils constellent, eux, l'ensemble du pays, dans la mesure où il est indispensable que, même dans les régions peu industrialisées et à l'écart des grands courants d'échanges, la circulation des wagons de marchandises soit organisée rationnellement. Aussi sont-ils implantés de manière très diverse, quelquefois à proximité de puissants secteurs industriels comme Blainville en Lorraine, Somain et Aulnoye non loin du bassin du Nord ; ils complètent aussi le dispositif quadrillant l'ouest et le centre du pays, comme le montre le triangle formé par les triages de Rennes, Le Mans et Nantes ; par ailleurs, malgré la modestie apparente de leur trafic, ceux de Puy-Imbert et de Clermont-Ferrand jouent un rôle important dans des régions qui ne comptent certes pas parmi les plus dynamiques, mais sont vastes et éloignées des grands triages polyvalents et spécialisés.
Ces gares complémentaires s'intéressent, par vocation, aux wagons de tous niveaux, en provenance donc ou à destination des triages des deux premiers grands groupes ; c'est ainsi que des trains directs circulent entre Vierzon et Saint-Pierre-des-Corps ou Saint-Jory. L'un d'entre eux, Achères, ne s'occupe que des wagons d'autos et matériel vide porte-autos, en raison de sa proximité des grandes usines de construction automobile de Poissy (Peugeot) et Les Mureaux (Renault). Par ailleurs, comme le montre le tableau de classement, le volume d'activité de ces triages est très variable, puisque le premier d'entre eux, celui de Tergnier, traite plus de deux fois et demi plus de wagons que le dernier, celui de Nantes-Blotterau ; aussi de nombreux triages complémentaires assurent-ils un trafic plus considérable que celui de plusieurs triages spécialisés. Les infrastructures sont presque toujours largement dimensionnées, héritage bien souvent de l'époque où beaucoup parmi eux, comme ceux d'Achères, Rennes, Tergnier, jouaient un rôle essentiel au sein de l'ancienne organisation du Régime Ordinaire (R.O.)
Se situent à part, les 2 triages portuaires situés à Grande-Synthe (Dunkerque) et Soquence (Le Havre), qui expédient chacun 900 et 600 wagons/jour et entrent dans le système ETNA.

Trois grands groupes de gares de triage assurent donc actuellement la circulation, dans les meilleures conditions de rapidité et de rentabilité, des milliers de wagons qui ne peuvent être incorporés dans un train complet reliant points de chargement et de déchargement.

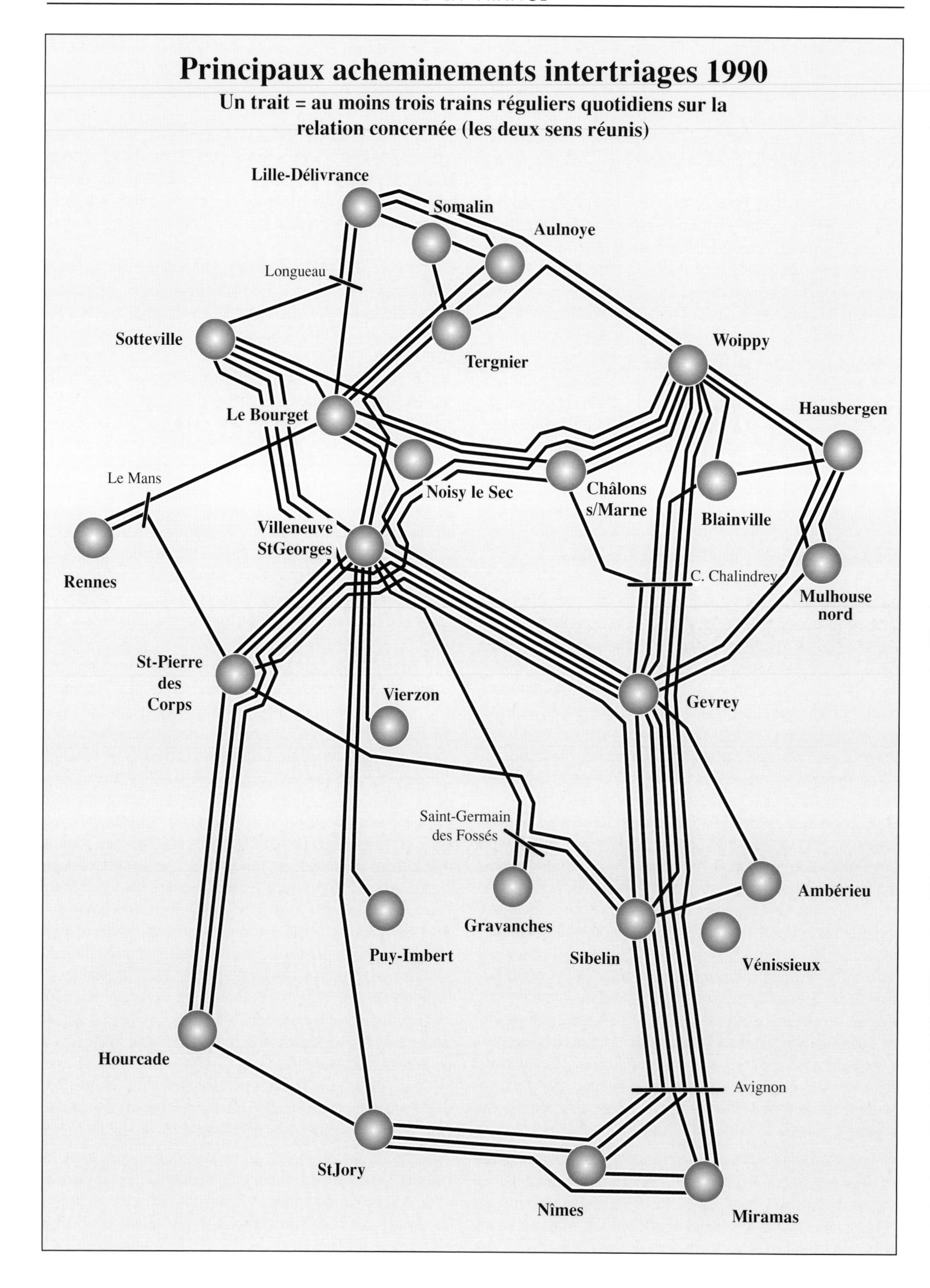
Principaux acheminements intertriages 1990
Un trait = au moins trois trains réguliers quotidiens sur la relation concernée (les deux sens réunis)
Lille-Délivrance
Somalin
Aulnoye
Longueau
Sotteville
Tergnier
Woippy
Le Bourget
Hausbergen
Noisy le Sec
Châlons s/Marne
Blainville
Le Mans
Rennes
Villeneuve StGeorges
C. Chalindrey
Mulhouse nord
St-Pierre des Corps
Vierzon
Gevrey
Saint-Germain des Fossés
Ambérieu
Gravanches
Puy-Imbert
Sibelin
Vénissieux
Hourcade
Avignon
StJory
Nîmes
Miramas

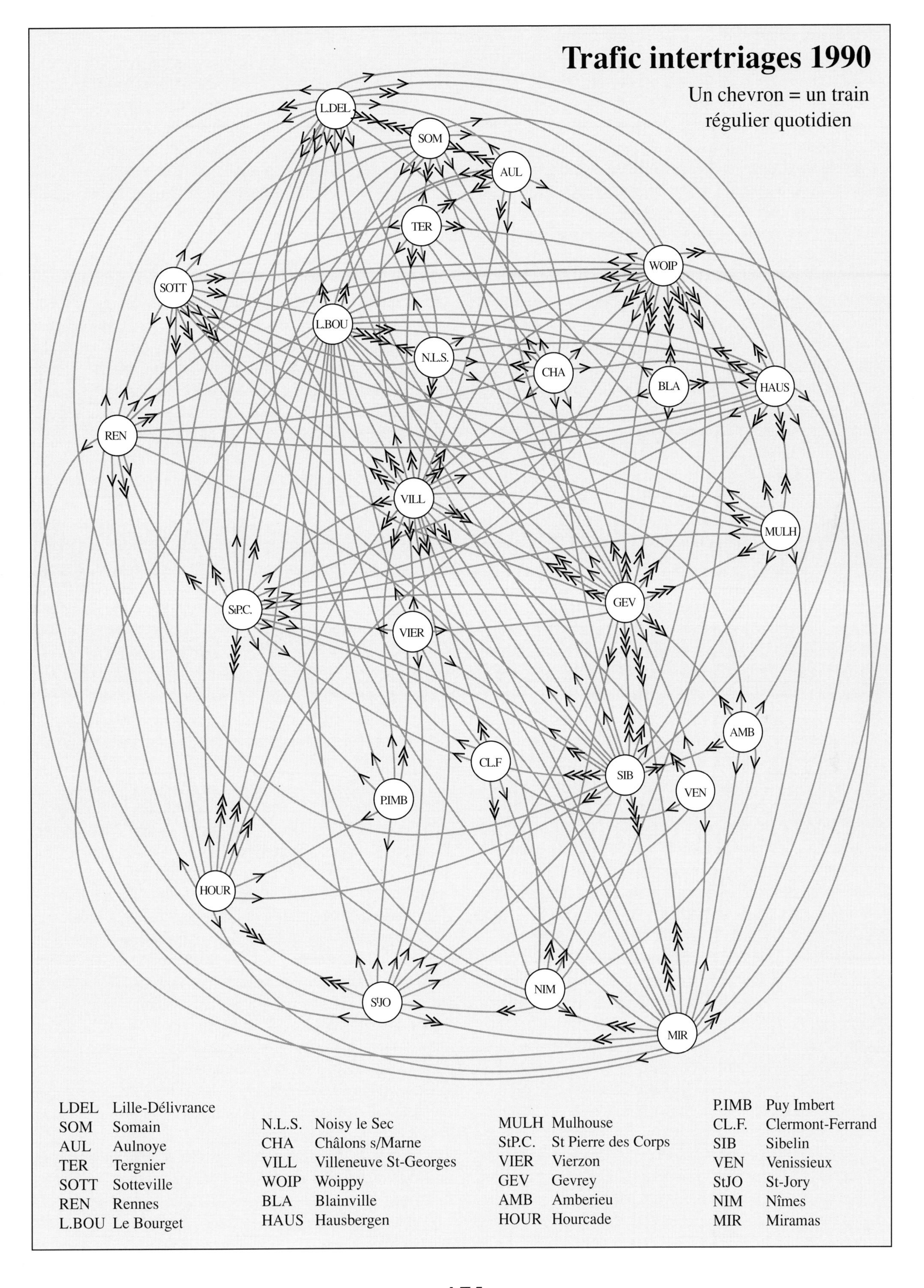
Trafic intertriages 1990
Un chevron = un train régulier quotidien
L.DEL
SOM
AUL
TER
SOTT
WOIP
L.BOU
N.L.S.
CHA
BLA
HAUS
REN
VILL
MULH
GEV
St.P.C.
VIER
AMB
CL.F
SIB
VEN
P.IMB
HOUR
NIM
StJO
MIR
LDEL Lille-Délivrance
SOM Somain
AUL Aulnoye
TER Tergnier
SOTT Sotteville
REN Rennes
L.BOU Le Bourget
N.L.S. Noisy le Sec
CHA Châlons s/Marne
VILL Villeneuve St-Georges
WOIP Woippy
BLA Blainville
HAUS Hausbergen
MULH Mulhouse
StP.C. St Pierre des Corps
VIER Vierzon
GEV Gevrey
AMB Amberieu
HOUR Hourcade
P.IMB Puy Imbert
CL.F. Clermont-Ferrand
SIB Sibelin
VEN Venissieux
StJO St-Jory
NIM Nîmes
MIR Miramas

Ces trois ensembles qui possèdent chacun une réelle originalité, fonctionnent en réalité en symbiose. La G.C.T.M. (Gestion Centralisée du Trafic Marchandises) et les B.I.L. (Bases d'Intérêt Local) étendent leurs ramifications sur tout le territoire en incluant chaque triage complémentaire ; chaque wagon est littéralement suivi à la trace, son itinéraire est calculé en prenant en compte tous les paramètres, les trains sont constitués par l'ordinateur. Les impulsions et instructions transmises aux divers triages ne leur laissent qu'une marge relativement étroite d'initiative et amènent leur personnel à se consacrer pleinement à la mise en œuvre concrète des plans d'acheminement. La généralisation de cette méthode centralisée de gestion s'avère efficace non seulement pour la qualité de la circulation des wagons chargés mais aussi pour la rotation des véhicules vides, souvent spécialisés, qu'il faut réutiliser le plus rapidement possible.

Quotidiennement des centaines de convois roulent entre les gares de triage, au nombre d'une trentaine, qui constituent l'ossature du réseau ; ils tissent une toile d'araignée extrêmement complexe, puisque chacune d'entre elles est en relation directe avec un nombre plus ou moins important des autres, qu'elles soient polyvalentes, spécialisées ou complémentaires, qu'elles soient proches ou parfois éloignées. Mais le système ne peut fonctionner que grâce à l'appoint fourni par un dernier groupe de triages, à l'activité moins spectaculaire mais essentielle.

La fonction de ces chantiers secondaires est simple dans son principe : ils doivent localement, dans un carrefour ferroviaire ne possédant pas de gare de triage de l'organisation de base, organiser la distribution sur les lignes de l'étoile des wagons de marchandises envoyés par le grand triage le plus proche et, inversement, lui expédier les véhicules ramassés sur les mêmes artères. C'est ainsi par exemple que dans le sud-ouest atlantique le triage d'Hourcade, près de Bordeaux, contrôle l'ensemble du trafic ; chaque jour il reçoit ou expédie des trains, en provenance ou à destination, au plan national, de gares comme Le Bourget, Somain, Nantes-Blottereau ou Sibelin ; mais il s'intéresse aussi à la desserte locale, organisant lui-même dans le détail la mise à disposition et l'enlèvement des wagons dans la région bordelaise, et formant des trains destinés aux chantiers secondaires de La Rochelle, Angoulême, Périgueux, Agen, Bayonne, Morcenx, qui à un autre niveau assurent les mêmes responsabilités dans leurs secteurs respectifs. Les chantiers de ce dernier groupe jouent donc un rôle de satellite, indispensable, en préparant avec précision la composition des trains omnibus qui desservent les gares qui les entourent, afin de simplifier le plus possible la manœuvre sur place des wagons. Si des convois peuvent à l'occasion relier ces chantiers à des triages de base autres que celui de l'ensemble régional dont ils font partie, c'est bien un véritable cordon ombilical qui unit chacun d'eux à leur grand triage nourricier. Le volume du trafic de ces triages secondaires est varié mais jamais très important, se situant entre quelques dizaines et quelques centaines de wagons traités par jour. Aussi les installations sont-elles elle-mêmes fort diverses : parfois elles ne sont constituées que d'un modeste groupe d'une demi-douzaine ou d'une dizaine de voies, le plus souvent accolé à la gare des voyageurs, sans butte de triage, sans freins de voie ni poste de débranchement. Mais dans plusieurs cas ce sont d'anciennes gares importantes, au passé prestigieux, qui ont été victimes d'une opération de déclassement : par exemple celles de Trappes près de Paris sur la ligne du Mans, de Portes près de Valence, sur la ligne Lyon-Marseille par la rive gauche du Rhône, même partiellement neutralisées, possèdent encore de vastes faisceaux et des équipements de niveau correct.

Certains triages, eux, ont bénéficié ces dernières années de mesures et de remaniements accroissant leur productivité : par exemple celui de Marseille-Maritime, qui est installé le long du port urbain marseillais et qui expédie une dizaine de trains par jour en dehors des rames de desserte locale, est désormais doté d'un B.I.L. et se trouve ainsi intégré dans le réseau national de gestion informatisée. Rouages plus modestes mais essentiels, ces gares de triage secondaires peuvent aussi offrir la possibilité de garer momentanément des trains de grand parcours. Elles complètent donc le mécanisme complexe qui permet aux flux de wagons de s'écouler dans de bonnes conditions.

Avec ces quatre groupes de gares de triage la S.N.C.F. dispose d'un instrument aux vastes possibilités, sophistiqué, au fonctionnement assoupli et repensé dans le cadre du plan ETNA. Loin d'être figé ce dispositif peut évoluer dans l'avenir, en fonction des fluctuations du trafic et des conceptions des responsables de la S.N.C.F. Toujours est-il que la construction de nouvelles gares de triage n'est ni nécessaire ni envisagée en France dans la mesure où le potentiel actuel permettrait de faire face sans problème à une reprise caractérisée de l'activité.

En résumé la circulation d'ensemble des wagons de marchandises s'ordonne ainsi :

Des trains complets et directs, qui maintenant transportent plus de la moitié des tonnages, roulent entre points de chargement et de déchargement, qu'il s'agisse de gares au sens strict ou d'embranchements particuliers, en ignorant toute opération de triage. Ils peuvent également circuler entre deux gares-frontières, comme ceux qui relient la République Fédérale Allemande à l'Espagne (pièces automobiles) et la Belgique à l'Italie (transports combinés). Sur ces très longs trajets les arrêts sont le plus possible limités, conditionnés par des vérifications techniques, des changements de personnel de conduite ou de locomotives.

Les wagons isolés ou en nombre insuffisant pour former un train complet sont, eux, pris en charge par trois catégories de trains : des convois de desserte omnibus vont les récupérer ou au contraire les répartir dans toutes les gares, quelle que soit leur taille ; ils ont pour destination et origine un chantier secondaire ou l'un des triages majeurs.

Les trains régionaux unissent ces deux catégories de gares de triage et draînent donc vers l'un des 29 principaux chantiers les wagons issus de l'ensemble des gares et des chantiers secondaires implantés dans la zone d'influence de chacun d'entre eux.

Enfin les convois intertriages établissent les indispensables jonctions entre les grandes gares de triage du réseau de base ; chargés des marchandises les plus diverses ces trains peuvent parcourir des trajets très longs, par exemple de Lille-Délivrance à Saint-Jory (Toulouse) ou de Woippy (Metz) à Hourcade (Bordeaux), dans des conditions rappelant tout à fait celles réservées aux convois complets et directs.

Alors que par définition les trains de desserte locale et ceux de niveau régional suivent des itinéraires obligés, en revanche l'acheminement des rames complètes et des relations intertriages est placé sous le signe de la recherche de la rentabilité. Elle se traduit par la concentration de la circulation sur les lignes les mieux tracées et les mieux équipées, en particulier électrifiées, et jalonnées par les gares de triage les plus performantes : le moindre coût de la traction, l'utilisation rationnelle des locomotives et des conducteurs, les vitesses pratiquées, la diminution du nombre des opérations de triage permettent en effet un intéressant abaissement des coûts de transport.

Aussi la carte des grands flux de marchandises est-elle déterminée par les zones respectivement d'expédition et de destination, mais aussi par la recherche systématique de l'itinéraire le plus rentable.
C'est ainsi que les courants joignant la capitale au Languedoc ou encore la région lyonnaise à l'Aquitaine évitent soigneusement les lignes difficiles du Massif Central en le contournant systématiquement. De même les relations entre l'Alsace et les pays rhodaniens n'empruntent pas la ligne directe Strasbourg-Lyon, suivie par les turbotrains, mais s'établissent par Dijon, en profitant de la qualité des prestations offertes par les triages de ce carrefour essentiel, et des artères électrifiées. Pour les mêmes raisons les wagons circulant entre la trouée de Belfort et la capitale évitent la ligne directe tracée par Troyes et font le détour par Dijon. Par ailleurs c'est par la Grande Ceinture de Paris, Tours et Bordeaux que circulent les flux entre la Normandie et l'Aquitaine, pour profiter de bout en bout de la traction électrique ; l'itinéraire Oissel - Serquigny - Mézidon - Argenton - Le Mans - Tours aurait nécessité des rebroussements et des engins diesel multiples en raison du profil parfois accidenté.
Dans cet esprit, l'attraction du complexe ferroviaire parisien est considérable. En effet, des rocades comme celles formées par les itinéraires Amiens - Rouen - Le Mans - Tours, Amiens - Tergnier - Reims - Culmont-Chalindrey - Dijon, et Dijon - Chagny - Nevers - Tours, le plus souvent non dotées de caténaires, paraissent relativement sous-utilisées ; or, c'est par la région parisienne que s'écoulent, entre autres, les flux qui relient le bassin du Nord-Pas-de-Calais d'une part aux pays de l'ouest et au couloir rhodanien d'autre part, la Bourgogne aux régions occidentales, la Lorraine à l'ensemble du sud-ouest.
A l'intérieur même du grand carrefour parisien cette recherche de la rentabilité a conduit à reporter sur la relation Mantes-Versailles, depuis son électrification, le trafic jusque-là assuré par la portion occidentale de la Grande Ceinture, d'Achères à Versailles par la forêt de Saint-Germain qui, non dotée de caténaires, est désormais en hibernation. Près de Mantes, à Epone-Mézières, un triangle de voies assure l'interpénétration sans rebroussement des courants empruntant les artères Paris-Le Havre, Le Havre-Versailles et Achères-Versailles, Juvisy ou Le Mans.

Dans ces conditions le rôle des principales lignes radiales qui convergent vers la capitale est essentiel puisque non seulement elles assurent la desserte de la région parisienne et donc d'un ensemble urbain comptant plus de 10 000 000 d'habitants, mais encore et surtout des liaisons denses entre des régions françaises particulièrement actives. Aussi la Grande Ceinture, qui les recoupe toutes et les relie entre elles, supporte-t-elle un trafic considérable, surtout dans son secteur oriental entre Bobigny et Valenton, qui met en relation des artères majeures comme Paris-Lyon, Paris-Strasbourg ou Paris-Lille. Si le nombre de trains de voyageurs est faible et porte sur quelques mouvements inter-réseaux, trains spéciaux et de pèlerins, par contre ceux de fret dominent de façon écrasante. Sont décomptées ainsi en moyenne quotidienne et dans les deux sens 312 circulations de Bobigny à Noisy-le-Sec, 209 de la bifurcation de Gagny à Bry-sur-Marne, 247 de Sucy-Bonneuil à Valenton, ce qui classe ces sections dans le peloton de tête des artères de la S.N.C.F.
Ces flux énormes ne peuvent être acheminés dans des conditions normales que grâce à des équipements de haut niveau : indépendantes des lignes radiales sur la majeure partie de leur parcours, les voies de la Grande Ceinture, électrifiées et dotées du block automatique lumineux sont soit banalisées, comme entre Valenton et Sucy-Bonneuil, soit dotées d'itinéraires de dédoublement comme entre Noisy-le-Sec et Sucy-Bonneuil, Valenton, Juvisy et Massy-Palaiseau, qui permettent au trafic de bien s'écouler. Des raccordements souvent équipés de sauts-de-mouton établissent les liaisons avec les grands axes et les importantes gares de triage, comme celles de Juvisy, Villeneuve-Saint-Georges, Noisy-le-Sec et Le Bourget, établies à proximité immédiate ; enfin les faisceaux de voies de Bobigny, Villemonble et Valenton jouent un rôle précis dans la régulation de la circulation en favorisant les relais de traction, les échanges d'équipes de conduite, les contrôles techniques, ainsi que le garage de convois sortis de leur sillon horaire normal.
Il n'est donc pas exagéré d'avancer qu'aujourd'hui comme hier la Grande Ceinture, surtout dans sa section orientale, joue un rôle vital au cœur de l'organisation du transport des marchandises au plan national ; le carrefour parisien dans son ensemble assume des fonctions de transit qui dépassent de loin, par leur ampleur, la desserte de l'agglomération elle-même.
A plusieurs reprises les fluctuations récentes du trafic ont été évoquées. Les préciser va amener à dessiner les axes de l'action d'ensemble menée de manière très volontariste afin de permettre, dans le domaine du fret, au chemin de fer de rendre tous les services qu'il est possible d'attendre de lui.

Le triage de Villeneuve traversé par la Grande Ceinture.

L'ÉVOLUTION DU TRAFIC ET LES PERSPECTIVES

La baisse du trafic des marchandises de la S.N.C.F., même si elle n'est pas générale, n'en est pas moins l'une des réalités de ces dernières années. Il s'agit d'en analyser le niveau, avec les nuances indispensables, d'en rechercher les causes pour ensuite présenter les conditions du redressement.

LE TASSEMENT DE L'ACTIVITÉ DURANT LES QUINZE DERNIÈRES ANNÉES

Après de longues années de croissance continue du trafic ferroviaire en France, celui-ci avait atteint 252,8 millions de tonnes en 1974. Or en 1989 seulement 146,5 millions de tonnes ont circulé sur les voies de la S.N.C.F. : c'est-à-dire qu'en 15 ans le transport des marchandises a connu une chute de près de 42%. Cette diminution n'a certes pas été absolument régulière, avec de timides redressements en 1976, 1979, 1984, 1989 ; mais elle représente une tendance suffisamment nette pour que les raisons en soient recherchées dans une très large perspective.

En premier lieu les échanges ferroviaires de marchandises ont subi les conséquences du ralentissement de l'ensemble de l'économie après 1974, en relation entre autres avec ce qui a été appelé le premier choc pétrolier. En ces circonstances difficiles, marquées par une baisse sensible de la demande de transport global, notamment de produits lourds, il était inévitable que la concurrence, routière en particulier, soit à la fois plus âpre et plus efficace. Les progrès réalisés depuis 1970 dans la fabrication de camions de plus en plus puissants et fonctionnels, qu'ils soient porteurs ou tracteurs, l'aménagement accéléré des grands axes routiers et autoroutiers, une réglementation plutôt favorable ont permis à la route de marquer des points.

Pourtant quelques retouches doivent être apportées à ce tableau, sombre en apparence.
D'abord la baisse du trafic, exprimée en tonnes/kilomètres, est moins importante qu'appréciée en tonnes chargées

Responsable en partie du tassement du trafic marchandises, la chute des transports de minerais (ci-dessus) et de charbon (ci-dessous) vus l'un et l'autre à leur âge d'or, au début des années 60.

puisqu'entre 1974 et 1989 elle n'a été que de 32% ; c'est-à-dire que régulièrement, année après année, la distance parcourue en moyenne par chaque marchandise acheminée par wagon augmente, passant en 15 ans de 290 kilomètres à 360 kilomètres. Cette évolution est autant le signe de l'aptitude particulière du chemin de fer au transport sur de longs trajets que de l'essor de l'interrégionalisation des échanges.
Ensuite le fret ferroviaire, en France comme ailleurs, n'est pas le seul à connaître des difficultés : mesuré en tonnes/kilomètres le trafic assuré par la navigation intérieure ou par oléoducs a baissé sensiblement, alors que depuis 1980 le transport routier subit lui aussi un incontestable tassement de son activité. Aussi faut-il se garder d'évoquer le destin et un déclin inéluctable du chemin de fer, qui a certes été le plus frappé par la crise en raison de la nature même des activités qu'il assumait traditionnellement dans le domaine des échanges de marchandises.
En effet la diminution du trafic ne se retrouve pas dans les mêmes proportions parmi les diverses grandes familles de produits transportés, tandis que dans certains domaines le chemin de fer ne recule pas, et même parfois progresse.
C'est dans l'acheminement des combustibles solides, des minerais et des productions de la métallurgie lourde que le chemin de fer en France enregistre depuis une quinzaine d'années ses pertes les plus importantes. Elles sont par nature très peu provoquées par la concurrence d'autres modes de transport, mais sont la conséquence de tendances générales de l'économie des grands pays industrialisés, de l'ouest européen en particulier.
Dans le cas des minerais l'idée d'effondrement vient à l'esprit puisque les tonnages chargés en 1989 ne représentent que moins du dixième de ceux de 1974. C'est que non seulement la production de la sidérurgie française n'a cessé de reculer, mais encore l'extraction du minerai de fer lorrain, de faible teneur, est marquée par une chute vertigineuse, dans la mesure où les hauts fourneaux conservés consomment de plus en plus du minerai de meilleure qualité importé, souvent d'autres continents ; aussi leur implantation dans les secteurs portuaires, comme à Dunkerque ou à Fos, représente-t-elle une perte massive de trafic pour le rail.
Ancien, le déclin de la houille s'est lui aussi accéléré durant les dernières décennies, avec entre 1974 et 1989 une baisse de son transport par voie ferrée de 60%. La moindre utilisation du charbon au plan domestique et industriel s'est concrétisée par la fermeture de nombreux puits, la mise en sommeil de bassins entiers. C'est ainsi que le bassin du Nord-Pas-de-Calais aura totalement cessé toute activité en 1991. Par ailleurs, les centrales thermiques alimentées par les charbons d'origine française sont de moins en moins actives, en raison de la concurrence de la houille étrangère importée par Dunkerque, Rouen, Jeumont, Forbach, ou de l'énergie nucléaire.
Quels que soient ses nouveaux sites d'implantation et ses nouvelles sources d'approvisionnement, la sidérurgie française recule globalement, en fonction d'une demande moindre de ses clients traditionnels du monde de l'industrie métallurgique et mécanique. La répercussion au plan du transport ferroviaire est directe, avec entre 1974 et 1989 une chute de près de 50% des acheminements de poutres, tôles, profilés, etc.
Cette diminution du transport par chemin de fer des tonnages de charbon, de minerai et des produits de la sidérurgie frappe inégalement le réseau. Si les espoirs placés dans l'essor de la métallurgie lourde sur les bords du golfe de Fos ne sont pas tous transformés en réalité, la diversification des activités dans ce complexe industriel assure au rail un bon niveau d'activité.
En revanche les conséquences sont beaucoup plus marquées dans les bassins industriels lorrain et du Nord-Pas-de-Calais. Dans ces régions en effet la neutralisation de puits de mine, la fermeture d'usines se sont multipliées, avec de trop rares solutions de remplacement sous forme de nouvelles implantations dans d'autres branches industrielles. La S.N.C.F. a donc été amenée à constater, malheureusement, que ses installations devenaient surdimensionnées par rapport au trafic à assurer, et a pris des mesures d'adaptation ; de nombreux embranchements particuliers ont été fermés, les infrastructures de nombreuses gares ont été réduites avec suppression de voies, mises en impasse de certains faisceaux, simplification des liaisons avec les voies principales ; ces opérations ont été particulièrement spectaculaires à Lens ou Valenciennes. Dans le nord de la Lorraine sidérurgique certaines portions de lignes à voie unique électrifiées ont été privées de leurs caténaires, qui ne se justifiaient plus. Il n'est pas non plus étonnant que les échanges sur la grande artère transversale Valenciennes-Thionville, tout en restant importants, aient sensiblement diminué, en raison de la chute de la circulation des lourds wagons chargés de minerai de fer, de houille ou de produits des aciéries ; ils ne représentaient plus en 1986 qu'un peu moins des trois-quarts de ce qu'ils étaient en 1972.
Le transport des produits pétroliers a également connu un certain nombre de vicissitudes, puisqu'il a diminué de près de 50% de 1974 à 1987. Les raisons en sont complexes, qui tiennent à une moindre consommation globale dans le cadre d'une nouvelle politique énergétique, à la concurrence des oléoducs et aussi des camions-citernes.
Dans d'autres secteurs le trafic ferroviaire a également subi ces dernières années des pertes sensibles, par exemple dans le domaine des produits des carrières, tributaire de la mise en œuvre de grands travaux, autoroutiers entre autres. Pourtant le tableau d'ensemble, s'il comporte d'incontestables ombres, est éclairé par de réelles zones de lumière.

D'abord pour certains grands groupes de marchandises le niveau de l'activité, s'il n'augmente pas, reste au moins constant. Ainsi l'acheminement des produits chimiques a représenté en 1987 un volume du même ordre qu'en 1974. Si en effet dans ce domaine la concurrence joue, la vitalité de cet important secteur industriel et les efforts d'adaptation du chemin de fer permettent à ce dernier de tenir tête. De même le transport des véhicules automobiles neufs conserve une bonne tenue.

Le domaine des céréales est parmi les rares où le fer a enregistré une substantielle progression ces dernières années.

Ensuite, dans plusieurs secteurs, le fret ferroviaire enregistre des progrès, parfois considérables, comme dans celui des chargements de céréales et des produits en relation avec l'alimentation animale, où après une expansion régulière les tonnages ont fait un bond de près de 60% entre les deux années de référence. Le caractère lourd et volumineux de ce type de marchandise, la qualité de la desserte des silos par le chemin de fer en région céréalière, les efforts et l'imagination des services commerciaux de la S.N.C.F., le développement en particulier dans le cadre de la communauté européenne de l'industrie agro-alimentaire française, sont autant d'éléments d'explication. D'autres indices encourageants sont observés par exemple dans le domaine du trafic des conteneurs, avec une progression de plus de 50% en 11 ans : le rail reste ou devient ainsi très compétitif pour des marchandises de toute nature et de parfois faible encombrement.

Il est donc tout à fait possible d'affirmer que le recul général des tonnages circulant sur les lignes françaises n'est nullement en rapport avec une fatalité qui frapperait un moyen d'acheminement devenu périmé. Il est le résultat de la conjonction des mutations de notre économie et d'une concurrence des autres modes de transport d'autant plus vive que, dans le contexte actuel, ceux-ci éprouvent eux aussi de réelles difficultés.

Dans plusieurs domaines le niveau de l'activité ferroviaire reste constant ou même progresse. Les résultats positifs d'ores et déjà obtenus témoignent de l'esprit de combat des cheminots et de leur capacité d'adaptation. Le redressement, déjà amorcé, passe par l'application et le développement d'une politique qu'il faut maintenant analyser.

LES PERSPECTIVES ET LES MOYENS DE REDRESSEMENT

Alors même que le trafic des marchandises était florissant le chemin de fer en France avait su, au fil des années, s'adapter à des conditions qui évoluaient. C'est ainsi que les transports combinés rail-route ou par trains directs et complets avaient régulièrement progressé. Après 1974 le contexte de plus en plus difficile a incité à multiplier les initiatives pour défendre et si possible augmenter la part de marché du fret ferroviaire. Ces toutes dernières années la pression de la concurrence dans le cadre d'une demande globale étiolée a entraîné de la part des responsables une réflexion profonde et générale qui a abouti en 1987-88 à la définition d'une nouvelle politique commerciale globale ; à la fois dynamique et réaliste, elle intègre les améliorations obtenues auparavant dans les domaines les plus divers.

Les grands axes de la politique nouvelle

Cette stratégie nouvelle repose sur plusieurs constats, et en premier celui de la séparation de l'ensemble du trafic en deux grands domaines concernant, l'un, les produits fournis par les industries lourdes et traditionnelles, en régression, l'autre des activités plus légères, récentes et diversifiées, où d'ores et déjà de bons résultats sont obtenus. Par ailleurs la nécessité apparaît de rénover l'esprit et les méthodes de travail, en développant les techniques les plus modernes. Enfin la proximité de 1992 et du lancement du marché unique européen impose de repenser les problèmes du transport ferroviaire des marchandises en France, avec une mentalité nouvelle que traduit bien l'usage systématique du terme "fret", et dans un cadre élargi.

Les objectifs émergent alors clairement. Leur définition s'est accompagnée de la recherche des indispensables moyens de mise en œuvre.
Jusqu'ici l'organisation commerciale de la S.N.C.F. était basée sur la séparation, aux divers niveaux, des départements "marketing" et "vente". Dorénavant ces deux activités fusionnent, afin de bien montrer la globalité de l'action menée auprès de la clientèle. Mais un autre grand clivage apparaît avec deux nouveaux départements s'intéressant chacun à l'un des deux vastes groupes de marchandises transportées, au double plan à chaque fois du marketing et de la vente, avec des approches différentes : dans le domaine de l'industrie lourde il est permis d'espérer une atténuation de la régression d'ici l'an 2000 ; aussi le chemin de fer peut-il avoir pour ambition légitime de défendre sa part actuelle de marché et de rechercher la meilleure rentabilité de ses prestations. En revanche les industries légères, de distribution, de l'agro-alimentaire doivent connaître une croissance caractérisée dans les prochaines années ; aussi la S.N.C.F. entend-elle mener là une politique commerciale agressive, en faisant appel aux ressources de l'imagination pour offrir à sa clientèle potentielle des couples performances-prix concurrentiels ; elle dispose dès à présent avec les gares multi-fonctions (G.M.F.), le réseau FERCAM, le parc de wagons spécialisés, les installations spécifiques adaptées aux techniques combinées rail-route et au chargement des conteneurs, de bases de départ solides et éprouvées d'où peuvent être lancées les opérations de conquête.
Cette action d'ensemble, modulée en fonction du contexte actuel, est d'ores et déjà favorisée par le développement des techniques informatiques : la création d'un Département "Informatique et Contrôle de Gestion" montre l'importance que leur accorde la direction de la S.N.C.F. L'informatique favorise en effet à la fois le chemin de fer et ses clients grâce à la détermination pour ces derniers des meilleures solutions commerciales, la gestion la plus efficace de chaque wagon, l'augmentation de la rapidité et de la précision des acheminements ; aussi un objectif majeur est-il de rechercher la progression de la productivité tout en maintenant et si possible en améliorant la qualité des prestations offertes.
Le rôle des hommes reste cependant capital. C'est pourquoi qualitativement la formation continue des personnels, en les imprégnant du nouvel esprit, doit les rendre plus efficaces, tandis qu'au plan quantitatif d'importants efforts sont consentis pour que sur le terrain les vendeurs soient plus nombreux : seuls en effet des contacts plus denses amèneront des progrès dans le secteur des trafics diffus, grâce à une meilleure connaissance par les clients éventuels de la palette complète des services proposés par le rail.

Actuellement, par ailleurs, les chemins de fer français participent activement aux échanges internationaux. Or, à l'approche de 1992 et des profondes mutations qui s'ensuivront la stratégie commerciale de la S.N.C.F. ne peut se concevoir et se développer que dans une perspective européenne : non seulement les divers modes de transport seront rivaux dans ce cadre beaucoup plus large, mais encore une étroite collaboration entre les divers réseaux ferrés sera plus que jamais indispensable : c'est en unissant leurs efforts que ceux-ci pourront permettre au rail d'affronter ses rivaux, de répondre à un véritable défi européen et, plus concrètement, de faire face à une baisse probable de la tarification.
D'ores et déjà la mise en œuvre de cette politique commerciale novatrice, dynamique, qui veut aller à la rencontre du client, s'appuie sur des réalisations qui datent parfois de plusieurs années mais qui doivent donner la pleine mesure de leur efficacité dans le contexte nouveau, et qu'il est opportun d'analyser.

Les gares multi-fonctions (G.M.F.) ont été progressivement mises en place dès le début des années 80. Leur originalité réside moins dans la nature des installations, qui le plus souvent correspondent à celles des anciennes gares de marchandises, avec les halles et les cours de débords traditionnelles, que dans l'état d'esprit des responsables et les missions qui leur sont dévolues.
Chaque chef de gare multi-fonctions doit en effet faire face aux tâches classiques que représentent les opérations de sécurité, la circulation des wagons et des trains, le travail administratif. Mais il lui est également demandé d'être un animateur technico-commercial qui dans sa zone d'action doit prospecter, étudier avec le client potentiel les solutions les plus économiques à ses problèmes de distribution ou d'approvisionnement. Sans perdre de vue la nécessité de la rentabilité du transport pour la S.N.C.F., il a à sa disposition une panoplie étendue, avec les acheminements purement ferroviaires mais aussi l'utilisation des techniques mixtes rail-route ou de services de camionnage pur.
Au nombre de 600 en 1989, ces G.M.F. quadrillent le territoire. Implantées dans des villes ou centres ferroviaires de petit et moyenne importance, comme Alès ou Paray-le-Monial, elles permettent d'ores et déjà au transport ferroviaire de se faire connaître et apprécier partout, même loin des voies ferrées en service ; elles témoignent de la souplesse de la nouvelle stratégie, à une époque où la clientèle du rail n'est plus captive et où il faut partir à sa recherche.
Dans ces conditions la desserte en surface connaît depuis plusieurs années une véritable métamorphose. Il est vrai que les gares traditionnelles sont de moins en moins nombreuses, qu'il s'agisse de la fermeture de modestes installations en milieu rural désormais envahies par la végétation ou cédées à des particuliers, ou de gares urbaines à l'étroit et gênantes pour l'environnement. Mais ce mouvement se trouve largement compensé par le développement des embranchements particuliers, par la création de nouvelles infrastructures à la périphérie des agglomérations, par la mise en œuvre d'une stratégie offensive qui grâce aux techniques combinées couvre l'ensemble du territoire.

Dans cet esprit l'aménagement récent de gares de marchandises spécialisées montre le souci profondément ancré de s'adapter le plus étroitement possible à la demande.

Le rail est bien placé dans les transports de boissons, alimentant des plateformes de distribution fine (ci-dessus) ainsi que dans les exportations de sucre ou de farine via les ports (ci-dessous), où les rames en attente des bateaux permettent un intéressant stockage intermédiaire sans manipulations.

Que ce soit dans les gares marchandises ou sur des sites portuaires, les chantiers de conteneurs se développent désormais partout.

En Roussillon une gare nouvelle a été créée à Perpignan en 1985 en bordure de la voie unique de Villefranche, afin d'assurer dans les meilleures conditions l'acheminement des fruits et primeurs, très intéressant pour la concurrence routière. Faisceaux de voies de service, cour des débords, bâtiments ont été édifiés, en tenant compte des nécessités propres du trafic ferroviaire, de la nature des produits traités et des problèmes de conservation qu'ils posent, de l'intérêt de faciliter les liaisons avec les transitaires et les transporteurs routiers. Les nouvelles installations permettent d'offrir dès l'origine du transport ferroviaire, d'excellentes prestations au plan de la rapidité et de la qualité technique des diverses opérations.

En région parisienne la nouvelle gare de Valenton offre un exemple plus spectaculaire encore du souci d'adaptation du chemin de fer à l'évolution des techniques.

A proximité immédiate des voies de la Grande Ceinture, et des faisceaux de relais de Valenton, non loin du grand triage de Villeneuve-Saint-Georges, a en effet été inauguré en 1986 un très vaste chantier multi-techniques dont la vocation est de traiter la majeure partie du trafic combiné rail-route entre région parisienne et sud de la France. Pourquoi le choix de ce site ? Il s'est imposé grâce à trois éléments tout à fait favorables : d'abord des terrains étendus et peu utilisés (anciennes gravières) étaient disponibles ; ensuite la liaison avec l'ensemble des lignes de la S.N.C.F. est aisée par l'intermédiaire de la Grande Ceinture, et en particulier avec les grands axes Paris-Dijon et Paris-Bordeaux ou Toulouse tout proches ; enfin il a été facile de relier le chantier à plusieurs routes nationales et autoroutes tracées à proximité.

La gare se compose de deux secteurs distincts. Les trains sont reçus ou formés sur un faisceau de 10 voies qui longent la Grande Ceinture ; les wagons sont chargés ou déchargés dans 5 cours naturellement accessibles aux véhicules routiers, et partagées entre la C.N.C. (Compagnie Nouvelle de Conteneurs), et la Société Novatrans qui assure l'acheminement des remorques rail-route. Le modernisme et l'envergure de l'équipement sont soulignés par l'ampleur des aires de stockage, et surtout le nombre et la puissance des engins de levage : 4 portiques qui peuvent maîtriser des charges de 50 et 60 tonnes, 4 chargeurs de 40 tonnes, cinq grues de 16 tonnes.

Quotidiennement plusieurs centaines de wagons, constituant plusieurs dizaines de trains, entrent dans la nouvelle gare ou en sortent. Cette activité intense qui a porté en 1989 sur 1 400 000 tonnes, est à la mesure du développement depuis de longues années, en France comme ailleurs, des transports combinés rail-route.

La technique rail-route basée sur l'utilisation du conteneur permet un moindre poids mort que le transport sur wagons semi-remorques routières.

Les techniques rail-route

Les chiffres sont éloquents : exprimé en milliers de tonnes transportées, le trafic des conteneurs a dans notre pays enregistré une progression de l'ordre de 30% ces dix dernières années ; pendant ce temps celui des caisses mobiles et des semi-remorques a au moins doublé. En 1989, les transports combinés toujours en hausse ont représenté 12,5 millions de tonnes soit 8,5% du trafic total et 7,43 milliards de tonnes/kilomètres. Cet essor se révèle d'autant plus intéressant qu'il montre que dans le domaine du fret le chemin de fer peut marquer des points sur un terrain où la concurrence routière est vive, celui du transport de marchandises relativement légères, périssables souvent, et de valeur marchande le plus souvent élevée.

C'est entre 1950 et 1960 que les techniques rail-route, dites de "ferroutage" ont connu en France un élan décisif, notre pays et notre réseau ferré jouant, dans ce domaine comme dans d'autres, un rôle pionnier à l'échelle internationale. L'idée de base a consisté à offrir au client potentiel un plan de transport qui évitait toute rupture de charge, quelle que soit la localisation des points d'expédition et de livraison de la marchandise, en utilisant successivement les possibilités de la route et du rail.

Le succès rapide de cette formule s'explique aisément par la révolution qu'elle représentait par rapport aux pratiques antérieures, où la S.N.C.F. attendait dans ses propres installations les clients qui devaient eux-mêmes prendre leurs dispositions pour assurer par leurs propres moyens les trajets initiaux et terminaux.

Les avantages de cette nouvelle conception de l'acheminement du fret sont en effet rapidement apparus. C'est ainsi qu'en plus de la continuité et de l'unicité du transport, les usagers gardent la maîtrise totale des opérations. Par ailleurs les atouts de la route et du chemin de fer se conjuguent fort opportunément : d'un côté l'utilisation du réseau routier permet de bâtir sans la moindre entrave une vaste organisation de correspondants et de pratiquer un efficace porte à porte, en s'affranchissant de la trame de moins en moins dense des voies ferrées. Le rail, lui, apporte également une gerbe d'éléments positifs : il permet des économies d'entretien, de carburant, de personnel, tandis que les risques d'avarie ou de vol semblent nettement diminués. Mais surtout il offre d'intéressantes garanties dans les domaines de la régularité et de la rapidité ; il est vrai, en effet, qu'avec les progrès en puissance et en capacité des véhicules et le développement des autoroutes, les

Chargement d'une semi-remorque routière sur wagon ; le portique est ici muni d'un système de préhension par pinces.

conditions du transport routier à longue distance se sont améliorées ; mais celui-ci reste toujours tributaire des limitations techniques ou réglementaires de la vitesse, des engorgements de la circulation et de ses risques, des aléas climatiques. Le chemin de fer, lui, peut assurer un acheminement sûr et régulier des wagons porteurs ; ils sont soit isolés et incorporés dans les convois du service général, soit regroupés dans des trains-blocs circulant souvent en période nocturne, à des vitesses de pointe comprises entre 160 et 100 km/h, et comparables de plus en plus à celles d'excellentes relations du service des voyageurs. Au total le coût de la prestation offerte se révèle souvent très concurrentiel par rapport à celui du transport exclusivement routier.

Ainsi, dans un pays d'économie libérale comme la France, la formule combinée constitue une solution intelligente au problème des échanges à moyenne et grande distance, en faisant jouer à fond les avantages de la souplesse et de la complémentarité. Il est certain que l'étendue de notre territoire par rapport à celle de nombreux pays de l'Europe de l'ouest a favorisé l'extension de ces techniques, puisqu'entre les secteurs de ramassage et de distribution réservés à la route l'allongement du segment médian, où règne le rail, ne peut qu'être profitable grâce à l'abaissement corrélatif du coût ; d'ailleurs l'expansion du trafic international dans ce domaine en est une éclatante confirmation.

L'essor du transport combiné s'est naturellement matérialisé par l'émergence de nouveaux matériels et de nouvelles installations. Il a en effet fallu concevoir des wagons spécialisés capables de recevoir les conteneurs, les caisses mobiles qui sont de plus grande dimension et dont le volume peut atteindre 70 m^3, mais aussi les véhicules semi-remorques. Ces wagons, parfois dénommés "kangourous", souvent de grande longueur (plus de 15 mètres) sont dotés d'essieux, et aussi de plus en plus souvent de bogies , qui permettent de plus lourds chargements et un roulement de meilleure qualité ; ils sont conçus pour la pratique du chargement soit horizontal, soit vertical, par pinces géantes. Il faut remarquer qu'actuellement, à la différence de ce qui peut être observé en République Fédérale Allemande, Suisse, Autriche ou Italie, la France ne connaît pas de développement notable du transport par voie ferrée de véhicules routiers ordinaires, camions et remorques, tracteurs et semi-remorques ; mais dans ce secteur d'activité des techniques combinées le proche avenir peut être marqué par de rapides évolutions, même si le gabarit ferroviaire français, plus étroit, posera toujours plus de problèmes que celui de l'Allemagne de l'Ouest par exemple.

Dans ces conditions, bien avant la création de la nouvelle gare de Valenton, le paysage ferroviaire a été transformé par l'apparition de chantiers spécialisés, puissamment outillés, avec en particulier d'impressionnants portiques de chargement et de déchargement, aménagés pour favoriser la mise en place des wagons mais aussi la rotation des véhicules routiers. Alors que des infrastructures totalement nouvelles ont été créées comme à Pompadour, non loin de Villeneuve-Saint-Georges, Rungis, Noisy-le-Sec, Toulouse-Launaguet, le Verdon, Hendaye, Vénissieux, Avignon, ainsi que dans les ports de Dunkerque, Rouen (Quevilly), Le Havre, Fos-Graveleau, bien souvent ce sont des secteurs de gares anciennes qui ont été restructurés : ainsi à Bordeaux-Bastide, La Chapelle-Plaine, Lille-Saint-Sauveur, Dijon-Porte Neuve, Marseille-Canet, Nice-Saint-Roch, etc. Si le développement de ces chantiers concerne au premier chef la S.N.C.F., il s'est en fait inscrit dans le cadre de l'activité de deux sociétés, filiales de la S.N.C.F., qui couvrent la plus grande partie du vaste domaine des transports combinés.

Fondée en 1967 Novatrans constitue une société anonyme dont le capital est partagé entre la S.N.C.F. (30%), deux sociétés propriétaires de wagons spécialisés (12,5%), et des transporteurs routiers. Sa mission consiste à acheminer par l'intermédiaire de la voie ferrée les véhicules routiers non moteurs qui lui sont confiés. Concrètement ceux-ci sont amenés par les clients eux-mêmes ou leurs correspondants à l'un des chantiers Novatrans, au nombre d'une trentaine sur l'ensemble du territoire. La qualité de l'équipement se traduit par la

Train complet de semi-remorques inter-chantiers rail-route dans le sud-est (ci-dessus) et déchargement d'un wagon spécialisé (ci-dessous) par tracteur routier, une technique qui cède le pas de plus en plus aux portiques.

rapidité des opérations puisqu'à Valenton par exemple, 5 minutes suffisent pour qu'une semi-remorque passe du domaine routier à l'univers ferroviaire ; à l'autre bout de la chaîne, dans un autre chantier, situé le plus souvent à plusieurs centaines de kilomètres de là, un processus symétrique se déroule afin d'aboutir à la livraison du véhicule dans les meilleures conditions. Il est à peine besoin d'ajouter que les 1 500 wagons Novatrans sont acheminés par la S.N.C.F. le plus rapidement possible : assidus de l'ancien régime accéléré, ils bénéficient naturellement maintenant, quand ils sont isolés, de la prestation du niveau le plus élevé dans le cadre du plan ETNA.
En expansion régulière avec plus de 5% de progression annuelle depuis 1980, le trafic de Novatrans atteint d'ores et déjà un volume considérable : plus de 200 000 véhicules et plus de 3 500 000 tonnes transportés chaque année. Cette activité n'est pas seulement nationale puisque la société gère trois centres de transbordement en Italie, et qu'elle exploite une trentaine d'autres chantiers en collaboration avec d'autres firmes de ferroutage européenne.
La C.N.C. (Compagnie Nouvelle de Conteneurs), créée en 1948, est donc plus ancienne ; elle est aussi plus étroitement liée à la S.N.C.F., qui possède en effet les deux tiers de son capital, le reste étant propriété d'actionnaires privés. Elle doit organiser le transport par chemin de fer des conteneurs en France même, et participer à l'échelle internationale aux activités de la société Intercontainer.
Le travail de la C.N.C. est globalement de même nature que celui de Novatrans : même type de relation avec la clientèle même, complémentarité rail-route avec continuité et souplesse des opérations, même souci de la rapidité de la livraison grâce à la mise en route fréquente de trains-blocs roulant souvent la nuit. Au nombre d'une soixantaine les chantiers de la C.N.C. sont donc deux fois plus nombreux que ceux de Novatrans. Fréquemment leurs installations, comme à Valenton, sont voisines, en raison des affinités dans les objectifs et les méthodes de travail, de la nature de la relation avec les services techniques de la S.N.C.F., et de la nécessité commune de vastes aires de stockage, de liaisons de qualité avec le réseau routier et autoroutier. Les chantiers de la C.N.C. isolés, eux, se retrouvent aussi bien dans des villes moyennes de l'intérieur que dans les ports maritimes, comme au Verdon, à l'embouchure de l'estuaire de la Gironde ; collaborent alors, avec sur les quais des infrastructures adaptées, non pas deux mais trois modes de transport, la route, le rail et la voie d'eau.
Si donc l'activité de la C.N.C. possède elle aussi une dimension internationale, l'essentiel de son trafic est assuré en France même ; 6 500 wagons porte-conteneurs loués à la S.N.C.F., 12 000 conteneurs, plus de 6 000 000 de tonnes chargées annuellement avec une nette tendance à l'accroissement : voilà des chiffres qui permettent de se faire une juste idée de la vitalité à la fois de la société et de ce type de transport.

Face aux difficultés conjoncturelles, et à des évolutions profondes le chemin de fer obtient ainsi des résultats plus qu'encourageants lorsqu'il développe des techniques combinées qui règlent le lourd problème de la rupture de charge dans les gares. Or ce domaine est loin d'être complètement exploré. Par ailleurs depuis quelques années la S.N.C.F. développe sur certaines relations, avec le FERCAM, un autre type de rapport avec la route.

La Fercamisation

Apparus il y a peu le sigle FERCAM et le nom commun qui en dérive, la fercamisation, en apparence barbares, désignent une technique de transport qui associe le rail et le camion, avec rupture de charge dans les gares. Pourquoi et comment le FERCAM ?
Service public, la S.N.C.F. se doit de maintenir un trafic de marchandises minimal sur les lignes laissées ouvertes. Or au fil des années, les chargements confiés au rail ont considérablement diminué sur des artères d'intérêt simplement local, à voie unique, qui desservaient des régions peu peuplées et avant tout rurales. Comme les coûts d'exploitation de ces lignes ne diminuaient pas en proportion, en raison des dépenses de traction et d'entretien, même réduites, de la superstructure et de gardiennage de passages à niveau, etc., leur fonctionnement s'est révélé d'autant plus déficitaire que le service des voyageurs avait disparu depuis longtemps. Aussi la mise en circulation d'un train une seule fois par semaine parfois, composé d'une locomotive Diesel et de trop rares wagons avec trois ou quatre agents pour assurer la desserte, a-t-elle très vite représenté une charge difficilement supportable. Pendant de longues années cependant la S.N.C.F., pour plusieurs raisons, a hésité devant la suppression d'un service de marchandises ainsi étiolé : absence de solution de substitution valable, fidélité des derniers clients au transport purement ferroviaire et à ses avantages, crainte de perte de recettes, attachement sentimental de l'opinion ou des élus locaux au chemin de fer traditionnel. Mais la vitalité de la concurrence, le rétrécissement du marché à partir de 1975 ont entraîné une réflexion plus approfondie, plus réaliste et amené des décisions drastiques.
Dans le cadre de la Fercamisation le service ferroviaire est totalement supprimé. Les localités situées sur la petite ligne abandonnée sont désormais desservies par des véhicules routiers, camions ou camionnettes en particulier, appartenant à des transporteurs liés par contrat avec la S.N.C.F. Alors que les tarifs pratiqués sont du même ordre qu'auparavant, les dépenses d'exploitation sont évidemment très allégées ; aussi l'équilibre financier se trouve-t-il réalisé. La clientèle bénéficie de prestations de nature différente, mais globalement de qualité au moins équivalente : la rapidité et la sûreté de l'acheminement ne peuvent être moindres sur des distances d'au plus quelques dizaines de kilomètres ; la rupture de charge dans la gare de rattachement ne fait que remplacer celle de la gare terminale dans le mode de transport antérieur, et le camion offre l'énorme avantage de sa souplesse d'utilisation en permettant un porte à porte efficace. Par ailleurs, les opérations de transbordement sont menées avec diligence dans des gares de type G.M.F. souvent (gares multi-fonctions), bien outil-

lées, où les techniques modernes de stockage et de manutention sont marquées entre autres par l'essor de la palettisation. Il n'est pas étonnant, dans ces conditions, que la Fercamisation se développe rapidement dans des régions comme l'ouest intérieur ou le Massif Central, à l'écart des grands courants en raison de la nature de leur économie et de leur peuplement. Elle signifie moins le recul absolu du chemin de fer que sa capacité d'adaptation à une situation nouvelle ; la recherche de l'alliance avec la route sur ces trajets de courte distance, qui n'est pas sans rappeler les méthodes appliquées depuis le début des années 70 par le SERNAM (Service National des Messageries), ne peut que permettre au rail de maintenir ses positions et même de les améliorer sur ses artères moyennes ou principales, grâce au rabattement d'un trafic diffus qui sans ce type d'initiative aurait pu définitivement lui échapper. Au début de 1990, 2 590 kilomètres de lignes avaient déjà été fercamisées.

Les perspectives offertes par cette alliance aux multiples facettes entre le chemin de fer et la route sont donc très encourageantes, d'autant plus que de nouvelles techniques font leur apparition : aux États-Unis le sytème "Roadrailer" repose sur la transformation des semi-remorques routières en wagons grâce à la substitution de bogies ferroviaires classiques aux essieux routiers dotés de pneumatiques. Quel sera le sort de ce procédé en Europe et plus spécialement en France ? Le système Combitrans, qui s'en rapproche beaucoup, n'en est actuellement qu'au stade de l'expérimentation.

Toujours est-il que le transport purement ferroviaire des marchandises bénéficie de son côté d'une amélioration de son parc de wagons considérable et appelée à se poursuivre.

Un locotracteur haut-le-pied va chercher quelques wagons au bout d'une ligne en antenne classée "à trafic restreint" et qui a perdu ses voyageurs depuis des décennies ; le type même des dessertes visées par les opérations de fercamisation.

L'évolution du parc des wagons de marchandises

Dans les années 1950 ou 1960 le spectacle présenté par les trains de marchandises était plus uniforme et plus terne que maintenant. En effet, pour la plupart, les wagons faisaient partie de l'une des trois vastes familles constituées par les wagons tombereaux, plats et couverts ; ils étaient à peu près tous revêtus d'une peinture marron foncé peu attrayante. Par ailleurs, de faible longueur (moins de dix mètres le plus souvent) ils n'étaient que très rarement équipés de bogies, et les véhicules spécialisés, comme les wagons-citernes, trémies, frigorifiques, ne constituaient qu'une minorité du parc.
Actuellement le paysage est très différent : les véhicules se sont allongés, les bogies remplacent de plus en plus les essieux, l'allure générale est plus agréable et plus diversifiée, avec la recherche de couleurs vives et variées ; surtout les wagons, moins nombreux, sont de plus spécialisés, avec des volumes, des formes, des dispositifs de chargement et de déchargement adaptés à des types très précis de marchandises. Cette profonde évolution du parc, accélérée ces dernières années et appelée à se poursuivre, s'inscrit dans la stratégie générale de recherche de la rentabilité, de l'utilisation la plus rationnelle du matériel, d'une adaptation constante à des vitesses plus élevées et à un marché difficile et fluctuant. Elle tient forcément compte des besoins de la clientèle qui a tendance à réduire ses stocks, du déclin du transport de produits lourds, de l'offensive en direction du trafic diffus, des progrès dans le conditionnement des marchandises et leur manutention, avec l'essor de la palettisation.
La diminution quantitative du parc des wagons roulant sur les lignes françaises est très sensible, puisque de 1974 à 1989 elle a représenté une chute de près de 50%. Elle s'est exprimée par la radiation des véhicules les plus anciens et les moins adaptés aux besoins nouveaux, à essieux le plus souvent, mais aussi parfois de wagons récents : tombereaux, plats, couverts à bogies, excédentaires.
Fort de 152 900 unités au 1er janvier 1990, le parc actuel se caractérise par la prolifération des types de wagons. Certes les tombereaux, plats et couverts existent toujours mais sont de moins en moins demandés. Proportionnellement les véhicules spécialisés occupent une place de plus en plus importante : ancienne puisque les wagons-foudres apparaissent dès le XIXe siècle, la famille des citernes est elle-même très vaste avec les wagons-réservoirs conçus pour le transport du vin, des hydrocarbures, des produits chimiques ou du gaz comprimé ou liquéfié ; les wagons à trémies sont chargés soit de céréales, de produits pulvérulents, de ciments, de sables ou de laitiers, mais aussi de houille, de coke ou de minerai ; aux côtés des wagons frigorifiques se retrouvent les véhicules à deux niveaux affectés à l'acheminement des automobiles, ceux qui accueillent les conteneurs ou les semi-remorques, ou encore les "débach'vit" aux bâches amovibles et ceux à toit ouvrant, aux parois coulissantes, qui peuvent recevoir toutes sortes de marchandises. L'adaptation à la demande est constante, comme en témoigne l'apparition de wagons surbaissés capables d'accueillir les conteneurs hors normes.
La longueur des wagons a en moyenne considérablement augmenté, puisque les plus longs d'entre eux, atteignant 24 mètres, sont presque de la dimension des voitures de voyageurs classiques. Cet allongement est en relation avec la progression des bogies aux dépens des essieux, spectaculaire dans la mesure où depuis 1985 les véhicules à bogies sont majoritaires. La solidité de la construction, qui ne s'accompagne pas nécessairement d'un alourdissement du poids à vide grâce à l'emploi de plus en plus fréquent de matériaux comme l'aluminium, permet des vitesses de plus en plus grandes, qui désormais pour certains véhicules peuvent atteindre 160 km/heure.
Par ailleurs il faut rappeler l'augmentation régulière de la capacité de chargement, qui a doublé en 25 ans, atteignant aujourd'hui en moyenne 35 tonnes par wagon, avec des véhicules capables de recevoir 60 tonnes. Particulièrement étudiés, enfin, le conditionnement intérieur et le dispositif d'accès des wagons couverts, portes coulissantes ou autres, assurent une excellente conservation des produits dont chargement et déchargement sont aisés et rapides. Par ailleurs comment ne pas remarquer l'aspect extérieur de plus en plus avenant des wagons des nouvelles générations, obtenu par la conception de formes et de volumes qui allient le fonctionnel et une élégance sobre, amélioré par l'emploi de couleurs vives et diverses, l'inscription de logos étudiés par des spécialistes.

Une mutation d'un autre style, en rapport d'ailleurs avec l'évolution qui vient d'être dessinée, marque l'époque actuelle : si les wagons appartenant à la S.N.C.F. restent les plus nombreux (93 300), l'effectif de ceux qui sont la propriété de particuliers s'enrichit régulièrement. En 1990, en effet, ceux-ci sont au nombre de 59 600 soit 39% du parc. Ils appartiennent à 130 sociétés de loueurs ainsi qu'à 250 entreprises qui utilisent pour leur propre compte leur propre matériel ; à la fois les plus récents, en moyenne, et les plus diversifiés, ils assurent à eux seuls 60% du trafic total des chemins de fer en France, avec une tendance caractérisée à la progression d'une année à l'autre. Ce phénomène est encourageant : il montre en effet l'heureux effet de la conjonction de la qualité des prestations offertes par un puissant service public, et de l'adaptation d'autant plus précise du matériel roulant à la demande de trafic qu'elle est le fait justement des clients eux-mêmes.

Ainsi la diminution globale du nombre de wagons depuis une quinzaine d'années doit être correctement interprétée : l'amélioration de la capacité moyenne de chaque véhicule atténue ce déclin quantitatif, tandis que les progrès dans les techniques de chargement, de déchargement et de conditionnement des marchandises les plus variées, l'amélioration des vitesses autorisées permettent d'évoquer un véritable renouveau du parc.
Cette politique, qui doit se poursuivre, est elle-même en relation avec la volonté de faire progresser la qualité de l'ensemble des acheminements, qu'il s'agisse des wagons isolés ou regroupés en trains complets.

Évolution des wagons : les petites unités à essieux et de faible longueur, comme les wagons de ciment vus ci-dessus en trains complets sur la ligne Paris-Lyon, cèdent naturellement la place à des modèles à bogies et de grande capacité (ci-contre), ce qui diminue considérablement le poids mort à transporter et facilite les opérations de chargement et de déchargement en limitant les manœuvres.

L'accélération et l'amélioration des acheminements

Depuis quelques années les efforts se développent selon deux axes parallèles de recherche, celui de la refonte du régime des wagons isolés et celui du développement qualitatif et quantitatif des trains complets.

Même si proportionnellement le nombre des wagons qui circulent individuellement diminue, au point de devenir dès maintenant légèrement minoritaire, ce type d'acheminement qui repose sur le lotissement, c'est-à-dire la formation de lots de wagons dans les gares de triage, conservera nécessairement un volume important compte tenu de l'ampleur que possèdera toujours le trafic diffus.

Largement décrit plus haut, le système ETNA (Étude Technologique pour un Nouvel Acheminement) a dépassé la phase de l'indispensable rôdage et donne maintenant la pleine mesure de ses possibilités. Facilitée par l'utilisation systématique des techniques informatisées, sa mise en œuvre se traduit concrètement par un gain global de productivité, grâce à la concentration des opérations sur des triages bien équipés, et par la réduction générale des temps de parcours, plus spécialement recherchée pour les niveaux N2 et surtout N1. L'appellation des trois régimes proposés, Fretexpress, Fretrapide et Fretéco, très suggestive, montre l'effort consenti par les responsables pour faire connaître à la clientèle potentielle le nouveau produit et sa diversité : aussi le plan ETNA s'intègre-t-il remarquablement dans la nouvelle stratégie de la S.N.C.F. en matière de transport de marchandises, marquée par le souci de tirer tous les profits, grâce à un esprit commercial résolument offensif, des remarquables progrès réalisés au plan technique.

Mais les séjours dans les gares de triage, même s'ils sont moins nombreux et en moyenne plus courts, restent un handicap face à une concurrence routière qui mise délibérément sur la rapidité du parcours. C'est pourquoi la politique des trains complets va être résolument poursuivie.

Il est opportun de rappeler que depuis quelques années les trains complets transportent la majeure partie des tonnages confiés en France au chemin de fer, passant de 46% du trafic total en 1970 à 51,2% en 1974, pour atteindre 56% en 1989. Cette progression lente mais régulière se poursuit. Elle s'explique par l'intérêt technique et économique d'un acheminement qui, dès lors qu'un nombre suffisant de wagons se trouve rassemblé, se révèle plus rapide, plus sûr pour les marchandises transportées et moins coûteux : grâce en effet à un trajet direct entre points de départ et d'arrivée qui évite les gares de triage, de nombreuses manœuvres, des temps d'immobilisation et des chocs toujours possibles sont supprimés. Les clients et le transporteur trouvent donc leur avantage : aussi n'est-il pas étonnant que les vigoureuses impulsions données dans le cadre de la nouvelle politique commerciale de la S.N.C.F. reçoivent un écho très favorable de la part des entreprises contactées.

Actuellement deux grandes catégories de trains complets circulent sur les diverses lignes, aux antipodes l'une de l'autre : les trains lourds se justifient par la masse d'un même produit, très pondéreux, à acheminer d'un point à un autre, les trains légers par la nécessité de miser sur la rapidité du transport pour des marchandises chères et peu encombrantes.

Trains-blocs, trains-cargos : ces expressions imagées caractérisent fort bien la nature de ces lourds convois, dont la charge brute peut atteindre 3 600 tonnes, ce qui correspond à une charge utile de l'ordre de 2 500 tonnes. Composés de wagons tous semblables, généralement des citernes ou wagons-trémies, ces convois donnent une image impressionnante et suggestive de la capacité de transport du chemin de fer. Ils sont souvent indéformables, c'est-à-dire que lors de leurs incessants va-et-vient entre les mêmes points de chargement et de déchargement, ils conservent la même composition, sans adjonction ou retrait de wagon. Si leur vitesse en ligne est modérée, sensiblement inférieure à 100 km/heure, de substantiels gains de temps sont obtenus grâce à la simplification des manœuvres au départ et à l'arrivée, et à l'absence de toute opération de triage : les seuls arrêts sur le trajet ont pour objet de permettre les changements de locomotive ou de personnel de conduite, certaines vérifications techniques et le passage de trains plus rapides et prioritaires ; des voies de garage à entrée directe ou des faisceaux de relais le plus souvent installés dans les emprises des gares de triage accueillent alors ces trains lourds et spécialisés. Cette trame de convois représente une noria permanente fonctionnant de jour comme de nuit sur certains des axes ferroviaires lourds. Ils transportent notamment de la houille à l'intérieur de la Lorraine, du minerai de fer (rames de 3 200 tonnes) de Dunkerque vers Dieulouard en Lorraine, avec deux locomotives 16500 en tête et une 3e machine attelée en queue et télécommandée ; sont également acheminés des hydrocarbures de Berre et Fos vers les régions lyonnaise et dijonnaise, des céréales de la vallée de la Garonne et des Landes vers le Nord, des pierres calcaires de Pagny-sur-Meuse vers Varangéville, des cailloux de St-Varent (Deux-Sèvres) vers Saumur et la région parisienne, de la bauxite de Fos à Gardanne via Miramas, etc. Roulent aussi des convois hyperlourds, atteignant par exemple une charge brute de 5 200 tonnes entre Caffiers et Dunkerque-Usinor, transportant de la dolomie sur une distance relativement courte.

D'autres trains, également directs et complets, présentent des caractéristiques bien différentes.

En effet, face à une concurrence routière de plus en plus efficace dans le domaine de marchandises peu volumineuses et de forte valeur marchande, la S.N.C.F. a depuis longtemps entendu réagir, en misant résolument sur la rapidité de l'acheminement. Elle a obtenu de spectaculaires résultats en jouant sur plusieurs tableaux, ceux de la vitesse des trains, d'une circulation directe évitant toute opération de triage, de la mise en route de convois souvent courts et légers, en fonction des besoins précis de la clientèle.

Desserte à Saint-Germain-Grande-Ceinture d'un grossiste en boissons, installé sur les anciens débords de la gare : une formule intéressante, proche par certaines aspects de l'embranchement particulier.

Dans le courant des années 70 ont été ainsi mis en service les Rapilèges, dont le tonnage brut se situait entre 400 et 800 tonnes, et qui roulaient à une vitesse de pointe parfois supérieure à 100 km/heure en fonction des caractéristiques spécifiques des wagons qui les composaient. Les enseignements très rapidement positifs ont incité à une réflexion sur la capacité du chemin de fer non seulement à se défendre mais encore à conquérir des marchés dans un secteur difficile. Il n'est donc pas surprenant qu'en 1987 et 88 la définition d'une nouvelle politique commerciale et le coup de fouet qu'elle a représenté se soient traduits par des innovations de taille, comme les relations Fret Chrono et Chronofroid.

C'est en 1987 qu'a été lancé le réseau FRETCHRONO, produit haut de gamme, appelé à corrrespondre dans le domaine du transport des marchandises au T.G.V. dans celui des voyageurs.
Une étude de marché très poussée a montré en effet que des perspectives très intéressantes pouvaient se dégager en explorant plus en profondeur les pistes déjà dégagées et en combinant plus systématiquement les éléments favorables. C'est ainsi que les trains de l'organisation Fretchrono, indéformables et qui parcourent de longues distances pouvant dépasser 1 000 kilomètres, vont très vite : la vitesse de 160 km/heure est couramment pratiquée grâce à des wagons spécialement conçus et entretenus. Bien entendu non seulement les gares de triages sont évitées, mais encore les arrêts intermédiaires sont réduits au strict minimum. Par ailleurs ces convois circulent le plus souvent possible en période nocturne : le départ fixé entre 19 et 22 heures permet aux opérations de chargement de se dérouler dans le créneau de la fin d'après-midi, tandis que le déchargement peut s'effectuer dans les premières heures utiles de la journée dans la mesure où les arrivées sont programmées entre 4 et 8 heures. Autre caractéristique, la recherche de la complémentarité rail-route sous deux formes, l'emploi des techniques combinées faisant appel, entre autres, aux conteneurs et aux caisses mobiles, et la collaboration avec des transporteurs routiers qui participent activement au rabattement des marchandises sur les chantiers de départ des trains, et en fin de parcours organisent leur distribution. Enfin le service Fretchrono bénéficie du dynamisme d'équipes de cheminots spécialement formés et rompus aux techniques commerciales les plus actuelles, qui contactent la clientèle potentielle en personnalisant le produit qu'ils veulent vendre, et en l'adaptant le plus fidèlement possible à la demande.
Les résultats sont spectaculaires. Alors que le premier train Fretchrono a été mis en marche en juin 1987, c'est une véritable trame qui se trouve tissée dès la fin de 1988, avec des relations à caractère méridien dominant : chaque nuit en effet se croisent sur les grands axes joignant Paris à Marseille, Toulouse et Bordeaux des trains qui assurent le plus souvent dans les deux sens des liaisons Marseille-Lille, Lille-Vénissieux, Avignon-Valenton, Perpignan-Rungis, Bordeaux-Paris, Toulouse-Paris, ou Marseille-Paris. Au plan commercial les premières constatations sont encourageantes, puisque par exemple le trafic en un an a progressé de près d'un tiers sur la relation Marseille-Lille. Aussi à la vingtaine de liaisons qui sont en service en 1990 doivent s'ajouter d'autres relations, actuellement à l'étude, par exemple entre l'Alsace d'une part, les pays rhodaniens et ceux de l'ouest de l'autre.

En haut à Villeneuve, train chargé de caisses mobiles réfrigérantes dans le cadre de l'offre SNCF "Chronofroid".

Ci-dessus, un train de wagons isolés près d'Andilly avec des couverts aptes à 160 km/h, reconnaissables à leur livrée verte.

Ci-contre, le triage d'Achères, désormais spécialisé dans le traitement du trafic d'automobiles.

Ci-dessus, un train complet de cailloux près de Bernay. Ci-dessous, des semi-remorques routières sur wagons Novatrans, aux environs de Nancy.

Les progrès de la logistique ont permis au rail de conserver une réelle compétitivité par rapport à l'offre routière : ainsi, les wagons "débach'vite" ou les couverts à parois coulissantes autorisent un déchargement rapide et commode des marchandises sur palettes.

Les débuts sont donc prometteurs. D'ores et déjà les trains Fretchrono, composés de véhicules revêtus de couleurs vives, verts le plus souvent et arborant un élégant logo, donnent une image particulièrement avenante et dynamique d'une expérience qui doit pleinement réussir : pour peu que les prix proposés par la S.N.C.F. restent compétitifs la sûreté et la rapidité du transport, avec des temps inférieurs à 5 heures entre Paris et Bordeaux, à 9 heures entre Perpignan et Rungis par exemple, doivent constituer des atouts décisifs pour l'acheminement de marchandises fragiles et coûteuses. Aussi est-il normal de prévoir un réseau de plus en plus dense entre les principales agglomérations françaises, et son extension au plan international.

Parallèlement au développement de l'opération Fretchrono, et en étroite relation avec elle, a été tentée en 1988 l'expérience CHRONOFROID.
Depuis longtemps la S.N.C.F. s'était intéressée au marché du froid. Qui, en effet, ne connaît les wagons frigorifiques STEF ? Elle a voulu, dans le cadre de sa nouvelle stratégie commerciale, proposer dans ce domaine un nouveau produit, en jouant à fond des avantages qui favorisaient l'essor de Fretchrono. Grâce à l'acquisition de wagons surbaissés, de châssis routiers et de caisses mobiles réfrigérantes, une relation nocturne ferroviaire a été établie, dans chaque sens, entre les chantiers spécialisés de Valenton et Avignon. En amont et en aval le ramassage et la distribution des marchandises par le transport routier évitent toute rupture de charge ; cette addition de la rapidité du train et de la souplesse de la desserte routière donne dans ce cas précis des résultats remarquables, puisqu'autour d'une seule relation ferroviaire de vastes régions sont drainées, c'est-à-dire toute la façade méditerranéenne, la France septentrionale de la Normandie à la Champagne : l'efficacité commerciale est évidente, avec par exemple la remise au client à Toulon à 7 heures d'une caisse mobile chargée à Caen la veille à 16 heures.

Ainsi l'expérience Chronofroid, qui s'intègre dans l'opération Fretchrono, plus vaste et plus générale, permet au chemin de fer de marquer des points au détriment de la concurrence sur le marché du transport de produits tels que la viande, le poisson et les autres denrées périssables. Il est vrai que l'étendue de notre territoire, les grandes distances qui séparent par exemple les régions les plus peuplées des grands secteurs producteurs de fruits et légumes comme la vallée de la Garonne, le Roussillon ou le Comtat-Venaissin, favorisent le rail ; il lui appartient de profiter pleinement de ce contexte.

L'accélération globale de l'acheminement des marchandises est donc largement favorisée par la progression du nombre des trains complets, appelés à charger toutes les catégories de produits. Cette technique se révèle économique et efficace aussi bien lorsqu'elle est utilisée isolément qu'en liaison avec le transport par voie routière.

Alors même que le fret ferroviaire est donc actuellement marqué par de profondes transformations dans le cadre métropolitain, la physionomie des échanges avec les pays voisins ou plus lointains se modifie également suivant plusieurs axes.

L'ÉVOLUTION DES ÉCHANGES INTERNATIONAUX

En 1989, les marchandises qui ont franchi par voie ferrée nos frontières terrestres ou qui dans les ports ont été soit chargées dans des wagons soit déchargées, ont représenté un total de 53 900 000 tonnes, ce qui constitue plus du tiers de l'ensemble du trafic de la S.N.C.F. : il n'est donc pas nécessaire d'insister sur l'ampleur de ces échanges internationaux. Ce trafic est relativement équilibré puisque, minoritaires, les importations constituent environ 45% du total. Il est nécessaire de prendre en particulier en compte les flux qui s'établissent entre pays autres que la France, et qui donc traversent le territoire métropolitain en étrangers ; s'établissant par exemple entre l'Espagne et l'Allemagne de l'Ouest, le Royaume-Uni et l'Italie, la Belgique et la Suisse, ils ont représenté en 1989 le cinquième du trafic international en provenance ou à destination de la France même : la situation de notre pays au cœur de l'Europe occidentale, l'aisance des liaisons terrestres, le nombre et l'activité des ports, expliquent ce rôle de plaque tournante. Aussi est-il normal qu'exportations et importations françaises par chemin de fer soient réparties entre de nombreux pays.

Volume des échanges (importation + exportation)
impliquant le chemin de fer (trafic portuaire inclus,
courants internationaux de transit exclus)
Moyenne de 1984 à 1987

Pays	Tonnages (en millions)	% du total (trafic de transit exclu)
Bénélux	10,03	23,10
République Fédérale Allemande	7,86	18,10
Italie	7,60	17,50
Suisse	1,73	3,40
Espagne-Portugal	1,08	2,50
Royaume-Uni - Irlande	0,96	2,20

C'est ainsi que le tiers des échanges concerne des pays autres que ceux indiqués sur le tableau. Par ailleurs jouent des facteurs comme l'aisance du chemin de fer dans le franchissement des frontières terrestres, sans rupture de charge, et la proximité de beaucoup de régions très actives de France, de l'Allemagne et du Bénélux de part et d'autre des frontières. Si la plupart du temps ces échanges sont relativement équilibrés, ceux qui s'établissent avec l'Italie sont en revanche marqués par une très nette prédominance des exportations (plus de 80% du total du trafic) en raison des expéditions massives de ferrailles, d'automobiles, de produits agro-alimentaires ; en revanche la puissance industrielle des pays du Bénélux et de l'Allemagne de l'Ouest se trouve à l'origine de la prépondérance, beaucoup moins marquée il est vrai, des marchandises qui en proviennent.

Aussi de nombreuses gares-frontières sont-elles particulièrement actives, avec la place particulière du transbordement ou des opérations de changements d'essieux à Cerbère et à Hendaye en raison de la différence d'écartement des voies françaises et espagnoles. Au cœur des Alpes le rôle de Modane, au pied du Mont Cenis et à proximité du tunnel du Fréjus, est essentiel : c'est en effet par cette gare tapie le long de l'Arc que s'écoule la quasi totalité des flux franco-italiens, soit 8 millions de tonnes environ en 1989 ; elle se classe ainsi nettement en tête de tous les points-frontières terrestres français.

Dans l'absolu et proportionnellement aux échanges ferroviaires intérieurs le trafic international n'a cessé de progresser depuis l'immédiat après-guerre. La vitalité industrielle et commerciale de l'Europe de l'Ouest, les progrès de son unification économique, l'aptitude du rail à favoriser les relations à grande distance, l'importance quantitative de marchandises lourdes comme la houille, le minerai de fer ou les produits pétroliers ont constitué autant de facteurs favorables. Certes à partir de 1974 les difficultés déjà analysées se sont traduites par un tassement relatif. Mais depuis quelques années le regain de dynamisme qui caractérise l'acheminement du fret intérieur se retrouve dans les échanges ferroviaires qui impliquent notre pays.
Les progrès qui ont pu être réalisés ont d'ailleurs été facilités par la qualité de l'entente régnant entre les divers réseaux européens. Ainsi, dès le début des années 60 a été créé le groupement TEEM (Trans-Europ-Express-Marchandises) qui a connu un essor considérable puisqu'actuellement 18 pays adhèrent, plus de 130 relations couvrent l'Europe d'une trame serrée : il s'agit de trains internationaux directs, pouvant relier des états qui ne sont pas voisins ; ils bénéficient d'excellentes conditions d'acheminement en raison des vitesses moyennes élevées, de la réduction des immobilisations aux frontières

Ci-dessus, un trafic caractéristique avec l'Italie : les ferrailles avec une rame complète qui revient à vide sur la ligne de la Riviera. Ci-dessous, départ nocturne à Brive depuis le faisceau marchandises.

Ci-dessus, un train de marchandises sur la ligne Paris-Mulhouse et ci-dessous, une rame complète de coïls près de Nogent-l'Artaud, sur Paris-Strasbourg.

pour les opérations de douane, de la collaboration au plan technique entre les diverses administrations ferroviaires. C'est dans ce cadre que circulent des convois qui traversent la France en étrangers pour relier l'Espagne à l'Allemagne de l'Ouest, ou le Royaume-Uni à l'Italie.
Très rapidement des sociétés se sont créées et développées à l'instigation de l'ensemble des réseaux européens, et sous leur contrôle, pour faire face à des besoins particuliers : l'organisation INTERCONTAINER, née en 1967, régule la rotation des conteneurs en Europe en s'efforçant de réunir les meilleures conditions techniques et commerciales ; INTERFRIGO joue un rôle semblable dans le domaine des wagons réfrigérants ou isothermes. Très présente au sein de ces organismes, la S.N.C.F. est naturellement associée aux recherches poursuivies pour sans cesse améliorer les conditions de circulation du fret ferroviaire en Europe : le lancement d'un réseau international de transmission des données (HERMES) et l'installation à Bâle d'un Bureau International d'Information la concernent au premier chef, comme le relèvement général de la vitesse des trains de marchandises.

Création de relations internationales à grande distance, réduction des temps de parcours, présentation à la clientèle d'un produit séduisant et intéressant : ces cartes maîtresses du chemin de fer sont jouées avec une particulière efficacité dans plusieurs expériences très récentes et prometteuses.
Depuis 1981 circulent les TRES, Trains Rapides-Économiques et Sûrs. Encore peu nombreux, ils établissent des liaisons précises entre des régions bien individualisées, comme le Nord-Pas-de-Calais et la Normandie d'une part, la Lombardie de l'autre, dont les entreprises ont noué entre elles des relations commerciales suivies ; les études de marché ont montré que des prix très concurrentiels pouvaient être proposés pour l'acheminement de marchandises préalablement regroupées ; par ailleurs la mise en route de trains-blocs rapides depuis Rouen, Lille et Brescia, et perdant le moins de temps possible à la frontière, donne des résultats spectaculaires puisqu'un chargement remis à la fin du jour A se retrouve à destination le matin du jour C. A l'intérieur du vaste réseau des relations internationales par voie ferrée, ces TRES, appelés à se multiplier, représentent donc un nouvel effort d'affinement de l'offre, du moulage du dispositif ferroviaire sur la réalité économique de régions bien individualisées.
Avec le Mahé-Express le rail va encore plus loin. Depuis 1985 circule régulièrement en fin de semaine, dans chaque sens, un train reliant la France au Danemark, plus précisément les gares de Paris-La Chapelle et Frédéricia. Son originalité réside dans le fait que, véritable charter, il est affrété par la société de transport routier Mahé-Scandia, installée dans la zone industrielle de Garonor, près de Paris, et spécialisée dans les échanges avec les pays scandinaves. Roulant à une période de la semaine où la circulation routière des poids lourds pose des problèmes, transportant surtout des caisses mobiles, ce convoi permet par exemple la livraison en terre danoise le lundi matin de fruits chargés le vendredi soir dans le Vaucluse ; mais les Mahé-Express peuvent aussi acheminer depuis la France des produits métallurgiques ou du bois aggloméré, depuis le Danemark des meubles ou du foie de morue, dont la concentration et la distribution sont facilitées par l'emploi systématique des techniques intermodales.
Dans le même esprit a été créé en 1988 le Scan-Express. Destiné plus particulièrement aux exportateurs français qui travaillent avec la Suède et la Norvège, ce convoi est direct entre Creil et Trelleborg, en Suède ; même s'il transporte surtout des produits métallurgiques et chimiques, il peut accueillir toutes sortes de marchandises, en wagons complets, sur la base de prix négociés avec les entreprises. Là aussi la rapidité constitue le facteur décisif de la réussite : le temps de parcours, de l'ordre de 48 heures, est remarquable compte tenu, entre autres, de la nécessité d'emprunter un navire-ferry. Circulant à l'origine deux fois par semaine, et seulement dans le sens sud-nord, le Scan-Express connaît des débuts encourageants. Aussi bien pour lui-même que pour les Mahé-Express couleurs vives et inscriptions avenantes des wagons et des caisses concourent, comme pour les trains Chrono-Fret, à une perception très positive par la clientèle potentielle de ces nouveaux produits offerts par le chemin de fer.

Le transport ferroviaire des marchandises, en France comme dans beaucoup d'autres pays, se trouve donc actuellement en pleine mutation. Amorcées avant la période difficile des années 70 et 80, ces transformations se sont accélérées à partir de 1983-84, avec comme idée directrice la volonté de tenir compte d'un contexte nouveau et de faire face à une concurrence exacerbée, de défendre les positions acquises et d'en conquérir de nouvelles.
Une sorte de fil rouge relie ainsi des axes de recherche, des initiatives ou des tendances en apparence très diversifiées : par la multiplication des Gares Multi-Fonctions, l'essor du FERCAM et le développement des techniques combinées rail-route le chemin de fer entend s'adapter à la réalité du terrain dans un esprit commercial renouvelé ; avec la mise en œuvre du plan ETNA qui rationalise la rotation des wagons isolés, avec l'accentuation de la politique des trains complets et directs aussi bien au plan national qu'international, c'est l'acheminement général des marchandises qui devient plus rapide, plus sûr et plus crédible.
Dans ces conditions l'image de marque du fret ferroviaire ne peut que s'améliorer. D'ores et déjà, dans un contexte économique global qui reste difficile malgré une incontestable reprise, il réunit des atouts tels que l'avenir peut être envisagé avec un optimisme mesuré certes, mais réel : pour la première fois depuis de longues années le trafic global de la S.N.C.F. a progressé en 1988 et 1989 ; le gain est certes léger, de l'ordre de 3% en 2 ans, mais il est à la fois significatif et prometteur.

Le transport des marchandises, comme celui des voyageurs, ne peut être assuré que grâce à une solide infrastructure d'installations qui gèrent, contrôlent, entretiennent et réparent le matériel roulant, moteur et remorqué.

CHAPITRE IV

LES DÉPÔTS ET LES ATELIERS

Les garages de Clichy (vus en 1979), où sont garées les rames desservant la gare Saint-Lazare.

LE GARAGE ET LA MAINTENANCE DES VOITURES

Chaque jour 12 500 trains environ circulent sur les lignes de la S.N.C.F., transportant voyageurs et marchandises. Une imposante armada de locomotives électriques et thermiques, d'automotrices et d'autorails, d'engins de manœuvre, de turbotrains et de rames T.G.V., représentant en tout 6 249 engins moteurs au 1er janvier 1990, permet de faire face à cette très forte demande de traction.
La simple intuition permet de comprendre d'emblée, dans ces conditions, le rôle capital des chantiers qui accueillent et réparent les voitures de voyageurs, des dépôts qui fournissent les machines et le personnel de conduite. Sans doute moins spectaculaire, la fonction des ateliers n'en est pas moins essentielle puisqu'ils doivent assurer la maintenance non seulement du matériel roulant, qu'il soit moteur ou remorqué, mais aussi d'équipements fixes extrêmement variés.

A proximité des gares de voyageurs s'étendent des installations qui permettent de remiser les rames de voitures entre deux utilisations, de les nettoyer, d'en reclasser le cas échéant les éléments, de préparer le trajet ultérieur, par exemple en étiquetant les places réservées.
Lorsque la gare est d'importance modeste ou moyenne ces fonctions sont assumées sur quelques voies seulement, en général parallèle aux quais. En revanche, dans les principaux nœuds ferroviaires, ces chantiers de garage et d'entretien sont parfois éloignés des gares dans la mesure où en raison de l'ampleur du trafic il leur faut s'étaler sur des surfaces considérables ; de plus la place peut faire défaut près des gares de voyageurs, surtout quand celles-ci sont implantées à proximité du cœur des ensembles urbains. Ainsi à Metz, Strasbourg, Nantes, Toulouse, Bordeaux, Dijon, Strasbourg, les faisceaux de garage sont soit accolés à la gare de voyageurs, soit situés à proximité immédiate ; mais à Rouen il n'en est pas de même : en raison des conditions topographiques locales, les rames doivent être remisées au faisceau de Sotteville, soit à 5 km de la gare Rive-Droite. Ces trajets non productifs sont particulièrement longs dans la région parisienne où hormis Paris-Est, Nord, Saint-Lazare, Austerlitz distants des chantiers de l'Ourcq, du Landy, de Batignolles et Masséna de 3 à 5 km, des trajets importants sont nécessaires dans le cas des gares de Paris-Montparnasse et Paris-Lyon, éloignées de Trappes (27 km) et Villeneuve-Prairie (10 km).

Afin que le trafic commercial soit le moins possible gêné les grandes gares, et en particulier celles de Paris, sont le plus souvent reliées aux chantiers de garage et d'entretien par des voies spécialisées ; des sauts-de-mouton par exemple à la sortie des gares de Lyon, d'Austerlitz ou du Nord permettent aux machines de manœuvre d'amener à quai les rames vides ou de les retirer sans intersection à niveau avec les voies principales de sens opposé.

Ces chantiers, qui sont souvent constitués de plusieurs dizaines de voies, occupent des surfaces certes inférieures à celles des grandes gares de triage, mais qui n'en sont pas moins importantes : l'entretien du Landy répartit ses divers faisceaux sur une longueur d'un kilomètre environ et sur 15 hectares. Les tâches assumées sont diverses et nécessitent des infrastructures particulières : de puissantes machines automatiques lavent les voitures "au défilé", c'est-à-dire sans qu'elles s'immobilisent, tandis que les chariots et petits véhicules d'entretien peuvent rouler sur les quais bas et étroits bordant les voies de garage. Un personnel nombreux (400 personnes par exemple au Landy) est indispensable pour, 24 heures sur 24, visiter et ausculter au plan technique chaque voiture, la nettoyer extérieurement et intérieurement, effectuer de menues réparations, marquer les places louées, changer les plaques indiquant la destination...

Dans la plupart des cas ces chantiers jouent un rôle très actif, avec un temps de séjour des rames de l'ordre de quelques heures. L'intérêt d'organiser la rotation la plus rentable du matériel roulant remorqué n'est contrarié que par la nécessité de procéder aux opérations d'entretien et de préparation indispensables, et aussi par la spécificité de certaines rames : celles qui circulent en période de nuit avec voitures-lits et voitures-couchettes, ou qui le jour assurent les relations les plus rapides ne peuvent être utilisées indifféremment et doivent attendre leur heure. Toujours est-il que par exemple les faisceaux du Landy, ou des Batignolles près de Paris-Saint-Lazare, de Paris-Masséna près de la gare d'Austerlitz ou de Villeneuve-Prairie en relation avec celle de Paris-Lyon offrent le spectacle d'une animation permanente puisqu'il leur faut recevoir et préparer des rames à toute heure du jour et de la nuit.

La particularité du trafic de banlieue, en région parisienne, a le plus souvent justifié l'aménagement de chantiers distincts à une dizaine de kilomètres de la capitale et hébergeant des matériels spécialisés, éléments automoteurs et rames indéformables tractées. Compte tenu de la nature du trafic assuré, avec pointes de soirée vers la banlieue et de matinée vers Paris, ils sont en pleine nuit le plus souvent déserts. Les installations techniques et les faisceaux de Noisy-le-Sec, les Jonchérolles, Mitry, Achères, les Ardoines et Villeneuve offrent de bons exemples.

Certains faisceaux de garage des rames de voitures de voyageurs paraissent au voyageur averti en état de somnolence quasi constant. C'est que l'un des problèmes aigus que rencontre la S.N.C.F., dans la recherche de la meilleure gestion de son parc, est l'obligation de disposer d'une réserve de voitures suffisante pour faire face aux périodes de pointe, qu'il s'agisse des fins de semaine, des vacances d'hiver, de printemps et bien entendu de celles d'été. Aussi affecte-t-elle des faisceaux de voie parmi les plus éloignés des grandes gares, ou encore des gares de triage déclassées comme celles de Brétigny, Trappes, voire Laroche au garage de ces rames, immobilisées en service normal, et appelées en renfort seulement certains jours ou certaines semaines. Même épisodiques les mouvements à vide n'en sont pas moins coûteux : c'est pourquoi la politique de concentration des opérations de triage des wagons de marchandises permet dans certains cas de rapprocher le lieu d'hibernation de ces rames de la gare tête de ligne ; par exemple la mise en sommeil du triage de Paris-Tolbiac permet de garer sur ses voies, à proximité immédiate de Paris-Austerlitz, des voitures de voyageurs qu'il fallait auparavant envoyer en banlieue ou en province.

Il est évident que par leur nature les rames du T.G.V., automotrices, de conception entièrement nouvelle, exigent des conditions de garage et d'entretien tout à fait particulières, qui ont révolutionné la structure et le fonctionnement des chantiers de Bercy-Conflans et de Montrouge-Châtillon (cf chap V).

Les faisceaux de Paris-Ourq, situés entre Pantin et Noisy.

La rotonde de Dijon-Perrigny avec une "Sybic" sur le pont tournant.

LES DÉPÔTS

Quatre vingt huit dépôts constellent en 1989 le réseau ferré français. Comme d'autres familles d'installations ils offrent une étonnante diversité, aussi bien par leur taille que par la nature de leurs infrastructures, qui s'expliquent par l'histoire et aussi par les caractéristiques des missions qui leur sont dévolues.

L'ÉVOLUTION DES ENGINS DE TRACTION ET DU RÔLE DES DÉPÔTS

Il est vrai que le mot n'a en lui-même aucune résonance dynamique. Or les dépôts jouent un rôle particulièrement actif : les locomotives ou autorails en apparence inertes que le voyageur découvre sur leurs voies ne les fréquentent que pour de courtes escales réparatrices, tandis que la plupart du temps la très grande majorité des engins se trouve engagée sur le terrain.

Dès les premières années du chemin de fer il a fallu prévoir des installations particulières, réservées aux locomotives à vapeur et au personnel de conduite. Ce dernier devait en effet pouvoir retirer ses instructions, se préparer à exécuter la mission qui lui était confiée, prendre de légitimes temps de repos entre deux trajets. Les locomotives, elles, avaient absolument besoin, entre deux courses, de soins à la fois variés et importants : nettoiement, vérification et huilage de multiples rouages et mécanismes, alimentation en sable afin de lutter efficacement contre le patinage, en eau et en combustible ; une fois prêtes il était indispensable de les placer en attente, si possible à l'abri, puis de les amener le moment voulu sur des voies de classement où elles devaient attendre l'heure du départ.

C'est ainsi qu'en France comme ailleurs, afin d'effectuer ces diverses opérations, de multiples dépôts ont été construits dès le milieu du XIXe siècle. Très rapidement, au fil des décennies, ils se sont imposés comme des éléments marquants du paysage ferroviaire, avec leurs faisceaux de voies courtes, leurs ponts-tournants et rotondes, les impressionnantes pyramides de charbon, les altiers toboggans distributeurs de combustible ; très caractéristiques également la noirceur ambiante, les nuages de vapeur et de fumée, le halètement des locomotives en évolution ou en instance de départ.

Images de dépôts de locomotives traditionnels avec la formule la plus ancienne, à base de rotondes et plaque tournante (Chambéry) et celle plus moderne n'utilisant que des épis de voies (Lens).

Le dépôt du Mans, au milieu de la bifurcation en triangle de Pontlieue.

Au temps des anciens réseaux, dans les années 1920 ou 1930, plusieurs centaines de dépôts étaient en activité. Ce grand nombre s'expliquait d'abord par les contraintes de la traction à vapeur : si l'alimentation en eau était possible dans n'importe quelle gare, en revanche le réapprovisionnement en charbon, les opérations d'entretien exigeaient des passages fréquents dans des installations spécialisées. De plus la remorque des trains sur les très nombreuses lignes secondaires alors en service, greffées sur les axes principaux, nécessitait l'implantation de dépôts près de la plupart des gares de bifurcation : Amagne entre Reims et Charleville-Mézières, Saint-Mariens entre Saintes et Bordeaux offrent de bons exemples ; à Saint-Mariens le dépôt devait en effet assurer la traction de certains convois de la grande artère Nantes-Bordeaux mais aussi ceux se dirigeant vers Barbezieux, Blaye et Coutras. Corrélativement deux éléments fondamentaux de l'évolution du réseau ferré français à partir de 1945 ont été à la base d'une diminution constante du nombre des dépôts lors des dernières décennies. Beaucoup, les plus petits surtout, sont devenus inutiles à partir du moment où les lignes secondaires ont été les unes après les autres fermées ou mises en sommeil. D'une manière plus générale leurs fonctions se sont simplifiées avec d'abord l'extension de la chauffe au fuel des locomotives à vapeur du type 141 R, endurantes, rustiques et d'entretien plus aisé. A partir de 1949-50, l'électrification a progressé à pas de géant, suivie dans les années 1960 par la diésélisation lourde, entraînant l'élimination de la traction vapeur et l'utilisation d'engins de traction plus rapides et plus autonomes, aptes à parcourir d'une seule traite des distances beaucoup plus longues, et ne demandant pas de soins aussi fréquents ; cette évolution a conduit à la désaffectation des dépôts.

Dans le dernier tiers de siècle, des locomotives sans cesse plus économiques et performantes ont fait leur apparition, vouées dès leur naissance aux missions les plus nobles, puis évincées de la mise en tête des trains prestigieux par de nouvelles venues. Un exemple caractéristique est fourni par l'histoire de la traction électrique sur le grand axe Paris-Marseille. Les 2 D 2 9100 moustachues à livrée verte ont, à partir de 1950, régné en maîtresses sur l'artère majeure Paris-Lyon nouvellement électrifiée, avant de s'effacer progressivement derrière les CC et BB, sœurs des co-détentrices du record mondial de vitesse de 1955 ; tout en continuant de tracter des trains de voyageurs, en nombre d'ailleurs de plus en plus limité, ces 2 D 2 ont rendu d'éminents services en tête des convois de marchandises, du régime accéléré en particulier, avant de diminuer peu à peu numériquement pour disparaître définitivement en 1987. Mais les CC 7100 et les BB 9200 n'ont pu triompher longtemps : à partir de 1969 l'arrivée des CC 6500 puis des BB 7200, vêtues respectivement de grenat, de gris et d'orange les a poussées peu à peu, à leur tour, vers des prestations très utiles mais de moins en moins prestigieuses. Le cycle continue, qui rappelle celui de toute vie : le bouleversement apporté par le T.G.V. a entraîné de profondes répercussions sur le service des grandes lignes du quart sud-est, et tend à minorer l'activité de ces locomotives 6500 et 7200, dont le déclassement progressif peut être accéléré par la naissance et les premiers tours de roue de la Sybic. Engin de traction révolutionnaire, aux lignes résolument nouvelles, cette locomotive va rapidement démontrer ses étonnantes possibilités puisque, grâce à sa chaîne de traction triphasée, à l'utilisation de composants électroniques éprouvés, son moteur synchrone lui permet de tirer indistinctement un lourd convoi de marchandises ou un rapide tracé à 200 km/heure. Puissante et souple, la Sybic devrait s'imposer rapidement sur les lignes classiques comme la locomotive de la fin de ce siècle.

A une échelle plus modeste, la traction diesel a connu une évolution semblable. L'apparition des CC 65000, bleus et trapus, en 1956, a permis à l'époque d'améliorer sensiblement la traction, en particulier des trains de voyageurs, sur les lignes dites du sud de la Loire. Mais ces engins ont peu à peu perdu du terrain lorsque sont apparus les Diesel BB 67000, 67400, puis CC 72000, plus rapides et plus puissants, dont le rayonnement a été à son tour freiné par l'essor de l'électrification de plusieurs des grandes artères de l'ouest du pays.

De même les turbotrains, qui rendent toujours des services très appréciés sur des relations comme Paris-Cherbourg et Lyon-Strasbourg, recevront un coup décisif quand l'électrification de ces lignes sera réalisée. Par ailleurs les autorails actuels, élégants et aux couleurs vives, ne ressemblent que d'assez loin aux engins aux formes lourdes et au confort très relatif des années d'avant-guerre.

Ainsi, à l'image du matériel remorqué affecté au service des voyageurs ou des marchandises, le parc des engins moteurs a sans cesse évolué et continuera de se transformer. Le tableau page suivante ne peut donc avoir pour ambition que de photographier la situation à un moment précis.

Disposition analogue à celle du Mans pour le dépôt de Bordeaux dont la rotonde est toujours en service.

Le dépôt de Strasbourg côté thermique : un turbotrain de Vénissieux assurant la relation Lyon-Strasbourg stationne parmi les autorails (dont un "Picasso" pour les tournées de service).

Parc des engins moteurs au 1er janvier 1990

– Engins électriques à courant continu	
Locomotives de ligne 1 500 V	905
Locomotives de manœuvre 1 500 V	109
Automotrices 1 500 V	439
Automotrices 750 V	6
Total	1 459
– Engins électriques à courant alternatif	
Locomotives de ligne 25 000 volts	719
Automotrices 25 000 volts	295
T.G.V. (nombre de rames)	139
Total	1 153
– Engins électriques polycourant	
Locomotives de ligne	553
Automotrices	343
Total	896

Il convient en outre d'ajouter dans le domaine du parc des voies étroites exploitées par la S.N.C.F. :
– 16 automotrices utilisées sur la ligne de Cerdagne (850 V) ;
– 11 automotrices utilisées sur celle de Saint-Gervais à Vallorcine (750 V).

– Engins thermiques	
Locomotives Diesel	1 955
Autorails	698
Turbotrains (rames)	51
Total	2 704
Total général	**6 212**

A cette impressionnante cavalerie, fort diverse, s'ajoutent quelque 1 472 locotracteurs d'une puissance comprise entre 40 et 219 Kw, utilisés pour des manœuvres, remontes, travaux, voire dessertes terminales, pour les Y 8000 et 7100/7400.

En 1989, 628,5 millions de kilomètres ont été parcourus par l'ensemble des engins moteurs S.N.C.F. (sans compter les locotracteurs). Dans ce total, les locomotives électriques interviennent pour 52%, les automotrices électriques pour 12,2%, les T.G.V. pour 6,7%, les Diesel 16,6%, les autorails et turbotrains pour le reste, soit 12,5%.
Les prestations fournies concernent :
– les trains de voyageurs 49,7%
– les trains de fret 25,8%
– les autres parcours (renforts, manœuvres, marches haut le pied) 24,5%

La carte actuelle des dépôts rend naturellement compte de cette évolution.

L'IMPLANTATION ACTUELLE DES DÉPÔTS

Actuellement, cet important parc d'engins moteurs est géré et entretenu par un nombre de dépôts propriétaires ramené à 36 (dont 2 pour le matériel de voie étroite). Au cours de l'exercice 1990, le chiffre est tombé à 34, suite à la suppression des parcs des dépôts de La Plaine et Lyon-Mouche ventilés sur d'autres établissements. Une cinquantaine d'autres, désignés "dépôts-relais", n'hébergent que du personnel de conduite. Leurs installations qui peuvent être vastes sont fréquentées par des engins de traction en escale ; ils peuvent fournir eux aussi une gamme étendue de prestations. Par ailleurs il convient de souligner qu'entre deux trajets les locomotives électriques ou diesel, si elles n'ont pas besoin de soins particuliers à ce moment-là et si l'intervalle d'immobilisation est court, peuvent être placées en attente, loin des dépôts, sur des voies courtes aménagées à cet effet ; parfois regroupées en grils celles-ci se situent à proximité des gares de voyageurs ou des faisceaux de triage. D'autre part les agents de conduite prennent souvent leur service effectif dans les gares de triage ou de voyageurs elles-mêmes : ainsi dans la journée ou en milieu de nuit de nombreux relais de personnel sont effectués à Limoges, Dijon-Ville, Narbonne, Lyon-Perrache ou Part-Dieu, lors de l'arrêt de quelques minutes de rapides ou express de très grands parcours.

L'analyse de la carte des dépôts montre d'abord que leur réseau permet un quadrillage efficace de l'ensemble du territoire. Ensuite apparaît, sans provoquer de surprise, une concentration assez poussée dans les ensembles ferroviaires les plus actifs et sur les axes les plus chargés, comme la relation Paris-Lyon-Marseille. D'une manière générale leur répartition se révèle assez proche de celle des gares de triage, avec une implantation plus dense dans le nord, le nord-est du pays et bien entendu la région parisienne, là où le trafic est le plus étoffé et donc la demande de traction la plus forte.
A l'intérieur même des centres ferroviaires la situation géographique des dépôts est fort variable. Les carrefours les plus importants en possèdent souvent plusieurs, largement spécialisés. Ainsi dans la capitale de l'Alsace deux dépôts sont installés, près de la gare de voyageurs de Strasbourg et près du grand triage d'Hausbergen. A Lyon, à la suite d'un regroupement récent, le dépôt de Vénissieux est chargé des engins électriques, RTG et locomotives diesels, alors que celui de Vaise gère des ETG, autorails et locotracteurs. Le dépôt-relais de La Mouche et son annexe de Sibelin constituent quant à eux, un important réservoir de personnel de conduite. Dans le complexe ferroviaire parisien les dépôts se retrouvent systématiquement à proximité des grandes gares de voyageurs, comme celui de La Chapelle près de la gare du Nord, ou de Paris-Sud-Ouest près de celle d'Austerlitz ; mais ils ont été également construits près des principales gares de triage comme à Villeneuve-Saint-Georges ou Achères. La plupart du temps des voies spécialisées, souvent celles utilisées aussi par les rames vides de voitures de voyageurs, relient le dépôt à la gare tête de ligne ; surtout lorsque la distance est relativement longue comme entre les installations de Villeneuve et la gare de Lyon, elles facilitent l'écoulement du trafic ; de même des sauts-de-mouton peuvent éviter de fâcheux cisaillements à niveau, par exemple dans l'avant-gare de Paris-Nord ou entre la gare d'Austerlitz et le dépôt de Paris-Sud-Ouest, situé à proximité immédiate.
Lorsqu'il est seul de son espèce le dépôt, en fonction des conditions historiques ou topographiques, peut s'étendre soit non loin de la principale gare de voyageurs comme à Toulouse ou Bordeaux, soit près de la gare de triage comme à Sotteville, Nantes-Blottereau ou Tours-Saint-Pierre-des-Corps ; à Dijon le dépôt, implanté près de la gare de triage de régime accéléré de Perrigny, se retrouve bien situé entre la gare de voyageurs à l'activité intense de Dijon-Ville et l'importante gare de triage de Gevrey, distantes de plusieurs kilomètres l'une de l'autre. L'unicité du dépôt, quand elle concerne un nœud aux éléments éloignés les uns des autres, entraîne de nombreux mouvements de machines "haut-le-pied" et exige la présence de grils ou de simples voies de garage près de la gare non directement desservie ; mais elle est globalement source d'économie.
S'il arrive par ailleurs que certains dépôts aient été construits quelque peu à l'écart des voies principales, afin de disposer de tout l'espace nécessaire, comme à Lens, d'autres sont admirablement placés par rapport à la grande gare de voyageurs du nœud mais à l'étroit entre des lignes en fourche ou en triangle, par exemple à Bordeaux et au Mans.
La diversité des dépôts du réseau français peut être aussi constatée dans le volume de leur activité.

LA HIÉRARCHIE DES DÉPÔTS

Le tableau ci-dessous permet de déterminer le poids respectif de chaque dépôt, et de situer la nature de son rôle au sein de l'échiquier ferroviaire français.
Plusieurs critères peuvent être utilisés.

– Nombre d'engins moteurs affectés aux divers dépôts (locotracteurs exclus) au 1.1.90

Dépôt	Nombre	Dépôt	Nombre
1 Lens	318	7 Dijon-Perrigny	239
2 La Chapelle	294	8 Nevers	231
3 Villeneuve-Saint-Georges	283	9 Longueau	230
4 Paris Sud-Ouest	273	10 Marseille	223
5 Avignon	266	11 Rennes	222
6 La Villette	245	12 Chalindrey	217
		13 Limoges	207

– Kilomètres parcourus par les engins moteurs en 1989

Dépôt	km	Dépôt	km
1 Villeneuve-Saint-Georges	37 996 600	6 Lens	24 829 200
2 Dijon	35 392 000	7 Strasbourg	24 691 000
3 Paris Sud-Ouest	29 911 000	8 Culmont-Chalindrey	23 854 000
4 Rennes	29 828 400	9 Avignon	21 410 200
5 Marseille	25 555 200	10 La Villette	21 110 000
		11 Toulouse	19 254 000

– Nombre d'agents de conduite affectés aux divers dépôts en 1990

Dépôt	Agents	Dépôt	Agents
1 Dijon	700	7 Metz	424
2 Paris Sud-Ouest	590	8 Saint-Pierre-des-Corps	417
3 Lyon-Mouche	520	9 Chambéry	400
4 Marseille	470	10 Toulouse	380
4 Paris La Villette	470	11 Limoges	366
6 Bordeaux	440	12 Rennes	346

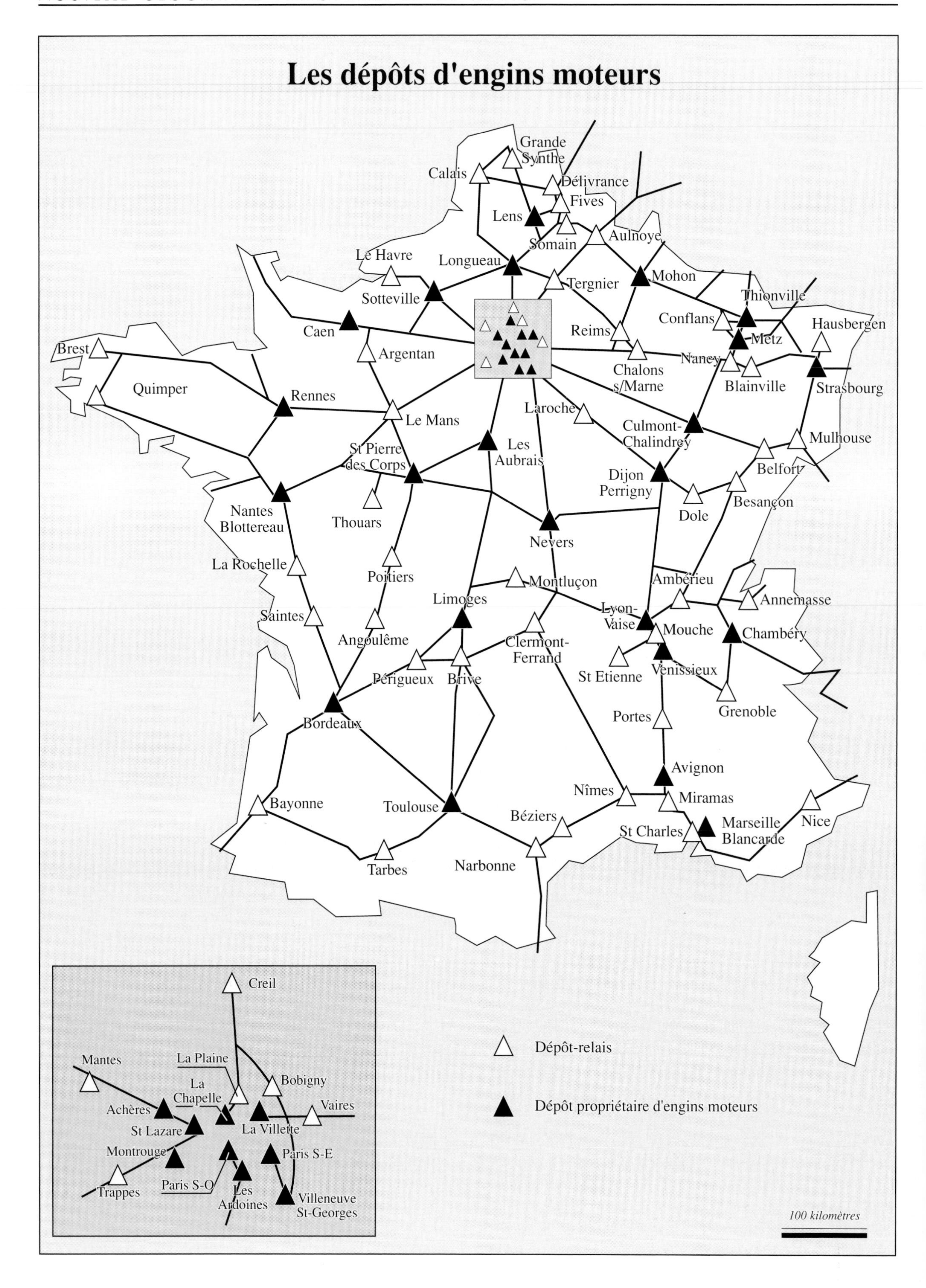
Les dépôts d'engins moteurs
Grande Synthe
Calais
Délivrance
Fives
Lens
Somain
Aulnoye
Le Havre
Longueau
Tergnier
Mohon
Sotteville
Thionville
Caen
Conflans
Hausbergen
Metz
Reims
Brest
Argentan
Nancy
Chalons s/Marne
Blainville
Strasbourg
Quimper
Rennes
Laroche
Le Mans
Culmont-Chalindrey
Mulhouse
St Pierre des Corps
Les Aubrais
Dijon Perrigny
Belfort
Besançon
Nantes Blottereau
Thouars
Dole
Nevers
La Rochelle
Poitiers
Montluçon
Ambérieu
Limoges
Annemasse
Lyon-Vaise
Saintes
Mouche
Chambéry
Angoulême
Clermont-Ferrand
Vénissieux
St Etienne
Périgueux
Brive
Grenoble
Bordeaux
Portes
Avignon
Nîmes
Miramas
Bayonne
Toulouse
Béziers
Marseille Blancarde
Nice
St Charles
Tarbes
Narbonne
Creil
Mantes
La Plaine
Bobigny
La Chapelle
Vaires
Achères
St Lazare
La Villette
Montrouge
Paris S-E
Trappes
Paris S-O
Les Ardoines
Villeneuve St-Georges
Dépôt-relais
Dépôt propriétaire d'engins moteurs
100 kilomètres

La juxtaposition de ces différents classements montre la primauté, parmi les 36 dépôts propriétaires d'engins, d'établissements comme ceux de Lens, Villeneuve-Saint-Georges, Dijon-Perrigny, Avignon, dont le bon fonctionnement conditionne largement celui de l'ensemble du réseau. Mais elle ne donne pas une image totalement exacte de l'activité des grands dépôts, dans la mesure où chacun d'eux accueille en permanence de nombreuses locomotives et de nombreux agents de conduite rattachés à d'autres établissements. Les premières bénéficient, comme les machines affectées au dépôt lui-même, des opérations d'entretien courant, sont préparées et attendent le moment du départ ; les seconds peuvent se reposer, se restaurer dans des locaux sans cesse améliorés avant de disparaître pour un nouveau parcours.

Il va de soi que cette animation constante se constate aussi dans les dépôts-relais, qui reçoivent en escale les locomotives venues d'ailleurs : le niveau d'activité de dépôts comme ceux de Brive et du Mans par exemple ne le cède en rien à celui des établissements propriétaires d'engins moteurs : chaque jour au Mans, par exemple, une soixantaine de locomotives effectuent un court séjour dans un dépôt dont les 290 agents de conduite se retrouvent à Rennes, Le Croisic, Tours, Paris-Montparnasse, Sotteville, Vaires à l'est de Paris atteint grâce à la grande ceinture.

La complexité de l'activité des dépôts est en effet liée à la distorsion entre les roulements des locomotives et ceux du personnel ; c'est que, à l'exception de la banlieue parisienne caractérisée par un service intensif, à crochets courts aux terminus et sans changement de machines pour ce qui est des rames tractées, les engins de traction, qui se contentent de périodes de repos beaucoup plus brèves que celles des mécaniciens, sont conduits sous le régime de la banalisation ; c'est-à-dire qu'à la différence de l'époque de la vapeur où les hommes faisaient corps avec "leur" locomotive, les machines électriques ou thermiques, les autorails sont pris en charge par un personnel sans cesse renouvelé. Ainsi, les agents de conduite affectés à un dépôt-relais déterminé s'installent aux commandes d'engins par définition tous étrangers à l'établissement, après avoir côtoyé dans les divers locaux et en particulier autour du centre nerveux qu'est le bureau de la "feuille", des collègues venus de dépôts parfois très lointains.

Dans ces conditions roulent sur les lignes du réseau des locomotives, automotrices ou autorails qui parfois, comme leurs conducteurs, s'éloignent considérablement de leur dépôt d'origine : il est habituel de rencontrer dans les emprises du dépôt de Toulouse, par exemple, des hommes et des engins dont le port d'attache est aussi bien Limoges, Tarbes, Bordeaux, Avignon ou Marseille que le dépôt local. Mais les machines et conducteurs toulousains, à l'inverse, sillonnent un ensemble de lignes s'étendant de la région bordelaise à Limoges, La Tour-de-Carol, Bayonne et Marseille.

Les 36 dépôts propriétaires d'engins moteurs, les 54 dépôts-relais, indépendamment de leur poids propre, présentent donc des traits communs : si leurs engins de traction et leurs conducteurs assurent dans la zone d'influence directe de chacun d'eux l'essentiel du service des trains locaux et régionaux, il n'en est pas de même pour les trains de voyageurs et de marchandises à grand parcours ; ils sont, eux, tirés par des locomotives qui ainsi que leurs conducteurs viennent, par le jeu des roulements et des graphiques et en raison de la recherche de la meilleure rentabilité, d'horizons parfois lointains.

Toujours est-il que si la diversité des engins de traction de passage dans les dépôts est le plus souvent extrême, en revanche les engins affectés à chacun d'eux constituent fréquemment des groupes homogènes, en fonction des caractères dominants du trafic à écouler, de la nature de la traction sur les lignes proches et de la nécessité d'assurer un bon niveau de rentabilité aux opérations d'entretien courant et aux petites réparations.

Ainsi les grands dépôts parisiens possèdent-ils une cavalerie quasi exclusivement électrique, adaptée soit au courant continu 1 500 volts à Paris-Sud-Ouest, Villeneuve et Montrouge, soit au courant alternatif 25 000 volts à La Chapelle et La Villette. A Dijon et Marseille, nœuds ferroviaires implantés dans des régions où coexistent les deux types de courant, les machines de ligne polycourant sont reines.

Par ailleurs les tractions électrique et thermique coexistent avec prédominance de la première à Mohon, Avignon, Chambéry, Bordeaux ou Toulouse ; un bon équilibre est réalisé à Rennes, à Limoges ou à Chalindrey, tandis que la traction thermique l'emporte à Saint-Pierre-des-Corps pour devenir exclusive à Nevers. La distorsion considérable entre le rôle de propriétaire d'engins et la fonction d'escale des divers dépôts se montre éclatante à Sotteville et à Nantes : fréquentés par les locomotives électriques de passage ces deux établissements possèdent un parc de traction composé uniquement d'engins thermiques.

Certains dépôts sont plus nettement spécialisés encore : l'importance du trafic de banlieue en région parisienne justifie l'existence de chantiers qui se consacrent exclusivement en garage et à l'entretien des rames automotrices assurant ce type de service ; le dépôt de Paris-Saint-Lazare et celui plus récent des Ardoines (entre Paris et Juvisy) constituent d'excellents exemples. De même, les 51 turbotrains actuellement en service, circulant entre Paris et Cherbourg et sur les lignes non électrifiées qui convergent vers Lyon, sont répartis entre les dépôts de Caen, Vénissieux et Lyon-Vaise ; par ailleurs ce dernier est le plus grand dépôt propriétaire d'autorails de France. Il est enfin évident que les rames T.G.V., compte tenu de leur spécificité, soient entretenues et préparées dans des installations conçues pour elles.

Dans ces conditions, la rationalisation et la simplification de la carte des dépôts, au fil des décennies, a entraîné des bouleversements dans leur hiérarchie. Ainsi, les importants dépôts de Paris-Lyon (Charolais) et Laroche préparaient les locomotives à vapeur des types Pacific et Mountain qui roulaient sur l'artère impériale Paris-Dijon. Ce ne sont plus aujourd'hui que des dépôts-relais, très actifs il est vrai. De même, au temps de la vapeur, c'étaient les dépôts de Paris-Batignolles, de

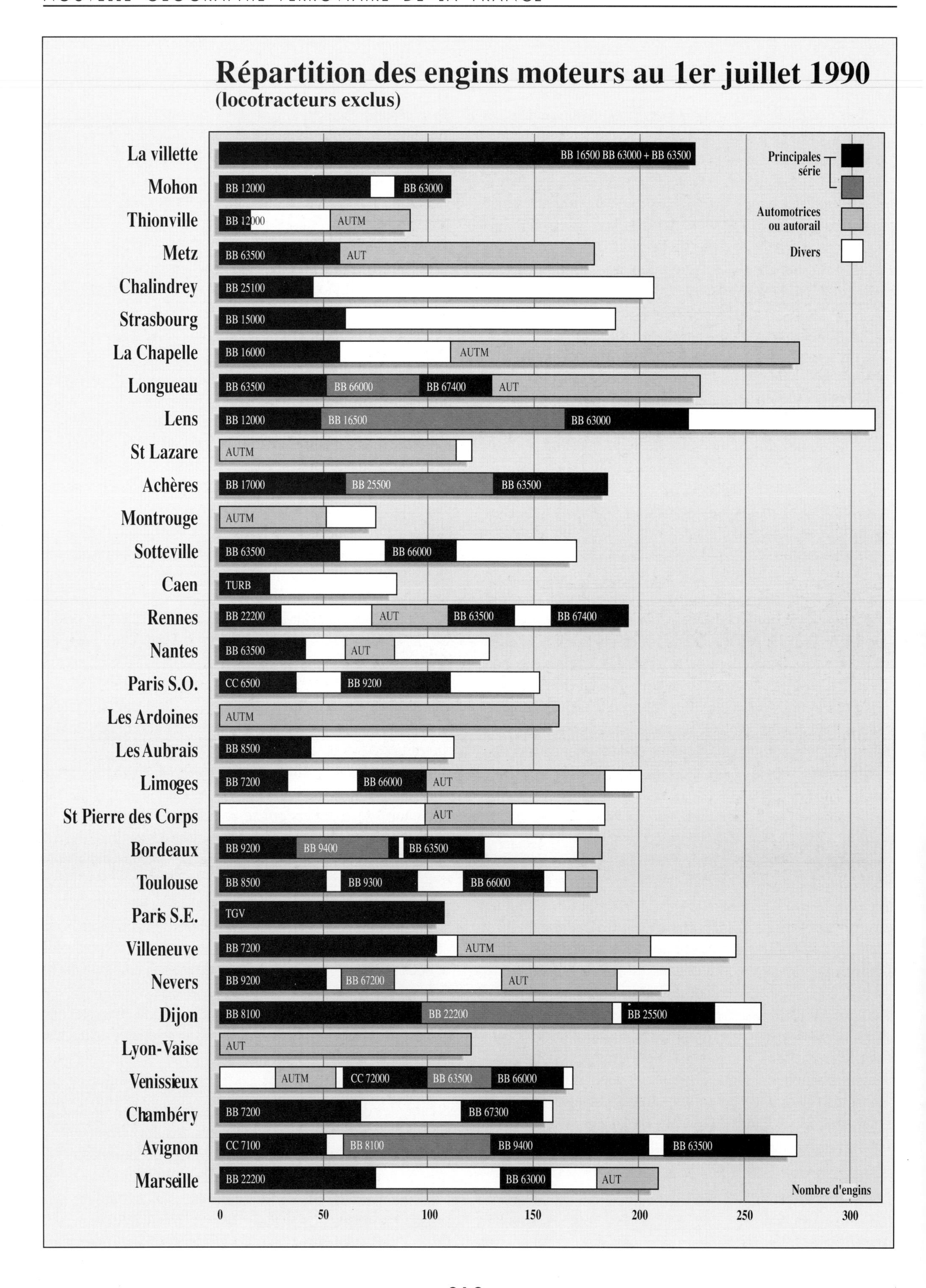
Répartition des engins moteurs au 1er juillet 1990
(locotracteurs exclus)
La villette
BB 16500 BB 63000 + BB 63500
Mohon
BB 12000
BB 63000
Thionville
BB 12000
AUTM
Metz
BB 63500
AUT
Chalindrey
BB 25100
Strasbourg
BB 15000
La Chapelle
BB 16000
AUTM
Longueau
BB 63500
BB 66000
BB 67400
AUT
Lens
BB 12000
BB 16500
BB 63000
St Lazare
AUTM
Achères
BB 17000
BB 25500
BB 63500
Montrouge
AUTM
Sotteville
BB 63500
BB 66000
Caen
TURB
Rennes
BB 22200
AUT
BB 63500
BB 67400
Nantes
BB 63500
AUT
Paris S.O.
CC 6500
BB 9200
Les Ardoines
AUTM
Les Aubrais
BB 8500
Limoges
BB 7200
BB 66000
AUT
St Pierre des Corps
AUT
Bordeaux
BB 9200
BB 9400
BB 63500
Toulouse
BB 8500
BB 9300
BB 66000
Paris S.E.
TGV
Villeneuve
BB 7200
AUTM
Nevers
BB 9200
BB 67200
AUT
Dijon
BB 8100
BB 22200
BB 25500
Lyon-Vaise
AUT
Venissieux
AUTM
CC 72000
BB 63500
BB 66000
Chambéry
BB 7200
BB 67300
Avignon
CC 7100
BB 8100
BB 9400
BB 63500
Marseille
BB 22200
BB 63000
AUT
Principales série
Automotrices ou autorail
Divers
Nombre d'engins
0
50
100
150
200
250
300

La Villette, très ancien établissement né avec le chemin de fer de Paris à Strasbourg, a perdu ses rotondes mais conserve une antique remise que l'on voit en 1930 ci-dessus, et de nos jours ci-dessous.

Rouen-Martainville et du Havre, qui fournissaient les nombreuses machines dont l'artère Paris-Le-Havre avait besoin : désormais, depuis l'électrification, les locomotives qui sillonnent cette importante voie ferrée sont soit affectées au dépôt d'Achères (BB 17000-25500) ou appartiennent à ceux de La Chapelle et Rennes, qui fournissent respectivement les BB 16000 pour les grands trains de voyageurs et 25200 pour certains trains de fret.

Les dépôts ne vivent pas tous au même rythme. Il est certes rare que leur activité s'éteigne complètement : la plupart du temps la remorque des trains de voyageurs et de marchandises entraîne en effet la rentrée ou la sortie de locomotives, la prise ou la cessation de service du personnel de conduite à n'importe quel moment du jour ou de la nuit. Mais certains d'entre eux connaissent des périodes bien individualisées de forte animation, comme les dépôts de rames de banlieue de la région parisienne qui doivent préparer les pointes de trafic de la matinée et de la soirée. D'autre part l'activité, très ordonnée, n'en est pas moins intense dans les dépôts proches des principales gares de voyageurs, celles de Paris entre autres, les jours de grands départs en vacances, d'été ou d'hiver, ou le vendredi soir de chaque semaine, lorsque les rapides et express s'élancent en rafales vers la province : la nécessité d'assurer la traction ces journées-là de plusieurs dizaines de trains de nuit, par exemple, au départ de la gare de Paris-Lyon entre 20 heures et minuit, sollicite durement les locomotives et les hommes : l'ambiance est alors bruissante au dépôt de Paris-Charolais.

Dans la vaste famille des installations ferroviaires celles des dépôts continuent d'occuper une place à part.

LES INFRASTRUCTURES ACTUELLES

Les infrastructures des dépôts sont à l'heure actuelle globalement moins étendues et plus simples qu'il y a plusieurs décennies. Avec en effet l'effacement complet de la traction vapeur, les amoncellements de charbon ont disparu. Comme les locomotives électriques et diesel peuvent être utilisées indifféremment dans les deux sens grâce à leurs cabines de conduite symétriques, il n'est plus nécessaire de disposer des ponts-tournants ou des triangles de voies qui permettaient aux machines à vapeur de se retourner ; par ailleurs la robustesse des engins actuels, la nature de leur alimentation en énergie, la simplicité relative de leur entretien limitent la durée de leurs séjours en dépôt et donc la taille des infrastructures.
Dominées par des réseaux de lampadaires ou par de puissants projecteurs qui facilitent leur vie nocturne, les dépôts sont dotés de plusieurs faisceaux de voies, le plus souvent courtes car conçues pour n'accueillir chacune que quelques engins moteurs. Ces "grils" sont doublement spécialisés : sur les grils d'entrée les engins peuvent être inspectés, nettoyés, alimentés le cas échéant en carburant, approvisionnés en sable pour lutter contre le patinage, etc. Des équipements techniques spéciaux, comme des fosses de visite pour les dessous de caisses et organes de roulement, passerelles de visite des toitures et pantographes, rendent plus aisées les diverses opérations. Généralement proches, les grils de sortie permettent le classement des locomotives, en fonction de leur heure précise de départ. Mais comme les dépôts, dans leur très grande majorité, ont vocation d'accueillir des engins électriques et thermiques, les diverses voies d'entrée et de sortie reçoivent souvent une affectation très précise, selon qu'elles sont ou non équipées de caténaires, qu'elles autorisent ou pas le ravitaillement en carburant.
Dans plusieurs grands dépôts titulaires la mécanisation du lavage extérieur des locomotives et automotrices fait appel à des machines à laver spécialisées. De même, quelques-uns sont dotés de tours à reprofiler les essieux sans les déposer. Les derniers installés, dont celui de Bordeaux en 1990, sont à commande informatisée.
Même si leur rotation est rapide, les engins de traction doivent parfois séjourner quelques heures ou quelques jours dans les dépôts, en fonction de leur roulement ou pour subir des opérations d'entretien un peu plus poussées. S'ils peuvent être garés sur des voies en plein air, ils bénéficient souvent d'installations couvertes. Celles-ci, variées, sont rarement récentes et portent les marques du passé et des conceptions des diverses Compagnies. C'est ainsi que sur le territoire de l'ancien réseau du Nord, les dépôts sont fréquemment équipés de monumentales remises, aux voies parallèles et accessibles grâce à de nombreux aiguillages : l'exemple de Tergnier est particulièrement remarquable ; cette disposition se retrouve dans les dépôts d'autorails, comme à Lyon-Vaise, permettant de ne pas dissocier des ensembles formés d'une motrice et de deux ou trois remorques.

Éléments caractéristiques du paysage ferroviaire traditionnel, les rotondes ont connu leur heure de gloire à l'apogée de la traction vapeur. Chacune d'elle, circulaire ou constituant un arc de cercle partiel, offrait l'avantage très appréciable, surtout

Le dépôt de Limoges avec une vue sur la "cavalerie diesel".

Le dépôt des Ardoines qui dessert la ligne C du RER.

en milieu urbanisé où la surface était mesurée, de pouvoir abriter sur une superficie restreinte plusieurs dizaines de locomotives. Aussi, desservies le plus souvent par un pont tournant, parfois par deux comme à Bordeaux, les rotondes se sont multipliées en France ainsi que dans les autres pays. Fréquemment endommagées ou détruites durant la seconde guerre mondiale, certaines ont été reconstruites, dans un style plus élancé et plus sobre, avec emploi du béton armé. Mais l'évolution des conditions de la traction des trains à partir de 1950, la diminution du nombre des dépôts ont naturellement porté des coups sensibles à la carte des rotondes. Beaucoup ont été purement et simplement rasées ; d'autres n'ont été démontées que partiellement : la découverte d'un huitième ou d'un dixième de rotonde, vestige d'une splendeur passée, affecté en plus à des tâches ne comptant pas parmi les plus nobles, peut rendre nostalgique. Parfois celles qui subsistent ont été louées ou vendues à des entreprises commerciales totalement étrangères à l'activité de la S.N.C.F.

Pourtant plusieurs des principaux dépôts actuels conservent leurs rotondes, adaptées aux engins de traction les plus modernes. Ainsi celles des dépôts de Paris-Lyon (Charolais), Dijon, Ambérieu, Avignon ou Strasbourg continuent de connaître une occupation intense ; elles permettent de bien réguler la vie des dépôts en délestant les grils d'arrivée et de sortie des locomotives dont le départ n'est pas immédiat.
Parfois se remarquent des dispositions particulières : ainsi aux dépôts de Paris-La Chapelle et Toulouse, les voies de garage couvertes, parallèles, sont accessibles grâce à un pont transbordeur.

Chaque dépôt abrite d'autres installations moins connues mais essentielles. C'est ainsi que dans les ateliers sont effectués certains contrôles, de petites réparations et des opérations d'entretien courant. Ils disposent de ponts roulants, chevalets de levage, vérins destinés à manutentionner les gros organes ou à soulever les caisses. Par ailleurs les services administratifs, modernisés, de plus en plus informatisés, sont indispensables : le bureau de la "feuille" et ses abords restent le centre nerveux du dépôt, où les mécaniciens viennent recevoir leurs instructions, prendre connaissance des ralentissements ou particularités techniques des lignes qu'ils vont sillonner. Enfin de sensibles progrès ont été réalisés dans la conception et l'aménagement des locaux où le personnel de conduite peut se restaurer et se reposer : foyers, cafétérias agréables, chambres individuelles insonorisées et confortables conditionnent en effet le bon accomplissement de missions qui réclament un excellent équilibre physiologique et psychologique, en raison de la technicité du matériel et des vitesses pratiquées, sans cesse améliorées.
Dans le complexe et délicat mécanisme qu'est notre réseau ferré, les dépôts de la fin du XXe siècle, assez peu nombreux mais puissants, beaucoup moins polluants et bruyants que leurs aînés, constituent donc des rouages particulièrement importants. Plus discrets, les grands ateliers n'en jouent pas moins un rôle aussi essentiel.

TGV-PSE devant l'atelier de Villeneuve.

LES ATELIERS DU MATÉRIEL

Sur l'ensemble des voies ferrées françaises roulent près de 6 200 engins moteurs, 10 000 voitures de voyageurs, plus de 150 000 wagons de marchandises. En outre les installations fixes, avec en particulier les voies, les postes d'aiguillage, la signalisation et l'infrastructure des lignes électrifiées, représentent un patrimoine considérable qu'il faut entretenir.
Aussi, dès l'aube du chemin de fer, les compagnies ont-elles créé et développé des ateliers qui devaient permettre d'effectuer les multiples et indispensables tâches de contrôle, de révision régulière et de réparation des matériels de toute nature. La carte et les activités actuelles sont souvent le résultat d'une longue histoire.

LES CARACTÈRES GÉNÉRAUX DE L'IMPLANTATION

Au fil des années les ateliers, comme les autres familles d'installations, ont évolué.
Leur nombre d'abord, a sensiblement diminué. Au temps en effet des anciens réseaux chacune des compagnies se trouvait dans l'obligation, dans la mesure du possible, de posséder la gamme complète des chantiers permettant l'entretien de toutes les catégories de matériel ; mais de plus elle devait multiplier les points d'implantation en raison de la rotation des locomotives, wagons et voitures, beaucoup plus limitée qu'aujourd'hui au plan géographique. Dès la création de la S.N.C.F. s'est amorcé puis confirmé un mouvement de simplification et de rationalisation de la carte des ateliers, avec la suppression des doublons, la fermeture des installations les plus modestes, la concentration des opérations sur des établissements puissamment équipés.
C'est que dans le même temps les missions des ateliers se sont diversifiées et spécialisées. A l'image du monde industriel d'alors, les vastes halles du premier tiers du siècle abritaient le travail bruyant d'une armée de tourneurs, fraiseurs ou ajusteurs ; désormais les techniques les plus sophistiquées, faisant largement appel à l'informatique, à la plasturgie ou aux matériaux composites, règnent en maîtresses, servies par une pléiade d'agents de maîtrise, de cadres et d'ingénieurs.

Actuellement, exception faite des chantiers d'entretien et de petite réparation intégrés dans les dépôts, les ateliers autonomes sont sur l'ensemble du réseau ferré français au nombre de 25, auxquels il convient d'ajouter 3 entretiens très importants spécialisés dans la réparation et la modification de wagons de marchandises. Plusieurs facteurs expliquent leur localisation.

Beaucoup d'entre eux sont implantés dans quelques-uns des nœuds ferroviaires les plus importants du pays, vers lesquels convergent en service normal engins de traction et matériel remorqué, qui donc peuvent accéder aux sites de réparation sans grands parcours à vide. C'est ainsi que des ateliers sont installés dans la région parisienne, à Paris-Masséna, au Landy, à Vitry-sur-Seine, à La Folie, à Bischheim près de Strasbourg, au Mans, à Saint-Pierre-des-Corps, à Bordeaux, à Oullins près de Lyon. Mais d'autres localisations ne peuvent s'expliquer que par le jeu de facteurs d'ordre historique ou par des conditions locales particulières : c'est grâce à la possibilité d'acheter les vastes terrains nécessaires, à la bonne volonté des élus locaux ou à l'action d'une personnalité politique de premier plan que des ateliers ont pu être construits à Épernay, Périgueux, Romilly-sur-Seine, Saintes, Saint-Dizier ou Les Laumes, qui ne sont en aucun cas des centres de voies ferrées de première grandeur.

Quelques caractères communs se retrouvent d'un atelier à l'autre, et d'abord la grande étendue des installations, qui atteint 65 hectares à Moulin-Neuf, au nord de Paris. C'est qu'en plus des vastes bâtiments qui abritent les diverses activités il a fallu installer des voies pour recevoir les locomotives ou wagons à réviser ou réparer, les garer, les préparer au départ ; il a été nécessaire aussi d'aménager des parcs de stockage en plein air pour assurer l'approvisionnement en pièces massives et peu fragiles, comme les roues et essieux.

Les bâtiments ne passent généralement pas inaperçus : massifs, de grande hauteur, construits en briques ou en béton, ils s'apparentent le plus souvent aux constructions industrielles classiques, avec en particulier les toits en ligne brisée conçus pour une bonne réception de la lumière naturelle. Comme dans beaucoup d'usines l'équipement est à la fois varié et lourd, des machines à commande numérique côtoyant sous les verrières de puissants ponts roulants ; monumentales, les portes sont conçues pour laisser pénétrer le matériel roulant à traiter.

Les ateliers sont tous installés à proximité immédiate d'une ligne et d'une gare du réseau. Leur importance apparaît d'autant plus nettement dans le paysage que le rôle du centre ferroviaire est par ailleurs modeste : à Romilly et à Épernay les ateliers semblent écraser le reste de l'activité ferroviaire, à la différence de ce qui peut être constaté à Rennes et Bordeaux où ils ne constituent que l'une des pièces de puzzles complexes, aux côtés des gares de voyageurs, de marchandises et du dépôt. Il faut par ailleurs remarquer que le personnel affecté aux ateliers de la S.N.C.F., de plus en plus qualifié, reste nombreux puisque les effectifs atteignent par exemple en 1990 1 116 personnes à Hellemmes, 1 230 à Oullins près de Lyon.

Enfin les missions confiées à ces établissements sont de nature diverse puisqu'ils ne se contentent pas de réparer. Ils doivent en effet effectuer les révisions périodiques et systématiques du matériel, dûment programmées, au-delà des opérations d'entretien courant que les dépôts peuvent assurer. Mais leur rôle est également de concevoir et de mettre en œuvre, en liaison avec l'industrie privée, de nouveaux dispositifs et mécanismes, de nouvelles techniques, afin d'obtenir de constantes améliorations dans les domaines du rendement, de la vitesse, de la sécurité et du confort. Par ailleurs les établissements de la S.N.C.F. sont loin de travailler en circuit fermé : ils entretiennent des contacts fructueux et diversifiés avec les entreprises, comme Alsthom, qui fabriquent le matériel neuf, et la chaîne des sous-traitants, fournissant les pièces de rechange, matières premières, etc.

Toujours est-il que la nécessité de rentabiliser le plus possible des équipements de plus en plus perfectionnés, et donc onéreux a amené les responsables de la S.N.C.F. à fortement spécialiser les divers ateliers maintenus en activité. Ils se trouvent répartis en plusieurs grandes catégories, s'intéressant à des séries bien précises soit d'engins moteurs, soit d'éléments remorqués, voitures de voyageurs ou wagons de marchandises, tandis qu'un groupe assure la maintenance des installations fixes.

LES ATELIERS MIXTES

Dans la partie orientale de l'agglomération lilloise, les ateliers d'Hellemmes sont anciens puisque fondés en 1873. Comme tous les autres ils ont connu ces dernières décennies une profonde évolution avec en 1965 la dernière sortie d'une locomotive à vapeur.

Les 1 116 cheminots affectés à l'établissement se partagent entre les matériels moteur et remorqué, qui se situent tous deux en haut de gamme. En effet les ateliers d'Hellemmes sont chargés de l'entretien d'une grande partie des séries des locomotives électriques 25 000 volts et polycourant, représentant 600 unités auxquelles vont s'ajouter les BB 26 000 "SYBIC", les locomotives de l'avenir.

Ils ont aussi la responsabilité de l'entretien des quelque 2 700 voitures Corail V.T.U. c'est-à-dire sans compartiments. Dans ce domaine en particulier la tâche est très lourde car chaque voiture doit passer en visite générale (VG) tous les 6 mois, en révision limitée (RL) ou en grande visite à mi-parcours (GVM) tous les 600 000 kilomètres, en révision générale (RG) tous les 1 200 000 kilomètres, c'est-à-dire tous les 7 ans environ ; or cette dernière opération doit impérativement être effectuée à Hellemmes même. Il faut ajouter à ce plan de charge les réparations accidentelles, la mise en œuvre d'améliorations systématiques et de modifications de l'équipement technique. Aussi l'ensemble de l'établissement, où les deux grands types d'activité sont étroitement imbriqués, est-il puissamment armé, avec installations de levage, ateliers spécialisés dans la tôlerie, l'électricité, la climatisation, la peinture, les revêtements de siège, etc. Moderne et efficient, faisant largement

Levage de la BB 20 011 aux ateliers d'Hellemmes.

Le hall de montage des ateliers de Sotteville-Quatre-Mares.

appel à l'informatique, l'équipement d'ensemble permet de traiter simultanément une quinzaine de locomotives et une vingtaine de voitures.
Il faut ajouter à ces missions essentielles des tâches diverses comme la réparation d'essieux, la détermination au plan national des règles d'entretien en révision des engins et des divers organes, l'approvisionnement pour toutes leurs opérations d'entretien de nombreux dépôts et ateliers. L'importance et le rayonnement de ceux d'Hellemmes sont donc considérables à l'échelle de l'ensemble du réseau. Leur avenir est garanti, car il a été décidé d'adapter les installations pour 1995, de façon à leur confier le grand entretien des rames TGV Nord et Transmanche. Ceci conduira à alléger progressivement la tâche "voitures", les Corail devant être confiés à Périgueux. Par contre le plan de charge Matériel Moteur comprendra l'entretien des Z 6100, 6300, transférés de La Folie.
Dans la partie méridionale de l'agglomération lyonnaise, les vastes ateliers d'Oullins assument des tâches peut-être moins prestigieuses mais tout aussi indispensables, et elles aussi dualistes.
L'essentiel de leur activité tourne autour du grand entretien du matériel moteur. Ils sont ainsi responsables des locomotives 1 500 V de type BB 7200, BB 9200 et 9300, CC 6500, des machines bicourant CC 21000, BB 22200, des éléments Z 7100 à 2 et 4 caisses, ainsi que de toute la famille des Z2 mono et bicourant. La remise en état des essieux, du bobinage figure parmi leurs prérogatives complémentaires.

Les opérations relatives aux voitures sont désormais notoirement réduites, et ne concernent plus que des interventions sur les batteries et le garnissage. En outre, ces ateliers peuvent se consacrer à des opérations de modernisation, commme celle des Z 7100 ces dernières années.
Les autres grands ateliers de la S.N.C.F. sont davantage spécialisés.

Les ateliers d'entretien du matériel moteur
Répartition des charges de grand entretien
des engins moteurs (au 1.1.90)

Ateliers directeurs	Nombre d'engins	Dominante
Bischheim	139	rames T.G.V.
Hellemmes	600	Locomotives électriques
Béziers	489	Locomotives électriques
Épernay	457	Locomotives électriques
Oullins	893	Locomotives électriques
Nevers	2 696	Locom. et locotracteurs diesel
Sotteville-Quatre-Mares	678	Locom. diesel
Bordeaux	223	Autorails et turbotrains
Le Mans	560	Autorails et turbotrains
Vitry	612	Automotrices de banlieue
La Folie	271	Automotrices de banlieue

Le tableau ci-dessus montre une rigoureuse ventilation des tâches, basée surtout sur le mode de traction.

Une voiture corail Vtu au levage aux ateliers d'Hellemmes. Cet établissement traite aussi bien les locomotives que les voitures.

L'activité des deux grands ateliers mixtes, en matière de traction électrique, est complétée par l'existence de deux autres centres plus modestes installés à :
- Épernay, qui a abandonné il y a une quinzaine d'années le matériel thermique au profit des séries monophasées BB 12000, 13000, 16500.
- Béziers, unique dans son genre car intégré administrativement au dépôt. Il gère les séries 1 500 V BB 8100, 8500, 9 400, et les machines de manœuvre électriques.

Les engins diesel, eux, sont répartis entre les grands ateliers de réparation de Nevers et de Sotteville-Quatre-Mares près de Rouen ; ces derniers traitent en particulier la totalité des locomotives diesel les plus puissantes, comme les CC 72000, BB 67400, A1A 68000-68500, et bientôt les BB 67300, mais aussi des engins de desserte et manœuvre (BB 63000).

L'atelier de Nevers, lui, a en charge les opérations à effectuer sur les BB 67000, 67200, 66000, 66400, 66600, 63500, et sur l'intégralité des locotracteurs de la S.N.C.F. Il assume, par ailleurs, le grand entretien de toutes les machines-outils lourdes utilisées dans les dépôts et ateliers, ce qui montre bien le souci de rendement et de rationalisation de la S.N.C.F.

Ces deux ateliers ont également pour mission de concevoir et réaliser la transformation en machines de manœuvre de locomotives de ligne.

Actuellement Sotteville s'occupe de la réalisation de trucks moteurs TBB 64800 à partir de BB 63000, et Nevers des machines BB 64700, obtenues par modification de BB 63500, afin de former des couplages destinés au service de butte dans les triages. Nevers termine la transformation de BB 66000 en 66700 (manœuvres), et a assuré l'équipement de locomotives BB 67000, renumérotées 67200, pour les rendre aptes à circuler sur les lignes nouvelles.

D'autre part, depuis 1990, l'atelier de Nevers révise des séries d'autorails, notamment les X 2800. Avant 1994 il deviendra également responsable des séries X 2100-2200-2700, prenant alors le relais de Bordeaux·

A la fermeture de ce dernier atelier les Z 6100-6300 seront repris par Hellemmes, les Z 6400 par Vitry.

Les éléments automoteurs électriques de banlieue utilisés en région parisienne sont rattachés, eux, aux établissements de Vitry en ce qui concerne les Z 5100-5300-5600-8800-20500, et de La Folie pour les Z 6100-6300-6400.

Ces divers ateliers assument parfois des missions supplémentaires particulières ; ainsi ceux de Quatre-Mares sont spécialisés dans la réparation des essieux des automotrices de banlieue et des ressorts à lames des matériels remorqués.

Ils ont presque tous connu ces dernières décennies de profondes évolutions, en fonction des transformations souvent radicales qui ont révolutionné le visage et la structure de notre réseau ferré : à partir de 1960 les ateliers de Sotteville-Quatre-Mares par exemple, ont dû opérer une reconversion déchirante en abandonnant l'entretien des locomotives à vapeur, qui les plaçait à ce titre parmi les premiers en France, pour se consacrer aux engins diesel. Plus spectaculaire encore s'est révélée la mutation, plus récente, des ateliers de Bischheim, installés à proximité immédiate de Strasbourg.

Les ateliers de Saint-Pierre-des-Corps avec, en extérieur, une UIC, une USI et une MS de la RATP.

Couvrant près de 24 hectares, occupant aujourd'hui 800 cheminots, cet établissement a toujours connu une importante activité. Pendant longtemps sa vocation a été exclusivement thermique, plus spécialement axée sur l'entretien de fortes séries d'autorails. Or ceux-ci, sauf une fraction des X 4300-4500, ont disparu, chassés par les TGV ; en effet, ce sont les ateliers de Bischheim qui doivent assurer la maintenance et la réparation des rames TGV actuellement en service, et dont le nombre va sensiblement augmenter avec l'essor du TGV Atlantique ; formation des hommes et transformation radicale des installations à partir de 1978 ont permis une mutuation de très vaste ampleur en raison de la haute technicité et de la spécificité de ces trains révolutionnaires (voir chapitre V).
En 1994 les ateliers de Bordeaux, les moins modernes et les plus étriqués de tous, et de La Folie vont fermer leurs portes. Leurs responsabilités seront ventilées entre les autres établissements.

Cette spécialisation des fonctions se retrouve dans les centres à qui sont confiées les autres catégories de matériel roulant.

LES ATELIERS D'ENTRETIEN DU MATÉRIEL REMORQUÉ

Voitures et wagons bénéficient des soins, en dehors des ateliers mixtes d'Oullins et d'Hellemmes, de six établissements dispersés sur l'ensemble du réseau, auxquels s'ajoutent 3 gros "entretiens".

Ils offrent bien souvent les mêmes caractères que les chantiers précédents : ampleur des installations, avec par exemple 26 hectares dont 5,7 en surface couverte à Romilly, importance des effectifs avec entre autres 850 agents aux ateliers de Saint-Pierre-des-Corps, modernisme des équipements, spécialisation poussée des activités. Plusieurs d'entre eux, à côté de la prise en charge de séries précises de wagons ou de voitures, assument des missions nettement définies, pour des équipements particuliers, à l'échelle nationale.

Ainsi les ateliers de Rennes, à côté d'opérations de révision classiques concernant les voitures de voyageurs des types Grandes Lignes USI, Banlieue deux niveaux et inox, sont-ils chargés du contrôle des organes de frein pneumatique de l'ensemble du matériel roulant.
Plus au sud ceux de Saintes, implantés au siècle dernier, à proximité immédiate d'un nœud ferroviaire important, ont connu depuis 1960 un déclin sensible ; les 425 cheminots qui sont à l'heure actuelle affectés ne représentent que nettement moins de la moitié de l'effectif d'alors. C'est que leurs activités, qui englobaient jusqu'en 1945 la réparation du matériel moteur et remorqué, se sont restreintes dans le cadre de la politique définie plus haut. Désormais leurs missions consistent d'abord à réviser les voitures Corail dans les domaines de la tôlerie, des sièges, des bogies ; ils sont directeurs pour les voiture UIC, DEV et les fourgons voyageurs.
En raison de leur nombre, l'entretien des voitures Corail est partagé entre plusieurs établissements, dont ceux de Péri-

gueux ; à côté de leur révision générale y est effectuée la révision des voitures Grand Confort, des voitures restaurant, des Gril Express, et de toutes les voitures d'utilisation sporadique. Ils réparent en outre les bogies, tachymètres et appareillages électriques variés. En 1991 ces ateliers deviendront directeurs pour le parc Corail VTU de la S.N.C.F., au lieu et place d'Hellemmes.
Cette vocation dualiste se retrouve aux ateliers de Romilly, installés le long de la ligne Paris-Bâle, non loin de Troyes. D'une part en effet ils jouent pour l'entretien des voitures Corail un rôle directeur symétrique à celui d'Hellemmes, prenant en charge les VU, c'est-à-dire les voitures avec compartiments ; comme ils réparent aussi les voitures standard européennes et les voitures-lits, ils ont en charge un parc de 1 700 voitures. D'autre part ils prennent en compte l'ensemble de l'électronique qui équipe le matériel remorqué de la S.N.C.F., comme les 4 000 convertisseurs de puissance.
Avec 850 agents les ateliers de Saint-Pierre-des-Corps, auparavant établissement de l'industrie privée, comptent parmi les plus importants du réseau. Leur position centrale et leurs équipements ont amené à leur confier la révision d'un matériel roulant très diversifié : voitures de voyageurs de grandes lignes des types DEV, USI, UIC, voitures de banlieue à deux niveaux (VB2N), et depuis peu des RIB inox. Dans ce cadre, ils assurent en plus la transformation des RIB 60 en RIO 88 pour les banlieues de province, notamment Midi-Pyrénées et Champagne-Ardennes. Marginalement ils œuvrent également sur le parc des wagons de marchandises, en assurant des réparations nécessitées par des avaries subies dans la zone. Par ailleurs ils gèrent le principal parc de stockage de matériel de la S.N.C.F., avec en magasin plus de 22 000 articles.

Dans la mesure où ils sont nombreux et appartiennent à des catégories diversifiées, les wagons de marchandises sont contrôlés et réparés par plusieurs ateliers. Celui de Tergnier doit sa fortune à la Compagnie du Nord, désireuse au siècle passé de construire un établissement à distance à peu près égale de Paris et de la Belgique, et près d'un carrefour important. Actuellement le chantier fonctionne sur la base d'environ 5 000 wagons révisés annuellement ; parmi eux les wagons à capots télescopiques, les wagons-trémies occupent une place de choix : l'existence de près d'une quarantaine de séries ou de sous-séries dans cette catégorie montre l'extrême complexité des tâches d'entretien auxquelles doit faire face un grand réseau ferroviaire moderne.
Sont à assimiler à l'atelier de Tergnier trois entretiens importants, chargés également de la réparation du parc de wagons de la S.N.C.F., et qui fonctionnent de façon analogue.
Celui de Montigny-lès-Metz était au temps de la vapeur un atelier "matériel moteur" ; il se consacre aujourd'hui à la révision des wagons plats à bogies, débach'vit, spéciaux, surbaissés, ainsi qu'au parc de véhicules de marchandises aptes à 160 km/h, couverts et plats, peints en vert.
Ceux de Dijon-Perrigny et Nîmes-Courbessac (1) assurent notamment la maintenance respectivement des wagons couverts pour le premier, des tombereaux ordinaires, bâchés, des

Effectifs des grands ateliers de la S.N.C.F.
Janvier 1990
Nombre d'agents S.N.C.F.

– Matériel moteur et remorqué		
Hellemmes		1 116
Oullins		1 230
	Total	2 346
– Matériel moteur		
Béziers		435
Bischheim		800
Bordeaux		450
Épernay		470
La Folie		450
Le Mans		612
Nevers		970
Sotteville-Quatre-Mares		800
Vitry-sur-Seine		680
	Total	5 667
– Matériel remorqué		
Périgueux		680
Rennes		690
Romilly		680
Saintes		425
Saint-Pierre-des-Corps		850
Tergnier		600
	Total	3 925
– Équipements fixes		
Bretenoux		100
Brive		275
Chamiers		270
Les Laumes		240
Le Mans		170
Moulin Neuf		600
Saulon		210
Saint-Dizier		330
	Total	2 195
	Total général	**15 491**

wagons-trémies pour le second. Il faut remarquer que plusieurs établissements privés sont agréés par la S.N.C.F. pour procéder à la révision et même à la transformation de voitures et fourgons du service des voyageurs. Ainsi ceux situés à Lunéville, Clermont-Ferrand, Saint-Marcel (près de Marseille), Cannes-La Bocca.

Moins connus peut-être, les ateliers concernés par les installations fixes n'en sont pas moins indispensables.

(1) Courbessac entretient également l'ensemble du parc des 200 fourgons classés en catégorie "Voyageurs".

LES ATELIERS D'ENTRETIEN DES ÉQUIPEMENTS FIXES

Ces établissements, qui sont eux aussi répartis sur l'ensemble du territoire, assument une triple mission. La principale consiste à entretenir et réparer de la manière la plus économique les installations fixes comme voies, appareils de voie, signaux, caténaires et supports de caténaires ; mais il leur est demandé également de fabriquer des pièces ou des éléments afin de pallier les carences des entreprises privées ; enfin ils assurent le stockage et la distribution des innombrables produits utilisés sur l'ensemble des infrastructures du réseau.
Chacun des 8 ateliers joue un rôle particulier.
Celui de Bretenoux, entre Aurillac et Brive, se consacre exclusivement au bois, avec surtout le traitement et le finissage des traverses : l'odeur de créosote qui l'enveloppe est significative !
Au magasin du Mans en revanche les extincteurs sont révisés, les câbles, les tabliers auxiliaires, le matériel de signalisation mécanique et électrique, du menu matériel de voie sont entreposés et distribués.
A 50 kilomètres de Dijon, au pied de l'ancienne Alésia et de la statue de Vercingétorix, l'atelier des Laumes, lui, est le seul établissement du réseau spécialisé dans l'entretien du matériel électrique, électronique, informatique : aussi une grande

Un cœur d'aiguille pour ligne à grande vitesse en montage aux ateliers de Moulin-Neuf.

Manutention de rails aux ateliers de Moulin-Neuf.

part de ses activités est-elle orientée vers la signalisation ; c'est ainsi qu'il assure non seulement la maintenance mais aussi la conception et la réalisation des Tableaux de Contrôle Optique (les T.C.O.), pour le compte des postes d'aiguillages les plus modernes.

Certains de ces ateliers sont chargés de tâches plus diversifiées :

L'établissement de Saulon, entre Dijon et Bourg-en-Bresse, doté de machines hyper perfectionnées, s'intéresse tout particulièrement aux rails, avec entre autres leur soudage pour constituer des barres longues. Il confectionne par ailleurs du matériel "caténaires" et des tabliers auxiliaires de 27 mètres, employés lors des travaux de construction d'ouvrages sous les voies.

A Chamiers, près de Périgueux, se retrouve le soudage des longs rails, aux côtés de la réparation des appareils de voie.

A Brive sont traités les tirefonds, qui fixent les rails sur les traverses ; ces ateliers entretiennent également et fabriquent les draisines et les engins, souvent lourds, qui permettent l'entretien des voies et des caténaires.

L'établissement de Saint-Dizier, lui, entre Châlons-sur-Marne et Chaumont, répare ou fabrique le petit matériel de voie, l'outillage, les signaux mécaniques ; il gère les 12 trains mécanisés de ramassage des vieux rails à l'issue des grands renouvellements de voie dans toute la France.

Installés sur la commune de Chambly, le long de la ligne Paris-Le Tréport, les ateliers de Moulin-Neuf méritent un sort particulier. S'étalant sur 65 hectares dont 4 couverts, desservis par 50 kilomètres de voies intérieures, ils occupent 700 personnes en comptant les 100 agents d'entreprises autres que la S.N.C.F. Leur rôle est très important, qui les amène à monter des appareils de voie neufs, dont les plus longs à tangente 1/65 sont destinés aux lignes à grande vitesse, à souder les barres longues, à fabriquer des pièces spéciales en bois et, dans le domaine de la mécanique, à entretenir des tabliers auxiliaires et chariots transbordeurs.

En 1990 les ateliers de la S.N.C.F. constituent une structure toujours puissante, couvrant l'ensemble du réseau, composée d'unités spécialisées dans la maintenance de séries bien précises d'engins roulants, moteurs ou remorqués, d'installations fixes ou d'équipements particuliers. En prenant en compte le personnel non seulement de la Société Nationale mais aussi des entreprises privées associées, l'effectif global est proche de 15 000 personnes. Durant ces dernières décennies les missions qui leur étaient dévolues ont beaucoup changé. En raison des transformations en cours et à venir, comme l'extension du réseau T.G.V., la mise en service des locomotives électriques Sybic ou l'informatisation de plus en plus poussée de la gestion du réseau, le rôle des ateliers va encore évoluer. Une spécialisation plus poussée de chacun d'eux liée à la recherche de la meilleure rentabilité, le perfectionnement de leurs capacités technologiques doivent constituer quelques-uns des principaux axes des mutations à venir. Celles-ci peuvent localement créer des problèmes dans la mesure où le rajeunissement général du parc des voitures et l'arrivée massive des T.G.V. réduisent les besoins de maintenance.

Toujours est-il que la S.N.C.F. se doit de garder grâce à eux l'entier contrôle de matériels de plus en plus perfectionnés, sortis des chaînes de fabrication d'entreprises privées, mais dont l'entretien se trouve en étroite corrélation avec les exigences de l'exploitation commerciale.

CHAPITRE V

L'ESSOR DES TRAINS A GRANDE VITESSE

Les deux lignes Paris-Lyon, l'ancienne et la nouvelle, se croisant à Saint-Florentin.

POURQUOI LES T.G.V. ?

Avec la mise en service des Trains à Grande Vitesse et de la ligne nouvelle Paris-Lyon, les conditions du transport des voyageurs dans le quart sud-est du pays ont connu, à partir de 1981, une véritable révolution. D'ores et déjà les magnifiques rames à livrée orange lancées à 270 km/heure situent Lyon à 2 heures de la capitale, Marseille à moins de 5 heures. Les Niçois, Montpelliérains, Grenoblois, Stéphanois, Bisontins appelés à se déplacer profitent eux aussi des énormes avantages apportés par les T.G.V.

Mais une nouvelle génération de rames plus perfectionnées et plus rapides (300 km/h) revêtues de bleu et argent, les T.G.V. "Atlantique", est entrée en lice en septembre 1989 en direction de l'ouest de la France, puis un an plus tard vers le sud-ouest. Il en est résulté un véritable bouleversement des dessertes entre Paris et les grandes villes concernées. Et bientôt c'est l'ensemble de l'Europe Occidentale qui va être sillonné par des trains ultra-rapides, roulant sur des lignes souvent nouvelles, parmi lesquels nos T.G.V. se tailleront une part sans doute éminente. Autre gigantesque grande œuvre de cette fin de siècle, étroitement associée au T.G.V., le tunnel sous la Manche contribuera lui aussi puissamment à cette prodigieuse mutation des déplacements dans l'espace ouest-européen.

Le très grand succès du T.G.V. Sud-Est, les vastes espoirs placés dans le T.G.V. Atlantique, les amples perspectives européennes dessinées avec hardiesse sont à la mesure des avantages offerts par la nouvelle génération de trains.

Dans les années 1970 plusieurs raisons concordantes ont en France milité en faveur de la mise à l'étude, pour les voyageurs, d'un type de relation ferroviaire complètement nouveau, et d'abord un problème de saturation de lignes existantes.

L'ENGORGEMENT DE L'AXE PRINCIPAL DU RÉSEAU

Jusqu'en 1974 le trafic de la S.N.C.F. avait régulièrement progressé, aussi bien dans le domaine des marchandises que dans celui des voyageurs. L'augmentation du nombre des trains mis en circulation s'était révélée particulièrement forte sur l'artère majeure du réseau reliant Paris à Lyon et Marseille. C'est ainsi qu'en moyenne quotidienne entre la capitale et l'antique Phocée roulaient en 1972, les deux sens réunis, de 200 à 250 trains. Circonstance aggravante, ces convois appartenaient à des catégories très différentes pratiquant des vitesses moyennes elles-mêmes fort diverses variant du simple au triple ; d'où l'extrême difficulté d'obtenir un écoulement d'ensemble fluide, et la limitation de fait du débit. Ainsi, et bien que puissamment équipée depuis son électrification réalisée de 1949 et 1962, avec 4 voies sur 28% du parcours de 862 km, Block Automatique Lumineux de bout en bout, multiples voies d'évitement, et banalisation de plusieurs tronçons à double voie, l'artère Impériale Paris-Marseille donnait de plus en plus des signes de saturation. Il en résultait des difficultés chroniques pour l'exécution des travaux de maintenance.

La ligne Paris-Lyon, vue ci-dessus près de Villeneuve-Saint-Georges, peu après son électrification, dans les années 50. Malgré d'importants investissements pour augmenter la capacité en ligne et la présence de quatre voies sur une grande partie du parcours, la saturation de cet axe deviendra rapidement préoccupante. Ci-dessous, une vue actuelle du lieu où les TGV passeront encore jusqu'en 1994, date d'ouverture du "shunt" Lieusaint-Pompadour par Villecresnes.

C'est pourquoi des mesures de délestage ont été prises avec l'électrification d'itinéraires voisins, comme la ligne de la Bresse en 1969, la ligne de la rive gauche du Rhône et d'Avignon à Miramas via Cavaillon en 1977/1979.
De plus la nature du tracé, en particulier entre Laroche et Dijon, Lyon et Valence, empêchait de concevoir des vitesses maximales plus élevées dans la mesure où lorsque le rayon d'une courbe est seulement moyen (800 mètres par exemple), les possibilités d'augmentation du dévers et donc de la vitesse des trains les plus rapides sont très limitées : le confort des voyageurs et la bonne tenue des voitures peuvent être amoindris, tandis que les lourds et lents convois de marchandises ne peuvent manquer de souffrir sur des portions de voie au profil transversal non adapté. Aussi n'était-il pas possible d'atteindre sur la ligne classique Paris-Lyon-Marseille les 200 km/heure aussi aisément que sur certains tronçons des artères Paris-Bordeaux et Les Aubrais-Vierzon.
Cette difficulté d'améliorer le débit de la principale ligne française s'est peu à peu révélée un handicap de première grandeur, aussi bien pour le trafic des voyageurs que pour celui des marchandises, en raison de l'évolution du marché du transport.

LE DÉVELOPPEMENT DE LA CONCURRENCE

Entre 1970 et 1980 la qualité du service offert sur la ligne Paris-Marseille avait tout de même atteint un haut niveau : plus de vingt trains rapides ou express dans chaque sens circulaient entre la capitale et Lyon, près d'une quizaine entre Lyon et Marseille ; par ailleurs les vitesses moyennes frôlaient 140 km/heure entre Paris et Lyon, dépassaient 130 km/heure dans la vallée du Rhône.
Pourtant les responsables n'ont pas manqué rapidement de constater que la trame de relations ainsi mise en place ne permettait pas d'accroître la part du chemin de fer sur cette liaison essentielle. En effet les perspectives offertes aux automobilistes grâce à l'ouverture de l'autoroute Paris-Lyon-Côte d'Azur, l'essor des échanges aériens avec en particulier les vols intérieurs de la compagnie Air-Inter, amenaient dans un premier temps à songer avant tout à défendre le terrain conquis à une époque où la concurrence était infiniment moins redoutable. Il faut réaliser qu'avant les T.G.V., les meilleurs temps de parcours par le train, en raison des distances à parcourir, atteignaient 3 h 45 entre Paris et Lyon, dépassaient 6 h 30 entre la capitale et Marseille. D'où sur ces deux relations une extrême vulnérabilité du rail face surtout à l'avion.
Or les études de marché montraient que globalement la demande de transport, déjà en augmentation, ne pouvait que continuer à progresser à cause du jeu de plusieurs facteurs : essor des relations d'affaires entre les trois principales villes françaises, dynamisme économique de la région Rhône-Alpes, besoin de mobilité accrue des personnes, développement du tourisme hivernal et estival dans le quart sud-est du pays en relation avec l'évolution d'ensemble de la société. Le chemin de fer pouvait-il rester à l'écart ?
Ainsi s'est précisée peu à peu l'idée de la construction d'une ligne nouvelle sur une grande partie du trajet Paris-Marseille, sillonnée par un matériel beaucoup plus performant et plus rapide. Dans ce domaine les ingénieurs français disposaient de plusieurs atouts.

LES PROGRÈS DE LA GRANDE VITESSE FERROVIAIRE

Depuis toujours notre réseau avait été parcouru par des trains comptant parmi les plus rapides d'Europe. Cette recherche de la vitesse, dans le cadre de l'indispensable sécurité, s'était concrétisée de façon particulièrement spectaculaire en 1955 par l'établissement sur la ligne droite des Landes, entre Lamothe et Morcenx, d'un nouveau record du monde de vitesse sur rail, situé à 331 km/heure. 20 ans après ce record tenait toujours, qui était le symbole de ce que l'industrie ferroviaire française était capable de réaliser, pour peu que la définition de conditions totalement nouvelles lui permette d'exprimer toutes ses potentialités.

Toujours est-il qu'au début des années 1970 un écart considérable subsistait entre les vitesses que pouvaient atteindre nos locomotives et celles qui étaient pratiquées en service commercial, en raison de l'inadaptation des infrastructures classiques.
Or depuis de longues années étaient apparus dans le monde des trains au moins aussi rapides que les nôtres : les 200 km/heure de nos "Capitole", "Aquitaine" et "Etendard" étaient à partir de 1970 peu à peu approchés puis atteints sur certaines sections de relations comme en Allemagne Fédérale, Augsbourg-Munich, Hanovre-Hambourg, ou au Royaume-Uni Londres-Bristol ou Londres-Edimbourg. Mais c'est au Japon que les progrès avaient été à la fois les plus précoces et les plus spectaculaires. Depuis 1964 en effet les chemins de fer japonais détenaient le flambeau de la vitesse commerciale la plus élevée au monde. Sur une ligne entièrement nouvelle à voie normale (l'ensemble du réseau est équipé de la voie de 1,067 m), de plus de 1 000 kilomètres de développement, les bolides du type "Shinkansen" roulaient systématiquement à 210 km/heure. La desserte était cadencée, avec entre 6 heures du matin et minuit la circulation de près d'une quarantaine de rames dans chaque sens, entre Tokyo et les principales villes du pays. Le succès de cette artère à grande vitesse s'est très rapidement révélé éclatant, les japonais ne pouvant ne pas être séduits par la possibilité de disposer par exemple de nombreux trains couvrant les 316 kilomètres séparant Yokohama de Nagoya en 1 h 45 seulement, soit à la moyenne de 180,9 km/heure. Il n'est pas étonnant, dans ces conditions, que dès 1973 les japonais aient décidé la construction d'autres lignes du même type, en particulier entre les îles d'Honshu et d'Hokkaïdo, avec le forage d'un tunnel de 58 kilomètres de longueur.

Connus en Europe et plus spécialement en France, les caractéristiques et le succès des trains Shinkansen, ont alimenté la réflexion de ceux qui estimaient indispensable la création d'une artère entièrement nouvelle sur l'axe majeur de notre réseau.

TGV dans la région de Montchanin, avec le profil typique en dents de scie de la ligne à la traversée de la Saône-et-Loire.

LE T.G.V. PARIS-SUD-EST

Si la réalisation sur le terrain de la ligne nouvelle Paris-Lyon a été menée tambour battant, avec ouverture de la première section au trafic commercial en 1981, la gestation de l'ensemble du projet a en fait été longue, en raison de la complexité des problèmes et de l'importance de l'enjeu.

Dès le mois d'août 1966 la direction des installations fixes de la S.N.C.F. est chargée d'établir un avant-projet. Recherches et études se développent dans de multiples directions, mobilisant toutes les ressources de la Société Nationale et faisant appel au concours d'entreprises privées, comme Alsthom. Si la démarche d'ensemble est très cohérente grâce à la vigueur des impulsions données et à la volonté politique d'aboutir, le processus va en fait se dérouler sur une quinzaine d'années. C'est qu'il faut définir le contenu technique du dossier en réglant entre autres les questions de tracé, de propulsion : en 1974 seulement intervient la décision du Conseil des Ministres favorable à une ligne nouvelle exploitée en traction électrique. Il est également nécessaire d'envisager tous les problèmes de l'exploitation commerciale, en évaluant avec suffisamment de précision l'impact du projet sur l'ensemble des régions concernées. Il faut aussi mener une campagne publicitaire solidement argumentée pour convaincre élus et opinion publique, surmonter des réticences ou même certaines oppositions. Étape particulièrement importante, celle de mars 1976, puisque les travaux concernant l'artère nouvelle sont déclarés d'utilité publique et urgente : la situation est alors irréversible avec, quelques mois après, l'ouverture du premier chantier. Après moins de 5 ans de travail acharné la rame inaugurale parcourt la première section ouverte reliant Saint-Florentin à Sathonay le 25 septembre 1981. Deux ans après, le 25 septembre 1983, c'est la mise en service du tronçon Combs-la-Ville-Saint-Florentin et donc de la totalité de la ligne nouvelle reliant Paris à Lyon.

Quels sont les principes généraux qui ont guidé sa construction et le lancement des T.G.V. ?

D'une part le nouvel axe Paris-Lyon, prévu pour la grande vitesse, est constitué par une artère totalement neuve entre Combs-la-Ville et Sathonay, c'est-à-dire entre les agglomérations parisienne et lyonnaise. Son tracé, son profil, son équipement technologique font appel aux conceptions les plus modernes, voire les plus révolutionnaires. Les rames T.G.V. qui

l'empruntent, d'une splendide couleur orange, sont elles aussi inédites, et le fruit des recherches les plus poussées.
Mais d'autre part les nouveaux bolides ne roulent pas en circuit fermé. Non seulement ils circulent sur les voies anciennes dans la banlieue des deux métropoles, mais encore ils poursuivent leur route sur les lignes classiques au-delà de Lyon, atteignant au fil des années Saint-Étienne, Marseille, Montpellier, Toulon, Nice. Ils parviennent également au cœur des Alpes, traversent les frontières puisque très vite ils se retrouvent à Lausanne, à Genève. Par le jeu des correspondances c'est dans l'ensemble du quart sud-est du pays que les distances sont raccourcies, que les relations avec la capitale sont systématiquement accélérées : sur l'infrastructure ancienne les T.G.V. roulent en effet moins vite que sur la ligne nouvelle, mais atteignent sur de nombreuses sections des vitesses comprises entre 160 et 200 km/heure, entre Lyon et Marseille en particulier.
La nouvelle relation Paris-Lyon n'est parcourue que par les rames du T.G.V. Les trains de voyageurs classiques qui subsistent continuent de fréquenter des artères anciennes, en particulier en période nocturne ; mais comme ils sont devenus moins nombreux sur l'itinéraire traditionnel Paris-Dijon-Lyon, l'écoulement des flux de marchandises se trouve largement facilité sur cet axe essentiel.

Ainsi la mise en service de la ligne nouvelle et des rames T.G.V. cumule les avantages : les voyageurs disposent de relations beaucoup plus rapides, ouvertes aux deux classes et devenues très compétitives par rapport à la concurrence aérienne, tandis que la circulation ferroviaire d'ensemble entre la capitale et Lyon devient sensiblement plus fluide aussi bien pour les personnes que pour les marchandises.
L'analyse des diverses composantes de cette révolution technologique de première grandeur permet de mieux comprendre l'ampleur des répercussions.

UN TRACÉ ET UN PROFIL HORS DES NORMES HABITUELLES

D'une longueur de 390 kilomètres, la ligne nouvelle proprement dite permet un raccourcissement très important de l'itinéraire Paris-Lyon : entre les deux grandes gares terminales la distance totale n'est plus que de 426 kilomètres contre 512 pour la ligne ancienne tracée par Dijon.
Ce gain spectaculaire de 86 kilomètres s'explique de deux manières. Le nouvel axe a été systématiquement établi loin des vallées dont il ne cherche pas du tout à épouser les sinuosités ; les nombreuses lignes droites reliées par des courbes de très grand rayon, d'au moins 4 000 mètres, traversent presque exclusivement des plateaux, des collines, des secteurs boisés, c'est-à-dire des zones peu peuplées et où le coût des terrains à acquérir était loin d'être prohibitif. Par ailleurs le court-circuit de Dijon supprime le vaste coude caractéristique du tracé de l'artère ancienne.
Ce parti pris délibéré d'un tracé le plus possible rectiligne n'a pu être concrétisé que par deux types de concessions majeures à un relief difficile, en particulier dans la portion centrale qui traverse de part en part le massif du Morvan : l'acceptation d'un profil général accidenté, et l'édification de nombreux ouvrages d'art.
Alors que sur les voies ferrées classiques les rampes de plus de 10 mm/m sont considérées comme difficilement compatibles avec un trafic massif et rapide, le taux atteint 35 mm/m sur la ligne nouvelle, c'est-à-dire autant que sur certaines artères anciennes construites au cœur des Alpes ou des Pyrénées ! Le profil est particulièrement accidenté entre Saint-Florentin et Mâcon avec l'escalade du massif du Morvan (point culminant de la ligne : 485 mètres), puis, au-delà de la vallée de la Dheune, la traversée des monts du Mâconnais ; le franchissement de chacune de ces deux dorsales est marqué par de nombreuses dents de scie. Mais les options générales rete-

Page ci-contre : cette vue de 1978 met en évidence le concept nouveau adopté pour le tracé de la ligne à grande vitesse : on quitte les fonds de vallées tortueux pour les plateaux et la ligne file droit en épousant le relief, quitte à admettre de fortes pentes dignes des anciennes voies ferrées de montagne.

Ci-contre, trois vues montrant l'évolution d'un site traversé par la ligne nouvelle, des premiers terrassements au passage des premières circulations : la verdure réapparaît et la ligne s'intègre à son environnement.

En 1982, dans la zone des raccordements multiples de Saint-Florentin, un TGV Lyon-Paris va rejoindre la ligne ancienne en attendant l'ouverture, en 1983, de la section nord de la ligne à grande vitesse.

nues pour le tracé ont amené à accepter de très fortes déclivités dans des secteurs de topographie plus calme : ainsi aux confins du Gâtinais et de la Champagne sèche la ligne abandonne la vallée de la Seine pour se hisser sur le plateau du Sénonais au prix d'une rampe qui atteint 33,8 mm/m.
Un pareil profil, inattendu à priori pour une ligne ultra moderne, a pu être envisagé dans la mesure où celle-ci ne devait pas être ouverte aux convois de marchandises, ce qui constitue une option différente de celle choisie en Allemagne Fédérale et en Italie où les axes en construction sont conçus pour accueillir toutes les catégories de trains ; elle n'a pas non plus été prévue pour les trains de voyageurs habituels, qui en raison de leur masse et des possibilités des locomotives ne peuvent circuler que sur des voies ferrées aux pentes modérées. Les forts pourcentages ne posent ici pas de problème en raison de l'excellent rapport entre le tonnage des rames et la puissante capacité de traction ; les déclivités sont même un atout qui permettent aux T.G.V. de dévaler depuis certains points hauts sans consommer d'énergie électrique.
Toujours est-il qu'un semblable tracé a nécessité la construction de nombreux ouvrages d'art.

Comme le taux de 35 mm/m constituait la limite acceptable de sévérité des pentes, les inégalités de la topographie ont été atténuées grâce au creusement de profondes tranchées ou, à l'inverse, l'édification de hauts remblais ; les uns et les autres dépassent parfois 30 mètres de profondeur ou d'élévation. Si dans ces conditions la construction de tunnels a pu être évitée, ce qui représente l'une des originalités de la ligne nouvelle, en revanche celle-ci est jalonnée par 494 ponts et neuf viaducs. Ce pullulement s'explique aisément et d'abord par la densité du réseau hydrographique : la voie ferrée ne doit franchir que deux cours d'eau importants, la Seine près de Montereau et la Saône près de Mâcon ; mais près de 90 ponts ont dû être lancés au-dessus de multiples petites rivières qui serpentent dans le massif du Morvan ou les monts du Mâconnais en particulier, ou s'en échappent. Par ailleurs le respect du principe de l'absence de tout passage à niveau, pour d'évidentes raisons de sécurité, a entraîné l'édification de très nombreux passages inférieurs ou supérieurs, afin de ne pas perturber la structure et le fonctionnement du réseau routier. Les bâtisseurs, tournant le dos à la technique des ouvrages d'art métalliques, ont délibérément choisi le béton, soit précontraint, soit armé ou en poutrelles enrobées. Ils ont aussi voulu qu'en raison de la très grande vitesse des trains le style de construction et les normes retenues garantissent une large marge de sécurité et un entretien sans problème majeur ; aussi l'allure générale de ces ponts et viaducs, sobre et harmonieuse, est-elle également massive.
L'équipement technologique de la ligne nouvelle tient lui aussi largement compte du haut niveau des exigences de l'exploitation.

DES INSTALLATIONS ET UN MATÉRIEL A LA POINTE DU PROGRÈS

Dans les divers domaines de la voie, des équipements électriques et de la signalisation se retrouvent des éléments traditionnels et des conceptions largement révolutionnaires.

C'est ainsi que la nouvelle ligne, à double voie, construite en site propre entre Lieusaint et Sathonay, est reliée solidement au réseau classique : au nord, grâce aux sauts-de-mouton édifiés à Lieusaint, près de Combs-la-Ville, le flot des T.G.V. et les rafales des autres trains se mélangent harmonieusement sur le tronçon terminal aboutissant à la gare de Paris-Lyon ; au sud l'axe des T.G.V. rejoint à Sathonay la ligne Bourg-Lyon, qui l'amène directement à la gare de Lyon-Part-Dieu. Mais plusieurs raccordements favorisent la liaison avec les artères anciennes : la jonction Pasilly-Montbard permet au T.G.V. Bourgogne-Franche-Comté-Lausanne de gagner Dijon

en rejoignant la ligne classique ; à Mâcon une autre dérivation a été créée pour la desserte de Genève et des Alpes du Nord ; enfin à Saint-Florentin et Mâcon les échanges sont possibles pour des détournements inopinés de mouvements réutilisant la ligne classique Paris-Lyon, de façon partielle. Deux autres raccordements non électrifiés ayant servi pour les travaux de construction, ont été maintenus à Montereau et Montchanin, pour des interventions de secours ou pour l'acheminement de trains de travaux de maintenance, ceux-ci utilisant bien entendu également les connexions précitées.

La voie est de type tout à fait classique. En effet le rail adopté, qui pèse 60 kg au mètre est le plus lourd déjà utilisé sur les lignes de la S.N.C.F. ; les traverses sont mixtes, en fer et en béton, tandis que le ballast est semblable à celui des artères anciennes, seulement un peu plus épais. La soudure systématique des rails entre eux représente pour les voyageurs une source de confort d'autant plus appréciée que les vitesses sont très élevées. En raison de cette extrême rapidité des trains, et pour éviter toute perturbation lors de croisements qui représentent une vitesse relative se situant aux environs de 540 kilomètres à l'heure, l'écartement des deux voies est supérieur aux normes habituelles d'environ 70 centimètres, avec un entre-axe de 4,20 mètres.

La ligne nouvelle est naturellement dotée de nombreux appareils de voie. Aux deux extrémités ils la relient aux artères anciennes et sont à l'origine des divers raccordements ; ils commandent aussi les voies de service et les voies d'évitement, ou encore permettent aux convois de passer en pleine ligne d'une voie principale sur l'autre. Ces aiguillages présentent deux particularités : ils doivent permettre le passage à grande vitesse des trains sur chacune de leurs branches ; aussi chaque appareil, très allongé, offre-t-il en voie déviée un très grand rayon de courbure (tg 0,0218 ou tg 0,0154) qui permet un franchissement à respectivement 160 et 220 km/h et donc un écoulement tout-à-fait fluide du trafic. Par ailleurs le cœur de chaque aiguillage est mobile, c'est-à-dire que le hiatus habituel générateur de choc, de bruit et d'usure est ici supprimé : la mobilité de lames d'aiguilles semblables à celles qui équipent la pointe des appareils assure une totale continuité de roulement, et donc augmente le confort des voyageurs tout en ménageant le matériel.

Les aiguilles de la ligne nouvelle : en haut à gauche, une aiguille à cœur mobile, pouvant être prise à 160 km/h en voie déviée. Ci-dessus et ci-contre, appareils de dérivation amovibles, pour la desserte des sous-stations. Trente minutes à une heure suffisent pour le montage du dispositif. Dans les deux cas, la continuité du chemin de roulement est assurée, grande vitesse oblige.

Ci-dessus, le remisage des TGV à Bercy-Conflans et, ci-contre, le levage simultané, aux ateliers de Villeneuve, de tous les éléments d'une rame TGV.

La commande d'ensemble des aiguillages, comme celle des signaux, fait appel à des techniques déjà connues et éprouvées, mais utilisées avec un esprit de système et des perfectionnements à une échelle jusqu'ici inconnue en France. Alors en effet que les sections terminales sur lignes anciennes, au nord de la bifurcation de Lieusaint et au sud de Sathonay, sont gérées par des postes d'aiguillages classiques, la totalité de la ligne nouvelle, longue de 390 kilomètres, est commandée par un P.A.R., poste d'aiguillage et de régulation, installé à Paris-Lyon. Cette forme très élaborée de commande centralisée du trafic s'explique par le jeu de plusieurs facteurs : la structure de la nouvelle artère est simple puisqu'elle n'est jalonnée que par deux gares, au plan peu compliqué, et ne comporte que peu de jonctions avec le reste du réseau ; par ailleurs les deux voies sont banalisées, c'est-à-dire utilisables dans les deux sens : la pleine efficacité de cette disposition et donc le meilleur écoulement du trafic ne peuvent être obtenus que par des responsables pouvant intervenir directement sur n'importe quel secteur de la ligne. Aussi le P.A.R. assume-t-il trois fonctions, manœuvre des aiguillages et des signaux, régulation d'ensemble de la circulation des trains, commande des sous-stations et de l'alimentation en énergie. Le dispositif s'étage en fait sur deux niveaux : sur le terrain l'appareillage électrique est concentré dans des bâtiments de type P.R.S, espacés d'une vingtaine de kilomètres environ. L'ensemble est télécommandé depuis le poste central de Paris-

Lyon : un gigantesque tableau de contrôle optique permet de visualiser à tout instant non seulement la position de tous les aiguillages et signaux de la ligne, mais encore la progression de chaque train, représentée par un numéro s'inscrivant dans une série de fenêtres qui correspondent chacune à un canton. L'informatique est à la base de ce "suivi des trains" : l'ordinateur est capable de gérer seul l'ensemble du trafic ; il décèle immédiatement les moindres retards et, grâce à une imprimante, informe le régulateur. En cas de besoin la commande manuelle peut dans le P.A.R. se substituer à la gestion informatisée de la circulation : il est également possible de diriger celle-ci à partir des divers P.R.S., en commande locale.
L'espacement des trains sur la ligne nouvelle est assuré par un type particulièrement élaboré de block automatique. Chaque canton est protégé, non pas par les signaux implantés en pleine voie, de style nouveau mais qui en raison de la vitesse des convois ne peuvent jouer un grand rôle et sont surtout des repères, mais par des indications données à l'intérieur même des cabines de conduite des T.G.V. La souplesse de l'écoulement du trafic et sa sécurité sont encore augmentés par la systématisation de la radio sol-train : à tout instant le régulateur peut entrer en contact avec n'importe lequel des conducteurs des bolides oranges.
Ainsi la commande centralisée du trafic sur l'axe du T.G.V. sud-est représente-t-elle la réalisation la plus moderne, la plus perfectionnée et la plus géographiquement étendue qu'il soit désormais possible de déceler sur l'ensemble de notre réseau. Elle est, comme l'alimentation en énergie, à la mesure de la nature du trafic.

Lors des premières études concernant la création d'une ligne nouvelle entre Paris et Lyon, son exploitation par turbotrains avait été envisagée. Après avoir peu à peu cheminé l'idée de l'électrification s'est finalement imposée en 1974, à cause du nouveau contexte énergétique créé par le premier choc pétrolier, caractérisé par une brutale élévation du coût du carburant et des risques accrus de difficulté d'approvisionnement ; ont joué aussi les perspectives supérieures qu'elle offrait dans les domaines de la puissance et de la vitesse.
En raison de son succès sur l'ensemble du réseau c'est le courant monophasé 25 kV 50 Hz qui a été choisi ; il connaît ici une éclatante consécration.
Sur le terrain les équipements sont adaptés aux caractéristiques de la ligne T.G.V. ; il faut par exemple pouvoir assurer une puissance de 135 000 Kw le vendredi vers 19 heures, moment où sont dénombrés simultanément une trentaine de circulations composées le plus souvent de 2 rames couplées. Aussi les caténaires et leurs supports, les lignes d'alimentation à très haute tension, les sous-stations ont elles été spécialement étudiées. Mais ces équipements sont classiques dans leur principe. De même, comme pour la signalisation, la commande centralisée directe depuis le P.A.R. de Paris-Lyon, qui s'étend à la totalité de la ligne nouvelle, trouve un champ d'application particulièrement vaste. La concentration de tous les moyens de contrôle et d'action en un seul lieu permet, lors des périodes de pointe ou en cas d'incident en particulier, de gérer le plus efficacement la circulation des trains, en utilisant de manière maximale les potentialités de l'artère T.G.V.

Intérieur du poste d'aiguillages et de régulation de Paris-Lyon, ayant en charge la ligne nouvelle Paris-Sud-Est.

Si les nouvelles rames oranges ont une allure et roulent à des vitesses révolutionnaires, la conception des engins de traction, elle, peut être considérée comme classique. La mise en service des premières rames, en 1981, a en effet été l'aboutissement d'une douzaine d'années de recherches méthodiques, s'appuyant elles-mêmes sur une expérience antérieure particulièrement riche dans le domaine de la grande vitesse, marquée entre autres par le prestigieux record du monde de 1955. Le service est actuellement assuré par 109 rames, construites par la Société Alsthom et le groupement d'intérêt économique Francorail dans une série d'usines réparties dans toute la France, et en particulier à Belfort, Aytré-La Rochelle, Tarbes, au Creusot. Chacune d'elles, composée de deux motrices qui encadrent huit remorques, offre 386 places assises, dont 111 en première classe. Comme deux rames peuvent circuler couplées, il est possible de former des trains capables de transporter chacun plus de 750 voyageurs.

La rame 16 aux Ateliers de Villeneuve, au lendemain du record de vitesse à 380 km/h, en février 1981.

Egalement à Villeneuve, le dispositif de descente en fosse et d'évacuation d'un bogie de motrice TGV, évitant d'avoir à dételer, puis lever, un élément isolé d'une rame pour une telle intervention.

Si la vitesse maximale en service commercial a été fixée à 260 puis 270 km/h, le plafond des possibilités des T.G.V. sud-est en ce domaine est loin d'être atteint puisqu'une rame de série a été en mesure de porter au début de 1981 le record mondial de vitesse sur rail à 380 km/heure. Il est du reste fortement envisagé d'élever la vitesse plafond à 300 km/heure au cours des toutes prochaines années, ce qui suppose une adaptation des rames elles-mêmes et de la signalisation.
Ces rames T.G.V. sont toutes bicourant puisqu'elles sont appelées à circuler, au-delà de la ligne nouvelle dotée du 25 Kv 50 Hz, sur des artères équipées, elles, en courant continu 1 500 volts. Neuf d'entre elles sont même tricourant, pour pouvoir rouler entre la frontière suisse, Lausanne et Berne sur le réseau helvétique électrifié en courant monophasé 15 Kv-16 2/3 Hz.

L'allure vite célèbre de ces trains témoigne d'une recherche poussée dans le domaine de l'esthétique, mais aussi de l'aérodynamisme afin de faciliter le plus possible une progression très rapide. Le confort des voyageurs est favorisé par les équipements intérieurs, sobres mais élégants et très fonctionnels, ainsi que par la qualité de la suspension, assurée par un châssis et des bogies adaptés aux vitesses pratiquées. Le fait que sur un même bogie reposent deux extrémités de caisses confère d'appréciables avantages aux plans de la tenue de ligne et du confort. Celui-ci a du reste été amélioré par application progressive de la suspension pneumatique représentant un plus notable.
L'entretien et la maintenance d'un matériel roulant aussi nouveau et performant ont été conçus hors des normes habituelles.

C'est ainsi que le dispositif retenu tient compte de la nécessité d'obtenir la rotation la plus rapide des rames. Aussi de nombreuses opérations de contrôle, de nettoiement, de petites réparations et mises au point peuvent être effectuées en gare de Paris-Lyon même, grâce à des aménagements spéciaux, comme des fosses de visite et des quais de service, réalisés sur les voies situées le plus à l'est de l'ancienne gare arrivée ; ainsi, pour peu que leur séjour en gare dure au moins 40 minutes, beaucoup de rames sont préparées sur place pour leur course suivante, sans perte de temps ni parcours à vide. Les examens et interventions plus poussés ont comme théâtre le chantier de Paris-Conflans.
Installé aux portes même de la capitale, non loin de la gare de Lyon, il est doté de plus d'une quarantaine de voies de garage et de service, parfois sur fosses, parfois couvertes pour faciliter le travail d'atelier. Sa mise en place a entraîné le report progressif sur Villeneuve-Saint-Georges des opérations d'entretien des rames de voitures classiques.

Les emprises de Villeneuve ont également été mises à contribution pour le traitement des rames T.G.V. : des ateliers complètement restructurés prennent en charge les travaux à périodicité égale ou supérieure au mois, ceux qui immobilisent le matériel plus d'une demi-journée ou qui exigent des moyens techniques particuliers.
Enfin le rôle des ateliers de Bischheim, près de Strasbourg, a déjà été évoqué : ils doivent assurer les interventions les plus lourdes, les réparations les plus importantes, les grandes révisions, ainsi que les modifications ou transformations éventuelles.
L'ensemble de ce réseau de maintenance, à quatre niveaux, permet d'utiliser de manière très rentable des rames au coût élevé : grâce à son efficience et à sa souplesse chacune d'elle peut parcourir annuellement près d'un demi million de kilomètres.

Ces T.G.V. desservent des gares anciennes. Beaucoup d'entre elles, dans le cadre de la rénovation générale des locaux accueillant le public, ont bénéficié des améliorations indispensables pour donner une image moderne et cohérente du nouveau service offert aux voyageurs. Un exemple spectaculaire est fourni par la gare de Paris-Lyon, dont les installations sont maintenant à la fois plus fonctionnelles et d'un style actualisé. Par ailleurs le T.G.V. s'est trouvé directement à la source de la construction de la gare de Lyon-Part-Dieu, à proximité immédiate de celle des Brotteaux, et fréquentée également par les trains express et rapides classiques qui tissent un très dense écheveau de correspondances.
C'est sur la section neuve de l'itinéraire Paris-Lyon qu'ont été édifiées deux gares intégralement nouvelles, au Creusot-Montceau-Montchanin et à Mâcon. Elles se caractérisent par les dimensions mesurées des bâtiments, leur élégance sobre, leur adaptation aux besoins des clients des T.G.V., sans vain apparat ni recherche du grandiose. Elles témoignent ainsi du souci d'intégrer le mieux possible les installations nouvelles dans le cadre ancien.
Non seulement en effet l'architecture des gares mais aussi celle des ouvrages d'art ont été étudiées afin de sauvegarder l'environnement. D'une manière plus générale la ligne nouvelle a été tracée loin des agglomérations, dans des régions le plus souvent très peu peuplées : aussi les nuisances sonores sont-elles limitées. D'autre part les paysages ont moins souffert des couloirs dégagés pour l'artère T.G.V. que des saignées exigées par les autoroutes, dont les emprises sont au moins trois fois plus larges. Du reste, en plus de la recherche d'un engazonnement maximal des abords de la double voie, la patine au fil des ans va atténuer les contrastes de couleurs et fondre peu à peu les remblais et tranchées dans le milieu ambiant ; l'osmose doit être ainsi facilitée entre un axe ferroviaire brusquement surimposé et des sites comptant souvent parmi les plus anciens et les plus beaux du pays, dans le Morvan et le Mâconnais entre autres.

Dès 1981 la S.N.C.F. a tiré le meilleur parti de la mise en service, même partielle, de la ligne nouvelle et du lancement des rames T.G.V., en mettant au point une desserte totalement révolutionnaire du quart sud-est de la France. Très rapidement le succès s'est affirmé.

LE T.G.V. SUD-EST : UNE TRÈS GRANDE RÉUSSITE COMMERCIALE

En 1988 les rames T.G.V. ont transporté plus de 18 000 000 de voyageurs, c'est-à-dire près de 50 000 par jour. Ces flux représentent plus de 22% des kilométrages parcourus annuellement par les clients des grandes lignes de la S.N.C.F. Par rapport à 1987 la progression a été de près de 7% supérieure à celle de l'ensemble du trafic des voyageurs, légèrement inférieure à 6%. En fait ces données numériques s'inscrivent dans le contexte d'un essor constant et spectaculaire qui se traduit sur la carte puisque dès maintenant les bolides orangés se rencontrent loin du cadre initialement prévu, à Béziers et à Nice, à Rouen et à Lille !

La structure du service offert actuellement aux voyageurs explique, après l'engouement des débuts, la permanence du succès et la rapide progression du trafic. La carte ci-contre amène à formuler en effet des constats très significatifs.

La révolution principale réside dans la spectaculaire amélioration des temps de parcours entre la capitale et les grandes villes du quart sud-est, grâce aux très grandes vitesses (270 km/h) pratiquées sur la ligne nouvelle et aux progrès enregistrés sur les divers prolongements. C'est ainsi que sur l'axe majeur Lyon se retrouve à deux heures de Paris, Marseille à 4 h 40, Nice à 7 heures ; sur les artères adjacentes l'effet T.G.V. est également sensible puisque désormais Besançon est à moins de 2 h 30 de la capitale, Lausanne à moins de 3 h 45, Grenoble à seulement 3 h 12.

Par rapport à la desserte d'avant le T.G.V., marquée pourtant par l'existence d'excellents trains rapides, les gains de temps sont vraiment impressionnants : de trois-quarts d'heure environ entre Paris et Dijon, ils passent à une heure trois-quarts entre Paris et Lyon, à près de deux heures entre Paris et Marseille, à plus de deux heures entre Paris et Grenoble, Annecy ou Genève, à deux heures trente entre Paris et Nice... Le progrès proportionnellement le plus spectaculaire est relevé à Montchanin, en raison du passage de la ligne nouvelle, alors que le bassin du Creusot était à l'écart des grandes lignes classiques : le gain de temps dépasse 60% !

Une autre caractéristique importante est la densité de la desserte quotidienne : dans chaque sens, en moyenne, plus d'une vingtaine de circulations T.G.V. relient Paris et Lyon ; dans la mesure où les départs entre 6 heures et 22 heures ont lieu à peu près chaque heure il est permis d'évoquer un véritable service cadencé. Entre la capitale et Marseille, dans la journée, les intervalles séparant deux départs sont au plus de l'ordre de 2 h 30.

Le réseau T.G.V. est avant tout conçu, au plan des horaires, en fonction de la capitale ; il ne favorise donc pas beaucoup les échanges entre les principales cités rhodaniennes, alpines et méditerranéennes, d'autant plus que les rames doivent alors rouler sur les lignes anciennes. Mais l'impact du nouveau service a été tel qu'au fil des ans les trajets des T.G.V. ont été prolongés jusqu'à Béziers, jusqu'à Toulon et à Nice alors qu'initialement ils ne devaient pas dépasser Marseille.

Page ci-contre, deux rames Paris-Sud-Est accouplées en unités multiples (UM) sur la ligne nouvelle Paris-Lyon.

Ci-dessus : dix ans après son lancement, le TGV Paris-Sud-Est commence à connaître des phénomènes de saturation ; ici, affluence à Paris-Lyon en attente de la mise à quai d'un TGV.

Illustrant l'aptitude du TGV à poursuivre ses parcours sur les lignes anciennes cette rame sur la ligne de la Riviera, en attendant le prolongement des infrastructures à grande vitesse jusqu'en Provence.

PRINCIPAUX FLUX DE VOYAGEURS DE GRANDES LIGNES DANS LE QUART SUD-EST (1986-1987)

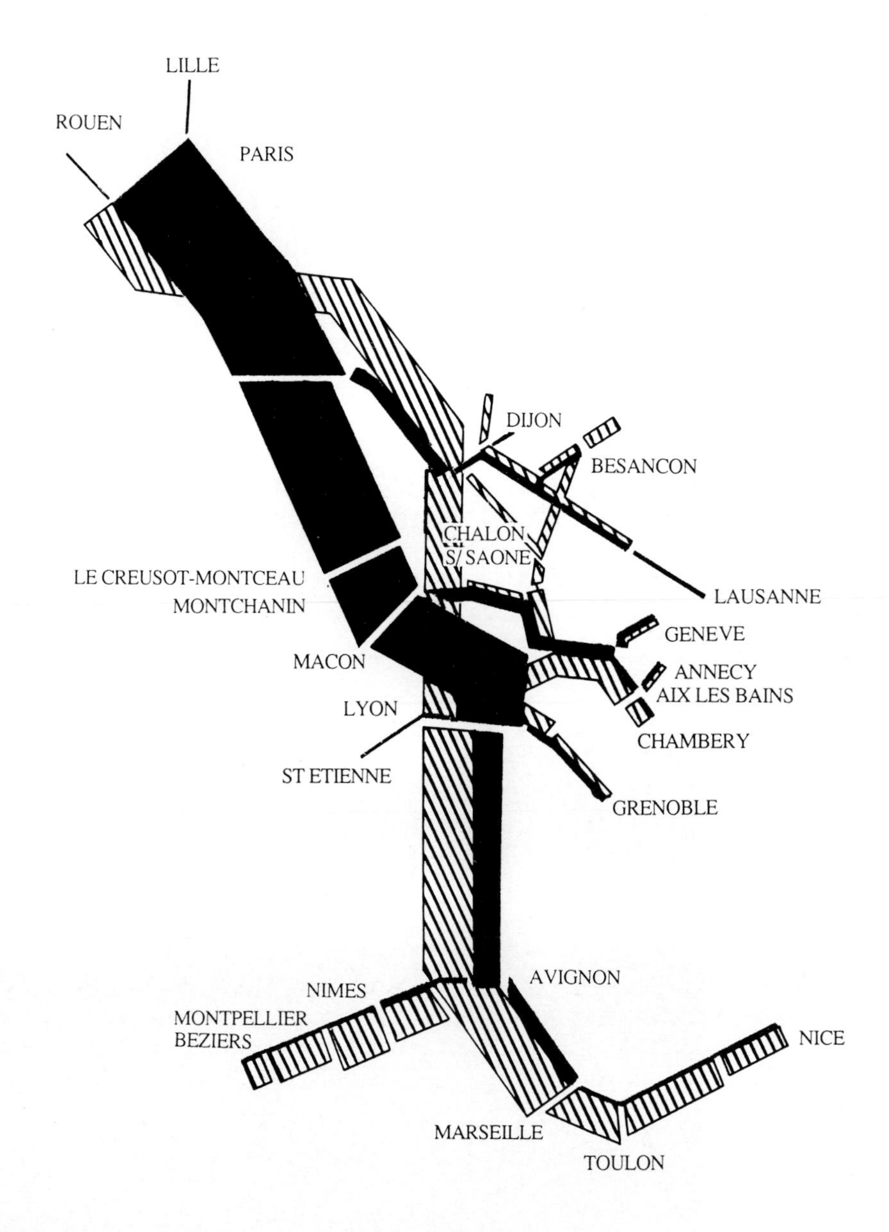

nombre moyen de voyageurs transportés chaque jour, les deux sens réunis

par trains classiques, rapides et express

par TGV

10 000 voyageurs

20 000 voyageurs

Rapidement, face à un succès dépassant les prévisions les plus optimistes, l'idée a jailli de faire circuler les T.G.V. hors du quart sud-est pour assurer des liaisons à très grande distance. Ainsi à partir de 1984 ont été créées des relations entre Lille et Lyon, prolongées parfois jusqu'à Grenoble, et entre Rouen et Lyon ; elles se caractérisent par une très grande rapidité des rames, qui roulent sur des artères classiques performantes avant de contourner la capitale par la Grande Ceinture malheureusement très encombrée et peu rapide, et d'aborder la ligne nouvelle. Lille se retrouve désormais à moins de 4 h 30, Rouen à moins de 4 heures de la métropole lyonnaise. D'ores et déjà ce type de liaison peut être considéré comme l'amorce d'un réseau T.G.V. interconnecté à l'échelle nationale.

Le rapprochement des cités grâce à la grande vitesse ferroviaire, la fréquence des trains, leur confort, les avantages de la réservation électronique des places, l'enrichissement de la trame des relations très au-delà des abords de la ligne nouvelle expliquent que de 1982 à 1989 le nombre de voyageurs montant dans les rames T.G.V. ait spectaculairement progressé de plus de 300%.

Cet important gain de trafic a été obtenu dans le contexte d'abord d'une modification des flux internes à la S.N.C.F. : par exemple les quelques trains de nuit traditionnels, qui subsistent, ont perdu une partie de leur clientèle, et leur trame a d'ailleurs été simplifiée. Par ailleurs, comme il fallait s'y attendre, les T.G.V. ont progressé au détriment de la route et surtout des lignes aériennes, en particulier de celles de la Compagnie Air-Inter. Certes, malgré le sensible racourcissement du temps de trajet ferroviaire, celui-ci reste dans tous les cas de figure supérieur à la durée du voyage aérien. Mais d'une part le coût des billets respectifs place le rail en position favorable, d'autre part les T.G.V. amènent à Paris, Lyon ou Marseille les voyageurs au cœur des villes, alors que la durée des trajets initiaux et terminaux entre la capitale et Orly, Lyon et Satolas, Marseille et Marignane pénalise le transport aérien. Bien entendu c'est lorsque le voyage ferroviaire ne dépasse pas trois heures que la concurrence joue le plus en faveur du rail ; ainsi le trafic de la compagnie Air-Inter a-t-il nettement décliné entre Lyon et Paris puisqu'il lui est difficile, pour un prix supérieur, de garantir aux usagers potentiels un voyage d'une durée de l'ordre seulement d'un peu plus de deux heures entre la place Bellecour et celle de la Concorde ! Mais même sur la clientèle marseillaise les prestations offertes par les T.G.V. exercent une attraction indiscutable, dans la mesure où par exemple un homme d'affaires phocéen peut, en se levant à une heure matinale mais normale, honorer un rendez-vous parisien fixé en fin de matinée.

Les divers sondages réalisés montrent enfin que le T.G.V., par le choc psychologique qu'il a créé, grâce en partie à une excellente médiatisation, a suscité dans diverses couches de la population un besoin accru de transport, aussi bien pour les loisirs, les études ou la vie professionnelle : une partie de sa clientèle est donc neuve, non arrachée aux autres modes de transport.

L'effet T.G.V. a entraîné un spectaculaire accroissement général du trafic de grandes lignes des voyageurs sur les principaux axes du quart sud-est du pays. C'est ainsi qu'entre 1972 et 1989 les flux globaux ont augmenté de plus de 30% entre Tarascon et Marseille, de plus de 50% entre Lyon et Tarascon, tandis qu'entre Paris et Lyon ils ont plus que doublé. A l'écart de l'axe majeur les répercussions sont sensibles : sur la section Dijon-Dôle, commune aux courants Paris-Lausanne et Paris-Besançon, la progression a dépassé 40% ; elle a atteint près de 100% sur le tronçon Ambérieu-Culoz qui assure la liaison entre Paris, Genève et la Savoie.

Mais il serait erroné de croire que les T.G.V. bénéficient d'une situation de monopole dans le sud-est du pays. Pour plusieurs raisons en effet un dense service de trains classiques subsiste. D'abord la longueur des itinéraires implique le maintien des relations de nuit, avec wagons-lits et wagons-couchettes, par exemple entre Paris et Marseille, Paris et Nice, Paris et la Savoie ; cela même si une partie de leur clientèle s'est rabattue sur les liaisons T.G.V. de soirée et de matinée ; or les T.G.V. ne sont absolument pas prévus pour les trajets nocturnes. Par ailleurs les artères du sud-est sont parcourues par des trains établissant des relations régulières que les T.G.V. ne peuvent assurer, comme entre Paris et l'Italie, la Lorraine, la Champagne, l'Alsace et la Côte d'Azur, ou par des convois à vocation particulière comme ceux qui transportent les clients d'agences de voyage.

La carte montre de manière évidente à la fois l'impact des T.G.V. et l'ampleur des flux de voyageurs qui s'écoulent grâce aux autres trains. Les courants T.G.V. l'emportent très nettement entre la capitale et Lyon, avec plus des trois quarts du total, entre Dijon et la Suisse, entre Paris et Genève. Mais ils sont minoritaires entre Paris et la Savoie, entre Lyon et la Côte d'Azur : ils s'atténuent progressivement en s'éloignant de la métropole rhodanienne pour devenir très discrets au-delà de Marseille. Le fait qu'actuellement les voyageurs circulant entre Paris et la grande cité phocéenne utilisent pour près du tiers d'entre eux les T.G.V. peut être interprété aussi bien comme le signe de la vitalité et du succès des trains à grande vitesse, que comme la persistance de puissants courants de trafic acheminés de manière traditionnelle. Il est vrai que dans la vallée du Rhône ou dans la plaine de la Crau, sur des lignes donc anciennes, la différence n'est pas forcément considérable, à tous points de vue, entre les prestations assurées par les bolides oranges et les trains Corail.

Même si à l'avenir les deux grandes familles de trains sont appelées à coexister encore, l'élan des T.G.V. est tel que leur nombre et les flux de voyageurs qu'ils transportent ne peuvent que croître dans l'absolu et proportionnellement. Ainsi l'électrification de la ligne de la Tarentaise favorise leur pénétration au cœur des Alpes du nord, en particulier lors de la saison des sports d'hiver. Le succès est tel que depuis plusieurs années a été clairement posée la question de l'amélioration de leur mode d'acheminement au-delà de Lyon. D'ores et déjà a été décidé le contournement par l'est de la métropole lyonnaise : la nouvelle rocade ferroviaire se débranchera

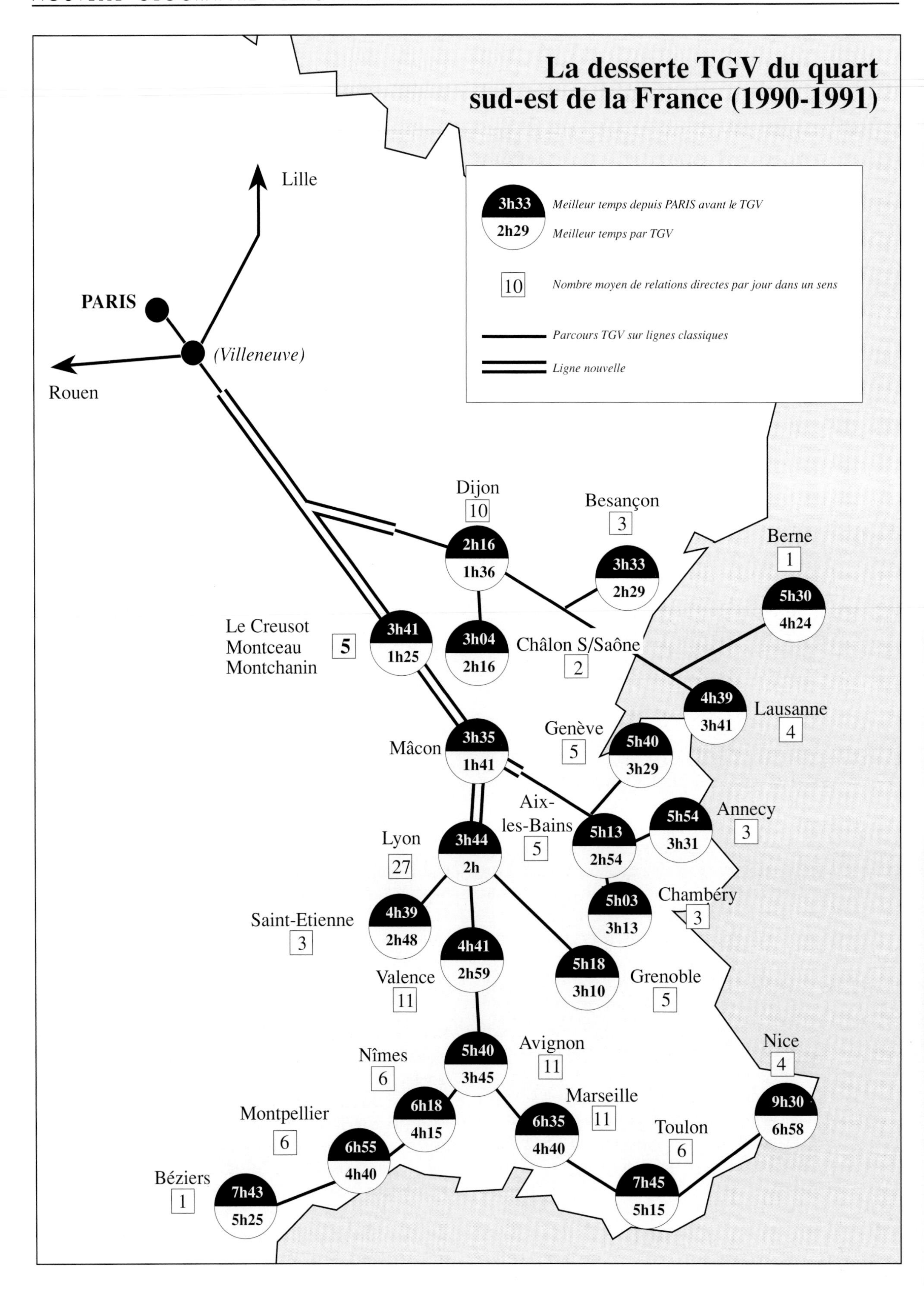
La desserte TGV du quart sud-est de la France (1990-1991)
3h33 Meilleur temps depuis PARIS avant le TGV
2h29 Meilleur temps par TGV
10 Nombre moyen de relations directes par jour dans un sens
Parcours TGV sur lignes classiques
Ligne nouvelle
Lille
PARIS
(Villeneuve)
Rouen
Dijon 10 2h16 1h36
Besançon 3 3h33 2h29
Berne 1 5h30 4h24
Le Creusot Montceau Montchanin 5 3h41 1h25
3h04 2h16 Châlon S/Saône 2
Lausanne 4 4h39 3h41
Genève 5 5h40 3h29
Mâcon 3h35 1h41
Aix-les-Bains 5 5h13 2h54
Annecy 3 5h54 3h31
Lyon 27 3h44 2h
Chambéry 3 5h03 3h13
Saint-Etienne 3 4h39 2h48
Valence 11 4h41 2h59
Grenoble 5 5h18 3h10
Nîmes 6 6h18 4h15
Avignon 11 5h40 3h45
Nice 4 9h30 6h58
Montpellier 6 6h55 4h40
Marseille 11 6h35 4h40
Toulon 6 7h45 5h15
Béziers 1 7h43 5h25

La pointe des vacances de Pâques à la gare de Lyon : les TGV vont se succéder en rafales en direction du sud-est.

de la ligne actuelle près de Sathonay, desservira l'aéroport de Satolas et rejoindra la ligne actuelle au nord de Valence ; elle permettra aux T.G.V. reliant directement Paris à Marseille, Montpellier, Béziers, Toulon et Nice d'éviter la traversée délicate du carrefour ferroviaire lyonnais, en gagnant une trentaine de minutes à partir de 1994.

De plus, grâce à la construction à Saint-Quentin-Fallavier, d'un couple de raccordements entre la L.G.V. Rhône-Alpes et la ligne classique Lyon-Grenoble, les T.G.V. Paris-Chambéry et Paris-Grenoble gagneront 15 minutes dès 1992. A l'inverse, les TGV desservant Lyon et poursuivant vers le Sud, pourront eux aussi bénéficier de la L.G.V. jusqu'à Valence avec gain de temps de 15 minutes par rapport au tracé tortueux de la vallée du Rhône.

Mais il faut sans doute aller au-delà et évoquer la perspective du prolongement jusqu'à la Méditerranée de la ligne à grande vitesse. En effet la liaison ferroviaire Lyon-Marseille est actuellement assurée par les deux lignes, à double voie et électrifiées, qui encadrent le Rhône et se recoupent à Avignon et à Miramas ; elles représentent à peine la capacité d'une artère quadruplée, dans la mesure où les reports de circulation entre les deux voies de même sens ne peuvent s'effectuer aussi aisément que lorsque celles-ci sont côte à côte ; de plus au-delà de Miramas la ligne tracée par Port-de-Bouc ne pourra jamais supporter un trafic important en raison de la lourde sujétion représentée par le viaduc tournant de Caronte. Or la construction très probable en Espagne, depuis la frontière, d'une ligne T.G.V. à l'écartement normal, desservant en premier lieu la Catalogne avant d'atteindre Madrid et Séville, doit apporter un supplément notable de trafic dans la vallée du Rhône, avec le passage des nouveaux flux Paris-Barcelone et Allemagne-Suisse-Espagne, entre autres. Aussi est-il à la fois enthousiasmant et raisonnable de songer à une ligne nouvelle sillonnant la vallée du Rhône avec deux branches se séparant au nord d'Avignon, l'une se dirigeant vers le Languedoc, l'autre vers Aix-en-Provence, la Côte d'Azur avec antenne vers Marseille : acheminant exclusivement et dans les meilleures conditions les T.G.V., elle garantirait des liaisons très rapides entre Paris, le centre et le nord-est du pays d'une part, les grandes cités méditerranéennes, françaises et espagnoles de l'autre, tout en désengorgeant les deux artères actuelles.

Le projet dénommé T.G.V. Méditerranée, en cours de mise au point, suscite de nombreuses réactions défavorables des populations des contrées susceptibles d'être traversées. Il faut espérer que des compromis, satisfaisants pour tous, pourront être dégagés pour entamer sous peu les procédures officielles du dossier d'enquête préalable à la déclaration d'utilité publique.

En 1990 les prestations offertes aux voyageurs dans le quart sud-est du pays représentent une vraie révolution par rapport à ce qu'elles étaient dix ans plus tôt. La dynamique du succès est telle que les stimulants que sont la proximité des jeux olympiques d'hiver en Savoie, les initiatives espagnoles dans le cadre de l'extension de la communauté européenne, doivent se traduire rapidement par de nouvelles et spectaculaires améliorations.

Dans cet esprit la mise en service du T.G.V. Atlantique ne peut que favoriser, par ricochet, la poursuite du développement du T.G.V. sud-est.

Le TGV Atlantique à 300 km/h sur "sa" ligne, entre Massy et Auneau.

LE T.G.V. ATLANTIQUE

En 1990 l'ouest et le sud-ouest du pays ont été à leur tour secoués par une véritable révolution dans le domaine ferroviaire : grâce à l'ouverture d'une ligne nouvelle à deux branches parcourue par des rames bleues et argentées, Bordeaux se retrouve en septembre 1990 à 2 h 58 de la capitale, Rennes à 2 h 04 et Nantes à 1 h 59 seulement ; le gain de temps est de l'ordre d'une heure !

Aboutissement lui aussi d'études longues et précises, de travaux imposants, le T.G.V. Atlantique représente la réponse à des besoins économiques impérieux. Il offre des analogies avec son aîné du Sud-Est, mais aussi de sensibles différences.

LES ORIGINES

C'est vers 1975, autrement dit bien avant la mise en service du T.G.V. Sud-Est, qu'est née l'idée du T.G.V. Atlantique. A partir de 1981 sa mise en œuvre a été rendue de plus en plus indispensable par le succès éclatant de la première génération.

Trois éléments ont été déterminants :

D'abord les artères qui depuis la capitale s'élancent vers les grandes cités de l'ouest et du sud-ouest de la France étaient à certaines heures saturées : plus de 100 trains, les deux sens réunis, roulent en moyenne quotidienne entre Paris et Le Mans, 140 entre Les Aubrais et Saint-Pierre-des-Corps, près de 230 entre Paris et Les Aubrais : or au-delà de la banlieue parisienne aucune de ces lignes ne comporte de sections équipées de plus de 3 voies longues de plus de quelques kilomètres. L'extrême diversité des convois et donc des vitesses posait depuis longtemps de sérieux problèmes pour l'acheminement dans les meilleures conditions des trains rapides et express.

Par ailleurs la partie du territoire incluse entre la région parisienne, la Bretagne et l'ouest des Pyrénées n'est certes dominée par aucune métropole de la taille de Lyon ou Marseille. Mais elle est recouverte par un réseau urbain dense et hiérarchisé : 40 agglomérations comptent au moins 20 000 habitants ; parmi elles douze atteignent 100 000 habitants, tandis que les ensembles urbains de Rennes, Nantes et Bordeaux comptent respectivement plus de 300, 500 et 800 000 habitants : aussi à partir de l'important trafic actuel le chemin de fer pouvait-il espérer progresser sur un marché de cette dimension, sur des itinéraires d'une longueur suffisante pour

La plate-forme de Gallardon : une aubaine pour le TGV Atlantique. En comparant ces deux vues, on voit nettement que la place était disponible pour le TGV... depuis 1934. Massy-Palaiseau : 1978 et 1991.

Entre Courtalain et Tours, la ligne nouvelle avait un tracé suffisamment rectiligne pour que l'on arrive à y dépasser les 500 km/h lors du record du monde de mai 1990.

valoriser la grande vitesse ferroviaire, mais pas assez allongés pour que l'avion ne puisse être sérieusement concurrencé. Enfin il paraissait depuis longtemps nécessaire, surtout dans la perspective de l'entrée de l'Espagne et du Portugal dans la Communauté Européenne, de permettre à l'ensemble des grands trains de voyageurs sillonnant l'ouest et le sud-ouest atlantique du pays de gagner dans la capitale une grande gare moderne, à la fois vaste, agréable et fonctionnelle : point d'arrivée de l'artère de Bordeaux, la gare d'Austerlitz ne pouvait répondre à cette demande ; celle de Montparnasse, en revanche, a très tôt semblé convenir à une telle valorisation du voyage ferroviaire dans le contexte de la création, bien sûr, d'une ligne nouvelle.

LES INFRASTRUCTURES ET LES CARACTÉRISTIQUES TECHNIQUES

Le réseau du T.G.V. Atlantique, dans sa conception générale, se rapproche de celui du T.G.V. sud-est dans la mesure où ses rames roulent elles aussi sur une artère intégralement neuve et sur les grandes lignes existantes. Mais sa structure est moins linéaire, avec depuis la capitale une disposition en éventail des axes desservis par les trains à grande vitesse, entre les radiales Paris-Brest et Paris-Bordeaux.

La ligne nouvelle proprement dite est en fait une artère double, en fourche. Elle a été conçue afin que soient totalement court-circuitées les liaisons Paris-Le Mans par Chartres et Paris-Tours par Les Aubrais. Aussi est-elle au départ de la capitale constituée d'un tronc commun long de 122 kilomètres, qui près de Courtalain se sépare en deux branches : l'une, longue de 78 kilomètres rejoint la ligne de Brest près du nœud ferroviaire du Mans ; l'autre, qui se développe sur 109 kilomètres, vient se souder à l'artère de Bordeaux quelques kilomètres au sud de Tours. Cette disposition en "Y" n'allonge en rien les distances à parcourir, en raison des tracés non rectilignes des deux artères anciennes.

Le nouvel axe offre de nombreuses ressemblances avec la ligne du T.G.V. Sud-Est. Lui aussi bénéficie de la double voie banalisée, de l'électrification en courant de 25 000 V/50 Hz ; de plus son tracé et son profil autorisent eux aussi les très grandes vitesses. Pourtant quelques différence se remarquent. C'est ainsi que l'artère "Atlantique" prend naissance beaucoup plus près de la gare parisienne tête de ligne puisqu'elle se détache des installations classiques à 6 kilomètres seulement de Paris-Montparnasse, à l'extrémité des emprises du chantier de Montrouge-Chatillon. La S.N.C.F. a profité avec beaucoup de bonheur de l'existence de la plate-forme, jamais utilisée jusque-là, de la ligne initialement projetée de Paris à Chartres par Gallardon : les T.G.V. peuvent traverser ce secteur très densément construit de la banlieue sud de la capitale sans qu'aient été nécessaires de coûteuses expropriations ; ainsi les bolides bleus et blancs peuvent atteindre beaucoup plus rapidement leur vitesse de pointe que leurs aînés du Sud-Est.

Ci-dessus : la ligne à grande vitesse Atlantique utilise le couloir de la ligne de Brétigny à Vendôme qu'elle suit ou recoupe à plusieurs reprises. Ci-dessous, les abords de Connerré où l'on voit nettement la réservation pour le futur prolongement de la ligne nouvelle.

Tracée à travers les plaines de la Beauce, les collines et plateaux du Hurepoix, du Perche et de la Touraine, la ligne nouvelle bénéficie d'un profil plus favorable que l'axe sud-est, dans la mesure où les rampes les plus dures ne dépassent pas le taux de 20 mm/m, ce qui est peu pour les T.G.V. ; encore faut-il préciser que sur le contournement de Tours-Saint-Pierre-des-Corps, susceptible d'être utilisé par des trains classiques, les pentes sont limitées à un taux de 8 mm/m. L'extrême modération générale de la topographie explique également le très grand rayon des courbes : toutes d'un rayon supérieur à 4 000 mètres, elles autorisent sur l'ensemble des voies nouvelles la vitesse maximale de 300 km/heure, contre seulement 270 km/heure pour la ligne Sud-Est.

Dans ces conditions la présence de quatre tunnels, qui représentent une longueur totale de 10 kilomètres, peut paraître paradoxale. Elle correspond en fait à deux nécessités : d'abord celle d'éviter de profondes et larges tranchées dans les premières dizaines de kilomètres au départ de Paris, où le relief est vallonné et où l'habitat est très dense ; ensuite celle de préserver le plus possible juste avant la traversée de la Loire le site du vignoble de Vouvray, dont les côteaux sont traversés en souterrain. Ce souci de préserver l'environnement a été d'autant plus marqué que par rapport à la ligne du T.G.V. Sud-Est, l'axe Atlantique court à travers des régions en moyenne plus peuplées et plus intensivement mises en valeur, en particulier au plan agricole. C'est ainsi que dans la mesure du pos-

La tête du dispositif de pose de la voie émerge du tunnel de Villejust en mai 1988 : direction Massy-Palaiseau.

Page ci-contre : les rails en barres longues destinés à la seconde voie sont déposés par un train spécialisé. Branche sud-ouest de la ligne nouvelle, mai 1988.

Ci-dessous : la voie provisoire sur la plate-forme de la ligne nouvelle, au sud de Villejust. Au fond, l'autoroute A 10, jumelée avec la voie ferrée sur des dizaines de kilomètres.

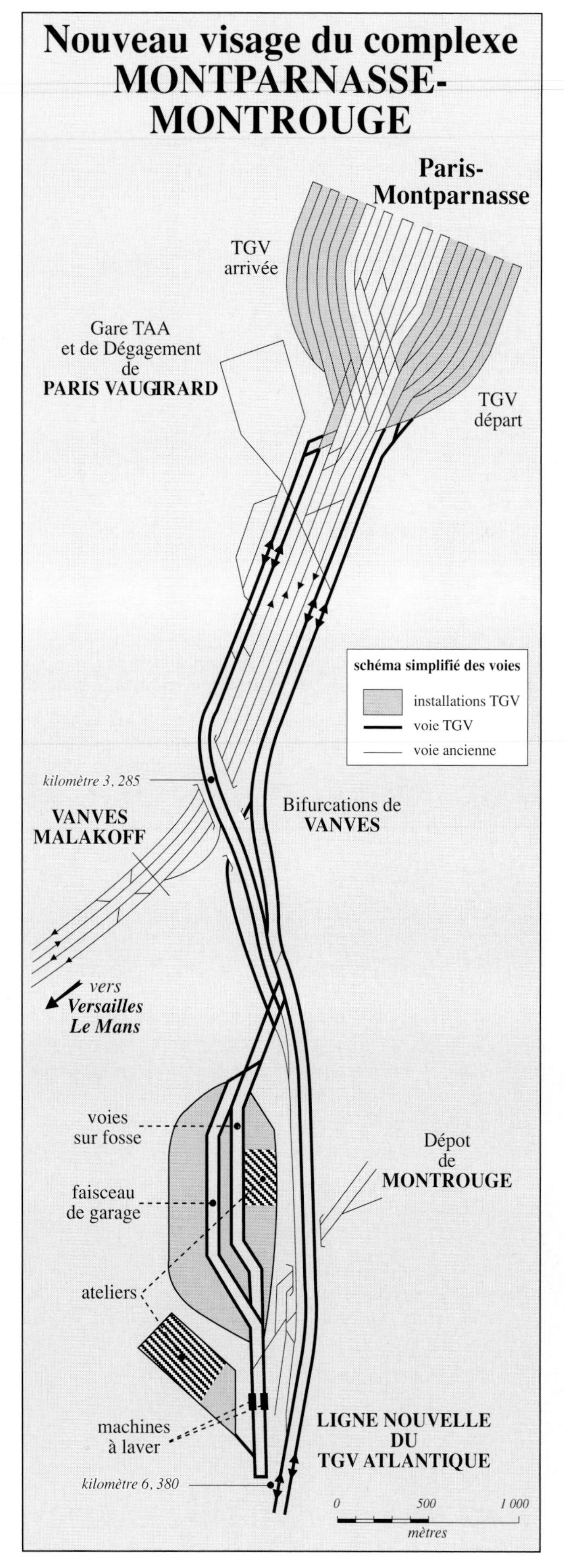

sible la voie ferrée nouvelle a été tracée à l'écart des agglomérations, qu'entre autres dans la région parisienne la couverture des tranchées, l'édification d'écrans phoniques doivent limiter le niveau des nuisances sonores.

De même sur un peu plus de 20 kilomètres, à la limite des départements des Yvelines et de l'Essonne, la ligne nouvelle longe l'autoroute A 10. Non seulement ainsi les acquisitions de terrains de haute valeur marchande ont-elles pu être réduites, mais encore sur cette distance, courte il est vrai, la création d'un nouveau corridor bruyant a-t-elle été évitée. Comment par ailleurs ne pas souligner l'intérêt publicitaire et l'excellent impact psychologique, pour le chemin de fer, d'une disposition qui entraîne le dépassement d'automobilistes éberlués par des bolides roulant à 300 km/heure, c'est-à-dire 170 km/h au moins au-dessus de leur propre vitesse autorisée !

En dehors des tunnels les grands ouvrages d'art sont peu nombreux : le pont le plus long, en béton, est celui qui à Vouvray traverse la Loire (387 m).

La fluidité, la rapidité et la sécurité du trafic sont assurées par des dispositions ayant fait leur preuve sur l'artère du T.G.V. Sud-Est. Se retrouvent en effet ici, systématiquement, la commande centralisée de la circulation depuis un P.A.R. (Poste d'Aiguillage et de Régulation) installé à Paris-Montparnasse, la liaison radio sol-train, la signalisation en cabine. 5 sous-stations pourvoient à l'alimentation en courant électrique.

La vitesse maximale autorisée, de 300 km/heure sur l'ensemble de la ligne nouvelle, est abaissée sur quelques sections ou en quelques points bien précis : les tunnels sont franchis à 260 km/h, tandis que le passage d'une voie banalisée sur l'autre s'effectue à 160 km/heure. Au cœur de la fourche la bifurcation de Courtalain, très spectaculaire en raison de la construction d'un saut-de-mouton destiné à éviter toute cisaillement à niveau des itinéraires, est la source d'un léger ralentissement puisque les trains de la branche Tours ne doivent rouler qu'à 270 km/heure, ceux de la branche Le Mans à 220 km/heure.

D'autres sauts-de-mouton ont été édifiés, en particulier aux points de jonction avec les grandes lignes anciennes. Comme le montre la carte ci-contre deux séries de bifurcations nouvelles s'étalent à proximité des nœuds ferroviaires de Tours et du Mans : à l'achèvement des travaux, les plus importantes ponctuent la soudure des axes T.G.V. avec les artères de Bordeaux à Monts, de Rennes et Nantes en aval de Connerré. Mais des raccordements sont prévus, qui faciliteront la circulation aux abords des deux grands carrefours : c'est ainsi qu'à l'est du triage de Saint-Pierre-des-Corps les T.G.V. venant de Paris peuvent quitter la ligne nouvelle pour se diriger vers la gare de Tours, tandis qu'inversement des convois classiques venant de Paris-Austerlitz peuvent emprunter le contournement T.G.V. en direction de Bordeaux afin de contribuer au désengorgement du nœud de Saint-Pierre-des-Corps.

Bien entendu la construction de la nouvelle artère a entraîné de profondes transformations dans le secteur parisien de Montparnasse-Montrouge.

L'aménagement et le renouvellement pour le TGV-A, de la superstructure entre Vanves et Châtillon : les écrans anti-bruit sont en cours d'installation tandis que les voies anciennes ont été déposées, la caténaire 1500 V restant en place.

Elles touchent d'abord le plan général des voies : jusque-là la bifurcation de Vanves, à 3 kilomètres au sud de la gare Montparnasse, commandait seulement l'accès au dépôt et aux garages de Montrouge ; désormais elle constitue également le point de soudure avec la ligne nouvelle de la section ancienne à quatre voies se dirigeant vers Versailles et Le Mans ; un saut-de-mouton complexe évite tout cisaillement entre rames vides, trains classiques et T.G.V. Par ailleurs, si dans la gare des voyageurs la disposition des voies à quai, portées à 24, et la zone d'aiguillages les desservant n'ont pas été sensiblement modifiées, le nombre des voies d'accès et de sortie passe de 6 à 8. Les postes d'aiguillages antérieurs sont remplacés par un P.R.C.I. (Poste tout Relais à Commande Informatique) tout à fait impressionnant : avec la gestion de 744 itinéraires il contrôle l'intégralité de la zone comprise entre la gare Montparnasse, Clamart sur la ligne ancienne, et Montrouge ; il prend donc en charge les T.G.V. s'élançant vers le sud avant de les confier aux régulateurs du Poste d'Aiguillage de Régulation (P.A.R.) de l'axe nouveau.
Accueillant les installations de garage et de maintenance des rames du T.G.V. Atlantique, le site de Montrouge-Chatillon a été littéralement bouleversé avec la création de faisceaux de voies sur fosse (6 voies), de remisage (une vingtaine de voies), la mise en place de puissantes machines à laver au défilé, la construction d'ateliers. Les fonctions assurées par ce vaste et moderne chantier, semblables à celles dévolues à l'entretien de Paris-Conflans pour les T.G.V. Sud-Est, sont essentielles puisqu'elles conditionnent le fonctionnement normal de la totalité du réseau T.G.V. Atlantique.

Comme pour son aînée, les conditions d'accueil des voyageurs de la ligne nouvelle ont été particulièrement étudiées. Si l'unique gare de passage édifiée sur la branche "Aquitaine", à Vendôme, brille par l'alliance heureuse de l'esthétique et du fonctionnel, c'est bien entendu la gare Montparnasse qui bénéficie des aménagements les plus spectaculaires. Lorsque la montée en puissance du T.G.V. Atlantique aura été effectuée, cette gare devra supporter un trafic moyen quotidien de l'ordre de 160 000 voyageurs. C'est qu'elle sera alors tête de ligne pour toutes les relations comprises entre les axes Paris-Granville et Paris-Bordeaux inclus, dont l'effet T.G.V. devrait dans la plupart des cas augmenter considérablement le volume d'activité. Cet essor, qui s'exercera partiellement au détriment de la gare d'Austerlitz, fera de Paris-Montparnasse la première gare de France pour le trafic des grandes lignes. Aussi de très grands travaux ont-ils été réalisés pour la prise en compte de cette nouvelle situation : devant l'actuelle façade un nouveau vaste hall abrité par une immense verrière a été aménagé ; le remaniement complet de l'ensemble du bâtiment permet une nette séparation des flux "banlieue" et "grandes lignes". Mais la principale originalité réside dans la couverture de l'ensemble des quais et des voies : aussi vaste

LE MANS

Page ci-contre : des principes architecturaux communs ont été adoptés pour les principales gares desservies par le TGV-A, à base de voilures et haubans, tels ces abris de quais de la gare du Mans.

Ci-dessus, à Montrouge-Châtillon, le faisceau de garage des rames et, ci-contre, l'intérieur de l'atelier.

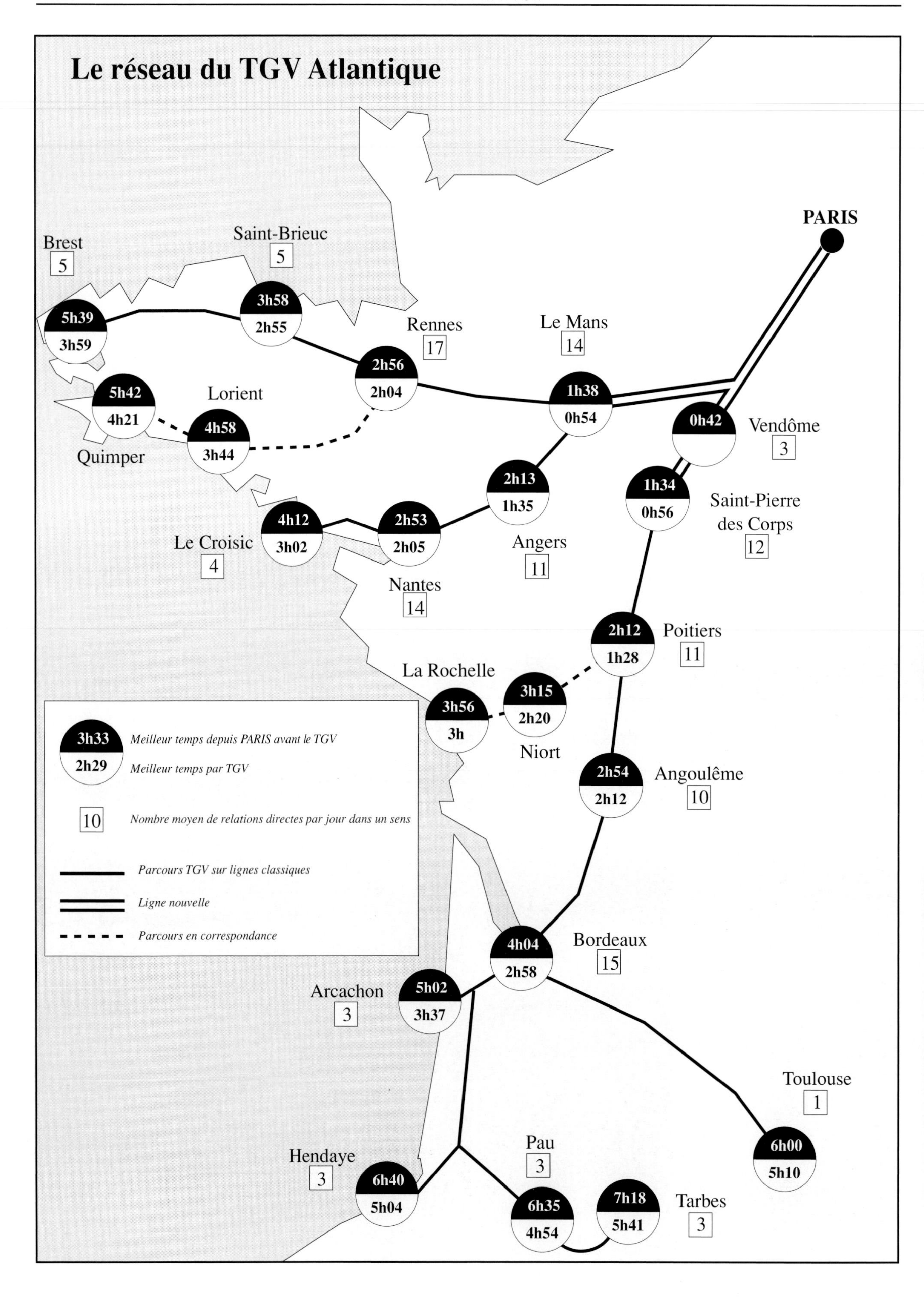
Le réseau du TGV Atlantique
PARIS
Brest 5 5h39 3h59
Saint-Brieuc 5 3h58 2h55
Rennes 17 2h56 2h04
Le Mans 14 1h38 0h54
Vendôme 3 0h42
Quimper 5h42 4h21
Lorient 4h58 3h44
Saint-Pierre des Corps 12 1h34 0h56
Angers 11 2h13 1h35
Le Croisic 4 4h12 3h02
Nantes 14 2h53 2h05
Poitiers 11 2h12 1h28
La Rochelle 3h56 3h
Niort 3h15 2h20
Angoulême 10 2h54 2h12
Bordeaux 15 4h04 2h58
Arcachon 3 5h02 3h37
Toulouse 1 6h00 5h10
Hendaye 3 6h40 5h04
Pau 3 6h35 4h54
Tarbes 3 7h18 5h41
3h33 Meilleur temps depuis PARIS avant le TGV
2h29 Meilleur temps par TGV
10 Nombre moyen de relations directes par jour dans un sens
Parcours TGV sur lignes classiques
Ligne nouvelle
Parcours en correspondance

que la place de la Concorde, une dalle va supporter parkings, espaces verts, courts de tennis, bureaux, commerces, etc. ; l'accès en voiture particulière ou en taxi est facilité par l'aménagement, toujours au-dessus du niveau des voies, de la "gare-pont" Pasteur, dotée d'une "cour de dépose" spacieuse et bien reliée aux divers quais. De même la liaison avec le métro est sensiblement améliorée.
Grâce à la hardiesse et à la nouveauté de la conception, à l'emploi des matériaux les plus récents, Paris va ainsi disposer d'une gare très vaste et pleinement opérationnelle, comptant parmi les plus remarquables d'Europe, et digne du T.G.V. Atlantique.

Pour atteindre leur pleine efficacité les rames bleues et argent doivent pouvoir rouler très rapidement non seulement sur la ligne nouvelle (300 km/h), mais aussi sur les artères classiques qui la prolongent. Dans cette perspective d'importants travaux ont été réalisés, en particulier dans le cadre de l'électrification récente du tronçon Le Mans-Nantes : des courbes ont été rectifiées, avec allongement de leur rayon, la signalisation a été adaptée, tandis que les capacités des sous-stations ont été renforcées. Les résultats sont spectaculaires, puisque par exemple la vitesse maximale de 220 km/h est autorisée sur une grande partie des lignes Tours-Bordeaux et Le Mans-Nantes. Par ailleurs, après l'électrification Rennes-Saint-Brieuc-Brest, où les vitesses ont été relevées de 140 à 160 km/h, celle des artères Rennes à Quimper et Poitiers à La Rochelle permettra aux T.G.V. d'élargir sensiblement le champ de leurs prestations.

Mais la qualité des services offerts aux voyageurs par le T.G.V. Atlantique est également en rapport étroit avec les possibilités du matériel roulant.
La nouvelle génération de rames T.G.V. profite des progrès incessants de la technique ferroviaire française, et naturellement de la richesse de l'expérience acquise depuis 1981 sur les lignes du Sud-Est.

La conception générale fait de nouveau appel au principe de la rame articulée, avec motrices encadrant des remorques. Au plan de la vitesse les performances sont supérieures en raison des améliorations apportées dans plusieurs domaines. La traction, comme pour la locomotive "Sybic", est assurée par des moteurs synchrones autopilotés ; ceux-ci représentent une véritable révolution, avec un poids moindre et des possibilités plus étendues ; les motrices sont du type bicourant, puisqu'elles rouleront sous caténaires 25 000 volts et 1 500 volts. Le freinage, d'un nouveau type, offre des garanties encore meilleures d'efficacité et de sécurité ; par ailleurs des microprocesseurs vont permettre une généralisation de l'automatisation des opérations de contrôle, de commande et de régulation.
Au total les premières rames en service dès l'automne 1989

Un des prolongements les plus longs sur ligne classique du TGV-A : la relation Paris-Tarbes avec une rame en gare de Dax.

L'arrivée du TGV a conduit à une deuxième reconstruction de la gare Montparnasse à la fin des années 80, la première ayant eu lieu une vingtaine d'années auparavant. A cette occasion, la Ville de Paris a fait recouvrir le faisceau des voies par une dalle de béton.

Page ci-contre, une rame en direction de la province, sortant de la tranchée couverte de Villebon.

sur la branche Ouest, ont représenté par rapport à la génération Sud-Est un progrès, puisque plus rapides et de plus grande capacité, avec 30% de voyageurs supplémentaires possibles dans chacune d'elles ; elles sont au moins aussi confortables, aussi sûres et d'exploitation plus économique.

LES INTÉRESSANTES PERSPECTIVES COMMERCIALES

Depuis septembre 1990, avec l'ouverture de la nouvelle liaison Paris-Bordeaux, fonctionne intégralement mais à demi régime en attendant la livraison totale des 105 rames commandées, qui ne sera pas effective avant fin 1991, le réseau du T.G.V. Atlantique.

Les changements sont là aussi spectaculaires.

Comme le montre la carte la durée des trajets sur les grands axes concernés est considérablement réduite ; le gain est de l'ordre d'une heure entre la capitale d'une part, Rennes, Nantes et Bordeaux de l'autre.

Il sera désormais possible à un homme d'affaires bordelais de se rendre à un rendez-vous parisien en milieu de matinée en se levant à une heure normale, et de regagner ses bureaux en début d'après-midi. Par le jeu des prolongements, des diffluences ou des correspondances c'est en fait l'ensemble des villes de l'ouest et du sud-ouest qui va bénéficier de ces importants gains de temps, puisque les T.G.V. atteindront Brest, Le Croisic, La Rochelle, Hendaye, Tarbes et Toulouse.

Mais l'effet T.G.V. sera d'autant plus marqué que la desserte est beaucoup plus étoffée que dans le service précédent. Les 14 allers-retours prévus sur Paris-Rennes et Paris-Nantes, les 15 programmés sur Paris-Bordeaux, en situation définitive à la fin de 1991, correspondent à une organisation cadencée, suivant une fréquence à peu près horaire dans la journée. Une partie de ces relations est directe, sans arrêt intermédiaire. Bien sûr la trame évolue en fonction des pointes traditionnelles de fin de semaine et des fluctuations à l'échelle de l'année, très influencées dans ces régions par les séjours touristiques et balnéaires. Mais, comme sur le Sud-Est, les trains classiques ne disparaissent pas ; ils assurent des liaisons diurnes et nocturnes allégées, renforcent l'organisation T.G.V., en particulier en fin de semaine et maintiennent les relations actuelles avec l'Espagne et le Portugal par Hendaye et Irun.

L'exemple du T.G.V. Sud-Est permet d'espérer, grâce à la qualité des prestations offertes, une nette progression du nombre des voyageurs transportés par le chemin de fer entre Manche et Pyrénées. Le fait que les distances entre Paris et les principales métropoles desservies soient couvertes en seulement deux ou trois heures, de centre ville à centre ville, doit placer le rail en position très compétitive par rapport à l'avion et à l'autoroute.

Le succès prévisible du T.G.V. Atlantique amène dès maintenant à se poser certaines questions. Ainsi, par rapport à l'excellence des relations radiales, des liaisons transversales pourtant importantes comme l'itinéraire Rennes-Nantes-Bordeaux, mais peu rapides, vont encore plus souffrir de la comparaison ; à l'ère de la décentralisation les pouvoirs publics peu-

vent-ils accepter aisément un déséquilibre qui ne peut que renforcer l'attraction de la capitale ? Par ailleurs la généralisation de la grande vitesse entre Paris et Bordeaux peut entraîner de lourdes conséquences sur l'activité de la ligne Paris-Toulouse. D'ores et déjà les Toulousains savent qu'en faisant le détour de Bordeaux pour profiter intégralement du T.G.V. ils gagnent au moins une heure. Le bénéfice serait encore plus important si, en attendant une ligne T.G.V. nouvelle doublant la grande transversale sud Bordeaux-Marseille, était réalisée une jonction à travers les côteaux de l'Entre-Deux-Mers entre Libourne et La Réole : à voie unique et à commande centralisée, empruntée seulement par les T.G.V. directs Paris-Toulouse (4 à 6 par sens), elle représenterait en court-circuitant Bordeaux une réduction de distance d'une cinquantaine de kilomètres et permettrait de relier Paris à Toulouse en moins de 4 heures. Aussi dans ces conditions faut-il attendre le tarissement rapide de la clientèle des grands rapides classiques de jour Paris-Toulouse, comme les "Capitole", déjà assez peu fréquentés au sud de Brive. La desserte éventuelle de Limoges par des T.G.V. se débranchant à Poitiers de l'artère de Bordeaux et roulant là aussi sur une ligne nouvelle contribuerait également au déclin du trafic voyageurs de grandes lignes sur cet axe Paris-Toulouse.

Comme l'arrivée des T.G.V. Atlantique à la frontière espagnole ne peut que stimuler les flux échangés avec les pays de la péninsule Ibérique, surtout si se confirme la tendance à la normalisation de l'écartement des voies espagnoles, il faut estimer que c'est bien une véritable révolution que vont connaître dans le domaine des transports l'ouest et le sud-ouest français.

Il fallait s'y attendre : c'est à l'échelle non seulement de notre pays mais aussi de l'Europe occidentale que se pose maintenant, après les brillants résultats du T.G.V. Sud-Est et les promesses très tangibles de son benjamin, le problème du développement des lignes ferroviaires à grande vitesse.

VERS UN RÉSEAU T.G.V. A L'ÉCHELLE EUROPÉENNE

Au printemps 1990 le Ministre des Transports français a levé le voile sur un schéma directeur, dont les différents projets pourront être engagés progressivement dans les 2 décennies à venir, en fonction des impératifs économiques et budgétaires.
En 1993 le tunnel sous la Manche sera mis en service. Comme alors la ligne du T.G.V. Nord sera achevée, Paris, Londres et Bruxelles seront reliées entre elles par des trains à très grande vitesse. Par ailleurs à l'est de Paris une rocade établira, l'année suivante, l'interconnexion entre les T.G.V. Atlantique, Sud-Est et Nord, en desservant au passage l'aéroport de Roissy-Charles-de-Gaulle et le centre de loisirs Euro-Disneyland. En se greffant à Pompadour à 8 kilomètres de Paris-Lyon, cette rocade permettra d'éviter la section chargée Villeneuve-Saint-Georges-Brunoy-Combs-la-Ville et économisera 2 minutes supplémentaires aux rames T.G.V. se dirigeant vers le Sud-Est de la France. Lorsque le prolongement du T.G.V. Sud-Est jusqu'à Valence aura été construit, c'est un réseau cohérent non seulement au plan national mais aussi européen qui sera en phase active de développement dans les dernières années du XXe siècle.
Les perspectives sont brillantes. A l'intérieur de l'hexagone d'autres radiales doivent naître, entre Paris et l'est du pays entre autres ; mais il faudra également songer à l'établissement de liaisons transversales, entre Bordeaux, Toulouse et Marseille par exemple. A une autre échelle les prolongements des T.G.V. Nord et Est, la jonction avec le réseau à grande vitesse ouest-allemand, l'interpénétration de nos T.G.V. et de leurs homologues espagnols doivent créer un véritable espace ferroviaire européen.
Les étapes de cette expansion prévisible du T.G.V. méritent d'être décrites et analysées.

LE TUNNEL SOUS LA MANCHE ET LE T.G.V. NORD

Le creusement du tunnel sous la Manche et la réalisation du T.G.V. Nord, qui s'effectuent dans le même temps, ne sont pas deux opérations inéluctablement liées. Mais chacune d'elles est valorisée par l'autre.

L'idée de forer un tunnel sous la Manche, là où elle est la moins large, est tout à fait ancienne puisque dès le XIXe siècle avaient été élaborés des plans dignes d'intérêt. Longtemps pourtant le projet fut considéré avec réticence et méfiance, surtout depuis la rive britannique, pour des raisons techniques, économiques, politiques, psychologiques : différence non d'écartement des voies mais de gabarit du matériel roulant, plus étroit au Royaume-Uni, crainte de provoquer des déséquilibres industriels ou commerciaux, souci des Anglais de ne pas trop solidement arrimer leur île au continent... Par ailleurs fallait-il percer un tunnel ferroviaire, routier, ou mixte, ou lancer un pont ? Cependant l'évolution de la conjoncture économique et des esprits après la seconde guerre mondiale donna un coup de fouet décisif, à tel point qu'au début des années 1970 le principe du creusement d'un souterrain ferroviaire semblait acquis. Malheureusement les difficultés provoquées par le premier choc pétrolier amenèrent l'Angleterre à revenir brutalement en 1975 sur sa position.
Après plusieurs années d'inertie l'idée fut toutefois relancée, en raison de l'amélioration du contexte économique général, du regain d'intérêt pour le transport rapide des voyageurs par voie ferrée à la suite du succès des T.G.V. français. A vrai dire l'adoption du principe de la constitution d'une puissante société, Eurotunnel, chargée de la concrétisation du projet, a joué un rôle décisif. Soutenu par les pouvoirs publics français et britanniques, puissamment aidé par un financement international, assuré du concours d'un groupe de quarante grandes banques, cet organisme a pu lancer les opérations sur le terrain dès l'été 1987, après la conclusion d'accords précis entre les deux pays.

La mise en service du tunnel ferroviaire sous la Manche, prévue pour l'été 1993, nécessite des travaux cyclopéens. De vertigineux pans inclinés ou de gigantesques puits comme à Sangatte (55 mètres de diamètre, 60 mètres de profondeur), permettent le labeur intense et continu des machines et des hommes : du côté français par exemple trois énormes tunneliers, engins qui taraudent la roche suivant le gabarit exact du souterrain, et une armée de 3 000 personnes se battent avec un sous-sol qui, avant d'atteindre la craie bleue, compacte et imperméable, se révèle difficile car friable et gorgé d'eau.
Long d'exactement 50 kilomètres, foré entre Sangatte près de Calais et Shakespeare Cliff, entre Douvres et Folkestone, le tunnel sous la Manche se composera en fait de trois souterrains : deux tunnels de 7,30 mètres de diamètre abriteront chacun l'une des deux voies ; ils seront séparés par une galerie de service plus étroite (4,5 mètres), reliée tous les 375 mètres aux tunnels principaux.
Electrifiée, raccordée au réseau de surface par des rampes longues et donc de taux modéré, cette ligne à double voie pourra être empruntée par des trains très différents : rames-navettes spécialement conçues pour le passage des véhicules routiers dont le chargement et le déchargement seront effectués dans deux terminaux puissamment équipés, convois de

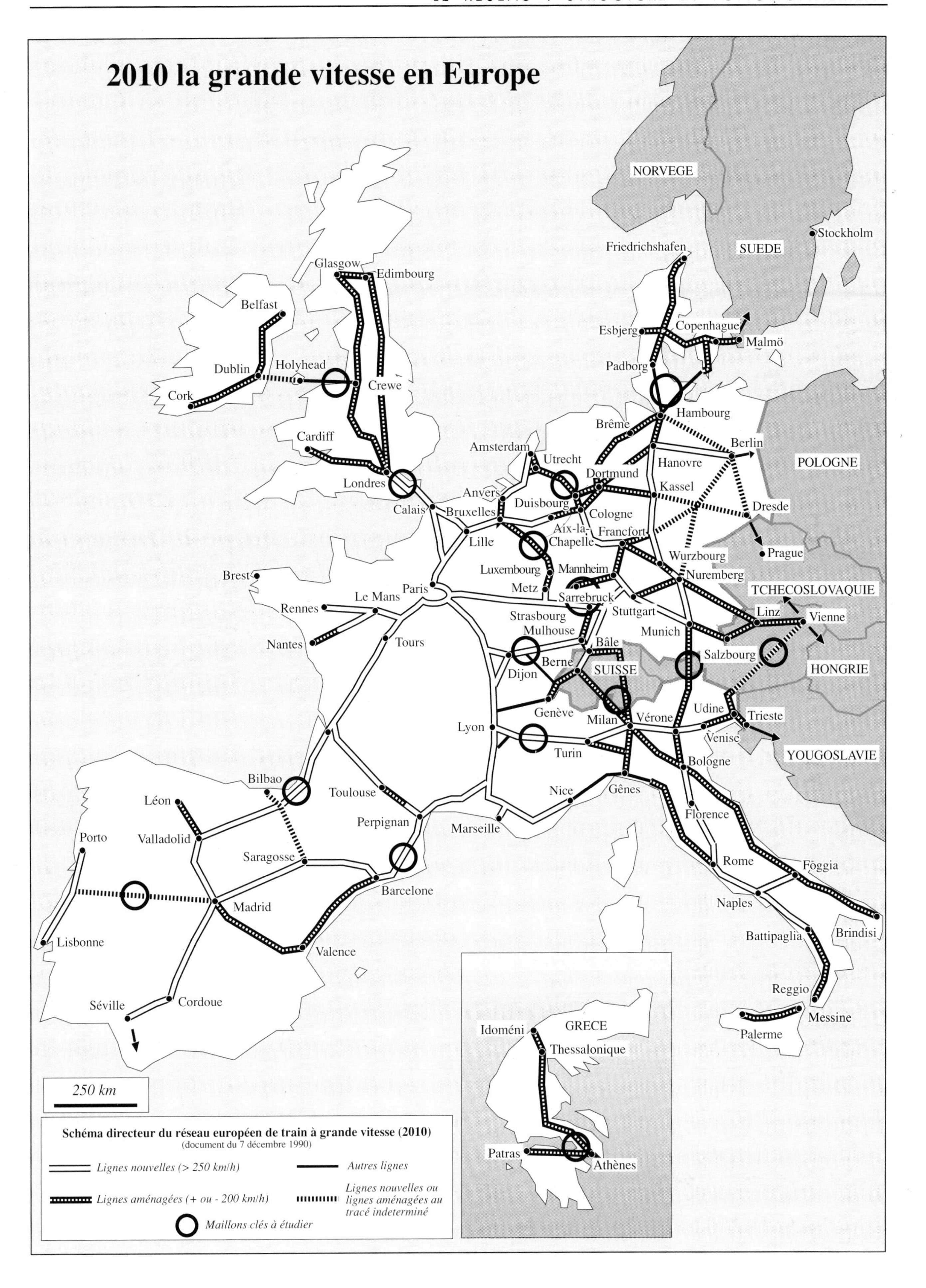
2010 la grande vitesse en Europe
NORVEGE
SUEDE
Stockholm
Friedrichshafen
Esbjerg
Copenhague
Malmö
Padborg
Hambourg
Brême
Berlin
POLOGNE
Hanovre
Kassel
Dresde
Prague
TCHECOSLOVAQUIE
Glasgow
Edimbourg
Belfast
Dublin
Holyhead
Crewe
Cork
Cardiff
Londres
Calais
Amsterdam
Utrecht
Dortmund
Anvers
Duisbourg
Bruxelles
Cologne
Aix-la-Chapelle
Francfort
Lille
Wurzbourg
Nuremberg
Luxembourg
Mannheim
Metz
Sarrebruck
Stuttgart
Linz
Vienne
Brest
Rennes
Le Mans
Paris
Nantes
Tours
Strasbourg
Mulhouse
Munich
Bâle
Salzbourg
HONGRIE
Berne
SUISSE
Dijon
Genève
Milan
Vérone
Udine
Trieste
Lyon
Turin
Venise
YOUGOSLAVIE
Bologne
Nice
Gênes
Florence
Bilbao
Léon
Toulouse
Perpignan
Marseille
Porto
Valladolid
Saragosse
Rome
Foggia
Barcelone
Madrid
Naples
Lisbonne
Brindisi
Battipaglia
Valence
Reggio
Messine
Séville
Cordoue
Palerme
Idoméni
GRECE
Thessalonique
Patras
Athènes
250 km
Schéma directeur du réseau européen de train à grande vitesse (2010)
(document du 7 décembre 1990)
Lignes nouvelles (> 250 km/h)
Autres lignes
Lignes aménagées (+ ou - 200 km/h)
Lignes nouvelles ou lignes aménagées au tracé indeterminé
Maillons clés à étudier

marchandises classiques, trains de voyageurs rapides, T.G.V. en particulier. Une signalisation ultra-moderne sera à la mesure d'un débit très important, susceptible de dépasser largement la centaine de circulations dans chaque sens et chaque jour.
Les prévisions de trafic sont bonnes : des études critiques et poussées laissent espérer, à l'horizon de l'an 2000, le passage en moyenne quotidienne, les deux sens réunis, de 50 000 voyageurs, c'est-à-dire autant que sur les deux itinéraires Paris-Lyon regroupés, et de 22 000 tonnes de marchandises, c'est-à-dire plus que sur l'artère Tours-Bordeaux. Aussi, paradoxalement, le problème de la capacité des lignes d'accès au tunnel se révèle-t-il au moins aussi préoccupant que celui de l'écoulement des flux dans le souterrain lui-même.

En Angleterre de grands travaux seront nécessaires, dans la mesure d'abord où les gares londoniennes sont saturées : celle de Waterloo, la mieux placée pour recevoir les trains de voyageurs sortis du tunnel, doit être restructurée et agrandie en conséquence ; mais la difficulté majeure réside dans l'engorgement des voies ferrées du Kent, anciennes et peu rapides : les pouvoirs publics britanniques ne peuvent éluder le choix indispensable entre l'amélioration de l'artère actuelle Londres-Folkestone, tracée par Ashford, et la construction d'une ligne nouvelle, aux normes continentales.
En France la mise en service du tunnel doit entraîner une recrudescence du trafic des marchandises sur les lignes du nord en raison de la circulation transmanche, mais aussi de l'effet d'entraînement attendu sur l'économie de la région Nord-Pas-de-Calais. Pour favoriser l'écoulement du trafic vers la région parisienne et le sud-est du pays, il sera sans doute opportun d'envisager ultérieurement l'électrification non seulement de la ligne Calais-Amiens, mais encore de la rocade Amiens-Châlons-sur-Marne par Tergnier et Reims, d'ores et déjà à double voie : les flux ferroviaires s'établissant entre les îles britanniques et le nord de la France d'une part, l'axe rhodanien et l'Italie de l'autre pourraient ainsi de Calais à Dijon suivre une voie ferrée puissamment équipée qui soulagerait considérablement les lignes surchargées de la région parisienne, la Grande Ceinture surtout.

Dans le domaine du trafic des voyageurs, en France, l'achèvement du T.G.V. Nord correspondra en 1993 à celui du tunnel et mettra en lumière une remarquable symbiose, les deux réalisations étant à la mesure l'une de l'autre et en étroite relation.

Défini et arrêté pour l'essentiel en 1987, le projet du T.G.V. Nord présente de nombreuses analogies avec ses deux prédécesseurs.
Il repose essentiellement sur la construction d'une ligne nouvelle, qui se débranche de l'artère classique Paris-Creil à Gonesse, à 16 kilomètres de la gare de Paris-Nord, tête de ligne. De tracé sud-nord jusqu'à Lille, à travers les plaines de Picardie et d'Artois, le nouvel axe prend ensuite une direction ouest-nord-ouest pour aboutir par les plaines de Flandre à l'entrée du tunnel sous la Manche, près de Calais. La double voie, conçue pour une circulation le plus souvent à 300 km/heure, sera électrifiée en courant 25 000 volts et intégralement banalisée, tandis qu'elle bénéficiera elle aussi de la commande centralisée des signaux et des aiguillages depuis Paris. Elle sera reliée en plusieurs points aux lignes anciennes et sera donc harmonieusement intégrée à l'ensemble du réseau. L'édification systématique de sauts-de-mouton, comme sur les autres lignes T.G.V., renforcera la sécurité et augmentera le débit grâce à l'absence de cisaillements à niveau des divers itinéraires. Par ailleurs, comme pour le T.G.V. Atlantique, le souci de limiter l'acquisition de terrains dans des régions très fertiles a conduit à aménager la plate-forme de l'artère ferroviaire nouvelle le long d'une autoroute : c'est ici la A 1 qui sera longée, sur 130 kilomètres, jusqu'à l'entrée dans le département du Nord.
Mais la structure et le tracé du T.G.V. Nord offrent plusieurs originalités.
Même en tenant compte du prolongement jusqu'à Londres et Bruxelles du parcours des rames, l'espace global desservi semble plus réduit que pour les T.G.V. Sud-Est et Atlantique. Mais d'une part, de riches perspectives peuvent s'ouvrir par la desserte ultérieure de grandes cités hollandaises comme Amsterdam ou Rotterdam, ou britanniques comme Manchester ou Liverpool ; d'autre part en France même la quasi intégralité des liaisons assurées par T.G.V. le sera par la ligne nouvelle elle-même, longue de 321 kilomètres de Paris à Calais, Lille se situant alors à 207 kilomètres de la capitale : le bond des vitesses moyennes sera donc spectaculaire.
Il est vrai qu'au plan spécifiquement français le T.G.V. Nord doit rendre de grands services car desservant des régions comptant parmi les plus actives et les plus peuplées : les ensembles urbains de la Région Nord-Pas-de-Calais rassemblent plus de 2 600 000 habitants. Grâce au raccourcissement des distances Arras ne sera plus qu'à 50 minutes, Lille à une heure de Paris ! Il faut donc attendre une forte recrudescence du trafic ferroviaire intérieur.
Mais sa vocation est aussi largement internationale. A quelques kilomètres de Lille en effet sera mis en place un triangle limité par trois bifurcations dotées de sauts-de-mouton : chacun des trois raccordements, à double voie, sera parcouru à grande vitesse par trois familles de trains, reliant Paris à Londres, Paris à Bruxelles, Londres à Bruxelles. Dépendant de la nature exacte des travaux réalisés chez eux par Britanniques et Belges, les temps de parcours devraient être remarquables, de l'ordre d'une heure vingt entre Paris et la métropole belge, de 3 heures entre Paris et la capitale anglaise, de 2 h 30 entre les deux capitales étrangères ; compte tenu de la situation centrale des gares terminales par rapport à l'éloignement des aéroports, le chemin de fer devrait alors marquer de nombreux points sur son concurrent aérien.
Ces performances remarquables, grâce aux fortes vitesses autorisées, seront facilitées par le tracé de la ligne nouvelle dans des régions à peu près plates, à l'extrémité occidentale de la vaste plaine nord-européenne. C'est ainsi que le taux maxi-

mal des rampes sera plus faible que sur les autres lignes T.G.V., tandis que le rayon minimal des courbes sera porté à 6 000 mètres.

Alors qu'à Lille une gare spéciale doit être édifiée, la structure de l'avant-gare et de la gare parisienne tête de ligne, Paris-Nord, va être profondément remaniée pour tenir compte des besoins nouveaux, comme il a été nécessaire de le faire pour les T.G.V. Sud-Est et Atlantique.
Le T.G.V. Nord n'a pas vu son tracé définitif retenu sans difficulté, au détriment par exemple de la ville d'Amiens. Toujours est-il qu'il doit connaître une très intense animation, en raison de la juxtaposition de flux nationaux, provenant non seulement du Nord-Pas-de-Calais mais aussi de Picardie, qui doit être desservie par une gare aisément accessible depuis Saint-Quentin et Amiens, et de courants internationaux. Dans une Europe en marche, reliant certaines de ses régions les plus peuplées et les plus dynamiques, les trois sections de ligne nouvelle, qui forment la lettre "T", doivent jouer un rôle de tout premier ordre, facilité par le tunnel sous la Manche, en canalisant et en favorisant le développement de flux triangulaires.

En fait le T.G.V. Nord aura, dès sa mise en service, vocation de devenir une pièce maîtresse d'une organisation de beaucoup plus grande dimension.

Le grand viaduc de Verberie, sur le TGV Nord, en juin 1991 : le tablier est en cours d'assemblage.

Toujours sur le TGV Nord, la progression des travaux de génie civil dans l'Oise. On notera la modestie de la trouée effectuée dans le bois, comparée à l'emprise qu'aurait nécessitée une autoroute.

L'INTERCONNEXION EN RÉGION PARISIENNE

Dans les dernières années du siècle la soudure entre elles des trois lignes T.G.V. aboutissant à Paris devra constituer une étape d'une importance primordiale.
Dans la mesure où la Grande Ceinture est déjà à peu près saturée par le trafic des marchandises, l'idée de base est de relier les trois artères par une rocade nouvelle, présentant les mêmes caractéristiques techniques et donc apte elle aussi aux très hautes performances. Tracée à l'est de la capitale, elle se nouera aux axes T.G.V. actuels par des sauts-de-mouton, qui équiperont aussi le triangle de Coubert : grâce à lui les trains circuleront sans arrêt et à grande vitesse entre les lignes T.G.V. Sud-Est, Atlantique et Nord, n'empruntant les artères anciennes qu'au sud, entre Massy-Palaiseau et Valenton.
Les avantages seront considérables. Indépendamment du fonctionnement autonome des axes T.G.V. aboutissant aux grandes gares terminales parisiennes, qui continueront de recevoir ou d'être à l'origine des flux les plus importants et dont le rôle restera donc essentiel, la France sera sillonnée par un réseau structuré et cohérent. L'inconvénient majeur représenté actuellement par le carrefour ferroviaire parisien, c'est-à-dire la solution de continuité et la rupture de charge, disparaîtra ; au contraire, paradoxalement en apparence, c'est le centralisme parisien, dans le domaine des voies ferrées comme dans d'autres, qui sera directement à l'origine d'une spectaculaire amélioration des relations entre grandes métropoles françaises : en effet, grâce au mariage des grandes vitesses pratiquées par les T.G.V. sur les lignes radiales et de l'interconnexion parisienne, des liaisons directes et très rapides pourront s'établir, entre par exemple, Bordeaux et Lille en 4 heures environ, Lille et Lyon en un peu moins de 3 heures.
Mais l'aptitude des T.G.V. à rouler également sur les artères classiques pourra donner naissance à une très riche palette de relations supplémentaires utilisant lignes anciennes et axes du T.G.V. Rien n'interdira, au contraire, de prolonger certaines de ces liaisons au-delà de nos frontières, en mettant en circulation par exemple des T.G.V. Bordeaux-Bruxelles (trajet en 4 h 30 environ) ou Marseille-Londres (moins de 8 heures).
Il faut remarquer par ailleurs que la création de cette rocade ferroviaire montrera que le rail et l'avion ne sont pas nécessairement des adversaires : la desserte de l'aéroport de Roissy-Charles-de-Gaulle sera profitable à l'un comme à l'autre, puisque des Américains ou Japonais, à leur descente d'avion, auront à leur disposition des T.G.V. qui en quelques heures les amèneront en n'importe quelle grande métropole d'Europe occidentale ; cette remarquable complémentarité liée au dessin étoilé du réseau T.G.V. donnera au grand aéroport parisien un avantage indéniable sur ses grands rivaux du vieux continent.

L'importance de cette interconnexion parisienne pour la circulation des voyageurs, qui évoque le rôle capital de la Grande Ceinture dans le domaine des échanges de marchandises, ne pourra par ailleurs que croître avec la mise en service du T.G.V. Est.

LES PERSPECTIVES OUVERTES PAR LE T.G.V. EST

D'ores et déjà le concept d'un T.G.V. Est est dans l'air. D'une part, en effet il serait étonnant qu'une large partie de notre territoire comprenant, en Lorraine et Alsace en particulier, des régions très actives et densément peuplées, restât étrangère au phénomène T.G.V. D'autre part la ligne nouvelle, au-delà de la capitale européenne qu'entend être Strasbourg, permettrait d'intéressantes interpénétrations avec les voies ferrées rapides d'Allemagne de l'Ouest. Outre Rhin en effet 4 500 kilomètres de lignes à grande vitesse (250 km/heure) vont être aménagés, dont 800 kilomètres intégralement nouveaux. La soudure avec nos lignes T.G.V. pourrait s'effectuer par une branche du T.G.V. Nord qui desservirait Liège, Cologne, la Ruhr, le nord de l'Allemagne et Francfort par la future ligne nouvelle de la D.B. à travers les collines du Taunus, au nord du Rhin. De son côté, le T.G.V. Est, lui, établirait des relations de qualité entre l'ensemble de la France, le centre et le sud de l'Allemagne Fédérale et plus particulièrement Mannheim, Stuttgart, Munich, Nuremberg et en Autriche, Vienne. Il pourrait aussi desservir les grandes cités helvétiques de Bâle et Zurich avec emprunt de la ligne de la plaine d'Alsace qui sera intégralement parcourable à 220 en 1995, à moins que la construction d'une artère nouvelle joignant Pasilly à Dijon, Besançon, Belfort et Mulhouse ne soit décidée.
Le problème du tracé de cette future ligne de T.G.V. suscite des débats qui évoquent la détermination de l'implantation de l'autoroute de l'Est, il y a quelques années. Une formule intéressante, susceptible de recueillir de larges suffrages, pourrait consister à faire passer l'axe ferroviaire à mi-distance entre Nancy et Metz, avant qu'il aboutisse à Strasbourg. Toujours est-il que le nouvel axe, qui se débranchera de l'actuelle artère Paris-Strasbourg issue de la gare de Paris-Est, sera lui aussi raccordé à la rocade parisienne d'interconnexion, enrichissant ainsi la gamme des possibilités du réseau T.G.V. à l'échelle du pays.

VERS UN RÉSEAU FERRÉ EUROPÉEN A GRANDE VITESSE

A l'orée du vingt-et-unième siècle, l'unité de l'Europe Occidentale se fait peu à peu, malgré les difficultés ; avec l'effacement progressif des frontières la demande d'un transport confortable et rapide ne peut que continuer d'augmenter. Dans le véritable espace européen en formation, la nécessité est de plus en plus évidente d'un réseau de voies de communication non seulement dense mais hiérarchisé et cohérent. Si les liaisons aériennes et autoroutières doivent normalement se développer, le chemin de fer possède désormais des atouts de premier ordre. Les réalisations britanniques, allemandes, italiennes et bien entendu françaises constituent une base de départ très intéressante.
Depuis quelques années, tandis que les 200 km/h sont cou-

ramment pratiqués en Grande-Bretagne entre Londres et Edimbourg, l'Allemagne Fédérale et l'Italie mettent en œuvre un programme ambitieux de lignes nouvelles à grande vitesse unissant leurs grandes métropoles. En décembre 1988 l'Espagne a annoncé son intention de rénover profondément son réseau ferré en adaptant ses voies au gabarit européen et en créant un axe T.G.V. reliant Barcelone à Séville par Saragosse et Madrid. En France les lignes du T.G.V. s'allongent sans cesse d'année en année ; en même temps que les T.G.V. Atlantique, Nord et Est, progresse le T.G.V. pionnier, celui du Sud-Est, avec le contournement de Lyon jusqu'à Valence et la probabilité d'un prolongement à moyen terme jusqu'à Marseille, la Côte d'Azur, le Languedoc.

La grande chance de l'Europe ferroviaire réside dans le fait que les divers choix nationaux n'empêchent en rien l'interpénétration des divers types de trains rapides. Des aménagements techniques plutôt mineurs, par exemple, doivent suffire pour que les T.G.V. français roulent en Allemagne Fédérale, et que les ICE ouest-allemands parcourent les voies françaises ; la généralisation des motrices polycourants est un facteur de facilitation très important. Cette souplesse d'utilisation est encore renforcée par la faculté de ces divers trains à grande vitesse de rouler aussi bien sur les artères classiques, pourvu qu'elles soient électrifiées, que sur les axes construits récemment.

Dans ces conditions, au-delà des maillages nationaux, doit pouvoir se constituer au fil des années, sans difficulté majeure, une trame européenne. Certaines de ces relations seront en totalité extérieures à notre pays, comme le corridor nord-sud reliant l'Allemagne du nord à l'Italie centrale par Bâle, Zurich et la ligne du Saint-Gothard. Mais en raison de sa situation géographique la France est appelée à jouer un rôle de plaque tournante essentiel. En effet par ses lignes T.G.V. Nord et Sud-Est s'écouleront de denses flux de voyageurs entre les îles britanniques et les pays du Bénélux d'une part, la Suisse et l'Italie de l'autre ; par les T.G.V. Sud-Est et Atlantique s'organiseront des échanges entre la péninsule Ibérique et la région parisienne, les pays de l'Europe du nord-ouest, rhénane ; la branche occidentale du T.G.V. Atlantique, elle, mettra en relation l'ouest et le nord, l'est du pays, le Bénélux, la Suisse, l'Allemagne Fédérale.

Il n'est pas alors interdit de songer à l'intérêt, pour favoriser l'épanouissement de cette Europe ferroviaire, que présenterait l'aménagement sur notre territoire de nouvelles sections de ligne à grande vitesse. Certaines seraient de type radial comme dans le sud-ouest entre Tours Bordeaux et Irun pour aller à la rencontre d'une artère rapide construite depuis Madrid ; d'autres suivraient un itinéraire transversal comme celle qui unirait la plaine d'Alsace au couloir rhodanien et serait suivie par les rames à grande vitesse joignant par exemple Hambourg et Francfort à Barcelone et Madrid. La création entre Bordeaux et Marseille d'une ligne T.G.V. doublant la grande transversale sud serait profitable à la moitié méridionale de la France en favorisant entre Narbonne et Avignon la circulation de flux reliant l'Espagne d'une part, l'Italie, les pays rhodaniens et rhénans de l'autre. D'ailleurs par le jeu des correspondances c'est l'ensemble des grandes cités européennes et plus spécialement françaises qui bénéficierait de ces innovations.

Des T.G.V. Madrid-Bruxelles et Londres-Milan se croisant en pleine vitesse à l'est de Paris dans le cadre d'un réseau européen bien structuré : voilà un cas de figure qui n'a rien d'invraisemblable et qui s'inscrit tout à fait dans les perspectives enthousiasmantes mais rationnelles et fondées, ouvertes par la nouvelle génération de trains ultrarapides.

L'avenir de la grande vitesse ferroviaire est donc très souriant. Grâce à l'interconnexion des divers systèmes nationaux, un service cohérent à l'échelle de l'Europe devrait être mis en place dans les prochaines années, tandis qu'en France même le réseau T.G.V. doit s'enrichir de nouvelles relations, utilisant des lignes neuves mais aussi des artères anciennes rajeunies. En décembre 1988, un peu plus de trois ans avant les jeux olympiques d'hiver de 1992, l'électrification de la ligne de la Tarentaise Saint-Pierre-d'Albigny-Bourg-Saint-Maurice a amené les célèbres bolides orangés au pied des plus hauts sommets alpins. Cet exemple est excellent, qui montre l'effet d'entraînement de l'arrivée des T.G.V. sur l'équipement d'ensemble d'une voie ferrée : son tracé a été en effet l'objet de nombreuses rectifications, la signalisation s'est trouvée refondue et automatisée, tandis que la circulation des trains est totalement contrôlée par une commande centralisée installée à Chambéry. De même l'arrivée prochaine des T.G.V. à La Rochelle doit être précédée d'un réaménagement complet de la ligne se débranchant à Poitiers de la radiale Paris-Bordeaux. Par ailleurs la construction de voitures à deux niveaux offre d'intéressantes perspectives dans le domaine de la capacité d'accueil de chaque rame.

Mais cette croissance rapide du réseau des T.G.V. pose au moins deux grands types de problèmes.

D'abord la difficulté de suivre la demande : le coût des investissements nécessaires pour la réalisation des travaux d'infrastructure, d'électrification et l'achat du matériel roulant est tel que la S.N.C.F. se doit de mettre au point une programmation pluriannuelle rigoureuse, et n'hésite pas à faire appel au financement partiel par les collectivités territoriales concernées.

Cependant il sera impossible, même à terme, de desservir chaque cité ou chaque relation de quelque importance par les T.G.V. Aussi les responsables des chemins de fer ont-ils le souci de poursuivre l'amélioration des lignes qui resteront à l'écart, à terme prévisible, du réseau à grande vitesse. Il serait tout à fait inopportun en effet que de décennie en décennie la qualité du service cessât de s'améliorer sur certaines liaisons, alors même que sur les itinéraires les plus nobles triompheraient des trains de plus en plus rapides. Ce souci de lutter contre un sous-développement relatif de certaines lignes peut engendrer des difficultés budgétaires particulières, qu'il faudra surmonter pour qu'une partie du réseau ne souffre pas, même indirectement, du succès éclatant des T.G.V.

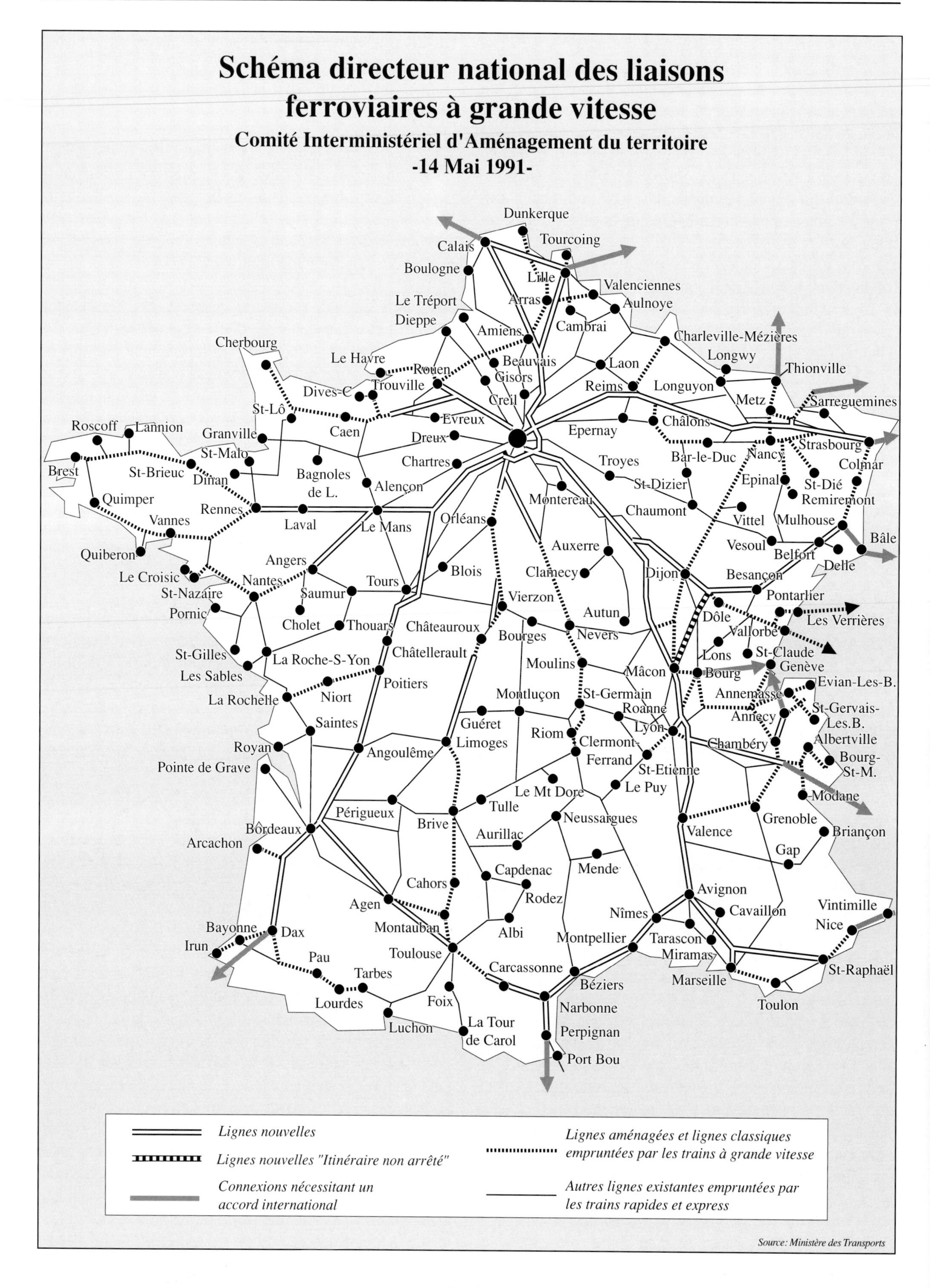
Schéma directeur national des liaisons ferroviaires à grande vitesse
Comité Interministériel d'Aménagement du territoire
-14 Mai 1991-
Dunkerque
Calais
Tourcoing
Boulogne
Lille
Valenciennes
Le Tréport
Arras
Aulnoye
Dieppe
Cambrai
Amiens
Charleville-Mézières
Cherbourg
Le Havre
Beauvais
Laon
Longwy
Rouen
Gisors
Thionville
Dives-C
Trouville
Reims
Longuyon
Creil
Metz
Sarreguemines
St-Lô
Evreux
Châlons
Roscoff
Lannion
Granville
Caen
Epernay
Dreux
Strasbourg
St-Malo
Chartres
Bar-le-Duc
Nancy
Colmar
Brest
St-Brieuc
Dinan
Bagnoles de L.
Troyes
Epinal
St-Dié
Alençon
St-Dizier
Remiremont
Quimper
Rennes
Montereau
Chaumont
Vittel
Mulhouse
Vannes
Laval
Le Mans
Orléans
Bâle
Auxerre
Vesoul
Quiberon
Belfort
Angers
Blois
Clamecy
Dijon
Delle
Le Croisic
Nantes
Tours
Besançon
St-Nazaire
Saumur
Pontarlier
Vierzon
Pornic
Autun
Dôle
Cholet
Thouars
Châteauroux
Les Verrières
Vallorbe
Bourges
Nevers
St-Gilles
Châtellerault
Lons
St-Claude
Les Sables
La Roche-S-Yon
Moulins
Mâcon
Genève
Bourg
Poitiers
Evian-Les-B.
La Rochelle
Niort
Montluçon
St-Germain
Annemasse
Roanne
St-Gervais-Les.B.
Saintes
Annecy
Guéret
Lyon
Riom
Albertville
Royan
Limoges
Clermont-Ferrand
Chambéry
Angoulême
Bourg-St-M.
Pointe de Grave
St-Etienne
Le Puy
Modane
Le Mt Dore
Tulle
Périgueux
Neussargues
Grenoble
Brive
Bordeaux
Briançon
Valence
Aurillac
Arcachon
Gap
Mende
Capdenac
Cahors
Rodez
Avignon
Vintimille
Agen
Nîmes
Cavaillon
Nice
Montauban
Albi
Bayonne
Dax
Montpellier
Tarascon
Irun
Toulouse
Miramas
Pau
Carcassonne
Tarbes
St-Raphaël
Béziers
Marseille
Lourdes
Foix
Toulon
Narbonne
La Tour de Carol
Luchon
Perpignan
Port Bou
Lignes nouvelles
Lignes nouvelles "Itinéraire non arrêté"
Connexions nécessitant un accord international
Lignes aménagées et lignes classiques empruntées par les trains à grande vitesse
Autres lignes existantes empruntées par les trains rapides et express
Source: Ministère des Transports

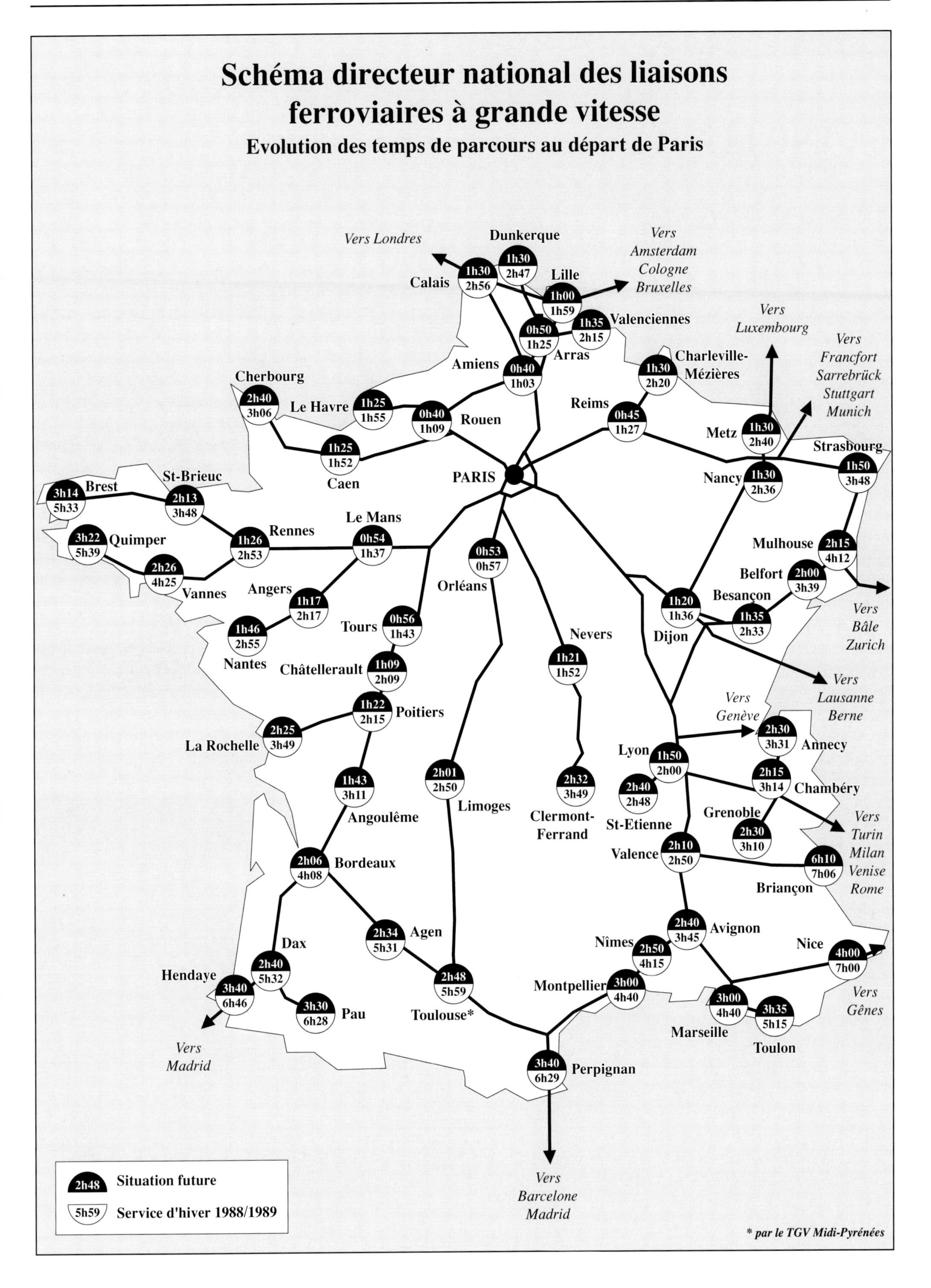
Schéma directeur national des liaisons ferroviaires à grande vitesse
Evolution des temps de parcours au départ de Paris
Vers Londres
Dunkerque 1h30 2h47
Calais 1h30 2h56
Lille 1h00 1h59
Vers Amsterdam Cologne Bruxelles
Valenciennes 1h35 2h15
Arras 0h50 1h25
Amiens 0h40 1h03
Vers Luxembourg
Vers Francfort Sarrebrück Stuttgart Munich
Charleville-Mézières 1h30 2h20
Reims 0h45 1h27
Metz 1h30 2h40
Strasbourg 1h50 3h48
Nancy 1h30 2h36
Cherbourg 2h40 3h06
Le Havre 1h25 1h55
Rouen 0h40 1h09
Caen 1h25 1h52
PARIS
St-Brieuc 2h13 3h48
Brest 3h14 5h33
Quimper 3h22 5h39
Vannes 2h26 4h25
Rennes 1h26 2h53
Le Mans 0h54 1h37
Orléans 0h53 0h57
Angers 1h17 2h17
Nantes 1h46 2h55
Tours 0h56 1h43
Châtellerault 1h09 2h09
Poitiers 1h22 2h15
La Rochelle 2h25 3h49
Angoulême 1h43 3h11
Limoges 2h01 2h50
Nevers 1h21 1h52
Clermont-Ferrand 2h32 3h49
Mulhouse 2h15 4h12
Belfort 2h00 3h39
Besançon 1h35 2h33
Dijon 1h20 1h36
Vers Bâle Zurich
Vers Lausanne Berne
Vers Genève
Annecy 2h30 3h31
Lyon 1h50 2h00
St-Etienne 2h40 2h48
Chambéry 2h15 3h14
Grenoble 2h30 3h10
Vers Turin Milan Venise Rome
Valence 2h10 2h50
Briançon 6h10 7h06
Bordeaux 2h06 4h08
Agen 2h34 5h31
Dax 2h40 5h32
Hendaye 3h40 6h46
Pau 3h30 6h28
Vers Madrid
Toulouse* 2h48 5h59
Avignon 2h40 3h45
Nîmes 2h50 4h15
Montpellier 3h00 4h40
Nice 4h00 7h00
Vers Gênes
Marseille 3h00 4h40
Toulon 3h35 5h15
Perpignan 3h40 6h29
Vers Barcelone Madrid
2h48 Situation future
5h59 Service d'hiver 1988/1989
* par le TGV Midi-Pyrénées

CONCLUSION

Le tableau du réseau ferré français tel qu'il vient d'être brossé comporte des zones d'ombre mais aussi de vastes pans de lumière.

Il est certain que la fermeture à tout trafic de nombreuses petites lignes est un crève-cœur pour beaucoup de cheminots et d'amis du chemin de fer ; mais elle est rendue nécessaire par l'évolution économique générale, tandis que dans le cadre de la Fercamisation le rail reste présent. De même le déclin global du transport des marchandises est une réalité à ne pas minimiser. Par ailleurs la S.N.C.F. peut éprouver des difficultés pour faire face à certains types de demande, par exemple sur les lignes de la banlieue parisienne, du R.E.R. entre autres, où la saturation est souvent proche.
Comment ne pas évoquer également le problème de la sécurité, en particulier après l'année noire de 1988. Même si l'an le plus dramatique pour le chemin de fer ses victimes ne représentent en France qu'environ les deux-centièmes des morts de la route, il faut lutter pour que le transport par voie ferrée mérite totalement sa réputation de sûreté ; l'amélioration des dispositifs techniques, celle de la formation des hommes sont les clés du retour à des temps tout-à-fait sereins : les mesures indispensables ont été prises, qui devraient remettre non seulement dans les statistiques mais aussi dans les esprits le train au rang qui doit être le sien dans le domaine de la sécurité, le premier.
Enfin il faut évoquer la question du financement de l'activité de l'entreprise. Plus que jamais la lourdeur des charges aussi bien d'investissement que de fonctionnement impose aux dirigeants une politique générale précise et rigoureuse. L'appel au concours des régions, départements et villes pour couvrir le coût d'opérations dont les retombées locales sont évidentes et immédiates constitue l'une des solutions appelées à se développer.
Dans ce bilan les aspects positifs heureusement ne manquent pas.
Le transport ferroviaire des voyageurs est en train d'être bouleversé par la révolution du T.G.V., qui doit induire une véritable cascade d'améliorations sur la plupart des lignes.
Par ailleurs la modernisation de l'ensemble du réseau progresse rapidement dans tous les domaines. Le développement de l'électrification, de la signalisation automatique lumineuse, de la commande centralisée du trafic profitent en particulier à l'acheminement des flux de marchandises : la pose de caténaires au-dessus de la ligne Poitiers-La Rochelle par exemple, va certes amener le T.G.V. sur la côte charentaise ; mais elle permettra aussi la traction à un moindre coût des lourds convois de céréales ou de grumes desservant le port de La Pallice.
Si les perspectives qui s'offrent à la S.N.C.F. dans le secteur du transport des tonnages sont maintenant encourageantes, c'est aussi en raison de la profonde modification des modalités de circulation des wagons : lorsque ceux-ci restent isolés, la mise en application du plan ETNA va améliorer les conditions techniques et le coût de leurs rotations alors que les trains complets, de plus en plus nombreux, constituent une solution particulièrement efficace et rentable. De plus la généralisation des techniques combinées montre que le chemin de fer peut tirer parti au mieux de sa complémentarité avec la route.
Enfin, aussi bien pour le transport des voyageurs que pour celui des marchandises, l'ouverture sur l'Europe se fait jour après jour, sans frilosité, à tel point que le rail peut être l'un des éléments de base de la marche vers l'unité du vieux continent.

Même si l'essor des T.G.V. modifie profondément le visage du réseau, celui-ci continue de fonctionner grâce à une trame de lignes sous-tendues par un ensemble de carrefours dont le rôle est essentiel et qui composent une famille fort diverse, en fonction de la nature des rouages que chacun d'eux possède et de sa vocation particulière.

La palette de ces centres ferroviaires est fort riche.
En effet la carte ferroviaire française est d'abord constellée de nombreux nœuds de petite taille ; soit ils sont situés, comme Capdenac, à la jonction de lignes secondaires ; soit comme Blesme sur l'axe Paris-Strasbourg, Mouchard sur l'artère Paris-Vallorbe, Redon entre Rennes et Quimper ou Tarascon entre Avignon et Marseille, ils commandent une importante bifurcation : dans les deux cas les installations demeurent modestes, en l'absence d'agglomération de dimension notable à proximité immédiate.
Les carrefours d'importance moyenne, eux, juxtaposent le plus souvent la fonction de commandement d'une ou de plusieurs bifurcations, et la desserte d'un ensemble urbain d'au moins plusieurs dizaines de milliers d'habitants : à défaut de la présence d'un triage ou d'un dépôt de première catégorie, les emprises affectées au service des voyageurs et des marchandises n'en sont pas moins à la mesure du trafic à écouler. Ces nœuds peuvent se situer, comme Poitiers, sur un axe majeur ; comme Reims ils peuvent se retrouver à la convergence de plusieurs lignes d'envergure seulement moyenne.
Un groupe de carrefours particulièrement intéressant est cons-

titué par des centres de voies ferrées qui ne desservent pas une grande ville, mais se situent à l'intersection d'artères au trafic intense : à Aulnoye se recoupent les lignes Paris-Bruxelles et Valenciennes-Thionville, à Culmont-Chalindrey les artères Paris-Bâle et Nancy-Dijon, à Vierzon les axes Paris-Toulouse et Nantes-Lyon, tandis qu'à Saint-Germain-des-Fossés se croisent les courants Paris-Clermont-Ferrand, Nantes-Lyon et Bordeaux-Lyon. Le contraste est saisissant entre la dimension relativement modérée de la cité desservie, dont le chemin de fer constitue l'une des activités majeures, parfois la raison d'être, et la densité du trafic de la gare, souvent dotée d'un triage ou d'un dépôt très actif.

Enfin les principales villes françaises constituent toutes de très importants centres ferroviaires. Les fonctions d'écoulement des courants de transit et des flux particuliers à l'agglomération peuvent s'équilibrer, comme à Lyon, Rouen, Bordeaux ou Toulouse. Mais le poids du trafic de l'ensemble urbain lui même peut l'emporter, surtout si la situation géographique du nœud ne le place pas en position de plaque tournante. Marseille offre un excellent exemple.

A l'inverse à Tours, Orléans et surtout Dijon, carrefours de premier ordre, l'activité ferroviaire est essentiellement orientée vers la régularisation et l'orientation de flux pour la plupart étrangers à l'agglomération. Toujours est-il que le volume global du trafic justifie à chaque fois la présence de gares de voyageurs, de triage et de dépôts de première grandeur.

Il est évident que le carrefour parisien représente une gigantesque exception. Le volume énorme de son activité ferroviaire correspond non seulement au poids humain et économique de la mégapole, mais aussi à la traversée de la région parisienne par des courants qui lui sont extérieurs, aspirés aussi bien par la position centrale de la capitale que par une disposition d'ensemble du réseau ferré favorisant son attraction. Aussi les nombreuses grandes gares de voyageurs et de triage, les dépôts de ce vaste et complexe carrefour, naturellement appelé à devenir le cœur du réseau T.G.V. en gestation, comptent-ils parmi les plus importants du pays.

L'analyse ultérieure de la structure du réseau ferré français dans le cadre régional permettra de bien marquer la place et le rôle de chacun de ses rouages, quelle que soit sa taille, et donc de mieux comprendre le fonctionnement général de ce mécanisme de très haute précision.

Corail, TGV et TER, trois symboles du service ferroviaire réunis dans la toute nouvelle gare de Rennes en juillet 1991.

CRÉDIT PHOTOS

P. Aguer : 202.

J. Andreu : 115 h, 256 h.

P. Arnaud : 199 h.

P. Bernier : 85 b

J.-P. Berthy : 38 h, 198 b.

Y. Broncard : 17, 39 b, 41 h, 47, 101, 127, 183 h, 187 h (C. SNCF), 191 h (C. SNCF), 193, 196 b, 227 h, 229, 234 h, 246, 247 h, 257, 261 h, 261 b.

M. Carémantrant : 24 h, 31 b, 55 b, 67 bd, 74, 137, 194 h, 239 h.

R. Chessum : 35 h, 67 bg, 194 b, 255.

B. Collardey : 39 h, 41 b, 44, 49, 68 h, 69 m, 85 h, 85 m, 87, 107, 111, 113 h, 113 m, 118, 123 b, 127, 138, 139, 140 h, 140 b, 141, 143, 146 h, 146 b, 149, 160, 164 b, 165 bd, 166 h, 166 b, 167 b, 178, 181, 183 b, 184, 195 h, 204, 214, 215, 221, 238, 245 h, 245 b, 267, 270.

O. Constant : 25, 29, 195 b.

D. M. Costes : 114.

J. David : 43.

J.-P. Demoy : 45, 69 h, 97 b, 185, 186 (C. SNCF), 191 b (C. SNCF), 203, 218.

F. Fontaine : 48.

J. Fournol : 46.

J.-M. Frybourg : 33, 232, 233 hd, 233 b.

B. Germaux : 26 h.

W. Hofer : 22, 26 b, 129 b, 194 m.

IGN : 59.

M. Imbert : 239 b.

F. Jolly : 104, 236 b, 235.

J. Koch : 129 h.

G. Laforgerie : 68 b, 165 bg, 216, 247 b.

A. Le Peillet : 234 b.

P. Mancini : 24 b.

A. Méheux : 167 h, 179 h.

Ch. Paquier : 28.

Paris-Normandie : 171.

M. Pelletier : 63.

J.-C. Perreaud : 144 b.

J.-L. Poggi : 20, 21, 23, 31 h, 32, 35 b, 38 b, 198 h, 199 b, 236 h.

Revue Liaison : 90.

G. Rivet : 207.

L. Robert : 97 h, 208.

SNCF-CAV : 8 h, 119, 157, 164 hd (Mazo), 165 h (Mazo), 169 (B. Vignal), 179 b (L. Viguier), 187 b, 226, 230, 231 h, 231 m, 231 b, 233 hg, 243.

L. Viguier : 92.

La Vie du Rail : 14 h, 16 h, 16 b, 90, 128 h, 133, 206, 219. J. Avenas : 10, 37, 69 b, 98. M. Barberon : 64, 113 bg, 113 bd, 125, 223, 248 h, 248 b, 249. Ch. Besnard : 115 b, 132, 220. Bru : 8 bg. Brulé : 18. M. Chlastacz : 196 h. E. Delacroix : 14 b, 99, 100, 227 b. F. Fenino : 54, 55 h. A. Fonnet : 123 h. M. Grandgérard : 95 b. R. Henrard : 8 bd, 50, 53 h, 53 b, 95 h, 159, 205 h, 205 b. A. Henry : 213 h. N. Neumann : 134 h, 224. D. Paris : 19 h, 19 b, 135, 142, 148, 164 hg, 189, 251. L. Pilloux : 134 b, 144 h, 226. P. Ramette : 128 b. C. Recoura : 42, 213 b, 244, 252, 253 h, 253 b, 256 b. J.-C. Roca : 102.

BIBLIOGRAPHIE

H. LARTILLEUX : *Géographie Universelle des Transports*
Tome 1 : *Géographie des Chemins de fer français*
Paris-Librairie Chaix - 1946

M. WOLKOWITCH : *Géographie des Transports*

Et. AUPHAN : *Les nœuds ferroviaires, phénomène résiduel ou points forts de l'espace régional*
L'espace Géographique n° 2 1975

M. CHESNAIS : *Analyse régionale des échanges ferroviaires en France (au nord d'une ligne Avranches-Grenoble)* Département de Géographie - Université de Caen - 1976
(Thèse de Doctorat d'État)

G. BLIER : *Les nœuds ferroviaires français, étude comparée. Bordeaux 1980*
(Thèse de Doctorat d'Etat)

Y. MACHEFERT-TASSIN : *Histoire de la traction électrique.*
Tome 1 (1980), tome 2 (1986)
Éditions La Vie du Rail.

S.N.C.F. : *Géographie du transport et du Tourisme - 1986*

Très nombreux articles dans les revues :
- *La Vie du Rail*
- *Revue Générale des Chemins de fer*

TABLE DES CARTES ET SCHÉMAS

TABLE DES MATIÈRES

Achevé d'imprimer en août 1991
par Mâcon-Imprimerie
Photogravure couleur : SNP-Villeurbanne
Reliure : SRID